Josef Hainz

KOINONIA

»Kirche« als Gemeinschaft bei Paulus

VERLAG FRIEDRICH PUSTET
REGENSBURG

CIP-Kurztitelaufnahme der Deutschen Bibliothek

Hainz, Josef:
Koinonia : »Kirche« als Gemeinschaft bei Paulus /
Josef Hainz. – Regensburg : Pustet, 1982.
  (Biblische Untersuchungen ; Bd. 16)
  ISBN 3–7917–0764–7
NE: GT

ISSN 0523–5154
ISBN 3–7917–0764–7
© 1982 by Verlag Friedrich Pustet Regensburg
Gesamtherstellung: Friedrich Pustet Regensburg
Printed in Germany 1982

Inhaltsverzeichnis

IV. Kapitel

V. Kapitel

VI. Kapitel

VII. Kapitel

Vorwort

Diese Arbeit lag im Sommer 1974 der Theologischen Fakultät der Ludwig-Maximilians-Universität in München als Habilitationsschrift vor. Aus einer Reihe von Gründen wurde die Arbeit damals nicht sogleich gedruckt, so daß ich zwischenzeitlich von einer Drucklegung überhaupt schon Abstand nehmen wollte. Was mich veranlaßt, meine Untersuchung aus den Jahren 1971–74 verspätet doch noch zu veröffentlichen, sind Ereignisse der jüngsten Vergangenheit: zum einen der Ruf an die Universität Frankfurt, der ich hiermit meinen Dank für die Berufung abstatten möchte, und zum andern die zahlreichen seither erschienenen Veröffentlichungen zum Thema κοινωνία, die mich erkennen ließen, daß meine Untersuchung auch heute noch zu den Desideraten der exegetischen Wissenschaft gehört.

So schreibt z. B. R. Schnackenburg in seinem Beitrag zu dem Sammelband »Einheit der Kirche« (QD 84), Freiburg-Basel-Wien 1979, 54f: »Es gibt eine Reihe Untersuchungen zum Begriff Koinonia, die das einschlägige Material aus der profanen griechischen Literatur, der griechischen Bibel usw. zusammengetragen, den Sprachgebrauch geprüft und die verschiedenen Bedeutungsmöglichkeiten herausgestellt haben. Der lexikalische und grammatische Befund darf als gesichert gelten.« »Eine noch nicht erschöpfte Aufgabe aber ist es, die Verwendung des Begriffsfeldes im Neuen Testament gemäß dem jeweiligen Kontext zu prüfen und daraus Folgerungen theologischer Art abzuleiten.«

Da ich genau dieses mit meiner Untersuchung angestrebt hatte – wenn auch nur zur paulinischen Verwendung von κοινωνία –, sollte sie zumindest einen Beitrag zur Lösung der hier anstehenden Probleme liefern können.

Sie erfüllt möglicherweise auch R. Schnackenburgs weitergehende Wünsche, die sich ihm bei der Frage »nach der Bedeutung von Koinonia für die Einheit der Kirche« stellen: »Gibt es, etwa bei Paulus oder auch bei anderen neutestamentlichen Schriftstellern, eine einheitliche Konzeption, die den verschiedenen sprachlichen Verwendungen von Koinonia zugrunde liegt und sie besser verstehen läßt? Wie verhalten sich die theologischen Entwürfe innerhalb des Neuen Testamentes zueinander, lassen sie sich auf eine einheitliche Linie bringen? Und sind diese neutestamentlichen Perspektiven für die heutige Problematik einer ›Kirchengemeinschaft‹ richtungsweisend oder hilfreich?«

Von Paulus her habe ich versucht, die erste und die dritte Frage zu beantworten. Bezüglich der zweiten Frage teile ich das Urteil von M. McDermott, The Biblical Doctrine of KOINΩNIA, in: BZ NF 19 (1975) 233: »All other κοινωνία passages from the New Testament with the exception of the Johannine corpus are at best but weak reproductions of Paul's thought.« Den paulinischen Koinoniagedanken aber halte ich – mit R. Schnackenburg – für höchst bedeutsam für die Einheit der Kirche. Worum es für die Kirchen heute geht, scheint mir durchaus vergleichbar mit der Situation von Gal 2,9f, wo es von den Repräsentanten der judenchristlichen Kirche von Jerusalem und denen der heidenchristlichen Missionskirchen sinngemäß heißt: sie gaben einander die Hand zur Gemeinschaft, weil sie sich ihrer grundlegenden, alle Differenzen relativierenden Einheit und Gemeinschaft gewiß geworden waren.

Größere Korrekturen an meiner 1974 abgeschlossenen Untersuchung habe ich nicht für nötig gefunden. Ich konnte mich im wesentlichen darauf beschränken, die seither erschienene Literatur in dem den exegetischen Teil der Arbeit zusammenfassenden Kap. V zu besprechen, den Verlauf der bisherigen Entwicklung in Fragestellung und Antworten aufzuzeigen und die Ergebnisse mit meinen eigenen zu konfrontieren. Eine weitergehende Überarbeitung hätte zu einer gänzlichen Neubearbeitung führen müssen, und dazu konnte ich mich nicht entschließen. Lediglich der Abschnitt VII.C (über die Rezeption des κοινωνία-Begriffes in der Ostkirche) wurde hinzugefügt.

Wenn Angelico di Marco, der stärker als ich von der neueren Linguistik herkommt, meine Untersuchung als »egregio lavoro« lobt (Koinonia-Communio: Flp 2,1, in: Laurentianum 3 [1980] 376), nehme ich das dankbar an als Ermutigung zur verspäteten Drucklegung. Noch größere Ermutigung empfing ich von dem, mit dessen Arbeit ich mich am intensivsten auseinandergesetzt habe: Heinrich Seesemann. Ihm verdankt meine Untersuchung mehr als die kontrastierende Darstellung meiner gegensätzlichen Position zu erkennen geben kann.

Zu Dank verpflichtet bin ich ferner Herrn Prof. Dr. Otto Kuss, der mir immer ein wohlwollender Lehrer war, mich bei der Wahl dieses Themas bestärkte, zusammen mit dem verstorbenen Prof. Dr. Johann Michl als Gutachter tätig war und der schließlich mich – gemeinsam mit Prof. Dr. Jost Eckert – ab Band 14 zu seinem Nachfolger als Herausgeber der »Biblischen Untersuchungen« bestimmte.

Für die finanzielle Unterstützung bei der Drucklegung danke ich dem Erzbischöflichen Ordinariat München und für die hervorragende Betreuung der Drucklegung selbst dem Verlag F. Pustet Regensburg.

Bei der Herstellung des Manuskripts hatte ich auch diesmal die größte Hilfe an Frau Erni Pertold, die den Schriftsatz mit großer Sorgfalt gestaltete, und an meinem Assistenten, Herrn Josef Wagner, der mir beim Lesen der Korrekturen und bei der Anfertigung der Register behilflich war.

Eppenhain im Taunus,   Josef Hainz
25. September 1981

Einleitung

H. Seesemann kam in seiner Arbeit »Der Begriff KOINΩNIA im Neuen Testament« (BZNW 14), Gießen 1933, zu dem Ergebnis: »Der Begriff κοινωνία läßt sich . . . zu dem Begriff ἐκκλησία nicht in Parallele stellen und die Kirchenidee des Paulus von ihm aus nicht beleuchten, wie es immer wieder versucht worden ist«[1].

Nun ist aber die »Kirchenidee des Paulus« keineswegs so eindeutig bestimmbar, wie Seesemann vorauszusetzen scheint. Im Gegenteil: Die paulinische Ekklesiologie zu erforschen, gehört nach wie vor zu den Desideraten einer neutestamentlichen Theologie[2].

Ich habe dazu mit meiner Dissertationsschrift »Ekklesia«[3] einen Beitrag zu leisten versucht, war mir aber darüber im klaren, daß es sich nur um eine – wenngleich umfangreiche – Studie handeln könne, der ich deshalb auch den Untertitel gab: »Strukturen paulinischer Gemeinde-Theologie und Gemeinde-Ordnung«.

Im Verlaufe dieser Arbeit verstärkte sich mir immer mehr der Eindruck, daß die von Seesemann behauptete Inkompetenz des Begriffs κοινωνία für die Beleuchtung der »Kirchenidee des Paulus« ein gravierender Irrtum sei. Wegen der Bedeutung der zu untersuchenden Fragen habe ich mich damals entschlossen, Gal 2,9f und vor allem Gal 6,6 aus der Untersuchung auszuklammern und sie zum Ansatz einer eigenen Untersuchung zu machen.

Dies zu tun hielt ich auch deshalb für geboten, weil Seesemanns Arbeit von 1933 geradezu als Standardwerk zum Begriff κοινωνία Anerkennung fand, während mir nicht nur seine oben zitierte Schlußfolgerung, sondern gerade auch seine Begriffsbestimmung selbst in hohem Maße fragwürdig geworden sind.

Nachdem aber kein Geringerer als W. G. Kümmel in seinem Anhang zu H. Lietzmanns Korintherbriefkommentaren Seesemann bestätigte, den Sinn von κοινωνία »endgültig nachgewiesen« zu haben[4], mußte ich die Untersuchung der Einzeltexte in den Kapiteln 1–4 in möglichst direkter Auseinandersetzung mit

---

[1] A.a.O. 99.
[2] Vgl. R. Schnackenburg, Neutestamentliche Theologie, Der Stand der Forschung (Biblische Handbibliothek Band I), München 1963, v. a. 137–139 und 98–102.
[3] Regensburg 1972 (BU 9).
[4] Kümmel sagt dies a.a.O. 214 zwar zunächst nur von der κοινωνία τοῦ ἁγίου πνεύματος von 2 Kor 13,13; aber der Tendenz nach gilt diese Aussage der gesamten, in 2 Kor 13,13 sich bestätigenden Auffassung Seesemanns.

12 Einleitung

Seesemanns Argumentationen zu führen versuchen. Die übrige einschlägige Literatur, einschließlich der wichtigsten Kommentare, ist durchgängig zu Rate gezogen; eine spezielle Würdigung der Monographien findet sich in der Zusammenfassung des 5. Kapitels. Dort wird auch die ekklesiologische Relevanz des paulinischen Begriffs κοινωνία resümierend dargestellt. Eine Ergänzung der Untersuchung durch die Einbeziehung v. a. der Arbeit W. Elerts »Abendmahl und Kirchengemeinschaft«[5] hielt ich deshalb für nützlich, weil sich hier von seiten der Kirchengeschichte eine volle Bestätigung des bei Paulus gewonnenen und für die Folgezeit durchaus wirksam gebliebenen Verständnisses von κοινωνία ergibt; d. h. aber: Gerade die ersten christlichen Jahrhunderte, für die κοινωνία (communio) zum Schlüsselbegriff in der Bestimmung des kirchlichen Selbstverständnisses wurde, widerlegen Seesemanns Behauptung von der Zusammenhanglosigkeit zwischen ἐκκλησία und κοινωνία endgültig.

Welcher Art der behauptete Zusammenhang ist, wird diese Untersuchung aufzuzeigen sich bemühen. Doch sei schon vorweg auf ein besonderes sprachliches Problem aufmerksam gemacht: Das Wort »Gemeinschaft« ist vieldeutig; die Religionssoziologen und Religionsphilosophen bieten mannigfache Theorien zu seiner Auslegung; die definitorische Abgrenzung von Vereinigung, Verein, Verband, Bund etc. ist kontrovers[6]. Seesemann hat sich dadurch verleiten lassen, das Wort »Gemeinschaft« überhaupt nur dort zu verwenden, wo jede andere Übersetzung ausgeschlossen werden muß: Gal 2,9 und Apg 2,42. Für sein Empfinden war das Wort »Gemeinschaft« nahezu identisch mit »Genossenschaft« – und in diesem Sinn begegne κοινωνία nirgends bei Paulus, ja nirgends im ganzen Neuen Testament[7].

Seine Gleichsetzung von »Gemeinschaft« als »societas = Genossenschaft« ist aber offenbar zeitbedingt; die Ablehnung von »Gemeinschaft« als Übersetzung von κοινωνία demnach gleichfalls. Seesemann widerspricht damit z. B. wiederholt[8] E. v. Dobschütz, der die κοινωνία von 1 Kor 10,16f als »Leib- und Blut-Christi-Genossenschaft« interpretiert[9]. Für ihn ist also die Beziehung der Abendmahlsgenossen untereinander entscheidend, die Verbindung, die sie eingehen, der Bund, den sie darstellen.

[5] W. Elert, Abendmahl und Kirchengemeinschaft in der alten Kirche hauptsächlich des Ostens, Berlin 1954.
[6] Vgl. dazu F. Tönnies, Gemeinschaft und Gesellschaft, Grundbegriffe der reinen Soziologie, ⁸1935, Neudruck Darmstadt ²1963, 3ff, 8ff und die Literaturangaben in den verschiedenen Vorworten. Theologischerseits wollte D. Bonhoeffer, Sanctorum Communio, Eine dogmatische Untersuchung zur Soziologie der Kirche, München ³1960, 16ff, 52ff, 169ff, 190ff, »die Gemeinschaftsstruktur der christlichen Kirche« mit Hilfe von Sozialphilosophie und Soziologie »dem systematischen Verständnis erschließen« (Vorwort S. 7).
[7] Vgl. a.a.O. 99f.
[8] Vgl. a.a.O. 41ff.
[9] E. v. Dobschütz, Sakrament und Symbol im Urchristentum, in: ThStKr 1905, 12f; vgl. auch 28f.

W. Elert weist darauf hin, daß wegen dieses möglichen Mißverständnisses
Luther, zu dessen Zeit das Wort »Gemeinschaft« noch neu gewesen sei, es nur mit
Unbehagen verwendet und als Bezeichnung der Kirche ganz abgelehnt habe[10].
Nur die Abendmahlskoinonia habe er mit »Gemeinschaft« wiedergegeben, was
sich in der Kommentarliteratur auch weithin durchgesetzt habe.

Während für
Paulus Abendmahls- und Kirchengemeinschaft durch die Verklammerung im
Begriff κοινωνία in einer unlösbaren Verbindung und inneren Zuordnung zueinander stehen, führt eine solche begriffliche Diastase unweigerlich zu einer sachlichen: Abendmahlsgemeinschaft und Kirche treten auseinander; Kirche wird zur
genossenschaftlichen Vereinigung von Menschen, zum organisierten und immer
neu zu organisierenden Zusammenschluß. Luthers Inkonsequenz hatte diese
Entwicklung nicht erst zur Folge, sondern war selbst schon die Folge der
vollzogenen Diastase.

Auf dieses Sprachproblem wird zu achten sein, zumal wenn es in Kapitel 7 gilt,
durch alle geschichtlichen Verschüttungen[11] hindurch den ursprünglichen Zusammenhang von Abendmahls- und Kirchengemeinschaft wieder aufzudecken und
die Aussagen des II. Vat. Konzils ebenso wie die entsprechenden Verlautbarun-
gen anderer Kirchen daraufhin zu prüfen.

Beabsichtigt ist dabei keine sich vom Text entfernende, einer exegetischen
Untersuchung unziemliche Aktualisierung. Gefragt wird nur, wieweit die ursprünglichen Zusammenhänge heute noch gesehen werden und welche Bedeutung
sie haben könnten für Einheit und Gemeinschaft der Kirche(n) heute.

[10] W. Elert, Abendmahl und Kirchengemeinschaft in der alten Kirche, in: Koinonia,
Berlin 1957, 59f; vgl. P. Althaus, Communio sanctorum, München 1929, 37.
[11] Vgl. dazu C. Cordes, Der Gemeinschaftsbegriff im deutschen Katholizismus und
Protestantismus der Gegenwart, Diss. Leipzig 1931.

I. KAPITEL

A. Die Gemeinschaft mit Christus

1 Kor 1,9

πιστὸς ὁ θεός, δι' οὗ ἐκλήθητε εἰς κοινωνίαν τοῦ υἱοῦ αὐτοῦ ᾿Ιησοῦ Χριστοῦ τοῦ κυρίου ἡμῶν.

»Treu der Gott, durch den ihr gerufen wurdet zu Gemeinschaft mit seinem Sohn Jesus Christus, unserem Herrn.«

κοινωνία kann hier bedeuten: 1. Teilnahme, Teilhabe (an) oder 2. Gemeinschaft (mit).

Zur Entscheidung zwischen diesen beiden Möglichkeiten muß der Kontext herangezogen werden; denn weder die Artikellosigkeit von κοινωνία noch die Näherbestimmung durch den im Griechischen seltenen Genitiv der Person erlauben von vornherein eindeutige Schlüsse.

Ein wenig zu schnell erledigt H. Seesemann das Problem, wenn er behauptet, die Artikellosigkeit spreche gegen ein Verständnis im Sinne von »Gemeinschaft = societas«, und der sich ergebende Gedanke: »Gott beruft die Gläubigen in die durch Christus begründete Gemeinschaft« sei »völlig unpaulinisch«[1]. Er baut damit nämlich eine Alternative auf, deren Zurückweisung nur scheinbar das Problem zugunsten seiner Übersetzung »das Anteilhaben« entscheidet. »Gemeinschaft«, nicht im Sinne von »Sozietät« als term. techn. verstanden[2], bleibt trotz Seesemanns Ablehnung eine mögliche Übersetzung, und der sich ergebende Gedanke einer Berufung zur Christus-Gemeinschaft wäre durchaus paulinisch.

Vom Kontext her ist nicht völlig eindeutig, ob die Aussage von V 9 im unmittelbaren Anschluß an die VV 7.8 eschatologisch interpretiert oder als eine die VV 4–8 abschließende Zusammenfassung zugleich präsentisch verstanden werden muß. Im ersten Fall wäre die κοινωνία ᾿Ιησοῦ Χριστοῦ Teilnahme am Leben und an der δόξα Jesu Christi als dem letzten Ziel der Berufung[3]; im zweiten Fall wäre das ganze, auch die Gegenwart bestimmende »Sein in Christus« angesprochen[4]. Wollte man J. Weiß folgen, wäre V 9 überhaupt nur »eine Steigerung« gegenüber »der in V 8 ausgesprochenen Hoffnung«: die Zuversicht des

---

[1] Seesemann a.a.O. 48.

[2] So C. A. A. Scott, gegen dessen Auffassung sich Seesemann wendet. Er hat sie mehrfach vorgetragen; z. B. in seinem Artikel »The ›Fellowship‹, or κοινωνία«, in: The Expository Times 35 (1923/24) 567; ferner in: Christianity according to St Paul, Cambridge 1927, 159–162.

[3] Vgl. Holsten, 1 Kor 258; Schmiedel, 1 Kor 96, und v. a. J. Weiß, 1 Kor 11.

[4] So Seesemann a.a.O. 49.

Apostels erhebe sich »über Christus hinaus zu Gott« als dem, der die Berufung der Korinther zum Ziel führen wird. Doch wird damit zu Unrecht der Akzent auf die Berufung verlagert, während es Paulus – dem Textgefälle nach – um die Gnade (Gottes) geht, die der korinthischen Gemeinde »in Christus Jesus«[5] gegeben ist (vgl. V 4), so daß V 9 sinngemäß resümiert: Treu ist der Gott, der euch in diese Gemeinschaft mit Christus gerufen hat. Ich möchte daher – H. Seesemann[6] ergänzend – annehmen, daß V 9 den Grundgedanken von V 4 aufnimmt und *zugleich* den ganzen Abschnitt zusammenfaßt. Nicht das aktive Tun Gottes steht in diesen VV im Blickpunkt, sondern das passivische Geschehen an den Korinthern[7], ihre Begnadung ἐν Χριστῷ ᾽Ιησοῦ (vgl. VV 4–8), ihr Gerufensein zur Gemeinschaft mit Christus (vgl. V 9).

Wie diese Gemeinschaft näherhin zu verstehen ist, wird freilich nicht gesagt. Man kann negativ ausgrenzen: »Nicht als mystische Erlebnis-Gemeinschaft«[8], auch nicht als »Vereinigung mit Christus (in seiner Gnade und Glorie)«[9]; denn für solche Auslegungen bieten weder der Text noch der allgemeine Sprachgebrauch von κοινωνία Anhaltspunkte. Der Hinweis auf die Berufung zur »innigsten Lebensgemeinschaft mit Christus«[10] vernachlässigt die eschatologische Komponente, die sich aus den VV 7.8 in jedem Fall für V 9 ergibt. Es bleibt nur allgemein: Gemeinschaft mit Christus[11].

Beachtet man die immer mitzubedenkende Grundbedeutung von κοινωνία = »Teilnahme, Teilhabe«, stellt sich des weiteren die Frage nach der Vermittlung dieser Gemeinschaft mit Christus. Wiederum kann man zunächst nur negativ ausgrenzen: »An die sakramentale Teilhabe am Herrn (→ 10,16) ist an dieser Stelle nicht gedacht«[12] – zumindest wird nicht davon gesprochen. Die Teilhabe wird aber auch nicht als eine durch den Glauben vermittelte bezeichnet[13]. Gott gewährt sie in seinem Berufen. Die Frage nach ihrer Vermittlung wird in 1 Kor 1,9 nicht beantwortet. Einen Hinweis könnte man allenfalls V 4 entnehmen, wonach die in Christus Jesus gekommene Gnade die Teilhabe sachlich ermöglichen würde; doch um solche sächliche Vermittlung geht es in V 9 gerade nicht.

H. Seesemann hat aus der Beobachtung, daß in 1 Kor 1,9 in Verbindung mit κοινωνία der seltene Genitiv der Person gebraucht wird, durchaus einen richtigen Schluß gezogen, ihn jedoch nicht konsequent festgehalten. Er beschließt seine

---

[5] Vgl. Neugebauer, In Christus 86.
[6] A.a.O. 49.
[7] Vgl. χάρις δοθεῖσα, ἐπλουτίσθητε, ἐβεβαιώθη, ἐκλήθητε εἰς κοινωνίαν.
[8] Conzelmann, 1 Kor 43.
[9] Schaefer, 1 Kor 27.
[10] Kuss, 1 Kor 119; dagegen Kümmel, im Anhang zu Lietzmann, 1 Kor 167.
[11] Oder mit J. Weiß, 1 Kor 11: »innige religiöse Gemeinschaft«; doch darf das Moment ihrer Bestimmtheit durch Christus nicht fehlen.
[12] Conzelmann, 1 Kor 43 A. 47. Seesemann (a.a.O. 47ff; vgl. auch 103 A. 2) bringt 1 Kor 1,9 allzu vorschnell in Zusammenhang mit 1 Kor 10,16f; ähnlich Kümmel a.a.O. 167.
[13] Gegen Kümmel a.a.O.

Erörterungen zur Stelle mit dem Ergebnis:»Aus der Verbindung mit dem Genetiv der Person folgt, daß das ›Anteilhaben‹ im Sinn von ›in engster Berührung stehen‹ verstanden werden muß[14]. Das Wort drückt eine besonders enge Beziehung aus«. »Diese Beziehung ist für Paulus so eng, daß er es für ausgeschlossen hält, daß neben ihr noch andere Bindungen bestehen können«[15]. Trotz dieser klaren Aussagen beharrt er jedoch auf der »sächlichen« Wiedergabe von κοινωνία durch »das ›Anteilhaben‹«. Nun kann man freilich nicht bestreiten, daß in κοινωνία, auch wenn man es durch »Gemeinschaft (mit jemandem)« wiedergeben muß, die Teilhabe an bestimmten sachlichen Gütern durchaus eingeschlossen zu denken ist. Die Bedeutungen »Teilhabe (an)« und »Gemeinschaft (mit)« »lassen sich nicht trennen«[16]. Von einigen dieser Güter sprechen z. B. die VV 4–8: die in Christus Jesus gegebene Gnade, der von ihm kommende Reichtum an Rede, Erkenntnis und Festigkeit des Zeugnisses bis ans Ende. Aber in V 9 wird nicht die »Teilhabe« an diesen Gütern in den Blick genommen, sondern die »Gemeinschaft« mit Christus selbst, ihrem Vermittler nach Gottes Willen[17].

Als Ergebnis können wir festhalten:

Die κοινωνία mit Christus meint nicht nur eine endzeitliche »Gemeinschaft« mit dem Erhöhten, so daß lediglich das künftige Leben mit ihm, das einstige Miterben und Mitherrschen angesprochen werden, sondern sie bedeutet für die korinthische Gemeinde, an die sich Paulus wendet, auch eine gegenwärtige, die Gegenwart bestimmende Wirklichkeit.

Mit H. Conzelmann von bloßer »Zugehörigkeit zum Herrn bis zur Parusie«[18] zu reden, heißt, diesen Sachverhalt unzulässig abschwächen. Es geht um »Gemeinschaft mit Christus«, auch wenn an dieser Stelle nicht angedeutet ist, wodurch sie entsteht und worin sie besteht.

1 Kor 10,16–21

[16] Τὸ ποτήριον τῆς εὐλογίας ὃ εὐλογοῦμεν, οὐχὶ κοινωνία ἐστὶν τοῦ αἵματος τοῦ Χριστοῦ; τὸν ἄρτον ὃν κλῶμεν, οὐχὶ κοινωνία τοῦ σώματος τοῦ Χριστοῦ ἐστιν; [17] ὅτι εἷς ἄρτος, ἓν σῶμα οἱ πολλοί ἐσμεν · οἱ γὰρ πάντες ἐκ τοῦ ἑνὸς ἄρτου μετέχομεν. [18] βλέπετε τὸν Ἰσραὴλ κατὰ σάρκα · οὐχ οἱ ἐσθίοντες τὰς

---

[14] Vgl. O. Schmitz, Die Christus-Gemeinschaft des Paulus im Lichte seines Genetivgebrauchs, Gütersloh 1924, 172: »Teilhaben im Sinne wirklichen Einswerdens«. Dies gelte für 1 Kor 10,16 wie für 1 Kor 1,9 (vgl. a.a.O. A. 3).

[15] Seesemann a.a.O. 51. Letzteres erläutert Seesemann an den zwei Beispielen 1 Kor 10,18ff.

[16] de Wette, 1 Kor 12.

[17] Seesemanns Auffassung hätte größere Berechtigung, wenn man ὁ Χριστός bei Paulus nicht personal, sondern als »Machtsphäre« verstehen dürfte. Dieses implizite Moment wird man jedoch nicht zu sehr verselbständigen dürfen.

[18] Conzelmann, 1 Kor 43.

18   Die Gemeinschaft mit Christus

θυσίας κοινωνοὶ τοῦ θυσιαστηρίου εἰσίν; ¹⁹ τί οὖν φημι; ὅτι εἰδωλόθυτόν τί ἐστιν; ἢ ὅτι εἴδωλόν τί ἐστιν; ²⁰ ἀλλ' ὅτι ἃ θύουσιν δαιμονίοις καὶ οὐ θεῷ θύουσιν · οὐ θέλω δὲ ὑμᾶς κοινωνοὺς τῶν δαιμονίων γίνεσθαι. ²¹ οὐ δύνασθε ποτήριον κυρίου πίνειν καὶ ποτήριον δαιμονίων · οὐ δύνασθε τραπέζης κυρίου μετέχειν καὶ τραπέζης δαιμονίων.

¹⁶ »Der Kelch des Segens, den wir segnen, ist er nicht Gemeinschaft mit dem Blut des Christos? Das Brot, das wir brechen, ist es nicht Gemeinschaft mit dem Leib des Christos? ¹⁷ Weil ein Brot, ein Leib sind wir die Vielen; denn alle haben wir teil an dem einen Brot. ¹⁸ Schaut auf das Israel nach dem Fleisch; stehen nicht die die Opfer Essenden in einem Gemeinschaftsverhältnis des Altars? ¹⁹ Was nun sage ich? Daß ein Götzenopfer etwas ist? Oder daß ein Götzenbild etwas ist? ²⁰ Sondern daß, was sie opfern, Dämonen und nicht Gott sie opfern; ich will aber nicht, daß ihr in ein Gemeinschaftsverhältnis mit den Dämonen geratet. ²¹ Nicht könnt ihr den Kelch des Herrn trinken und den Kelch der Dämonen; nicht könnt ihr am Tisch des Herrn teilhaben und am Tisch der Dämonen.«

Mußte in 1 Kor 1,9 aufgrund der allzu knappen Formulierung und der Schwierigkeiten in der Bestimmung des Zusammenhangs letztlich noch offenbleiben, ob mit κοινωνία »Teilhabe« oder »Gemeinschaft« gemeint sei, so scheint es, als ob in 10,16ff durch die offenkundige Differenzierung zwischen κοινωνία und μετέχειν eine Lösung des Problems ermöglicht würde.

Nach der Untersuchung von H. Seesemann¹⁹ können κοινωνεῖν τινός und μετέχειν τινός zwar durchaus »in gleicher Bedeutung gebraucht« werden. »Daß sie dennoch nicht Synonyma sind, geht daraus hervor, daß κοινωνέω eine Reihe von Bedeutungen erlangen kann, die μετέχω nicht hat, wie z. B.: zusammensein, verkehren usw. κοινωνέω ist der weitere, umfassendere Ausdruck, der ein innigeres Teilhaben bezeichnen kann. Dasselbe Verhältnis besteht zwischen κοινωνία und μετοχή.«

Wenn Seesemann dennoch an der Übersetzung κοινωνία = »das Anteilhaben« festhält, dann aus Angst vor der Mehrdeutigkeit²⁰ von »Gemeinschaft«. Denn daß die Übersetzung »Teilhabe« in V 16 »zu schwach« ist, »um das Einswerden, das κοινωνία bezeichnet, auszudrücken« und daß auch die von ihm selbst vorgeschlagene Übersetzung »das Anteilhaben« »den Inhalt des Substantivs κοινωνία nicht erschöpft«, gibt er bereitwillig zu²¹.

Wir können also davon ausgehen, daß in 10,17 wie in 10,21 mit μετέχειν eine sehr konkrete »Teilhabe« gemeint ist: die Teilnehmer bekommen einen Anteil an dem gebrochenen Brot bzw. nach V 21 am Tisch des Herrn (oder auch der

¹⁹ Seesemann a.a.O. 3 A. 1; ähnlich 43.
²⁰ A.a.O. 44 möchte er vor allem das Mißverständnis »im Sinn der unbefriedigenden Erklärung von v. Dobschütz« abwehren, der κοινωνία als Gemeinschaft = Genossenschaft deutet (ThStKr [1905] 12 f).
²¹ A.a.O. 44.

Dämonen). Die zweimalige Betonung des εἷς ἄρτος in V 17 ist dabei so stark, daß man genötigt ist anzunehmen, daß in der Tat nur ein einziges Brot Verwendung fand[22]. Die gemeinsame Teilhabe an diesem einen Brot bedeutet zugleich[23] das Einswerden der Vielen in einem Leib.

Die Einheit einer Gemeinde wird also durch dieses gemeinsame Essen von[24] dem einen Brot vermittelt. Die Glieder der Gemeinde werden damit auch miteinander zur innigsten »Gemeinschaft« verbunden. Das wird zwar nicht mehr eigens gesagt, ergibt sich aber aus dem Zusammenhang von μετέχειν und κοινωνία: die »Gemeinschaft« (mit jemandem) entsteht durch gemeinsame »Teilhabe« (an etwas).

Beide Momente sind demnach immer mitzubedenken, wenn von κοινωνία die Rede ist; dagegen fehlt bei μετέχειν die Komponente des Gemeinschaftlichen, des die »Teilhaber« Verbindenden.

Darin liegt m. E. der Schlüssel zur Erklärung von 1 Kor 10,16ff. Denn bislang bereitete es ungelöste Schwierigkeiten zu erklären, wie in V 16 und V 17 die Vermittlung der κοινωνία bzw. der Einheit der Vielen und wie vor allem das innere Bezugsverhältnis der beiden Sätze zu deuten sei.

H. Lietzmann[25] wollte z. B. in V 16 κοινωνία ἐστίν so verstehen: »ist ein Mittel zur Erlangung der Gemeinschaft«; und H. Seesemann ist ihm darin gefolgt[26]. Der Sinn wäre dann: Der gesegnete Kelch ist ein Mittel zur Erlangung der Gemeinschaft mit dem Blut Christi und das gebrochene Brot zur Gemeinschaft mit dem Leib Christi. Lietzmann und Seesemann halten dabei fest, daß es sich nach 1 Kor 11,27–30 um das Blut und den Leib des Herrn handelt, den man essend und trinkend genießt. Aber eine Identifizierung von Wein = Blut und Brot = Leib (Christi) wäre bei ihrem Verständnis keineswegs vorausgesetzt, lediglich das gemeinsame Essen und Trinken[27].

Nun muß es aber doch höchst fragwürdig erscheinen, ob diese Erklärung von κοινωνία ἐστίν so »prägnant« ist, wie Lietzmann und Seesemann vorgeben. Ist κοινωνία wirklich ein »Mittel zur Erlangung von Gemeinschaft« oder ist nicht[28] umgekehrt »Gemeinschaft« durch »Teilhabe an etwas« vermittelt, wie sich aus

[22] Vgl. Lietzmann, 1 Kor 48, mit Hinweis auf Did 9,4; ebenso J. Weiß, 1 Kor 259, v. a. A. 3; Bousset, 1 Kor 122; dazu Neuenzeit, Herrenmahl 202f.

[23] Dieses ὅτι wäre nach Neuenzeit a.a.O. 202 »einfach erläuternd zu fassen«; denn es könne »schwerlich auf Vers 16b zurückverweisen«. Er verkennt den inneren Zusammenhang von V 16 und V 17.

[24] Zu ἐκ verweist Neuenzeit a.a.O. 62 A. 34 auf Bl-Debr § 169,1 und Bauer, WB 1017 (⁵1958, 931). Bauers Auffassung machte sich auch Mußner, Christus und das All 120, zu eigen: »alle essen von einem und demselben Brote«.

[25] 1 Kor 48; vorher schon de Wette, 1 Kor 87.

[26] Seesemann a.a.O. 43.

[27] Kümmel, im Anhang zu Lietzmann, 1 Kor 182, widerspricht auch dem: »Die Teilnahme am Herrenmahl, nicht aber der Genuß der Elemente . . .«.

[28] Vgl. auch die Ablehnung bei Jourdan, ΚΟΙΝΩΝΙΑ 121.

den bisherigen Feststellungen ergab? Dann könnte der Sinn von 1 Kor 10,16 nur der sein: Der gesegnete Kelch – vermittelt er nicht Gemeinschaft mit Christus durch Teilhabe an seinem Blut? Und das gebrochene Brot – vermittelt es nicht Gemeinschaft mit Christus durch Teilhabe an seinem Leib? V 17 würde dann fortfahren: Weil es aber nur ein Brot ist, von dem alle einen Teil erhalten, stehen die Vielen gemeinsam in Gemeinschaft mit Christus durch ihre Teilhabe an seinem Leib und werden so selber zur Einheit eines (d. h. seines) Leibes.

Diese Aufffassung setzt voraus, daß man – gegen W. G. Kümmel – annimmt, Paulus habe in seinem sakramentalen Verständnis im Brot, das gebrochen, und im Wein, der gesegnet wird, tatsächlich eine reale Anteilhabe an Christi Leib und Christi Blut gesehen, gewährt durch das Essen und Trinken.

Eine Stütze findet diese Erklärung von 1 Kor 10,16f bei J. Weiß[29]. Er entscheidet sich zwar aufgrund von V 20 für »die fühlbare Nähe dieser Heiligtümer« (nämlich von Blut und Leib Christi), die die Tischgenossen Christi erführen, gibt dann aber doch zu, es könne auch noch anderes mitklingen: »Was wir scharf unterscheiden, die Gemeinschaft *mit* Jemand und die Gemeinschaft *an* etwas, das liegt – vermöge der Elastizität des griechischen Genitivs – hier beides zusammen, und je nach Bedürfnis kann die eine oder andre Seite hervortreten«. Er kann und will nicht ausschließen, daß sprachlich auch gemeint sein könnte: »wir treten damit in den Genuß von Leib und Blut ein«. »Wenn man aber die Genitt. so versteht, so tritt an κοινωνία noch ein andres Moment hervor, nämlich, daß ›wir zusammen‹ an Leib und Blut teil haben«, eine Nuance, die μετέχειν fehle – wie C. Holsten grundsätzlich mit Recht behauptet habe[30].

Was J. Weiß zur Begriffsbestimmung von κοινωνία sagt, deckt sich mit dem bisherigen Ergebnis nahezu vollständig; nur sollte man nicht sagen »Gemeinschaft mit jemand und Gemeinschaft an etwas«, sondern wie oben vorgeschlagen: »Gemeinschaft mit jemand und (bzw. durch!) gemeinsame Teilhabe an etwas«. Soll der Aspekt der Teilhabe betont oder gegenüber dem Aspekt Gemeinschaft abgehoben werden, verwendet Paulus μετέχειν und dafür gilt mit C. Holsten: »Die Beziehung des einzelnen auf seine übrigen Mitanteilhaber, welche in κοινωνεῖν ausgedrückt ist, fehlt dem μετέχειν«[31]. Das Eigentümliche am paulinischen Sprachgebrauch von κοινωνία scheint demnach zu sein, daß der Begriff nicht nur die zwei Seiten »Gemeinschaft« und »(gemeinsame) Teilhabe« hat, die »je nach Bedürfnis« hervortreten können, sondern daß ihn Paulus mit deutlicher Tendenz zur Bedeutung »Gemeinschaft« verwendet, ohne daß die Grundbedeutung »Teilhabe« verlorenginge. Im Gegenteil: ihr innerer Bezug ist für die Anwendung (und für die Auslegung) konstitutiv.

Das, was J. Weiß mit »Elastizität des griechischen Genitivs« angesprochen hat,

---

[29] 1 Kor 258; vgl. dazu Seesemann a.a.O. 40f.
[30] A.a.O. A. 2 zu Holsten, 1 Kor 330 (Anm.).
[31] A.a.O. (seine Kleinschreibung wird im Zitat nicht beibehalten).

bedarf bezüglich 1 Kor 10,16f noch einiger Klarstellungen. Davon wird noch zu reden sein.

Die Auslegung läuft tatsächlich – mit J. Weiß zu reden – darauf hinaus,»daß Paulus eigentlich meine eine κοινωνία mit dem erhöhten κύριος, und daß er dies nur, sozusagen rhetorisch, in einen Parallelismus membrorum (vgl. 4,25) mit Rücksicht auf die Doppelhandlung zerlege«[32]. Ersteres dürfte in der Tat die Auffassung des Paulus sein, doch letzteres ist ungenau.

Präzisere Aussagen finden sich hierzu bei E. Käsemann[33]. Er entwickelt die paulinische Abendmahlslehre vor allem aus der bei Paulus feststellbaren»Inkongruenz der beiden Einsetzungsworte«in 1 Kor 11,23–25, in der es sich keineswegs»bloß um eine sprachlich andersartige Formulierung«handle:»Anteil am *Tode*, nämlich am Todesleibe Jesu, ist die sakramentale Gabe nach dem ersten Wort, Anteil an der neuen Diatheke die Gabe nach dem zweiten Wort. Daß zwischen ihnen eine Verbindung besteht, wird nicht bestritten. Gerade Jesu Tod begründet ja die neue Diatheke«[34].

»Die neue Diatheke ist nichts anderes als die durch Christus heraufgeführte Gestalt der βασιλεία τοῦ θεοῦ als eines bereits gegenwärtigen Tatbestandes«... »Jesu Tod begründet also die Aufrichtung der göttlichen Herrschaftsordnung«... »Und der Becher gibt an dieser Herrschaftsordnung Anteil, indem er an dem begründenden Faktum des Todes Jesu Anteil gibt«[35]. Bezüglich des σῶμα-Wortes greife Paulus auf»das gnostische Mythologem«... »vom Riesenleibe des Urmensch-Erlösers« zurück, um»die Art des durch Christus geschaffenen und regierten neuen Äons« zu kennzeichnen:»Der Christusleib ist der Herrschaftsbereich, in dem wir mit unseren Leibern einbezogen und zu leiblichem, d. h. totalem ... Dienste verpflichtet werden«[36].

Der Abendmahls-»leib«, der »unsere Eingliederung in den Christusleib bewirkt«, ist aber »der für uns in den Tod gegebene Leib Jesu«. Daher gilt für Paulus:»Das Abendmahl stellt in den Christusleib, in die Gegenwart des Erhöhten und seit seinem Tode Herrschenden und unterstellt damit unter die Herrschaft des Kyrios«[37].

Beim Herrenmahl geht es also für Paulus wirklich – und darin hat J. Weiß recht – um»eine κοινωνία mit dem erhöhten κύριος«[38]. Doch geschieht die Zerlegung »mit Rücksicht auf die Doppelhandlung« nicht »sozusagen rhetorisch«, wie er

---

[32] J. Weiß, 1 Kor 257.

[33] E. Käsemann, Anliegen und Eigenart der paulinischen Abendmahlslehre, in: Exegetische Versuche und Besinnungen I, Göttingen ⁴1965, 11–34; zuerst veröffentlicht in: EvTh 7 (1947/48) 263–283; vgl. auch ders., Das Abendmahl im Neuen Testament, in: Abendmahlsgemeinschaft? (Beiheft 3 zu EvTh), München 1937, 60–93, v. a. 74–81.

[34] Alle Zitate Abendmahlslehre 30.

[35] Alle Zitate a.a.O. 28.

[36] Alle Zitate a.a.O. 29.

[37] A.a.O. 31.

[38] J. Weiß, 1 Kor 257.

meinte, sondern durch die Bindung an die Tradition, wie sie sich aus 1 Kor 10,16 und auch 1 Kor 11,23–25 erheben läßt.

Paulus nimmt diese Tradition auf, aber nicht ohne sie nach seinem Verständnis zu verändern. Da die Tradition »als sakramentale Gabe den Anteil an Leib und Blut Christi, also wohl an seinem Tode« betrachtet hat und da »diese Tradition auch durch Mk. bestätigt wird, dürfen wir die Verschiebung der Betrachtungsweise auf das Konto des Apostels setzen, der das Sakrament ja stets als Gabe des erhöhten Christus versteht und dementsprechend seine Tradition hier korrigiert«[39]. Die Modifikation des traditionellen Verständnisses geschieht nun aber ganz entscheidend durch den für Paulus selbst charakteristischen Ausdruck κοινωνία. Deshalb kann es nicht richtig sein, wenn E. Käsemann vermutet: »Wahrscheinlich gehören auch die Formeln κοινωνία τοῦ αἵματος bzw. τοῦ σώματος τοῦ Χριστοῦ zu solcher Paulus schon vorgegebener eucharistischer Terminologie«[40].

Zwar ist mit Käsemann anzunehmen, daß Paulus sich in 10,16 »der traditionellen urchristlichen Sakramentssprache« bedient und daß es auch in dieser »schon vorgegebenen eucharistischen Terminologie« um »den entscheidenden Sachverhalt« geht, »daß man durch das Abendmahl am Christus selber Anteil gewinne«[41]; aber daß dieses Anteil-gewinnen an Christus schon vor Paulus durch κοινωνία wiedergegeben worden wäre, wird man nicht annehmen dürfen.

Das Begriffsfeld κοινωνία ist im NT nahezu ausschließlich bei Paulus zu finden. Im Sprachschatz der Synoptiker kommt es überhaupt nicht vor. Allenfalls könnte man auf Apg 2,42 hinweisen, wo es immerhin einen Bezug zur Feier des Brotbrechens haben könnte, auch wenn sich dieser Bezug nicht beweisen läßt[42].

Die Vermutung, Paulus selbst habe durch die Einführung des κοινωνία-Begriffs die überkommene Tradition interpretierend verändert[43], wird man nicht dadurch entkräften können, daß man auf die von Paulus selbst gelegentlich behauptete »unversehrte« Wiedergabe hinweist, die er mit παρέλαβον – ὃ καὶ παρέδωκα ausdrückt[44]. Gerade die Abendmahlstradition, wie er sie in 1 Kor 11,23–25 überliefert, zeigt deutliche Abweichungen von der synoptischen; und die Abweichungen gehen auch dort auf sein Konto[45].

---

[39] Käsemann a.a.O. 31.
[40] A.a.O. 12. Ähnlich Bornkamm, Herrenmahl und Kirche 331: »Man darf mit Sicherheit annehmen, daß Paulus die Abendmahls-Paradosis von 1. Kor 11,23ff., die er ja selbst empfangen hat, im Sinne des κοινωνία-Gedankens von 1. Kor 10,16 empfangen und nie in anderm Sinne weitergegeben hat«.
[41] Alle Zitate a.a.O. 12.
[42] Diese Stelle wird in der vorliegenden Untersuchung nicht berücksichtigt. Vgl. dazu Seesemann a.a.O. 87–92.
[43] Vgl. zum ganzen Problem K. Wegenast, Das Verständnis der Tradition bei Paulus und in den Deuteropaulinen (WMANT 8), Neukirchen 1962, v. a. 93–104.
[44] 1 Kor 11,23; vgl. 1 Kor 15,3.
[45] Vgl. dazu Bornkamm, Herrenmahl und Kirche 324–329; Wegenast a.a.O. 98ff: »Paulus wird also in seiner Theologie nicht durch die Tradition bestimmt, sondern baut

Die Frage ist nun, *was* interpretiert Paulus an der überlieferten eucharistischen Terminologie und *wie* interpretiert er sie? Nach E. Käsemann ist es »der Sinn des so lang und hart umkämpften ἐστίν bei den Synoptikern«[46], welchen Paulus interpretiert. Gerade weil dem so ist, kann κοινωνία nicht Bestandteil der überlieferten Tradition gewesen sein. Wenn Käsemann dies trotzdem für wahrscheinlich hält, dann nur, weil er zwischen dem ἐστίν der Synoptiker und dem κοινωνία ἐστίν bei Paulus keinen wesentlichen Unterschied festzustellen vermag. Im Gegenteil: »Indem Paulus das ἐστίν der Einsetzungsworte durch seinen κοινωνία-Begriff *umschreiben* kann, macht er seinerseits deutlich, daß zwischen den beiden fraglichen Größen eben nicht wie zwischen einer Sache und ihrem Abbild im modernen Sinn unterschieden werden kann. Die repräsentierende Größe führt nach antikem Verständnis die präsentia der repräsentierten herauf und gibt gerade deshalb Anteil an der letzteren. Der Ausdruck ›Realpräsenz‹ trifft also, was immer gegen ihn eingewandt werden mag, genau die von Paulus gemeinte Sache«[47].

Ist es aber richtig, hier von einer »Umschreibung« des ἐστίν durch den κοινωνία-Begriff zu sprechen? Und wie ist die »Realpräsenz« näherhin zu verstehen?

Käsemann selbst rückt (nur wenig vorher) die Sache in ein anderes – und wie mir scheint ins richtige – Licht, wenn er sagt, daß »der Apostel dieses ἐστίν in 10,16 ff durch den κοινωνία-Begriff selber *interpretiert* hat«[48]. Interpretation ist aber doch etwas völlig anderes als Umschreibung.

Zugespitzt könnte man nun sagen, Paulus kommt es weniger auf die Realpräsenz Christi in den Elementen von Brot und Wein an, die er keineswegs leugnet, sondern eben auf die κοινωνία zwischen denen, die die Elemente von Brot und Wein genießen, und dem in ihnen real präsenten erhöhten κύριος; d. h. aber nun auf die durch die »Teilhabe an« Leib und Blut Christi bewirkte »Gemeinschaft mit« Christus.

Nun ergibt sich erst zwanglos der innere Grund für die Anfügung von V 17 und auch der folgenden Verse: Weil es Paulus wesentlich um die κοινωνία geht – und gerade nicht um die Abendmahlsüberlieferung, also nicht um korrekte Wiedergabe der Tradition, nicht um die Elemente an sich, also auch nicht um die von ihm unbestrittene Realpräsenz –, kann er diesen Begriff zwanglos in die vorgegebene eucharistische Tradition einfügen, die er im Kern nicht verändert, wohl aber in

umgekehrt die Tradition in seine Theologie ein, indem er sie interpretiert und aktualisiert« (101).

[46] A.a.O. 28. Auch Wegenast weist a.a.O. 102 auf das τοῦτό ἐστιν in der vorgegebenen Tradition hin; aber auch er sieht dies wie Käsemann durch den Gedanken der sakramentalen Communio in 1 Kor 10,16 lediglich aufgenommen. Eine Interpretation der Tradition durch den paulinischen κοινωνία-Begriff zieht er nicht in Betracht.

[47] A.a.O. 28 (Hervorhebung von mir).

[48] A.a.O. 28 (Hervorhebung von mir). Bornkamm, Herrenmahl und Kirche 336, spricht gleichfalls von Interpretation, ohne daraus Schlüsse zu ziehen.

bestimmtester Weise interpretiert; und er kann dann daraus seine Folgerungen ableiten.

Es stimmt also nicht, daß Paulus in V 16 der allgemein urchristlichen »Einsicht«, »daß man durch das Abendmahl an Christus selber Anteil gewinne«, zustimme und ihr erst »mit V 17 eine neue Wendung« gebe[49]. Der Eindruck, daß dies sogar sehr »abrupt« und unter »überraschend neuem Aspekt« geschehe[50], kann nur bestehen, solange man die Schlüsselrolle des paulinischen κοινωνία-Begriffs in V 16 mißversteht. Er ist interpretierend eingefügt, weil es Paulus in seinem Zusammenhang ausschließlich um die durch Teilnahme an Opfermahlzeiten[51] bzw. Teilhabe an Opferfleisch bewirkte Gemeinschaft zu tun ist[52] – sei es die Gemeinschaft mit Christus oder die Gemeinschaft mit Dämonen: Gemeinschaften, die sich wechselseitig ausschließen.

Jetzt versteht man auch die Umstellung des zitatartig referierten Abendmahlsverständnisses von V 16, von der E. Käsemann das Wichtigste gesagt hat: »Dahinter ist keineswegs eine abweichende kirchliche Praxis zu suchen. 11,23 ff. zeigen, welche Ordnung und Reihenfolge in der paulinischen Gemeinde herkömmlich eingehalten wird. Die Vertauschung dieser Reihenfolge in 10,16 ist einzig von da aus verständlich, daß Paulus das Schwergewicht zu verlagern wünscht. Seine Argumentation vertrug nicht das Becherwort am Schluß von V. 16, weil V. 17 nur vom Brotwort her abzuleiten war«[53]. Käsemann hat auch darin recht, daß »die Vertauschung der üblichen Reihenfolge« dasselbe beweise »wie die Terminologie von V. 16«; er irrt allerdings in seiner Schlußfolgerung: »Während Paulus sich im letzteren Verse auf die urchristliche Tradition bezieht, interpretiert er in V. 17 diese Tradition«[54].

Paulus interpretiert die Tradition schon in V 16 – wie gezeigt wurde – durch seinen κοινωνία-Begriff.

Man muß allerdings Käsemann konzedieren, daß in V 17 erst die ausführliche Explikation der paulinischen Interpretation gegeben wird[55]. Diese Explikation

---

[49] Käsemann a.a.O. 12; vgl. Bornkamm, Herrenmahl und Kirche 336 f A. 3 gegen A. 2.
[50] Käsemann a.a.O. 12.
[51] Und als solche gilt ihm selbstverständlich auch das Herrenmahl.
[52] In seinem Aufsatz zum Abendmahl im Neuen Testament von 1937 bestimmt Käsemann selber das tertium comparationis noch als »die überall erfolgende Aufrichtung einer κοινωνία« (Abendmahlsgemeinschaft? 77); doch sieht er darin ein »Herrschaftsverhältnis aufgerichtet« (78), statt eines Gemeinschaftsverhältnisses.
[53] Käsemann, Abendmahlslehre 13.
[54] Alle Zitate a.a.O. 13. Kümmel, im Anhang zu Lietzmann, 1 Kor 182, stimmt ihm darin zu, aber doch wohl zu Unrecht; ebenso Bornkamm, Herrenmahl und Kirche 336 A. 2.
[55] Bornkamm sieht a.a.O. 336 f A. 3 zwar, daß diese Explikation nur erfolgen könne, »weil in dem Vordersatz schon dieselbe Einheit implizite enthalten ist«, d. h. daß die Einheit des Brotes immer schon »unter dem Vorzeichen« steht, »daß dieses Brot Anteil an dem einen Leib Christi gewährt und so die Essenden zum einen Leib Christi zusammenschließt«. Dies aber ist – was Bornkamm nicht erkennt – nicht Explikation der Inhalte der traditionellen Formel, sondern ihrer paulinischen Rezeption.

selbst und die Bedeutung der Umstellung werden von Käsemann in überzeugender Weise so bestimmt:»Die herkömmliche eucharistische Terminologie läßt ihn (d. i. Paulus) zum Theologumenon vom Christusleibe der Gemeinde nur über das Brotwort gelangen. Und eben dieses Theologumenon ist für seine eigene Anschauung vom Abendmahl konstitutiv. Gibt nach traditionell urchristlichem Verständnis das Element des Brotes Anteil am Leibe Jesu, so modifiziert der Apostel solche Traditon dahin, daß Anteil an Jesus und seinem Leibe mit der Eingliederung in den Christusleib der Gemeinde identisch sei«[56].

Die Brücke aber, die es ihm erlaubt, vom traditionellen Eucharistieverständnis zu seinem besonderen Theologumenon vom Christusleib zu gelangen, ist die Einführung des κοινωνία-Begriffs in V 16. Die durch»die gemeinsame Teilhabe am« Leib (und Blut) Christi bewirkte»Gemeinschaft (jedes einzelnen) mit« Christus begründet die Einheit der vielen Mitteilhaber in dem einen Leib der Gemeinde. Mit μετέχειν kann in diesem Zusammenhang nur das formale Anteilbekommen der Vielen an dem einen gebrochenen Brot ausgedrückt werden. Für die im Essen des Brotes gewährte Gemeinschaft mit Christus durch Teilhabe an seinem Leib steht daher der für Paulus so gewichtige Begriff κοινωνία[57]. Er allein kann den Gedanken des miteinander Teilhabens ausdrücken und das Wesen der entstehenden Einheit als»Gemeinschaft im Leib Christi« durch»Teilhabe am Leib Christi« interpretieren[58].

Diesen inneren Zusammenhang hat J. Weiß – nicht zuletzt wegen seiner Bestreitung des sakramentalen Charakters des Herrenmahls bei Paulus[59] – nicht gesehen. Er findet V 17 ausgesprochen schwierig und möchte ihn am liebsten»als einen anders orientierten Zusatz aus dem damit straffer werdenden Zusammenhang ausschalten«[60].»Dem Hauptgedankenzug, daß die κοινωνία der Dämonen und die κοινωνία (τ. αἷμ., σῶμ.) Χριστοῦ sich ausschließen, dient er nicht«[61].

Zugegeben, daß es sich in V 17 um eine weiterführende Explikation des κοινωνία-Gedankens von V 16 handelt, erlaubt V 17 doch Schlußfolgerungen, die auch für den gedanklichen Zusammenhang der VV 16–21 von Bedeutung sind.

---

[56] A.a.O. 13. Neuenzeit, Herrenmahl 203, meldet hierzu einen Widerspruch an, der jedoch an Käsemanns Identitätsaussage vorbeigeht.

[57] Seesemann kommt dem a.a.O. 43 sehr nahe. Neuenzeit spricht a.a.O. 179 lediglich von unterscheidbaren »Nuancen« zwischen κοινωνία und μετέχειν.

[58] Wenn Käsemann in seinem Aufsatz von 1937 von der »Auswirkung einer stärkeren Macht oder Sphäre« spricht, »die . . . sie . . . gemeinsam zu ihren Teilhabern macht«, sieht er »die Richtigkeit dieser These« gerade darin bestätigt, »daß in unserm Text κοινωνία und μετέχειν synonym gebraucht werden« (Abendmahlsgemeinschaft? 77). Wenn dies aber nicht zutrifft, ist auch die Akzentuierung auf ein sachlich zu verstehendes Herrschaftsverhältnis abwegig.

[59] Vgl. dazu Seesemann a.a.O. 34.45; Neuenzeit a.a.O. 59.64.

[60] J. Weiß, 1 Kor 259; vgl. Neuenzeit a.a.O. 60.

[61] A.a.O. 258; so auch Seesemann a.a.O. 45.

Nach H. Seesemann »zwingt« der Vers dazu, »unter dem ἄρτος[62] den Leib Christi zu verstehen«. Denn: »Wenn das Brot nur *Symbol* ist, ist die Folgerung, die Paulus aus der Teilnahme an diesem Brot zieht, unverständlich: wie soll dieses Symbol die Einheit, die doch ganz real gedacht ist, begründen? Dazu kann das Brot nur imstande sein, wenn es nicht mehr nur Brot ist, sondern der Leib Christi«[63]. Seesemanns Schlußfolgerung kann man nur unterstreichen: »An diesem Verse scheitern daher alle Versuche, den sakramentalen Charakter des Herrenmahls bei Paulus zu leugnen«. Auch J. Weiß konnte nicht bestreiten, »daß das σῶμα eine Wirkung des μετέχειν ἐκ τοῦ ἑνὸς ἄρτου« sein könnte, ähnlich wie nach 1 Kor 12,13 eine Wirkung der Taufe. Doch er rationalisiert die sakramentale Auffassung des Paulus und will in V 17 lediglich »eine Art Erkenntnisgrund angegeben finden«[64]. Er hält sich nicht an die klare Aussage, die er selber zu den VV 16.17 macht: »Hier liegt nicht nur ein allgemeiner Satz antiker Denkweise vor, daß Mahlgenossen durch dieselbe Speise zu innigster Gemeinschaft verbunden werden, sondern die besondere Idee des Paulus, daß die Christen Glieder untereinander und mit Christus einen Leib bilden«[65].

Diese »besondere Idee des Paulus«, das »Theologumenon vom Christusleib der Gemeinde«, um mit E. Käsemann zu reden, ist im κοινωνία-Verständnis von V 16 grundgelegt und wird in V 17 expliziert; denn V 17 begründet nicht[66] V 16, sondern zieht daraus die Schlußfolgerung: Die »Gemeinschaft mit« Christus, die durch die »gemeinsame Teilhabe an« Leib und Blut Christi entsteht, ist so geartet, daß sie alle Mitteilhaber zusammenschließt zur Einheit eines Leibes; und dieser Leib ist der Leib Christi selbst, dem sie eingeleibt werden. Dieser letzte Gedanke ist freilich in 1 Kor 10,17 nicht vollständig ausgedrückt, ergibt sich aber eindeutig aus den übrigen heranziehbaren paulinischen Aussagen zur Gemeinde als »Leib Christi«, v. a. aus 1 Kor 12,13.27[67].

Was V 16 und V 17 sachlich verbindet, ist also die Deduktion der »Gemeinschaft *im* Leib Christi« aus der »gemeinsamen Teilhabe *am* Leib Christi«: einheitlicher Grundgedanke ist die entstehende κοινωνία, d. h. die reale »Gemeinschaft mit Christus«, die durch das sakramentale Mahl gestiftet wird und die Mahlgenossen auch miteinander verbindet.

Dieser Gedanke von V 17 ist aber nun für den Fortgang der paulinischen Überlegungen von besonderer Wichtigkeit; denn es wird im Folgenden nur noch auf die κοινωνοί und das μετέχειν abgehoben. Nur darin liegen noch die

---

[62] Genauer müßte gesagt werden: die Identität von Brot und Leib Christi sei vorausgesetzt; denn μετέχειν nötigt dazu, ἄρτος hier in seiner Bedeutung »Brot« zu verstehen. Vgl. de Wette, 1 Kor 87.
[63] A.a.O. 45.
[64] J. Weiß, 1 Kor 259.
[65] A.a.O.
[66] Anders Schmitz, Christus-Gemeinschaft 174.
[67] Vgl. dazu Seesemann a.a.O. 46f; er verweist ferner auf Gal 3,28; Röm 12,4ff und 1 Kor 12,12.

möglichen Vergleichspunkte zwischen Herrenmahls-κοινωνία und den Opfermahlzeiten der Juden wie der Heiden[68]. V 17 ist also alles andere als eine
»Digression«[69].

In V 18 ist zunächst von den jüdischen κοινωνοὶ τοῦ θυσιαστηρίου die Rede.
Hier erhebt sich das nämliche Problem wie bei κοινωνία. Denn es muß gleichfalls
fraglich erscheinen, in welchem Sinn Paulus κοινωνός, κοινωνοί verwendet. Der
allgemeine Sinn in der Verbindung mit einem Genitiv der Sache scheint »Teilhaber« zu sein; doch gibt es den Übergang zur Bedeutung »Genosse« – in der LXX
(nach H. Seesemann[70]) erstmalig mit dem Genitiv der Person nachweisbar. »Im
NT finden sich beide Bedeutungen und beide Verbindungen«; meist die Verbindung mit dem Genitiv der Sache, gelegentlich dem der Person, und bei Paulus
wird κοινωνός auch zweimal absolut gebraucht. Darauf ist zurückzukommen.

Für 1 Kor 10,18 möchte nun Seesemann annehmen, daß Paulus einen schon
geprägten Terminus aufnehme, da »κοινωνός seit alter Zeit Bezeichnung für den
Genossen beim Opfermahl zu sein scheint«. Dafür spricht ihm auch die Bezeichnung κοινωνοὶ τοῦ θυσιαστηρίου. »Das Wort θυσιαστήριον ist hier nur Ersatz
für θεός« – was nach V 16 auch zu erwarten wäre. Zur Begründung des Ersatzcha-
rakters verweist er auf H. Greßmann und W. Bousset: namentlich im Spätjuden-
tum habe man sich gescheut, den Gottesnamen auszusprechen[71]. Eine andere
Erklärung gibt W. M. L. de Wette[72]: »Man erwartet: mit Gott (θεοῦ), und dies
wäre . . . die angemessene Bezeichnung der ursprünglich gewiß so gedachten
Wirkung des Opferdienstes, und somit der Analogie treffender gewesen. Paulus
schrieb dies nicht, nicht, weil er eine solche Gemeinschaft dem fleischlichen Israel
nicht einräumen wollte . . ., sondern weil er dem Opferdienst nicht wohl eine so
hohe Wirkung beilegen konnte . . . Er blieb beim Altare als dem nächsten
Beziehungspunkte der Opferhandlung stehen.« Die Tendenz dieser Auslegung
entspricht dem paulinischen Gedankengang entschieden besser; denn gerade
Paulus hat doch sonst nicht die geringste Scheu vor ὁ θεός als Bezeichnung

---

[68] Seesemann a.a.O. 55 dürfte daher im Recht sein, wenn er – gegen W. Heitmüller,
Taufe und Abendmahl bei Paulus, Göttingen 1903, 37 ff – es ablehnt, »nähere Parallelen zu
ziehen« zwischen Herrenmahl und Götzenopfermahlzeiten. Man beachte auch seinen
Hinweis A. 4.

[69] J. Weiß, 1 Kor 258, worin ihm Seesemann a.a.O. 45 beipflichtet.

[70] A.a.O. 52; an seine Untersuchung lehnen sich auch die folgenden Ausführungen an.
Neuenzeit, Herrenmahl 179, konstatiert eine »abgeblaßte Bedeutung«: κοινωνός besage
»im Griechischen einfach ›Genosse‹«. Dieser Sprachgebrauch muß aber nicht unbedingt mit
dem paulinischen identisch sein.

[71] A.a.O. 52 A. 2. Vgl. dazu H. Greßmann, Ἡ κοινωνία τῶν δαιμονίων, in: ZNW 20
(1921) 224–230, und W. Bousset – H. Greßmann, Die Religion des Judentums (HNT 21),
Tübingen ³1926, 308 ff. Neuenzeit, Herrenmahl 63, schloß sich dem an.
Dagegen widerspricht Campbell, KOINΩNIA 377, energisch: »there is no satisfactory
evidence that θυσιαστήριον . . . ever was used in this way«; ähnlich Jourdan, KOINΩNIA
122 f: Diese Interpretation »is a grave misconception of Jewish thought« (122).

[72] de Wette, 1 Kor 87 f.

Gottes. Man wird es in der Tat nicht für unwahrscheinlich halten dürfen, daß
Paulus im Blick auf die VV 16.17, d. h. aber mit Rücksicht auf das christliche
Herrenmahl es vermeidet, von Israels »Gemeinschaft mit Gott« zu sprechen, die
in der »Teilhabe am Altar« gewährt wird. Das war zwar nach Dtn 12,7.12.18 die
»subjektive« Überzeugung Israels[73], und an diese knüpft Paulus in seiner Argumentation an; doch kann er sie »objektiv«, d. h. allerdings nur nach seiner Sicht
der Dinge, nicht ohne Einschränkung gelten lassen. Daher die Formulierung
κοινωνοὶ τοῦ θυσιαστηρίου. Sie zielt gar nicht direkt auf die Beziehung der vom
Altar Essenden zu Gott, sondern lediglich auf die »Gemeinschaft«, in die sie
durch das Essen treten. Die Übersetzung von V 18b müßte demnach lauten:
»Stehen nicht die die Opfer Essenden in Gemeinschaft (durch die gemeinsame
Teilhabe) am Altar?«

Mehr ist nicht gesagt; dies bestätigt die obigen Aussagen über die Bedeutung
von V 17 als notwendiges Bindeglied zum Folgenden. Der Gedanke einer
κοινωνία mit Gott selbst wird nicht verneint, doch ist er absichtsvoll nicht
ausgesprochen: solche Bedeutung kann Paulus den jüdischen Opfern nicht mehr
zubilligen[74].

Nach den VV 19.20a ist ja nicht einmal auszuschließen, daß Paulus auch von
den jüdischen Opfern sagen will: »Dämonen und nicht Gott opfern sie«[75]. Denn
so gewiß es ist, daß es nun die heidnischen Opfer sind, die Paulus in diesen Versen
beschäftigen – τὰ ἔθνη wird man trotz unsicherer Bezeugung in V 20 sinngemäß
einfügen müssen[76] –, so ungewiß es ist, wie der unabgeschlossene Gedanke von
V 18 zu Ende zu führen ist.

Über die heidnischen Opfer kann Paulus jedenfalls völlig ungehemmt sein
Verdikt aussprechen: sie sind Götzenopfer. Zwar bedeuten Götzenopfer und
Götzenopferfleisch an sich nichts; doch entsteht nach Auffassung des Paulus
durch diese Opfer und ihren Genuß eine κοινωνία mit den Dämonen, die so
intensiv ist, daß sie eine gleichzeitige κοινωνία mit Christus ausschließt[77].

Man kommt um die Annahme nicht herum, daß Paulus sich die Dämonen –
entgegen seiner Aussage, daß sie »Nichtse« seien – »durchaus real vorgestellt«

---

[73] Neuenzeit verweist a.a.O. 63 A. 41 auf die Belege »für die enge Gemeinschaft des
Israeliten mit Jahwe auf der Ebene des Kults« bei J. Jeremias, Die Abendmahlsworte Jesu,
Zürich ²1949 (Göttingen ³1960) 114; ders., ThW III 799 A. 14.

[74] So scheint mir V 18 exakter in seiner Tendenz wiedergegeben zu sein als bei de Wette
a.a.O. Bousset, 1 Kor 122, verneint solche »Absicht« bei Paulus: er hatte für eine solche
Umschreibung »im Zusammenhang keine Veranlassung«; »er lehnt sich an die geprägte
Formel an«.

[75] Vgl. v. Soden, Sakrament und Ethik bei Paulus 247 A. 10. Er vertritt eine »Beziehung
von V 18 auf das Götzenopfer Israels« und begründet dies aus der in 10,7 ausdrücklich
angesprochenen alttestamentlichen Quelle Ex 32,5.6.

[76] Vgl. Seesemann a.a.O. 53 A. 4; v. Soden a.a.O. A. 12.

[77] Dazu v. a. v. Soden a.a.O. 247.

habe[78]. Paulus hat diesen Widerspruch zu früheren Aussagen[79] offensichtlich selbst empfunden und versucht Einwänden gegen die Logik seiner Argumentation mit den Fragen von V 19 zuvorzukommen, ohne damit freilich seine Inkonsequenz beseitigen zu können. Paulus teilt hier zeitgenössische Auffassungen. Die antiken Zeugnisse belegen nach H. Seesemann[80] sowohl den Gedanken, »daß der Gott Gastgeber, Festveranstalter« ist, wie auch den weiteren Gedanken, »daß man durch Verspeisung des Opfertieres die Gottheit in sich aufnimmt«. Paulus müsse beide Vorstellungen gekannt haben; er habe sie auch hier in 1 Kor 10,20 f im Sinn, wenn er von den κοινωνοὶ τῶν δαιμονίων spreche. D. h. »Paulus bezeichnet mit dem Ausdruck die unmittelbare Gegenwart der Dämonen beim Opfermahl, die durch gemeinsames Tafeln mit den Dämonen, aber auch durch das Eingehen der Dämonen in die Leiber der Teilnehmer zustande kommt«[81]. In Analogie zu V 16 f müßte der paulinische Gedanke allerdings heißen, die reale Gemeinschaft mit den Dämonen entstehe durch das Essen des Götzenopferfleisches; aber Seesemann hat vielleicht recht: Paulus ist hier weniger an der »Art« des Zustandekommens der Gemeinschaft mit den Dämonen interessiert, vielmehr an der »Tatsache, daß die Berührung eine so enge ist, daß sie die κοινωνία τοῦ αἵματος bzw. τοῦ σώματος τοῦ Χριστοῦ gefährdet«.

Bezeichnenderweise spricht Paulus auch hier nicht ausdrücklich von κοινωνία, sondern von den κοινωνοὶ τῶν δαιμονίων. Dennoch ist nicht zu leugnen, daß – gegenüber dem nicht vollständig ausgeführten Beispiel der Opfer Israels – in V 20 f eine vollere Analogie zu V 16 f vorliegt. Nicht zufällig ist in V 21 wieder vom μετέχειν die Rede: es geht Paulus im ganzen Abschnitt um die Teilnahme an Opfermahlzeiten. Ob am »Tisch des Herrn« oder am »Tisch der Dämonen« – immer bekommen die Teilnehmer »Anteil« an den Opfergaben[82]. Und durch diese Teilhabe an den Opfergaben treten sie in Gemeinschaft, sei es mit Christus, sei es mit den Dämonen.

Teilnahme an heidnischen Opfermahlzeiten ist also nicht »nichts«; auch hier entsteht eine Bindung ausschließlicher Art. Der Ton liegt freilich auch hier – wie in V 18 – auf κοινωνοί, d. h. wenn man die Parallelität der Aussage und das Fehlen von κοινωνία in beiden Versen ernst nimmt, dann will Paulus sinngemäß sagen: »Ich will aber nicht, daß ihr in Gemeinschaft tretet mit denen, die teilhaben an den Götzenopfern und dadurch in Gemeinschaft stehen mit den Dämonen.« In der Verkürzung κοινωνοὶ τῶν δαιμονίων γίνεσθαι haben wir diese gedanklichen Zwischenglieder mitzudenken; κοινωνοί statt κοινωνία in V 20 und μετέχειν in V 21 bringen sie deutlich genug ins Spiel.

---

[78] Seesemann a.a.O. 53.
[79] Vgl. 1 Kor 8,4.
[80] A.a.O. 54.
[81] A.a.O. 55.
[82] Sickenberger, 1 Kor 48, hebt zu Unrecht auf die Teilnahme an den Opferhandlungen ab.

An dieser Stelle gilt es nun zu klären, ob H. Seesemanns Bestreitung der Bedeutung von κοινωνία = societas, Genossenschaft, zu Recht besteht. Er setzte sich dabei vor allem mit E. v. Dobschütz[83] und C. A. A. Scott[84] kritisch auseinander.

E. v. Dobschütz leugnete ein sakramentales Verständnis des Herrenmahls bei Paulus; er erklärte deshalb die κοινωνία τοῦ Χριστοῦ von 1 Kor 10,16 als eine Christus-»Genossenschaft«, was dank der »Elastizität des griechischen Genitivs«[85] sprachlich ebenfalls möglich ist. Er kam auf diese Weise zu dem Ergebnis: »Die Teilnehmer am jüdischen Opfermahl bilden eine Altargenossenschaft, die Teilnehmer am christlichen Abendmahl eine Leib- und Blut-Christi-Genossenschaft (wie der moderne Katholizismus von Rosenkranz-, Herz-Jesu-Bruderschaften u. ä. redet); hier ist also von realer, enger Berührung mit Christi Leib und Blut gar nicht die Rede«[86].

Nach den bisherigen Darlegungen kann man diese Deutung – mit H. Seesemann[87] – nur als verfehlt bezeichnen. Sie läßt sowohl den Gesamtzusammenhang außer acht, wonach es sich um das reale Anteilgewinnen an Christus respektive an den Dämonen handelt, als auch den unmittelbaren Zusammenhang von V 16 und V 17. Erst V 17 deduziert den Gedanken der Einheit und Gemeinschaft der Vielen aus der Prämisse von V 16, daß die einzelnen durch das Essen und Trinken teilhaben an Christi Leib und Christi Blut und damit in Gemeinschaft treten mit dem Erhöhten.

Gewichtiger scheinen mir die Beobachtungen und Argumente, die C. Holsten[88] – einige Zeit vor E. v. Dobschütz – zu dieser Frage beigebracht hat, auch wenn ihm P. W. Schmiedel[89] heftig widersprochen und J. Weiß[90] – bei grundsätzlich positiver Würdigung – vor seinen Übertreibungen gewarnt hat.

Seine Grundthese zu 1 Kor 10,16 lautet: Die »Vorstellung einer untrennbaren Genossenschaft aller derer, welche in gleicher Weise gemeinsam aus dem Becher des Blutes Christi und von dem gebrochenen Brote des Leibes Christi genießen, ist die an dieser Stelle entscheidende Vorstellung im Bewußtsein des Paulus.

---

[83] E. v. Dobschütz, Sakrament und Symbol im Urchristentum, in: ThStKr (1905) 12 ff.

[84] C. A. A. Scott, The ›Fellowship‹, or κοινωνία, in: The Expository Times 35 (1923/24) 567, und in: Christianity according to St Paul, Cambridge 1927, 158 ff.
Auf Scott gehen wir im Folgenden nicht ein, weil er den Begriff κοινωνία »as a self-designation by the early Christian community« ganz von Apg 1–5 her entwickelt. Er sieht die Vorlage dafür in dem zeitgenössischen jüdischen Begriff ḥābūra, der gebraucht wurde »to denote a group of comrades or a society«. Die Jesusjünger hätten sich demgemäß »as the ›ḥābūra of Jesus of Nazareth‹« verstanden (Fellowship 567).

[85] J. Weiß, 1 Kor 258.

[86] v. Dobschütz a.a.O. 12 f.

[87] Seesemann a.a.O. 41 f; seine Argumente müssen hier nicht im einzelnen wiedergegeben werden.

[88] Holsten, 1 Kor 327–333.

[89] Schmiedel, 1 Kor 150 f.

[90] J. Weiß, 1 Kor 258 A. 2.

Darum hebt er grade diese Vorstellung einer durch den Genuß des gebrochenen Brotes vermittelten Einheit der Vielen zu einer in sich verbundenen und geschlossenen Gesamtheit hervor«[91]. Dies geschehe in V 17, den Holsten als einen Begründungssatz versteht.

Er kann daher schon in V 16 die κοινωνία τοῦ σώματος τοῦ Χριστοῦ bestimmen als »eine durch die Mitanteilnahme an dem Leibe Christi vermittelte und begründete Genossenschaft, in welcher der Einzelne nicht mehr getrennt für sich, sondern nur als unabtrennbares Glied der Gesamtheit in Verbindung mit ihr und mit den andern besteht«[92]. Holsten verkennt die logische Struktur der VV 16.17 und vermengt die zu differenzierenden Aussagen; das mindert die Bedeutung folgender Beobachtungen: Man zerstöre den Gedanken des Paulus, »wann man den Begriff der κοινωνία in den Begriff einer μετοχή aufgehen läßt«[93]; denn es werde »zwischen beiden scharf unterschieden«. »Um diesen Unterschied zu bestimmen, müßte der Gedanke des Paulus so gestaltet werden: durch die μετοχὴ τοῦ ποτηρίου τῆς εὐλογίας, τοῦτ᾽ ἔστιν[93] τοῦ αἵματος τοῦ Χριστοῦ und die μετοχὴ τοῦ ἄρτου (τοῦ κλασθέντος), τοῦτ᾽ ἔστιν[94] τοῦ σώματος τοῦ Χριστοῦ (11,24) von seiten der οἱ πολλοί, . . ., sind diese die Anschauung einer . . . durch den Genuß (μετοχή) . . . vermittelten Genossenschaft (κοινωνία), in welcher alle unter einander Glieder, d. h. untrennbar mit dem Ganzen und miteinander verbundene Teile eines Ganzen sind«. Die Zusammenziehung von V 16 und V 17 verunklart wiederum die Schlußfolgerung; zudem erscheint die Gliederung des paulinischen Gedankens nach allem Vorausgehenden verfehlt; aber Holsten hat immerhin den Versuch gemacht, den mit κοινωνία in V 16 eingeführten und in V 17 explizierten Gedanken logisch zu gliedern.

Den stärksten Beweis für seine Auffassung sah Holsten in der gesamten Beweisführung des Paulus: »Er sucht die Götzenopferfleischesser zu der Erkenntnis zu bringen, daß sie durch ein religiöses Mahl und den gemeinschaftlichen Genuß eines geheiligten Genußobjektes in eine über das subjektive Bewußtsein übergreifende, durch das geheiligte Objekt des Genusses vermittelte objektive Gemeinschaft mit den übrigen Mitgenießenden versetzt werden und vermittelst dieser objektiven Gemeinschaft zu den Lebensmächten in Lebensbeziehung treten, denen das Genußobjekt geweiht und geheiligt ist«.

Diese kompliziert klingende Erklärung scheint mir im wesentlichen akzeptabel[95]. Was die angesprochenen Korinther erkennen sollen, ist nach V 18 und V 20f

---

[91] A.a.O. 328 (Holstens altertümliche und eigenwillige Orthographie wird in der Zitierung nicht beibehalten).

[92] A.a.O. 329. V 17 ist aber »neben 16 weitergehend, nicht begründend« (Schmiedel, 1 Kor 151).

[93] Alle Zitate finden sich in der langen Anmerkung a.a.O. 329–331.

[94] Hier muß die Kritik ansetzen; denn nicht mit μετέχειν wird die Teilhabe an Leib und Blut Christi ausgedrückt, sondern mit κοινωνία. Darin ist der Text völlig eindeutig.

[95] Falsch ist nur die Aussage, daß die Teilnehmer an einem Götzenopfermahl »vermittelst dieser objektiven Gemeinschaft«, wie sie durch das gemeinsame Essen und Trinken entsteht,

in der Tat,»daß die Teilnehmer an einem religiösen Mahle durch Vermittlung des gottgeweihten . . . Gegenstandes des Genusses zu einer . . . Genossenschaft mit einander verbunden werden«. κοινωνοὶ (τοῦ θυσιαστηρίου bzw. τῶν δαιμονίων) ist darum mit Holsten korrekt wiedergegeben durch »Mitanteilnehmer« (am Altar bzw. den Dämonen) – und nur von den κοινωνοί ist in diesen Versen die Rede, nicht aber von der κοινωνία[96].

Holstens Fehler lag einzig in der Verkennung des Bezugsverhältnisses von V 16 und V 17, und dies führte zu seiner Fehldeutung von κοινωνία in V 16 im Sinne von »Genossenschaft«. Wir können also festhalten:

Bei der christlichen Herrenmahlfeier erhalten die Vielen Anteil (μετοχή) am Brot (und Wein); das Essen des Brotes (und das Trinken des Weines) gewährt »Teilhabe« (κοινωνία) am Leib (und Blut) Christi und *darin* »Gemeinschaft« mit Christus, dem erhöhten κύριος.

Weil es aber »gemeinsame« Teilhabe an dem einen Brot und damit auch an dem einen Leib Christi ist, deduziert V 17 die Einheit und Gemeinschaft der Vielen »im« Leib Christi (= der Gemeinde).

Der Gedanke der »Genossenschaft« liegt also sachlich durchaus nicht fern. Es ist nur die Frage, ob man den Begriff »Genossenschaft« dem der »Gemeinschaft« definitorisch so weit annähern kann, daß sie Gleiches besagen[97]. Was Paulus herausstellen will, ist die in der gemeinsamen Teilhabe *am* Leib Christi gründende Gemeinschaft *im* Leib Christi, der Gemeinde. Aus dem Gesamtzusammenhang

---

»zu den Lebensmächten in Lebensbeziehung treten, denen das Genußobjekt geweiht und geheiligt ist«.
Hier werden Ursache und Wirkung verwechselt. Schmiedel, 1 Kor 150, ist gegenüber Holsten im Recht, wenn er feststellt: »Nicht erst der Gemeinschaft mit Menschen bedarf es, um durch Genuß eines der Gottheit geweihten Objekts in κοινωνία, d. h. sachlich: in Hörigkeit zu ihr zu kommen«.

[96] Dies wiederum übersieht Schmiedel a.a.O., weil er den Zusammenhang von V 16 und 17 nicht genug beachtet. Die Gemeinschaft der Vielen in dem einen Leib Christi ist bewirkt und vermittelt durch die gemeinsame Teilhabe an Leib und Blut Christi. Darum ist κοινωνοὶ τῶν δαιμονίων durchaus sachgemäß von Holsten wiedergegeben mit: »Glieder einer Gemeinschaft mit den ungläubigen Götzenverehrern, die durch das geheiligte Objekt des Genusses vermittelt ist«.

[97] Scott, Fellowship 567, versucht eine solche Annäherung, wenn er von den Jüngern sagt: »After the Day of Pentecost: ›they attached themselves to the fellowship‹«. Seine Formulierung kann aber allenfalls den Abstand zwischen Apg 2,42 und Paulus verdeutlichen, für den κοινωνία niemals die von Menschen gebildete, immer nur die zwischen Menschen entstandene, weil gestiftete Gemeinschaft bezeichnet.
Scott hält die Erwähnung der κοινωνία in Apg 2,42 doch wohl irrigerweise für originaler als dessen Vorkommen bei Paulus; vgl. Scott, Christianity according to St Paul 159 ff. Die κοινωνία in 1 Kor 1,9 – die erste Stelle, an der er den Begriff aufnehme – müsse deshalb verstanden werden »in the sense that it was Christ who had called it into being and it belonged to Him«. A.a.O. 160 A. 2 erläutert er dies: »Not into a communion *with* Jesus Christ (nowhere else has the name an objektive genitive of the person) but into a communion belonging to and named after Him«.

von 1 Kor 10,16–21 ergibt sich jedoch nicht ohne weiteres – wie H. Conzelmann es darstellt[98] –, daß Paulus »auf die Interpretation der Gemeinde durch das Abendmahl« *ziele.* Dies ist zwar – mit Conzelmann zu reden – der »Duktus von V. 16 zu 17« und wird erst durch die »Umstellung von Brot und Kelch« in V 16 ermöglicht, doch würde man den engeren und weiteren Kontext von 1 Kor 10,16–21 bzw. 1 Kor 8–10 zu Unrecht vernachlässigen, wollte man vergessen, daß es Paulus um die Gemeinschaft mit den Dämonen geht, die durch die gemeinsame Teilhabe an Götzenopfern unter den Teilnehmern an Götzenopfermahlzeiten entsteht und diese auch miteinander verbindet[99]. Diese Gemeinschaft, will Paulus sagen, ist genauso real und ausschließlich wie die Gemeinschaft, die mit Christus und unter den Teilnehmern am Herrenmahl entsteht, wenn sie an Brot und Wein und darin an Christi Leib und Christi Blut Anteil empfangen. Die VV 16 und 17 haben zunächst nur Beispielcharakter; es wird auf Bekanntes rekurriert; und doch erschöpft sich in dieser Funktion innerhalb des paulinischen Beweisgangs keineswegs ihr Gewicht.

Sachlich ist es deshalb zweifellos richtig, wenn Conzelmann[100] konstatiert: »Diese Verknüpfung von Abendmahl und Kirchengedanken ist das Neue, das er (Paulus) in das Sakramentsverständnis einführt«.

Die Verknüpfung setzt am κοινωνία-Begriff in V 16 an, wird in V 17 expliziert und ist für das rechte Verständnis der κοινωνοί in VV 18 und 20 als Moment der Auslegung festzuhalten. Das ergaben die bisherigen Überlegungen.

Dieses Ergebnis gilt es nun zu erhärten und die Art der Verknüpfung von Abendmahl und Kirchengedanken näher zu bestimmen.

Zusammenfassung

Zwischen 1 Kor 1,9, der Berufung »zu Gemeinschaft mit Christus«, und 1 Kor 10,16–21, der im Herrenmahl entstehenden »Gemeinschaft mit Christus«, besteht weder in der Sache noch in der Verwendung von κοινωνία ein Unterschied. Erst der ausführlichere Zusammenhang von 1 Kor 10,16–21 erlaubt es jedoch, die zunächst »offene« Kurzformel von 1 Kor 1,9 eindeutig zu erläutern und aufzu-füllen.

Dann kann man als Ergebnis aus 1 Kor festhalten:
κοινωνία, κοινωνεῖν ist deutlich zu unterscheiden von μετοχή, μετέχειν (ἐκ). Die beiden Begriffspaare entsprechen sich nicht einfach, und μετέχειν ἐκ kann auch nicht »den Sinn von κοινωνία« erklären[101]. Mit μετέχειν bezeichnet Paulus lediglich den äußeren Vorgang des tatsächlichen Anteil-bekommens (an den

---

[98] Conzelmann, 1 Kor 203 (Hervorhebung von mir).
[99] Vgl. Schaefer, 1 Kor 196: Das »Ziel . . . ist, seine Leser von der Teilnahme an heidnischen Opfermahlzeiten abzuhalten«; ähnlich Kühl, 1 Kor 156.
[100] A.a.O. 203; vgl. Bornkamm, Herrenmahl und Kirche bei Paulus 312–349.
[101] Gegen Conzelmann, 1 Kor 203 bzw. 205; auch gegen Bornkamm, Herrenmahl und Kirche bei Paulus 330 A. 4.

geopferten Speisen); dagegen vermag μετέχειν weder den geglaubten Vorgang der sakramentalen »Teilhabe« noch die darin gewährte »Gemeinschaft« ausdrücken.

All dies sind aber Komponenten des paulinischen κοινωνία-Begriffs – und es scheint, als ob dies gerade die spezifischen, und so nur bei Paulus sich findenden Aussagemomente wären. κοινωνία ist darum nicht nur »der unnachahmlich plastische Ausdruck«, wie A. Deißmann formulierte[102]; denn gerade seine spezifische Füllung ist das Bedeutsame. Und diese heißt für κοινωνία: »Gemeinschaft (mit jemand) durch Teilhabe (an etwas)«. Das Moment der »Teilhabe an etwas« ist als Ausgangspunkt immer mitgegeben und für die Interpretation auch festzuhalten[103].

κοινωνοί sind dann jene, die in einem Gemeinschaftsverhältnis zueinander stehen, weil sie gemeinsam Anteil haben an etwas. Diese Gemeinschaft wird nicht durch Solidarisierung einzelner herbeigeführt, sie wird durch die gemeinsame Teilhabe an etwas gestiftet und vermittelt.

E. Käsemann[104] hält diese Übersetzungen »Teilhabe« oder[105] »Gemeinschaft« für »zu undeutlich«. Der in 10,20 verwandte Begriff κοινωνία habe geradezu »die Aufgabe, das Verfallen an eine Machtsphäre zu umschreiben« und bringe »das Ergriffenwerden, die hinreißende Gewalt übergeordneter Mächte, zum Ausdruck«.

Nun scheint es zunächst einmal wichtiger, die Grundrelation der in κοινωνία enthaltenen Elemente zu bestimmen, denen über den Kontext von 1 Kor 10,16–21 hinaus allgemeine Bedeutung zukommt. Dann mag man sich über Bedeutungsnuancen streiten. Gegen Käsemanns Aussagen erheben sich dabei einige Bedenken: Einmal wird in 10,20 gar nicht auf die κοινωνία selbst abgehoben, sondern auf die κοινωνοί; zum andern würde der Hinweis auf »das Verfallen an eine Machtsphäre« allenfalls für den in V 20 f zugrunde liegenden Sachverhalt passen, entschieden weniger für V 16. In gewisser Weise ist für Paulus zwar auch »der Leib Christi« eine Machtsphäre, aber von ihm spricht er doch anders; der personale Bezug auf den erhöhten Christus wird nicht preisgegeben[106]. Es ist – um mit Käsemann selbst zu reden[107] – »die Leiblichkeit des Auferstandenen«, welche »die Möglichkeit seiner Selbsthingabe im Sakrament bewirkt«.

[102] A. Deißmann, Paulus, Tübingen ²1925, 107 A. 3.

[103] Auch Conzelmann, 1 Kor 202, sagt zu »Gemeinschaft« oder »Teilhabe«, »daß die gestellte Alternative keine wirkliche ist«. »Ausgangspunkt ist . . . die Bedeutung ›Teilhabe‹.« Vgl. dazu die vorschnelle Entscheidung von Gutjahr, 1 Kor 254.

[104] Käsemann, Abendmahlslehre 25.

[105] Daß er »oder gar ›Gemeinschaft‹« sagt, bedeutet, daß er dies für eine Abschwächung hält; ähnlich nennt Bornkamm, Herrenmahl und Kirche bei Paulus 330 A. 4, »Gemeinschaft« einen »viel zu subjektiv gefärbten Begriff«, während κοινωνία im »Sinn der objektiven Teilhabe« zu fassen sei.

[106] Vgl. dazu die Ausführungen von Bousset, 1 Kor 121 f: Es sei »der erhöhte Christus«, der »sich nicht nur geistig, sondern auch mit seiner verklärten Leiblichkeit den Seinen gebe« (122).

[107] Käsemann, Abendmahlslehre 33.

Es bleibt dabei: Die »Gemeinschaft mit Christus«, zu der wir (nach 1 Kor 1,9) berufen sind[108], gründet[109] in der Teilhabe an Christi Leib und Christi Blut, die durch die Teilnahme am Essen des Brotes und am Trinken des Kelches beim Herrenmahl gewährt wird. Weil gemeinsame Teilhabe[110], werden die vielen Teilnehmer auch untereinander zur Gemeinschaft verbunden. »Gemeinde« (bzw. »Kirche«) wird von daher wesentlich als Abendmahlsgemeinschaft bestimmt[111].

B. Abendmahls- und Kirchengemeinschaft

Nach W. Bousset »betrachtet Paulus das Abendmahl und seine Wirkung« in V 17 nun »von einer anderen Seite, nämlich hinsichtlich seiner gemeinschaftstiftenden Wirkung für die Gläubigen untereinander«[112]. Er führe dabei »die innige Verbundenheit der Christen zu einem Leibe, von der er auch sonst unter demselben Bilde redet, auf den gemeinsamen Genuß beim Abendmahl zurück«. Für Bousset bedeutet der »Leib« also lediglich ein »Bild« für »die innige Verbundenheit der Christen«[113]. Das entspricht seiner rationalisierenden Auffassung vom Sakrament[114], die dem nicht gerecht wird, was Paulus sich unter dem Sakrament vorgestellt hat. Bousset weiß natürlich, daß »nach uralter Vorstellung ... gemeinsames Essen und Trinken den Erfolg innigsten, nicht bloß persönlichen, sondern geradezu leiblichen Zusammenhangs« hat[115], und er muß zugeben, daß auch Paulus diese »mystische Bedeutung gemeinsamen Essens und Trinkens«

---

[108] Den Gegenwarts- und Zukunftsaspekt suchen Robertson – Plummer, 1 Kor 8, in der Aussage zu vereinen: »This fellowship ... exists now and extends to eternity«.

[109] Dieses Begründungsverhältnis faßt Barrett, 1 Kor 39 f, nur unscharf, wenn er sagt: »Fellowship (κοινωνία) means not only personal association but suggests also sharing in or sharing with, and can mean community«.

[110] Vgl. Barrett, 1 Kor 231: »a common participation (both English words are needed to render κοινωνία) ...«; Moffatt, 1 Kor 135: »corporate sense of sharing with others in a fellowship«. Zu beachten wäre hier freilich, daß diese Gemeinschaft für Paulus nicht die Voraussetzung, sondern das Ergebnis gemeinsamer Teilhabe ist.

[111] Käsemann, Das Abendmahl im Neuen Testament 81: »Der Leib Christi als Kirche ist das Ziel, zu dem mich das Element des Abendmahles als Anteil am Leibe Christi führt«. Vgl. Cerfaux, La Théologie de l'Église 202: »A la Cène est liée ... la notion de l'unité des chrétiens, ou mieux de la ›communion‹ (κοινωνία) ...«. »La Cène est le sacrement de l'union«.

[112] Bousset, 1 Kor 122. Genauer: von der anderen Seite; denn Paulus spricht in 1 Kor 10,16.17 nur von der christologischen und von der ekklesiologischen Seite des Abendmahls. Vgl. Neuenzeit, Herrenmahl 217 f.

[113] Dagegen Schlatter, 1 Kor 127: »Weil das Brot sie mit dem Christus verbindet, bringt es sie auch untereinander in eine echte Gemeinschaft«.

[114] Vgl. a.a.O. 123–126. – [115] A.a.O. 124.

voraussetze, wenn er den Gedanken »einer durch Brot und Kelch hergestellten Gemeinschaft zwischen der Christengemeinde und dem erhöhten Herrn« vertrete[116]. Er versucht deshalb diese mißlichen »Vorstellungen auf unterster Religionsstufe« bei Paulus zu beseitigen, indem er ihm eine »ungemein starke Vergeistigung« bei ihrer Anwendung bescheinigt[117]. Dennoch sieht sich Bousset genötigt, bedauernd festzustellen: »Aber freilich, jene Zusammenhänge bleiben immer noch erkennbar, wenn Paulus doch von Gemeinschaft mit Leib und Blut redet, und wenn er die mystische Vereinigung an Essen und Trinken knüpft«[118]. Mit anderen Worten: Es ist Bousset nicht gelungen, das paulinische Sakramentsverständnis wegzuinterpretieren. Man muß mit H. Conzelmann[119] festhalten: »›Leib‹ als Bezeichnung der Kirche ist nicht bildlich, sondern eigentlich gemeint: die Kirche ist nicht ›wie‹ ein Leib, sondern *ist* ›der‹ Leib Christi«. »Der sakramentale Anteil am Leib Christi macht uns zum Christus-Leib«.

Bousset stellt die Dinge auf den Kopf, wenn er das Abendmahl »eine feierliche Verbrüderung« und eine »Feier der Gemeinschaft« nennt[120]. Die Gemeinschaft der Gemeinde ist nach V 17 nicht das Ergebnis eines Zusammenschlusses, sondern Wirkung der gemeinsamen Teilhabe am Leib (und Blut) Christi[121]. Und gerade an dieser brüderlichen Gemeinschaft, wie sie durch die Feier des Herrenmahls gestiftet wird, hat es in Korinth am meisten gefehlt.

Diesen Gedanken hat zuletzt G. Bornkamm aus dem Kontext von 1 Kor 10 und 11 herausgearbeitet[122]. Er hat dabei aufgewiesen, daß in Korinth nicht das Sakra-

---

[116] A.a.O. 125.

[117] »Wenn Paulus das Abendmahl noch eine Gemeinschaft, eine enge Verbindung mit Leib und Blut des Herrn nennt, so bedeutet dies doch für ihn kaum etwas anderes, als innigste persönliche Gemeinschaft mit dem erhöhten Herrn, der für Paulus in erster Linie Geist ist, wenn auch in verklärter Leiblichkeit, und dem die Christen so verbunden sind und verbunden werden sollen, wie sie untereinander verbunden sind« (a.a.O. 125).

[118] A.a.O. 125. Die Kennzeichnung »mystisch« trägt so wenig zur Präzisierung der paulinischen Vorstellungen bei, daß sie heute fast allgemein abgelehnt wird. Paulus denkt an sakramentalen Realismus, nicht an Mystik. Vgl. Neuenzeit, Herrenmahl 60.64.

[119] Conzelmann, 1 Kor 203. Von »Kirche« zu reden, ist in diesem Zusammenhang allerdings nicht ohne weiteres gerechtfertigt. Paulus spricht nur von »Gemeinden«, hier von der korinthischen. An anderer Stelle sagt Conzelmann: »Dies ist mein Leib‹ wird 1 Kor 10,16 f ausgelegt durch den Kirchengedanken, den Gedanken der Gemeinschaft« (Theologie 300). Er gibt damit einen wichtigen Hinweis auf den Ursprung des *paulinischen* »Kirchengedankens« sowie dessen Auslegung durch den κοινωνία-Begriff der »Gemeinschaft«.

[120] A.a.O. 126. Ebenso verfehlt sind hierzu seine Hinweise auf den »gesteigerten Enthusiasmus« in der Gemeinde, in dem die Christen das »intensive Gefühl der Gemeinschaft« erlebten und sich »wirklich wie Glieder eines Leibes« vorkamen.

[121] Vgl. Bultmann, Theologie 311: »Der Leib wird nicht durch die Glieder, sondern durch Christus konstituiert«. Conzelmann, Theologie 287: Christus ist »der Leib, den wir bilden«; bzw.: »Der sakramental erworbene Anteil am Leibe Christi macht uns zum Leibe Christi«.

[122] G. Bornkamm, Herrenmahl und Kirche bei Paulus, in: ZThK 53 (1963) 312–349; vgl. auch Eichholz, Theologie des Paulus 213: Der Akzent ist auf »Gemeinde als Bruderschaft« gelegt, »zu der das Abendmahl sie verbindet«.

ment selbst zum Problem geworden war, sondern eben die Gemeinschaft der Gemeinde: »Deutlich ist, daß nach 1 Kor 10,16 zwischen Paulus und seinen korinthischen Gegnern im Verständnis des Herrenmahles als einer realen κοινωνία an Christi Leib und Blut und also an Christus, dem für uns Gestorbenen und im Herrenmahl Gegenwärtigen, noch kein Streit ist«. »Das Unheimliche ist jedoch, daß man ein solches Verständnis von sakramentaler Communio haben und doch den Sinn des Mahles und der Gegenwart des Herrn im Sakrament von Grund auf verfehlen kann«[123]. Was Paulus daher den Korinthern klarmachen muß, ist: »daß der für uns hingegebene und im Sakrament empfangene Leib Christi die Empfangenden zum ›Leib‹ der Gemeinde zusammenschließt und sie in der Liebe füreinander verantwortlich macht«[124]. »Eben darum ist für Paulus der aus seiner Abendmahlsformel (mit ihren Besonderheiten) entwickelte *Zusammenhang von Sakrament und Kirche als Leib Christi* so entscheidend wichtig, der schon durch das in den neutestamentlichen Abendmahlstexten sich abzeichnende, vordringlicher werdende Interesse an den Elementen nicht ungefährlich verdeckt wurde«[125].

Paulus betrachtet also die Korinther als »handfeste Sakramentalisten« und sieht sich genötigt, solcher »Verabsolutierung der sakramentalen Communio« entgegenzutreten. Er »führt den Kampf so, daß er die Gemeinde an die ihr wohlbekannten Formeln ihrer eigenen Liturgie erinnert« (einschließlich deren Eingangsteile und Deutemahnungen)[126]. Dabei geht G. Bornkamm – wie E. Käsemann[127] – davon aus, daß Paulus die Abendmahlsparadosis immer schon »im Sinne des κοινωνία-Gedankens von 1 Kor 10,16 empfangen und nie in anderem Sinn weitergegeben hat«[128]. Das bedeutet: »Die im Herrenmahl Feiernden empfangen also, indem sie aus dem Kelch trinken, Anteil an Christi vergossenem Blut. Das aber heißt: an seinem Sterben, denn αἷμα ist nirgends und niemals als eine mysteriöse dingliche Substanz gedacht«. »Und sie empfangen, indem sie von dem Brot essen, Anteil an dem in den Tod gegebenen Leib Christi, wobei auch hier zu

---

[123] A.a.O. 339. Damit ist angespielt auf die Verachtung der Gemeinde Gottes durch die unbrüderliche Behandlung eines Teils der Teilnehmer am Herrenmahl in Korinth – bei einer gleichzeitigen »gesteigerten Sakralisierung« der eucharistischen Speisen (Bornkamm a.a.O. 342).

[124] A.a.O. 342. Bornkamm verweist dabei auf den Gesamtkontext von 1 Kor 8–10, in dem es um die »Frage nach der Verantwortung für den Bruder« gehe. 1 Kor 10 und 1 Kor 11 antworten demnach auf ein und dieselbe Situation.

[125] A.a.O. 345f (Hervorhebung von mir).

[126] Zitate a.a.O. 340. Vgl. dazu auch Conzelmann, Theologie 300: »Antithese zum korinthischen Enthusiamus und Sakramentalismus«; so auch Eichholz, Theologie des Paulus 213. Noch deutlicher formulierte schon v. Soden, Sakrament und Ethik bei Paulus 260: Paulus muß »aus dem (echten) Sakrament gegen das (unechte) Sakrament streiten, mit dem Sakrament die Sakramentarier bekämpfen, aus dem Sakramentsglauben den Sakramentsaberglauben widerlegen«.

[127] S. S. 22.

[128] A.a.O. 331.

wiederholen ist, daß σῶμα nicht als Substanz gedacht ist, sondern die leibhaftige Person meint«[129]. Folglich bedeuten κοινωνία τοῦ αἵματος und κοινωνία τοῦ σώματος:»Anteilempfangen am Sterben Christi und so an ihm selbst, dem für uns gestorbenen und unter Brot und Kelch sich uns darreichenden, im Sakrament gegenwärtigen Herrn«[130].

Worauf es in unserem Zusammenhang nun entscheidend ankommt, ist der ekklesiologische Satz 1 Kor 10,17, der nach Bornkamm seine Basis ganz in 11,24 (= 10,16), d. h. in der Besonderheit des paulinischen Brotworts hat: τὸ ὑπὲρ ὑμῶν. Nur aus der Teilhabe an diesem für uns dahingegebenen Leib Christi, »die uns das gebrochene Brot vermittelt«, kann Paulus »den in V. 17 ausgesprochenen Gedanken über die Gemeinde als Leib Christi« folgern[131]. Bornkamm paraphrasiert so:»Der in diesem Brot uns dargereichte, für uns dahingegebene Leib Christi ist einer, und eben darum sind wir, die Vielen, ein Leib, nämlich Leib Christi«[132]. So könne aber nur gefolgert werden,»weil in dem Vorderansatz schon dieselbe Einheit implizite enthalten ist, die der Nachsatz expliziert. M. a. W.: was über die Einheit des Brotes gesagt ist, steht von Anfang an unter dem Vorzeichen, daß dieses Brot Anteil an dem einen Leib Christi gewährt und so die Essenden zum einen Leib Christi zusammenschließt«[133]. Dem ist voll zuzustimmen.

Mit seiner Behauptung, Paulus habe die Abendmahlsparadosis immer schon im Sinne des κοινωνία-Gedankens von 1 Kor 10,16 empfangen, verbaut sich hier jedoch m. E. Bornkamm – wie Käsemann – die volle Auswertung seiner Feststellungen. Denn ist es auch richtig, daß der »spezifisch paulinische ekklesiologische σῶμα-Gedanke« erst in V 17 sich findet[134], so ist der Einheits- bzw. Gemeinschaftsgedanke eben doch schon im Vordersatz V 16b implizit enthalten: im Begriff der κοινωνία (τοῦ σώματος)[135]. Das, scheint mir, ist die eigentliche Besonderheit der paulinischen Abendmahlsformel, die nun erst den Zusammen-

[129] Bornkamm a.a.O. 330f.
[130] A.a.O. 338. Theologisch kontroverse Fragen zum Verständnis der Realpräsenz »in« oder »unter« Brot und Kelch etc. bleiben hier außer Betracht.
Auf die zu beachtenden Grenzen, daß Paulus Brot und Wein nicht ohne weiteres identifiziert mit Leib und Blut Christi, ja daß er genau genommen nicht einmal vom Essen und Trinken spricht, verweist Bornkamm a.a.O. 338f. zu Recht. Vgl. dazu auch Neuenzeit, Herrenmahl 59: »Im Unterschied zu Joh 6,53–56 spricht die (d. h. die im wesentlichen vorpaulinische) eucharistische Formel 1 Kor 10,16 (noch) nicht vom Essen und Trinken des Leibes bzw. Blutes des Herrn; auch Paulus kennt eine solche Wendung nicht«.
[131] A.a.O. 335; vgl. ders., Paulus 198f; Conzelmann, Theologie 290.
[132] A.a.O. 337. Präziser müßte schon hier hinzugefügt werden: wir, die Vielen – die wir daran Anteil empfangen im Brot.
[133] A.a.O. 336f A. 3. Ähnlich formuliert Eichholz, Theologie des Paulus 213: »Der Empfang des Brotes *impliziert* das Leib-Sein der Gemeinde« (Hervorhebung von mir).
[134] A.a.O. 336.
[135] Dagegen Bornkamm, Paulus 198: »Nicht schon die mit dem Begriff der ›Teilhabe‹ bezeichnete sakramentale Deutung des Herrenmahls ist spezifisch paulinisch . . ., wohl aber die Wendung, die Paulus dem Sakramentsgeschehen gibt«; d. h. die Folgerung in V 17.

hang von »Sakrament« und »Kirche« deutlich macht, wie ihn auch Bornkamm konstatiert: »Der Leib Christi, den wir im Brot empfangen, impliziert für Paulus unmittelbar das σῶμα Χριστοῦ, zu dem wir im Sakrament zusammengeschlossen werden. In ihm empfangen wir den Leib Christi und, indem wir ihn empfangen, sind und erweisen wir uns als Leib Christi«[136].

Ungenau ist an dieser Formulierung zum einen das »Wir«; denn V 16 faßt – solange man den vollen Sinn von κοινωνία verkennt – lediglich die Kommunion-gemeinschaft der einzelnen mit Christus (bzw. seinem Leib und Blut) ins Auge, und V 17 begründet die Einheit der Vielen nicht mit dem gemeinsamen Empfang, sondern aus der Einheit des (einen) Brotes mit dem einen Leib Christi. Sie ist zum andern ungenau durch das »unmittelbar«; denn das ist gerade das Entscheidende für Paulus, daß die gemeinsame Teilhabe am Leib Christi die Einheit und Gemeinschaft der Vielen im Leib Christi, der Gemeinde, *vermittelt*. M. a. W.: *Die Abendmahlsgemeinschaft vermittelt die Kirchengemeinschaft und ist deren eigentliche Realisation.* Bornkamm sagt an anderer Stelle[137] selbst: »*Die Einbeziehung der Gemeinde in die Sakramentslehre im Begriff des σῶμα ist damit als der eigentliche Skopus der paulinischen Gedanken deutlich geworden*«.

Wiederum müßte präziserweise auf die κοινωνία abgehoben werden; denn erst dann klärt sich das Charakteristische dieser Einbeziehung der Gemeinde in die Sakramentslehre. Es genügt dann nicht, den »völlig neuen Sinn«, in dem Paulus »Formel und Feier« interpretiert, so zu bestimmen wie Bornkamm: »Wohl geht es im Sakrament um das erlösende Anteilempfangen an dem ›für euch‹ hingegebenen σῶμα Christi (1 Kor 11,24; 10,16) und an der neuen διαθήκη (= Heilsordnung). Aber das σῶμα, der in den Tod gegebene Leib Christi, den wir empfangen, macht uns als die Empfangenden zum σῶμα der Gemeinde (1 Kor 10,17)«[138].

Er verwahrt sich in diesem Zusammenhang zu Unrecht gegen H. v. Sodens Wiedergabe von κοινωνία τοῦ σώματος mit »Teilhaben am Leibe, am pneumatischen Leben Christi, an dem (pneumatischen) Leibe Christi also«[139]. »Diese Deutung«, meint er, »die erst V 17 bringt, ist vielmehr spezifisch paulinische Interpretation der in V 16 erkennbaren Tradition«[140]. Daß dies ein Irrtum ist, wurde schon in der Auseinandersetzung mit E. Käsemann verdeutlicht. Paulus interpretiert die Tradition schon in V 16 durch seinen κοινωνία-Begriff, der die Brücke darstellt zu V 17.

Die Einbeziehung der Gemeinde in die Sakramentslehre geschieht demnach nicht eigentlich durch den Begriff σῶμα. Dieses σῶμα kann man zwar in 1 Kor

---

[136] A.a.O. 336; vgl. Eichholz, Theologie des Paulus 213.
[137] G. Bornkamm, Zum Verständnis des Gottesdienstes bei Paulus. A. Die Erbauung der Gemeinde als Leib Christi, in: Das Ende des Gesetzes, München ³1961, 122 (Hervorhebung von mir).
[138] A.a.O. 121.
[139] v. Soden, Sakrament und Ethik bei Paulus 263.
[140] Bornkamm a.a.O. 121f A. 24.

10,16 »christologisch«, in 10,17 »ekklesiologisch betrachtet« nennen. Aber es ist doch immer ein und dasselbe σῶμα (Χριστοῦ)[141]. Was die ekklesiologische Betrachtung erst ermöglicht, ist die spezifisch paulinische Wendung κοινωνία τοῦ σώματος: daß die Vielen teilhaben an diesem »für uns hingegebenen Leib Christi«[142], das begründet die Gemeinschaft der Teilhabenden im und als Leib Christi.

Betont man hinreichend die in V 16 ausgesagte Teilhabe der Vielen am Leib Christi, kann man mit Bornkamm fortfahren, daß dieser »die Empfangenden zum Leib der Kirche zusammenschließt und sie damit füreinander verantwortlich macht«. Von »Kirche« zu reden, ist allerdings durch 1 Kor 10,16f nicht gerechtfertigt. Es geht um die christologisch begründete Gemeinschaft einer christlichen Gemeinde. Weil jedoch für Paulus jede Gemeinde eine ἐκκλησία τοῦ θεοῦ darstellt, kann man auch von der im Abendmahl entstehenden »Kirchengemeinschaft« sprechen[143]. Moderne Definitionen, wie sie beispielsweise das Kirchenrecht entwickelt hat, um die »Kirchen«-gliedschaft mit der Taufe zu verbinden, sind für Paulus nicht ohne weiteres anwendbar. Zwar ist ihm auch die Taufe ein Geschehen, das den Gläubigen mit dem für uns hingegebenen Leib Christi in Verbindung bringt (vgl. 1 Kor 12,13), ihm das Heil zuwendet; aber dieses Heilsgeschehen ist ein individuelles und betrifft zunächst einmal nur den einzelnen Gläubigen[144]. Die Gemeinschaft der Vielen in einer Gemeinde stiftet erst die Feier des Abendmahls; denn hier wird sie durch die gemeinsame Teilhabe der Vielen an dem Brot vermittelt, das die Gemeinschaft mit dem für uns hingegebe-

---

[141] Daß man mit A. Jülicher (Zur Geschichte der Abendmahlsfeier in der ältesten Kirche, in: Theologische Abhandlungen [Weizsäckerfestschrift], Freiburg 1892, 215–250, hier 249) zwischen dem ἓν σῶμα 1 Kor 10,17 (= die Gemeinde) und dem σῶμα Χριστοῦ V 16 unterscheiden könne, konzediert auch v. Soden a.a.O. A. 31; dennoch würde er es »bedenklich finden, sie unverbunden zu lassen, und meinen, daß Paulus eben das ihm überlieferte Abendmahlswort in seinem Sinn gedeutet haben dürfte«. v. Soden hat nur übersehen, welche Bedeutung gerade für diese paulinische Deutung der Überlieferung dem Begriff κοινωνία zukommt.
[142] Bornkamm a.a.O. 122.
[143] Vgl. zu ἐκκλησία bei Paulus meine Arbeit »Ekklesia« 229–255. Bultmann, Theologie 309, drückt diese Austauschbarkeit der Begriffe »Gemeinde«/»Kirche« so aus: »Das Wort der Predigt ruft und sammelt zur ἐκκλησία, zur *Kirche*, zur *Gemeinde* der κλητοί und ἅγιοι.« Er bezeichnet damit zugleich den forensischen Ansatz der paulinischen Ekklesiologie bei den konkreten Gemeindeversammlungen. Daß er dennoch daran festhält, »daß das Wort ἐκκλησία bald die Gesamtkirche, bald die Einzelgemeinde bezeichnet«, erklärt sich aus seiner Abhängigkeit von der bislang gängigen Auffassung. Diese Feststellung gilt zwar für die Theologie *nach* Paulus, aber nicht für die Theologie *des* Paulus; genauso sind für ihn die Leib-Christi-Aussagen konkret auf die Gemeinden bezogen und nicht – wie schon im deuteropaulinischen Epheserbrief – kosmisch zu verstehen. Vgl. Bornkamm, Paulus 201: »Bezeichnung der Gemeinde als Leib Christi«. Im Bezug auf Gemeinde/Kirche ist er jedoch (Paulus 184f) gleicher Auffassung wie Bultmann.
[144] Vgl. Bultmann a.a.O. 313: Taufe = »ein objektives Geschehen, das sich am Täufling vollzieht«.

nen Leib Christi bewirkt und so »Kirche« (= Gemeinde) als Leib Christi begründet[145].

Die späteren Ausweitungen der paulinischen Leib-Christi- und Gemeindeaussagen auf »die Kirche« und die Systematisierungsversuche im Bezug auf den Lehrgehalt seiner Aussagen sind nicht nur begreiflich, sie waren notwendig, um das Unsystematische im paulinischen Denken zu überwinden[146]. Doch führte dies zu jener Diastase von Abendmahls- und Kirchengemeinschaft, die vergessen ließ, daß diese in jener ihren Ursprung hat – jedenfalls für Paulus.

H. Conzelmann spiegelt diese Vermengung paulinischer Gedanken deutlich wider, wenn er meint, die Vorstellung vom Leib Christi »deutet die ›Dimension‹ der Kirche an, ihr zeitliches Prae: Die Kirche wird nicht durch den Zusammenschluß der Gläubigen hergestellt; sie ist vor ihnen da und ermöglicht erst ihren Zusammenschluß«[147]. So wird später systematisiert[148] aufgrund paulinischer und deuteropaulinischer Aussagen – Paulus aber systematisiert nicht so; für ihn kommt das zeitliche Prae nur dem Leib Christi zu, »Kirche« aber ist dessen geschichtliche Konkretion am Ort. In seiner Untersuchung der »Beziehung von

[145] Vgl. Bultmann a.a.O. 314. Zum Herrenmahl: »Das Besondere ist analog wie bei der Taufe die spezielle Applizierung des Heilsgeschehens an die gerade hier und jetzt Feiernden und darüber hinaus die in Wortverkündigung und Taufe nicht ausdrücklich betonte Gemeinschaft (der Feiernden) stiftende Wirkung (1. Kr 10,16f)«. Bultmann verdeckt mit seiner Formulierung, daß diese Wirkung eben tatsächlich *nur* von der Abendmahlskoinonia her ausgesagt wird. Außerdem verkennt er die sakramentale Grundstruktur in der paulinischen Theologie, wenn er a.a.O. Taufe und Herrenmahl als »der Wortverkündigung eingeordnet« darstellt. Das in den Sakramenten applizierte Heilsgeschehen ist für Paulus das Zugrundeliegende, das durch das Wort zugeeignet wird. Vgl. dazu Kümmel, Theologie 225. Er bezeichnet den Sinn von Taufe und Herrenmahl als »Eingliederung« und »erneute Teilhabe des Christen in bezug auf das durch Jesu Leben, Sterben und Auferstehen bewirkte göttliche Heil«. Analog gilt dann für die »Kirche«: »Auch die Vorstellung von der Zugehörigkeit des Christen zur Kirche als dem Leib Christi beschreibt darum im Sinne des Paulus die Teilhabe an dem durch die Auferstehung Jesu Christi begonnenen und auf die Erscheinung des Christus in Herrlichkeit wartenden Endheil« (a.a.O. 226).

[146] Eichholz, Theologie des Paulus 213, macht z. B. darauf aufmerksam, daß Paulus weder »seine Tauftheologie entfaltet« noch eine »Abendmahlstheologie«. Er kenne auch noch keinen »Oberbegriff, der Taufe und Abendmahl zusammenfassen würde«; ähnlich Bornkamm, Paulus 196. Vgl. dagegen Käsemann, Das Abendmahl im Neuen Testament 74: »Paulus besitzt schon einen diesen Einzelhandlungen übergeordneten Sakramentsbegriff«; zumindest bahne er sich in 1 Kor 10,4ff an in der »Lehre vom präexistenten Christus« (75).

[147] Conzelmann, Theologie 289; ähnlich H. Odeberg, Der neuzeitliche Individualismus und der Kirchengedanke im Neuen Testament, in: Ein Buch von der Kirche, Berlin 1950, 74f.

[148] Eine nicht unmittelbar von Paulus her gewonnene systematisierende Aussage ist es z. B. auch, wenn Kuss, 1 Kor 160, von diesem Leib Christi sagt, daß wir in ihn »in der Taufe ›grundlegend‹ hineingetauft wurden« und daß uns mit ihm »der immer wiederholte Genuß des Brotes und Weines *stärker und stärker verbindet*« (Hervorhebung von mir); ähnlich Neuenzeit, Herrenmahl 218. Mußner, Christus und das All 123, meinte von einer »Intensivierung der in der Taufe grundgelegten Christusgemeinschaft« sprechen zu dürfen. Paulus kennt aber weder eine Tauf-»koinonia« noch diesen Gedanken ihrer Intensivierung.

Eucharistie und Kirche« kam zuletzt Neuenzeit zu einem ähnlichen Ergebnis[149].
Er stellt fest:»Genauso real, wie der ekklesiologische Soma-Gedanke zu fassen
ist, ist für Paulus die Verbindung dieses Gedankens mit der Eucharistie.« Das
bedeutet doch wohl in dem von mir dargestellten Sinn: Begründung der »Kirchen-
Gemeinschaft« im Leib Christi ist die Teilhabe der Vielen am Leib Christi im
Abendmahl[150]. Paulus könne diese Folgerungen von 1 Kor 10,17 aus 10,16 ziehen
»auf Grund seines umfassenden Christusverständnisses, das nicht zunächst die
Unterscheidung zwischen dem eucharistischen und dem ekklesiologischen Leib
Christi empfindet, das vielmehr um den einen ›Christus‹ weiß, der da ist Gott über
alles«[151].

Diese letztere Feststellung ist um so erstaunlicher, als Neuenzeit in der Analyse
des Textes 1 Kor 10,16 f σῶμα zum Schlüsselwort erklärt und behauptet: Paulus
»gleitet . . . von Vers 16 zu 17 vom eucharistischen σῶμα-Verständnis zum
ekklesiologischen über, *und zwar mit Hilfe seiner Christologie, die ihm solche
Gedankensprünge erlaubt*«[152].

Dies ist jedoch nicht der einzige Widerspruch, den ich bei Neuenzeit finde.
Z. B. sagt er m. E. völlig zutreffend:»Der Vers 17 versucht in Form eines
logischen Beweises *zusammen mit dem Vordersatz von Vers 16b* die Beziehung
von Kirche und Eucharistie aufzuzeigen und die *Eucharistie zum Einheitsprinzip
der Kirche* zu machen«[153]. Andererseits verlagert sich seiner Meinung nach von
Vers 16 zu 17»das Schwergewicht der Aussage«:»Während nach Vers 16b das
eucharistische Brot die Teilhabe am Leib des Herrn vermittelt, ist in Vers 17 nur
noch vom Brot die Rede. Als *neues Moment* taucht die ›Einheit‹ auf, die im
Obersatz noch gar nicht erwähnt wird und im Nachsatz nur an die Gestalt des
Brotes gebunden zu sein scheint«[154]. Da beide Aussagen – letztere zum logischen
Verhältnis von 1 Kor 10,16 und 17, erstere zum logischen Beweis für die
Beziehung von Kirche und Eucharistie – nicht gleichzeitig stimmen können,

---

[149] P. Neuenzeit, Das Herrenmahl, Studien zur paulinischen Eucharistieauffassung
(StANT I), München 1960, hier 218f.

[150] Conzelmann, Theologie 287, dürfte richtig sehen:»Hier, in der Abendmahltradition,
liegt wohl der Ursprung des Ausdrucks ›Leib Christi‹. Es gibt kein anderes religions- oder
begriffsgeschichtliches Vorbild«. So schon A. E. J. Rawlinson, The Christian Eucharist,
London 1930; A. S. B. Higgins, The Lord's Supper in the New Testament, London 1952,
69f.

[151] Er erinnert an Stellen wie Röm 9,5; 1 Kor 3,21–23; 8,6b; 15,27; 2 Kor 5,17f; Gal
5,14f; Kol 1,16f und Apg 10,36, und meint (a.a.O. 219):»Bereits aus der Hinordnung des
Alls auf Christus ergibt sich für den Apostel die Möglichkeit, über eine an der Oberfläche
liegende Verschiedenheit hinweg vom eucharistischen ›Leib Christi‹ zum ekklesiologischen
›Leib Christi‹ überzusetzen, denn es ist der eine Christus, der alles in allem ist und als das
πνεῦμα (2 Kor 3,17) alles bewirkt«.

[152] A.a.O. 61 (Hervorhebung von mir).

[153] A.a.O. 60 (Hervorhebung von mir). Allerdings wird man nicht von der »Form eines
logischen Beweises« sprechen dürfen.

[154] A.a.O. 201.

überrascht es nicht, daß Neuenzeit Schwierigkeiten hat, den von Paulus gemeinten Syllogismus darzustellen. Er bietet daher mehrere an:
a) »Eucharistischer Leib = Christus
Der Leib der Kirche = Christus
folglich: Eucharistischer Leib = Leib der Kirche«[155].

Das würde bedeuten, wir haben es immer mit ein und demselben »Leib Christi« zu tun, und die von Neuenzeit selbst so betonte Unterscheidung von »eucharistischem« und »ekklesiologischem« Leibverständnis (vgl. a.a.O. 203–206) wäre nur bedingt brauchbar.
b) »1. Obersatz: Vers 16b τὸν ἄρτον κοινωνία τοῦ σώματος τοῦ Χρ.
2. Untersatz: Vers 17a εἷς ἄρτος
3. Schluß: Vers 17b ἓν σῶμα οἱ πολλοί ἐσμεν«[156].

Dieser Schluß scheint Neuenzeit »nur dann richtig, wenn man die Gleichung εἷς ἄρτος = ἓν σῶμα voraussetzen kann.« Weil aber der Gedanke der Einheit überhaupt erst in V 17 auftauchte, während »die eigentliche Aussage von Vers 16b, daß nämlich das Brot die Teilhabe am eucharistischen Leib des Herrn bedeutet«, »in Vers 17 aus dem Blickfeld verschwunden« sei, bildet seiner Meinung nach »Vers 17 in sich – d. h. auf dem Hintergrund von Vers 16b – einen Syllogismus«[157].
»Dann lautet der richtige Syllogismus«:
c) »1. Obersatz: Vers 17a ἄρτος εἷς ἐστιν
2. Untersatz: Vers 17c οἱ πάντες ἐκ τοῦ ἑνὸς ἄρτου μετέχομεν
3. Schluß: Vers 17b ἓν σῶμα οἱ πολλοί ἐσμεν«[158].

Das aber bedeutet für Neuenzeit: »Vers 17 gibt dem Gedanken eine *neue Richtung*, die sowohl von der ursprünglichen Aussage des Vers 16 als auch von der allgemeinen Argumentation abrückt. *Paulus geht im Stichwortzusammenhang von σῶμα aus* und läßt sich zu Folgerungen ablenken, die er wohl kaum bei der Gegenüberstellung von Götzenopfermahlen und der Eucharistie vorgesehen hatte«[159].

[155] A.a.O. 61.
[156] A.a.O. 201 mit Verweis auf Mußner, Christus und das All 122, und die »Mehrzahl der Exegeten«. Deutlich wie kein anderer formuliert den Zusammenhang Cerfaux, La Théologie de l'Église 202 f: Was die »unité des chrétiens« begründet, ist »le corps (eucharistique) du Christ«.
Aber nicht auf dem Leib-Gedanken liegt der Akzent, sondern auf den Aussagen über das Brot: »l'idée d'unité était liée au pain (brisé) et non au corps«. Der gesamte Syllogismus wird also erst möglich – auch wenn Neuenzeit dies bestreitet – durch die in den VV 16.17 vorausgesetzte »identité du pain et du corps«.
[157] A.a.O. 201 f. – [158] A.a.O. 202.
[159] A.a.O. 202 (Hervorhebung von mir). Neuenzeit registriert jedoch selbst a.a.O. 62, daß zumindest V 16 für den Argumentationszusammenhang »im Hintergrund« stehenbleibe; Paulus brauche »dessen Aussagen über die Verbundenheit des Kommunizierenden mit dem Herrn noch als Schlußargument«. Er übersieht, daß Paulus aus eben diesem Grunde auch V 17, die Gemeinschaft *der* Kommunizierenden, noch braucht.

Auch hier scheint Neuenzeit die Widersprüchlichkeit zu anderen eigenen Aussagen nicht empfunden zu haben; z. B. daß »die Verse 16 und 17 zusammen als Parenthese« zu verstehen seien, wobei »die Aussage von Vers 17 in der Gesamtheit von 1 Kor dem Apostel so wichtig« gewesen sei, »daß man ihr den Grund für die Umstellung in Vers 16 durchaus aufbürden kann«; oder wenn er zur Erklärung dieser Parenthese[160] den Gedankengang des Paulus rekonstruiert und sagt: »Paulus will dem Götzenopfermahl mit Argumenten aus dem christlichen Kult beikommen; so zitiert er die Kultformel von Vers 16. Bei der gedanklichen Konzeption dieses Beweisgangs kommt ihm bereits die Idee, in der Eucharistie das Einheitsmoment zu betonen«[161]. Der Widerspruch zu sich selbst wird noch eklatanter, wenn Neuenzeit resümiert: »Man verfehlt den Text, wenn man in dem Zusammentreffen des eucharistischen und ekklesiologischen Soma-Gedankens in 10,16b einen bedeutungslosen Zufall sieht. Gerade weil Vers 17 den Argumentationszusammenhang stört, muß er als ›Parenthese‹ eine sachliche Beziehung zu Vers 16 haben. *Nicht rein assoziativer Stichwortzusammenhang* des zweimaligen Terminus σῶμα, sondern eine über den konkreten Argumentationszusammenhang hinausweisende Beziehung läßt den Vers 17 auf Vers 16 folgen«[162]. Neuenzeits Fehldeutungen haben alle ihren Grund in der Verkennung des inneren Zusammenhangs von V 16 und V 17. Dabei glaubt er für seine Auffassung auch R. Bultmann reklamieren zu dürfen, der in prägnanter Kürze so formulierte: »Die Einheit der feiernden Gemeinde kann durch die Einheit des Brotes nur begründet sein, wenn das Brot (wie V 16 ja sagte) der Leib Christi ist«[163].

Vergleicht man damit, was Neuenzeit über den »sich auf Grund der Prämisse von Vers 16b« wandelnden Einheitsbegriff von V 17 sagt, liegt der Unterschied offen zutage: Er bestimmt diesen Wandel als »von einem quantitativen (der eine Brot-Laib) zu einem qualitativen[164]: Das Brot ist der Christus! Folglich ist auch Teilhabe am Brot Teilhabe an Christus«. Der Versabschnitt 17b[165] besage darum: »Durch den Genuß der eucharistischen Gaben tritt der Christ in Gemeinschaft mit Christus, bekommt Teil an ihm«; und der ganze Vers 17 beinhalte »ein

---

[160] Von Parenthese muß gesprochen werden vom Zusammenhang des Kontextes her, weil »Paulus in Kapitel 10 sachliche Aussagen zur Eucharistie nicht um ihrer selbst willen, sondern zur Motivierung der ethischen Unterweisung verwendet« (Neuenzeit a.a.O. 64).

[161] A.a.O. 60f. Allerdings fügt Neuenzeit a.a.O. 61 hinzu: Paulus tue dies »ohne Rücksicht auf die Geschlossenheit der Einzelargumentation in Kapitel 10«.

[162] A.a.O. 218f (Hervorhebung von mir). Die Feststellung des Hinausweisens von V 17 über den konkreten Argumentationszusammenhang dürfte richtig sein; vgl. dazu auch Neuenzeit a.a.O. 60f. Eine Störung wird man nur konstatieren können, solange man den inneren Zusammenhang von V 16 und V 17 so bestimmt wie Neuenzeit.

[163] Bultmann, Theologie 149 (zitiert von Neuenzeit a.a.O. 203 nach der 3. Auflage S. 145).

[164] Wie wenig diese Begriffe geeignet sind, zur Klärung der anstehenden Fragen beizutragen, scheint Neuenzeit selbst empfunden zu haben; vgl. a.a.O. 203 A. 6.

[165] An anderer Stelle (201ff) wird dieser Abschnitt immer 17c genannt.

Doppeltes: die Gemeinschaft der Christen untereinander im σῶμα τοῦ Χριστοῦ und die Gemeinschaft eines jeden einzelnen Christen mit seinem Herrn«[166]. Hier zeigt sich m. E. mit aller Deutlichkeit, wie verhängnisvoll es ist, V 16 ganz als »vorpaulinische Kultformel«[167] zu betrachten und allein in V 17 eine »paulinische Eigenaussage« zu sehen, »die sich an die vorpaulinische Formel von Vers 16 anschließt«[168]. Nur so konnte Neuenzeit schließlich darauf verfallen, den entscheidenden Unterschied zwischen beiden Versen »in der Verschiedenheit des Soma-Begriffs« zu finden[169], während man bestenfalls von einer christologischen und einer ekklesiologischen Betrachtung des *einen* Leibes Christi sprechen dürfte[170].

Was V 17 wirklich aussagt, ist – um noch einmal mit Bultmann zu reden – »die Einheit der feiernden Gemeinde«, deren Einheit als ein Leib aus der »Einheit des Brotes« begründet wird, an dem alle einen Anteil erhalten. Diese Einheit vermag das Brot aber nur zu begründen, weil es nach V 16 allen Anteil gibt an dem einen (für uns hingegebenen) »Leib des Christus, der *unteilbar* ist«[171]. Der richtige Syllogismus ist daher zweifellos der von der »Mehrzahl der Exegeten« immer schon vorgeschlagene, der auf das Brot abhebt und nicht auf den Leib oder die Einheit. Das ist ohnehin dadurch nahegelegt, daß Paulus alle seine Schlüsse[172] an das Brotwort der Herrenmahltradition knüpft. Nimmt man hinzu, daß sich bei Paulus ein deutlicher Unterschied im Gebrauch von μετέχειν/μετοχή und κοινωνία/κοινωνεῖν feststellen läßt, wonach ersteres lediglich das konkrete »Anteil-bekommen«, letzteres aber »die durch gemeinsames Anteil-bekommen entstehende Gemeinschaft« auszudrücken vermag[173], dann klärt sich der Gedankengang des Paulus und der innere Zusammenhang von V 16 und V 17:

[166] Zitate a.a.O. 62.

[167] Neuenzeit a.a.O. 62.

[168] Neuenzeit a.a.O. 201.

[169] A.a.O. 202. Vgl. dagegen Schmitz, Christus-Gemeinschaft 175: Die ganze Argumentation »hat natürlich nur dann Sinn, wenn der Leib, um den es sich V. 17a handelt, derselbe ist, von dem V. 16 redete«, d. h. »wenn der Ausdruck auch hier als Christus-Leib zu verstehen ist im Sinne einer einheitlichen Größe«.

[170] Neuenzeit hätte a.a.O. 203–206 dabei bleiben sollen, was er Cerfaux (La Théologie de l'Église 203.212) konzediert: daß sich »eine Trennung zwischen Leib Christi = eucharistische Gabe, und Leib Christi = Gemeinde von der Realität des einen Leibes des erhöhten Herrn aus nicht durchführen läßt«. Nach Conzelmann, Theologie 290, ist »der ekklesiologische Sinn von σῶμα mit dem sakramentalen verknüpft« (Hervorhebung von mir).

[171] Mußner, Christus und das All 121. Vgl. Käsemann, Das Abendmahl im Neuen Testament 80: »Ja ein und dasselbe Brot bewirkt gerade als Anteil eines und desselben Christusleibes, daß wir viele essend eine Einheit, die Einheit des Christusleibes der Kirche werden«.

[172] Der Streit um das ὅτι löst sich dann dahin, daß es »expliziert«, nicht nur »modifiziert«, aber auch nicht »interpretiert«, was in V 16b ausgesagt ist (vgl. Neuenzeit a.a.O. 203 gegen Käsemann, Abendmahlslehre 12 ff). Mußner spricht a.a.O. 121 korrekter Weise von einem »ekklesiologischen Schluß«.

[173] »Eine Differenzierung des κοινωνία-Begriffs im Sinne von ›nur Teilhabe‹ ist sachlich

Die Teilhabe am Brot	= Gemeinschaft der einzelnen mit Christus durch Teilhabe an seinem Leib
Die Teilhabe aller an dem (einen) Brot	= Gemeinschaft aller mit Christus durch Teilhabe an seinem Leib

Daher bedeutet die Teilhabe der Vielen an dem einen Brot die Gemeinschaft aller, weil sie alle teilhaben an dem einen Leib Christi; sie werden ein Leib (Christi).

Der V 17 versucht dann in der Tat – wie Neuenzeit formuliert[174] – »zusammen mit dem Vordersatz von Vers 16b die Beziehung von Kirche und Eucharistie aufzuzeigen und die Eucharistie zum Einheitsprinzip der Kirche zu machen«; mehr noch: zum Quellort der »Kirche« und ihrer Einheit in und als »Gemeinschaft«. Mehr als angenähert hat sich dem Neuenzeit nicht; immerhin erwägt er fragend, ob nicht die Herrenmahls-Gemeinde selbst »Verwirklichung und Selbstdarstellung des Christus und dadurch Gemeinschaft« sei, also nicht allein im Hinblick auf die gemeinsame »Verbindung der Gläubigen« zu Christus durch das Essen beim Herrenmahl[175].

Zutreffend formuliert den Sachverhalt H. Conzelmann[176]: »Dies ist mein Leib‹ wird in 1 Kor 10,16f ausgelegt durch den Kirchengedanken, den Gedanken der Gemeinschaft«. Und das bedeutet – wie D. Bonhoeffer in Systematisierung der paulinischen Aussagen formuliert[177]: »Die personale Einheit der Kirche ist ›Christus als Gemeinde existierend‹, Paulus konnte auch sagen, Christus selbst sei die Kirche«.

---

nicht gerechtfertigt«, sagt Neuenzeit a.a.O. 205, allerdings ohne es zu begründen und v. a. ohne es auszuwerten. Er widerspricht damit nur der Aussage von Mußner, Christus und das All 122: »Außerdem wird die κοινωνία des V. 16 im V. 17b interpretiert als ein μετέχειν ἐκ τοῦ . . . ἄρτου und dadurch für den Terminus κοινωνία in V. 16 der Sinn von ›Teilhabe‹ (nicht Gleichsetzung) sichergestellt«. Er widerspricht sich freilich auch wieder selbst; denn a.a.O. 202 scheint ihm in V 17c lediglich »κοινωνία von Vers 16b durch μετέχομεν aufgegriffen«.

[174] A.a.O. 60; allerdings nicht »in der Form eines logischen Beweises«, sondern einer Explikation oder Deduktion.

[175] A.a.O. 205.

[176] Conzelmann, Theologie 300. Vgl. Hauck, ThW III 805,21f: »κοινωνία für die im Abendmahl entstehende Gemeinschaft«. A. Fridrichsen, Die neutestamentliche Gemeinde, in: Ein Buch von der Kirche, Berlin 1950, 51–72, entfaltet von hier aus den »sakramentalen Charakter« der neutestamentlichen Gemeinde als »Kultgemeinde«, die ihr »Gepräge . . . von dem sakramentalen Christusmysterium« empfängt (61f).

[177] Bonhoeffer, Sanctorum Communio 145. Zwischen »Kirche« und »Gemeinde« darf hier freilich nicht im Sinne der späteren Unterscheidung »Gesamtkirche« – »Ortsgemeinde« differenziert werden. Zu Bonhoeffer vgl. Käsemann, Das Abendmahl im Neuen Testament 79f.85: »Das Abendmahl konstituiert den Christusleib der Kirche«.

II. KAPITEL

A. Die Gemeinschaft des Geistes

2 Kor 13,13

Ἡ χάρις τοῦ κυρίου Ἰησοῦ Χριστοῦ καὶ ἡ ἀγάπη τοῦ θεοῦ καὶ ἡ κοινωνία τοῦ ἁγίου πνεύματος μετὰ πάντων ὑμῶν.

»Die Gnade des Herrn Jesus Christus und die Liebe Gottes und die Gemeinschaft des heiligen Geistes mit euch allen!«

Von der κοινωνία (τοῦ ἁγίου) πνεύματος spricht Paulus nur an zwei Stellen. Die erste Erwähnung findet sich im formelhaften Briefschluß von 2 Kor 13,13, einer viel verhandelten Stelle, die für die spätere Trinitätslehre von besonderer Bedeutung geworden ist[1]; die zweite in Phil 2,1.

Die Wendung, die man allgemein mit »Gemeinschaft des (heiligen) Geistes« wiedergibt, ist in ihrem Sinn schwer zu bestimmen. Das liegt einmal an den umstrittenen Aussagen des Paulus zum Pneuma[2], dann aber auch am Problem der richtigen Erfassung seines κοινωνία-Begriffs.

Ähnlich wie in 1 Kor 1,9, wo von der Berufung durch Gott zur »Gemeinschaft mit seinem Sohn Jesus Christus« gesprochen wird, verhindert auch die Kürze der κοινωνία-πνεύματος-Formel ihre eindeutige Erklärung. Meint Paulus die »gemeinsame Teilhabe am heiligen Geist«[3] oder eine »durch den heiligen Geist gestiftete bzw. vermittelte Gemeinschaft«[4]? Ist der »Geist« als Person oder

---

[1] Prümm, Diakonia Pneumatos I 729–734, geht weit über das exegetisch Vertretbare hinaus. Doch ist er nicht der einzige, der hier eine der wichtigsten Grundlagen der späteren Trinitätslehre gegeben sieht. Vgl. Allo, 2 Kor 343: »Verset d'une importance capitale« – nämlich für: »la personnalité de la Troisième Personne« und »le premier des dogmes, le Mystère de la Sainte Trinité«. Belser, 2 Kor 376: »trinitarische Formel«. Sickenberger, 2 Kor 166, spricht vom »Bekenntnis zur göttlichen Dreifaltigkeit«, das hier schon die Väter »erkannt und verteidigt« hätten; ähnlich Gutjahr, 2 Kor 785. Schaefer, 2 Kor 553, konstatiert vorsichtiger eine »Darlegung des Trinitätsgeheimnisses« in einem »eingeschlossenen Sinne«; vgl. neuerdings Tasker, 2 Kor 192.

[2] Vgl. dazu I. Hermann, Kyrios und Pneuma, München 1961, 132–139 (dagegen Prümm a.a.O. 729f A. 5); O. Kuss, Der Römerbrief, Regensburg ²1963, 540–595 (dort weitere Literatur).

[3] So schon Klöpper, 2 Kor 554 (κοινωνία = μετοχὴ καὶ μετάληψις); Schmiedel, 2 Kor 305; auch Gutjahr, 2 Kor 785; Schlatter, 2 Kor 360; Lietzmann, 2 Kor 162. Kümmel, im Anhang zu Lietzmann, 2 Kor 214, glaubt, Seesemann habe »diesen Sinn ... endgültig nachgewiesen« und Jourdan, KOINΩNIA 116–118, habe dagegen »nichts Überzeugendes vorbringen können«.

[4] Belser, 2 Kor 376, spricht von einem Hinweis auf den heiligen Geist als Stifter der

zumindest personal zu verstehen – neben dem »Sohn« und dem »Vater« –, oder aber sächlich als »Gabe« bzw. »Medium der Vermittlung«?

Zu 1 Kor 1,9 lieferte erst die Auslegung von 1 Kor 10,16ff die Möglichkeit eines volleren Verständnisses. Κοινωνία 'Ιησοῦ Χριστοῦ erwies sich als eine formelhafte Bezeichnung für das neue Sein in Christus: die »Gemeinschaft mit ihm und untereinander durch (gemeinsame) Teilhabe an seinem (für uns dahingegebenen) Leib und Blut«. Die Grundbedeutung von κοινωνία = »Teilhabe« blieb als gedankliches Zwischenglied bedeutsam und führte erst zu dem neuen Gesamtverständnis: »Gemeinschaft mit jemand *durch* gemeinsame Teilhabe an etwas.«

Demnach müßte man die Formel von 2 Kor 13,13 wiedergeben können mit: »Die Gnade des Herrn Jesus Christus und die Liebe Gottes und die Gemeinschaft des heiligen Geistes mit euch allen!« Letzteres wäre dann zu verstehen als »die Gemeinschaft, die durch die gemeinsame Teilhabe am heiligen Geist entstanden ist«. Sie möge ihnen erhalten bleiben[5] wie die Gnade, die ihnen durch den Herrn Jesus Christus, und die Liebe, die ihnen durch Gott selbst zuteil geworden sind.

Demgegenüber verteidigt H. Seesemann die Auslegung im Sinne eines »Anteilhabens am heiligen Geist«[6] – eine Auslegung, die man grundsätzlich gar nicht zu bestreiten bräuchte, bei der aber doch fraglich bleibt, ob sie auch wirklich zureichend ist. Seesemann selbst scheint das Unzureichende durchaus empfunden zu haben, sonst würde er nicht ständig mit dem Begriff »Gemeinschaft« (»Geistesgemeinschaft«) jonglieren[7], den er lediglich aus unverkennbarer Voreingenommenheit heraus ablehnt[8]. Er braucht ihn ebenso oft, wie er ihn zurückweist. Wo er ihn gebraucht, geschieht dies freilich gleichsam illustrativ, d. h. zur Erläuterung, aber nicht zur Erklärung.

So kann er z. B. in unserem Zusammenhang durchaus feststellen: »›Teilnahme‹ oder ›Anteilhaben‹ – die jedenfalls zugrunde liegende Bedeutung – ist zu schwach, um ganz auszudrücken, was Paulus meint. Am ehesten paßt ›Gemeinschaft‹ = ›innigste Anteilnahme‹, jedoch mit religiösem Akzent«[9]. Trotz dieser Feststellung bleibt er bei seinem Resümee zu 2 Kor 13,13: es »liegt kein Grund vor, κοινωνία

Gemeinschaft; Tasker, 2 Kor 192, von »fellowship achieved by the Holy Spirit«; ähnlich Godet, 2 Kor 358; Héring, 2 Kor 104f; de Boor, 2 Kor 258.

Manche wollen sich auch nicht entscheiden; vgl. Schaefer, 2 Kor 553: die Gemeinschaft mit oder die Teilnahme an.

[5] Εἴη, die am häufigsten vorgeschlagene, ist nicht die einzig mögliche Ergänzung. Der geforderte Konjunktiv des Wunsches hat sich an dem Indikativ zu orientieren, der den Aussagen zugrunde liegt.

[6] A.a.O. 62–73.

[7] A.a.O. 68.69.70.71.72.

[8] Gegenüber Scott und v. Dobschütz, die ihn als »societas« interpretieren. Von dieser Fixierung »Gemeinschaft = societas« kommt Seesemann nicht los; vgl. a.a.O. 73.

[9] A.a.O. 68 im Hinblick auf 2 Kor 8,4, zugleich aber im Zusammenhang mit der Frage nach dem »religiösen Klang« des paulinischen Begriffs κοινωνία in 2 Kor 13,13 neben χάρις und ἀγάπη.

anders als ›Anteilhaben‹ zu fassen«[10]; aber er übersetzt doch: »Die Gnade Christi, die Liebe Gottes und die Gemeinschaft des heiligen Geistes (= innige Anteilnahme am heiligen Geist) sei mit euch allen«[11].

Damit dürfte das Dilemma offenkundig sein, in dem sich Seesemann und mit ihm die ganze bisherige Auslegung der Stelle befindet.

Immer glaubte man, sich zwischen der Alternative entscheiden zu müssen, wie sie H. Windisch[12] formulierte: entweder »(1) Gemeinschaft mit dem heiligen Geist (gen. obi.), also Anteil an ihm und an seinen Gaben« oder »(2) Gemeinschaft, die der heilige Geist bewirkt, die er weiht und trägt (gen. subi. oder qual.), geistgewirkte, im Geist bestehende Gemeinschaft«.

Eine Klärung brachte auch die Auslegung der gesamten Formel nicht; denn auch der Streit um die nähere Bestimmung der Genitive hält bis heute an.

Zumeist erklärt man alle drei Genitive für gen. subiectivi oder den dritten für einen gen. obiectivus, aber auch ein gen. qualitatis oder auctoris wird hierfür erwogen[13].

Zwar würde der Formelcharakter von 2 Kor 13,13 einen einheitlichen Aufbau nahelegen; aber demgegenüber weist man darauf hin, daß auch die Glieder »Sohn«, »Vater«, »Geist« nicht gleichwertig nebeneinanderstehen, so daß ein Wechsel der Genitive verständlich wäre[14].

Gegen die häufig vorgetragene Auffassung χάρις τοῦ κυρίου Ἰησοῦ Χριστοῦ und ἀγάπη τοῦ θεοῦ seien als Genitive der Zugehörigkeit zu verstehen, ist zu fragen[15]: Geht es nicht bei dem Wunsch des Apostels für seine Gemeinden um die *durch* Jesus Christus erworbene bzw. zugeeignete Gnade? Um die von Gott her erfahrene Liebe? Oder – um mit H. Windisch zu reden[16] – um »die Heilsgüter

[10] A.a.O. 73.
[11] A.a.O. 71. Ähnlich Sickenberger, 2 Kor 166: »daß sie in inniger Gemeinschaft stehen mit dem Heiligen Geiste (oder der Heilige Geist mit ihnen)«.
[12] Windisch, 2 Kor 428. Godet, 2 Kor 358: »κοινωνία peut signifier: la participation au St-Esprit, (la communication du St-Esprit, envisagé comme une force, une puissance), la bénédiction, qu'il donne; – ou bien: la communion (fraternelle) que le St-Esprit produit au sein de l'Eglise (Bousset); (– ou encore: la communion avec le St-Esprit, envisagé comme une personne)«.
[13] Vgl. z. B. Windisch a.a.O.; Bisping, 2 Kor 176: »Genit. subjecti«; Plummer, 2 Kor 383f: alles Gen. subj.; »but in either the second or the third case the genitive may be objective«; Allo, 2 Kor 343: »Les génitifs doivent être subjectivs«; Tasker, 2 Kor 191: »As the first of the three genitives in this verse must be subjective, it is probable that the other two should be constructed in the same way«.
[14] Zur Entstehung der Triasformel vgl. E. v. Dobschütz, Zwei- und dreigliedrige Formeln, Ein Beitrag zur Vorgeschichte der Trinitätsformel, in: JBL 50 (1931) 117–147, bes. 141 ff (zitiert bei Seesemann a.a.O. 65 A. 3); ferner Kümmel, im Anhang zu Lietzmann, 2 Kor 214.
[15] Diese Frage wäre auch an die sonstigen Briefschlüsse zu stellen, in denen diese Wendung begegnet: 1 Thess 5,28; 1 Kor 16,23; Gal 6,18; Röm 16,20; Phil 4,23.
[16] Windisch a.a.O. 428. Er macht aufmerksam, daß man »die Gnade Christi und die Liebe Gottes *erlebt*« und fährt fort: »so gewinnt man auch *Anteil* am heiligen Geist«. Vgl.

Gnade, Liebe und Gemeinschaft«, die »auf Jesus Christus, Gott und den heiligen Geist verteilt« werden? Sind nicht die Eingangsgrüße der Paulusbriefe, in denen »Gott und Christus als Geber von Gnade und Friede...«[17] etc. ausgewiesen werden, ein Indiz für das nämliche Verständnis in den nicht weniger formelhaften Briefschlüssen?

O. Schmitz hat deutlich gemacht, daß man diese Genitive »im Sinne einer ganz allgemeinen Näherbestimmung des Nomens« verstehen könne[18]; d. h. aber, daß es sich keineswegs so eindeutig (wie oft behauptet) um Genitive der Zugehörigkeit handelt. Weil abgegriffen, sind sie mehrdeutig.

Demnach wäre ein einheitliches Gesamtverständnis der Genitive von 2 Kor 13,13 durchaus möglich, nämlich als Genitive der Herkunft[19], und κοινωνία τοῦ ἁγίου πνεύματος würde bedeuten: Gemeinschaft, vermittelt durch den heiligen Geist. Über das Wie der Vermittlung ist damit so wenig gesagt wie über die Weise der Zuwendung von χάρις und ἀγάπη. Doch aus der Grundbedeutung »Teilhabe« ergibt sich für κοινωνία: die Gemeinschaft, vermittelt durch die gemeinsame Teilhabe am heiligen Geist.

Schon F. Büchsel hat (nach H. Seesemann) für unsere Stelle Ähnliches erwogen. Er meinte[20]: »Κοινωνία ist hier nicht nur der Anteil an einer Sache und die dadurch entstehende Verbindung von Personen, sondern auch Gemeinschaft von Personen untereinander, auch ganz abgesehen davon, ob sie durch eine Sache entsteht«. Letzteres scheint mir unrichtig; aber Seesemanns Kritik wendet sich vornehmlich gegen die Aussage »in der dazugehörigen Anmerkung«: »daß πνεύματος hier zugleich Gen. subj. und Gen. obj. ist«[21]. Er zitiert Schmitz, wonach die »Zusammenkopplung verschiedener Gedanken in den einfachen Genetiv sprachlich und sachlich viel zu kompliziert« wäre, »als daß man sie Paulus zutrauen dürfte«[22].

Tasker, 2 Kor 191: »may live in the atmosphere of that saving grace«, »may experience the love of god«.

[17] Windisch a.a.O.

[18] Schmitz, Christus-Gemeinschaft 139 (vgl. 229–237).

[19] Prümm, Diakonia Pneumatos I 730: »in erster Linie solche der Urheberschaft«.

[20] F. Büchsel, Der Geist Gottes im Neuen Testament, Gütersloh 1926, 413. Der Sache nach findet sich dieser Gedanke auch bei Heinrici, 2 Kor 550, in der Umschreibung: »Die Gnade Christi ist endlich die Bürgschaft für das Walten des heiligen Geistes unter den Christen, welcher als zusammenhaltende Kraft die durch Christus in Folge der Liebe Gottes zu einer Gemeinschaft der Gläubigen Gesammelten zum Leibe Christi ausgestaltet«; bzw. in A. 1: »Paulus spricht hier von einer Gemeinschaft, deren Ursache und Lebenselement der Geist ist, welchen Gott als übernatürliche Kraft der Christenheit zum Wandel im neuen Leben verliehen hat«.

Was fehlt, ist die Erläuterung dieser Gedankenverbindung aus der Struktur des Begriffes κοινωνία bei Paulus. Das gilt auch für Lietzmann, 2 Kor 162: »die κοινωνία wird ... durch den Empfang resp. Genuß des genannten hergestellt« (z. B. πνεῦμα, αἷμα, σῶμα).

[21] Seesemann a.a.O. 71.

[22] Schmitz a.a.O. 107.

Was aber, wenn die Gedankenverbindung gar nicht dem Genitiv πνεύματος aufgelastet werden müßte, weil sie im Begriff κοινωνία steckt, der den »Anteil an einer Sache *und* die dadurch entstehende Verbindung von Personen« ausdrückt[23]? Dieser Möglichkeit ist Seesemann nie nachgegangen; dazu heißt es bei ihm immer nur apodiktisch: solche Bedeutung hat κοινωνία nicht[24]!

Auf die Frage nach dem πνεῦμα braucht hier zunächst nicht eingegangen zu werden, zumal unter den Exegeten weithin Einigkeit besteht, »daß von einer dogmatisch ausgeprägten Trinitätslehre bei Paulus keine Rede sein kann«[25]. Paulus kennt wohl die Zusammenstellung Gott – Herr – Geist (vgl. 1 Kor 12,4ff), aber aus der zu beobachtenden Dreigliedrigkeit der Aussagen kann man nicht schon ohne weiteres eine Lehre der Dreifaltigkeit göttlicher Personen ableiten[26]. Immer ist ihm das πνεῦμα das πνεῦμα Gottes oder Christi, Medium ihres Wirkens und ihrer Gegenwärtigkeit. Darin liegt eine Gemeinsamkeit zwischen 1 Kor 12,4ff und 2 Kor 13,13: in beiden Fällen geht es um Wirkungen der drei Größen – Christus, Gott und Geist – für seine Gemeinde[27].

Phil 2,1

εἴ τις κοινωνία πνεύματος = »Wenn es irgendeine Gemeinschaft des Geistes gibt ...«

Für seine Auslegung »Teilnahme, Anteilhaben am Geist« verweist H. Seesemann zu Phil 2,1 auf drei Gründe: »1. die Entsprechung mit 1 Kor 1,9«; »2. die Auffassung der κοινωνία πνεύματος in der alten Kirche« und 3. die Tatsache,

---

[23] Prümm, Diakonia Pneumatos I 732, der alle drei Genitive »als solche der Urheberschaft« betrachtet (s. o.), denkt beim dritten »darüber hinaus auch noch« an »den Einschluß eines Genitivus participationis«. Auch er argumentiert zu Unrecht mit verschiedenen gleichzeitigen Genitiven.

[24] Z. B. a.a.O. 29 A. 1; 68 A. 5; 70f A. 4.

[25] Seesemann a.a.O. 65. Vgl. Godet, 2 Kor 358: »... il convient de remarquer le caractère non systématique, non dogmatique, de notre verset, où les trois ›personnes‹ divines ne figurent ni dans leur ordre hiérarchique, ni avec leurs titres trinitaires«; Plummer, 2 Kor 384: »undogmatic and undeveloped«; Héring, 2 Kor 105: »Que l'Esprit soit personnifié, c'est ce que ce texte ne prouve pas. Nous sommes encore loin de la doctrine trinitaire des Conciles«; de Boor, 2 Kor 257, meint, Paulus habe zwar immer »›trinitarisch‹ gedacht ... und geglaubt«, aber »nirgends eine ›Trinitätslehre‹ entfaltet«. Von »paulinischer Trinität« sprach schon de Wette, 2 Kor 270.

[26] Vgl. J. Weiß, 1 Kor 297; Schmiedel, 2 Kor 306: »bloße Dreiheit«; »nicht einmal ein genauer Parallelismus möglich«. »An Coordination oder gar an Dreieinigkeit ist noch viel weniger gedacht«. Dazu auch Windisch, 2 Kor 429–431; Kuss, Römerbrief 575–584.

[27] Vgl. Godet, 2 Kor 358: »Cette grâce, toujours à l'oeuvre ...«; »l'amour de Dieu, dont cette grâce nous rend participants ...«; »la communion, l'action du St-Esprit ...«. Héring, 2 Kor 104, weist auf die Wechselbeziehung hin, wenn er zu χάρις sagt: »... se confond avec le don du Saint Esprit«. Vgl. aber auch schon de Wette, 2 Kor 270; Heinrici, 2 Kor 549f.

daß sich κοινωνία πνεύματος »in der Bedeutung ›Gemeinschaft, die vom Geist gewirkt ist‹, nicht in den Zusammenhang« einfüge[28]. Aber diese Gründe vermögen nicht zu überzeugen. Der erste beruht auf der bloßen Behauptung, κοινωνία Ἰησοῦ Χριστοῦ könne »allein im Sinn von ›Anteilhaben an Christus‹ verstanden werden«. Den zweiten schränkt er selber dahin ein, daß »keine der« von ihm »genannten Stellen nachweislich von Phil 2,1 (bzw. 2 Kor 13,13) abhängt«. Und der dritte spiegelt wiederum nur subjektive Überzeugung wider.

Der Vers macht zwar in der Tat den Eindruck, als sei er »gleichmäßig aufgebaut«; doch bietet er Raum für allerlei Kombinationen[29] mit immer nur mehr oder weniger Wahrscheinlichkeit[30]. Seesemann selbst behauptet, es handle sich bei den beiden ersten Gliedern: »›Ermahnung in Christo‹ und ›Zuspruch, den Liebe gewährt‹« um »etwas von außen an den Menschen Herantretendes«, während das dritte und vierte Glied, einander ebenfalls korrespondierend, »etwas im Menschen Vorhandenes« bezeichneten[31]. Davon wird man sich freilich nicht so leicht überzeugen lassen.

Mir scheint es eine plausiblere Erklärung anzunehmen, Paulus spreche zunächst von sich selbst, von seiner – in der Bestimmtheit von Christus[32] gründenden und von ihm her legitimierten – Vollmacht, die Gemeinde zu ermahnen und ihr liebend zuzureden[33]; und dann von der zwischen ihm und der Gemeinde bestehenden »Gemeinschaft«, die ihren Ursprung hat in der gemeinsamen Teilhabe am πνεῦμα[34]; diese Gemeinschaft umfaßt auch inniges Mitgefühl und Erbarmen[35], und diese soll die Gemeinde ihrerseits dem Apostel entgegenbringen.

[28] A.a.O. 60f (dort auch die folgenden Zitate). Vgl. dazu auch Meyer, Phil 50; Bisping, Phil 178; Haupt, Phil 54; de Boor, Phil 71.
[29] Vgl. Lohmeyer, Phil 82 (»Die einleitenden Worte bergen manche Schwierigkeiten formaler und sachlicher Art«); Michaelis, Phil 31.
[30] Nach Lohmeyer a.a.O. 82f beziehen sich die ersten Aussagen auf Christus, Gott und den Geist; das vierte Glied wird als Zusammenfassung des Vorausgehenden erklärt. Diese Parallelisierung zu 2 Kor 13,13 wirkt überzogen. Vgl. die Ablehnung bei Michaelis, Phil 31; Gnilka, Phil 104 A. 13.
[31] Daß das 1. und 3. Glied sich auf äußere und objektive, das 2. und 4. Glied auf innere, subjektive Sachverhalte beziehe, meint auch Lightfoot, Phil 107; er kontrastiert: »the external principles of love and harmony« – »the inward feelings inspired thereby«.
[32] Vgl. Neugebauer, In Christus 119–130, v. a. 121; zu Phil 2,1 zieht er diesen Gedanken freilich nicht in Betracht (vgl. a.a.O. 104f und A. 27).
[33] Daß es sich nicht um eine Tröstung des Apostels durch die Gemeinde handelt, wird allgemein (vgl. Lipsius, Phil 225; Haupt, Phil 54; Tillmann, Phil 138; Michaelis, Phil 32; v. a. Gnilka, Phil 103) angenommen (gegen K. J. Müller, Phil 114–117; Lohmeyer, Phil 82f).
[34] Gemeint ist das πνεῦμα Gottes; vgl. Meyer, Phil 50; Vincent, Phil 54; Haupt, Phil 54 (»oder Christi«); Michaelis, Phil 32.
[35] Eine Explikation des mit κοινωνία πνεύματος Gemeinten sieht auch Ewald, Phil 97, in σπλάγχνα καὶ οἰκτιρμοί. Auf Paulus beziehen die Aussage: Haupt, Phil 54, und Michaelis, Phil 31 und 32; auf Gott: Barth, Phil 46.

Bei dieser Auslegung des Verses fällt die κοινωνία πνεύματος keineswegs aus dem Rahmen. Der einheitliche Bezug auf Apostel und Gemeinde tritt ebenso deutlich zutage, wie das zwischen ihnen bestehende Verhältnis[36]: Es verbindet sie der gemeinsame Geistbesitz zur »Gemeinschaft«, die sich im Mitfühlen der Gemeinde mit dem Apostel äußern soll; aber dies hebt nicht auf, daß der Apostel seiner Gemeinde aufgrund seiner besondern Berufung »in Christus« auch mahnend und zuredend gegenübersteht.

Es wird also mit der κοινωνία πνεύματος gerade keine »objektive Macht« ins Spiel gebracht, »deren Nennung nicht in den Zusammenhang paßt«[37]; der Ton liegt ganz auf κοινωνία; d. h. Paulus mahnt primär, der »Gemeinschaft« eingedenk zu sein, die zwischen der Gemeinde und ihm besteht[38]; und der beigefügte Genitiv gibt lediglich einen Hinweis auf deren Zustandekommen (wie ἐν Χριστῷ auf die Begründung und Bedeutsamkeit seiner apostolischen παράκλησις und ἀγάπη auf die besondere Eigenart seines παραμύθιον)[39].

E. Lohmeyer hat zu dieser Verbindung von κοινωνία mit einem Genitiv m. E. das Wichtigste gesagt, als er feststellte: »Wo immer bei Pls. der Begriff ›Gemeinschaft‹ mit dem Genetiv eines Nomens verbunden ist, das ein religiöses Gut bezeichnet[40], da gibt dieser Genetiv den Grund und die Norm an, durch welche Gemeinschaft erst möglich und wirklich wird«[41].

Was Lohmeyer freilich nicht klar genug erkannte, ist die durch die »(gemeinsame) Teilhabe« an einem religiösen Gut *vermittelte* »Gemeinschaft« der »Teilhabenden«. Nur deshalb kann er an anderer Stelle[42] fälschlich behaupten: »Der

---

[36] Die Auslegung von Gott – Christus – Geist und ihrem Wirken her läßt Lohmeyer a.a.O. 83 sagen: Es »fällt kein Wort über das, was Apostel und Gemeinde verbindet«. Dagegen spricht Lipsius a.a.O. von einer »Berufung auf die Gemeinschaft des heiligen Geistes, der die Phil mit ihm und unter einander verbindet«. Noch eindeutiger Michaelis, Phil 31: »2,1 bezieht sich auf das *Verhältnis zwischen Paulus* und *Gemeinde*«. Und a.a.O. 31 f: »Die ersten beiden Glieder beziehen sich auf die Haltung des Apostels der Gemeinde gegenüber, die beiden letzten mehr auf die dabei vorausgesetzte bzw. zum Ausdruck gebrachte Verbundenheit zwischen Apostel und Gemeinde«. Ähnlich Haupt, Phil 55; Tillmann, Phil 138; jetzt auch Gnilka, Phil 104.

[37] Seesemann a.a.O. 61. »Objektive Macht« ist dabei ein Zitat aus Tr. Schmidt, Der Leib Christi 135. Im übrigen ist auch durch ἐν Χριστῷ eine objektive Macht im Spiel.

[38] Vgl. Héring, 2 Kor 105 (zu 2 Kor 13,13): »la communion qu'il (d. h. der Geist) creé entre les fidèles, comme sans dout aussi Phil 2,1«. So auch de Wette , Phil 192; Vincent, Phil 54; Lightfoot, Phil 107 (»fellowship in the Spirit« bzw. »communion with the Spirit«); Beare, Phil 71.

[39] Vgl. Michaelis, Phil 31 f; Tillmnann spricht, Phil 138, weniger glücklich von »amtlich (in Christus) und persönlich (in Liebe) gegebenen Ermahnungen«. K. J. Müller, Phil 116: »In Christo wurzelt der vom Apostel gemeinte Zuspruch«.

[40] Für Paulus scheint diese Verbindung mit »religiösen« Gütern charakteristisch zu sein.

[41] Lohmeyer a.a.O. 138 f (zu Phil 3,10). Was er dabei unter »Norm« versteht, wird nicht deutlich; der Zusatz scheint entbehrlich.

[42] A.a.O. 17. Er will ausschließen, daß man »Gemeinschaft« als aktives Bündnis verstehe, das durch eine Willensentschließung (der Gläubigen) zustande kommt. Ähnlich wandte sich

religiöse Begriff κοινωνία bezeichnet bei Pls. niemals den festen Bund gläubiger Brüder untereinander, sondern die ›Teilnahme‹, die der Einzelne an einem objektiven Wert gewinnt oder die er in gegenständlichem Akt einem ›Bruder‹ gewährt«.

Wegen dieser ungeklärten Widersprüchlichkeit in den Aussagen Lohmeyers kann Seesemann ihn als Zeugen für seine eigene Auffassung reklamieren, auch wenn er seine Auslegung von πνεύματος als gen. auct. beanstanden muß, weil sie eine »Vermengung« von Gedanken enthalte: nämlich vom Geist, an dem man »teilhat« und vom Geist, der »sich selbst mitteilt oder mitgeteilt wird«[43]. Seesemann konzediert in diesem Zusammenhang gleich zweimal, daß er Lohmeyer möglicherweise mißverstehe. Das scheint mir bezüglich der »Vermengung« tatsächlich der Fall zu sein; denn was Lohmeyer wirklich vermengt, ist die Auslegung »Teilhabe am Geist« und »Gemeinschaft, die durch den Geist gewirkt ist«. Dann aber ist hier nicht die Alternative, ob der Geist sich selbst mitteilt oder als Gabe mitgeteilt wird, und Seesemanns Einwände gehen am Kern der Sache vorbei. Lohmeyer aber bleibt tatsächlich mißverständlich, weil widersprüchlich.

Das Problem ist erst gelöst, wenn aus der unklaren und unerklärten »Vermengung« zweier gedanklicher Implikationen von κοινωνία das innere Gefüge, die gedankliche Struktur des paulinischen κοινωνία-Begriffs erhoben wird: »Gemeinschaft durch (gemeinsame) Teilhabe«.

Am weitgehendsten[44] kam dem J. Gnilka in seiner Auslegung von Phil 2,1 nahe[45]. Er übersetzt: »Gemeinschaft des Geistes« und sagt zum ganzen Vers: »Das erste Wortpaar spricht vom seelsorglichen Verhalten des Apostels der Gemeinde gegenüber, das zweite von dem, was sie beide miteinander verbindet. Es sind der Geist, an dem sie[46] zusammen mit ihm Anteil gewonnen haben, und herzliche,

---

Haupt, Phil 54 A. 2, gegen ein Verständnis von »Gemeinschaft im Sinne eines geschlossenen Kreises oder einer Übereinstimmung in Gedanken oder Anschauungen« und verteidigte deshalb die Wiedergabe durch »gemeinsamer Anteil am Geist«. Daß er wenig später sagen kann, Paulus gehe über zum Gemeinschaftsverhältnis (!), »welches zwischen ihm und den Phil kraft ihres gemeinsamen Anteils am heil. Geist besteht« (a.a.O. 55), läßt ihn als Zeugen der von mir vertretenen Auffassung erscheinen.

[43] Seesemann a.a.O. 62.

[44] Michaelis, Phil 32, verlagert den entscheidenden Akzent: »Wenn es durch den Geist Gottes hergestellte und in ihm allein verbürgte *Gemeinschaft* zwischen Paulus und der Gemeinde gibt (. . .), so berechtigt sie ihn zu seiner Bitte und sollte sie auch der Gemeinde verwehren, sich seiner Bitte zu verschließen«.
Nicht auf das Verbürgen der Gemeinschaft kommt es hier an, sondern auf die Vermittlung durch gemeinsames Anteilhaben am Geist (Gottes). Doch eben dieses Anteilhaben lehnt er in der Klammer ab: dieses sei nicht gemeint.

[45] Gnilka, Phil 102.104. Auch Beare, Phil 71, stellt die Gleichzeitigkeit der Bedeutungen »participation in the Spirit« und »the common life created by the Spirit« heraus; nur bleibt es auch bei ihm beim Nebeneinander.

[46] Dieses »sie« meint die einzelnen Gläubigen.

erbarmende Liebe[47]«. Der Gedanke an die Gemeinschaft, die durch dieses gemeinsame »Anteil gewonnen haben« entstand, hätte präziserweise noch einmal aufgenommen werden sollen[48].

B. Der Geist als Prinzip der Einheit

In seiner Studie »Kyrios und Pneuma« hat I. Hermann nachzuweisen gesucht, daß »Paulus im Pneuma eine Gott und Christus eigene Potenz sieht«, was sowohl »jede Hypostasierung des Pneuma in Richtung auf eine selbständige 3. trinitarische Person, andererseits aber auch jede Verdinglichung« verbiete. »Das Pneuma ist von Paulus nicht als Person gedacht, wohl aber personal im Sinn einer von der Personalität Gottes beziehungsweise Christi durchdrungene Ausstrahlungskraft des göttlichen Wesens und Handelns«[49].

Immer ist also mit πνεῦμα das πνεῦμα Gottes oder das πνεῦμα Christi gemeint. Hinter dieser »wechselnden Zuordnung« sieht Hermann »die Auffassung stehen, daß dem erhöhten Herrn die gleiche Pneuma-Mächtigkeit zukomme wie dem lebendigen Gott selbst. Gott bleibt der sendende Ursprung des Pneuma und der Geistmächtige schlechthin; zugleich aber ist Christus Träger und Besitzer dieses gleichen Pneuma. Die alles erfüllende Initiative und Aktivität Gottes gibt dem Sohn Anteil an seinem Pneuma«[50].

Das πνεῦμα ist also immer zu verstehen als das Medium des Wirkens und der Gegenwärtigkeit Gottes und Christi. »Das Pneuma geht von Gott aus und gehört ihm«[51], und auch Christus ist »*nur* durch das Pneuma, nur *als* Pneuma wirksam und gegenwärtig«[52].

Dieses Ergebnis sieht Hermann auch durch die formelhafte Wendung von

---

[47] Von dieser Liebe sagt er, sie gehöre Gott und wolle auf Menschen übergreifen; vgl. dagegen S. 116 A. 4.

[48] Auch Vincent, Phil 54, ist hier nicht völlig konsequent. Er sagt: »The meaning is ›fellowship‹ with the Holy Spirit« und fügt hinzu: »The genitive is the genitive of that of which one partakes. So habitually by Paul«. (Letzteres verdient unterstrichen zu werden!) Doch auf die berechtigte Zurückweisung der Bedeutung »the fellowship which the Spirit imparts« folgt die unzureichende Aussage: »Paul means, ›if you are partakers of the Holy Spirit and his gifts and influences‹«.

[49] I. Hermann, Kyrios und Pneuma, Studien zur Christologie der paulinischen Hauptbriefe (StANT II), München 1961, hier 140f. Vgl. dazu Kuss, Römerbrief 575–584.

[50] Hermann a.a.O. 97. Er nennt dies einen innergöttlichen, aber mit der Heilsgeschichte verknüpften Vorgang.

[51] Hermann a.a.O. 143 (vgl. auch 133: »Gott wohnt *als das Pneuma* in der Gemeinde«).

[52] A.a.O. 141.

2 Kor 13,13 nicht gefährdet: »Ein hypostatisches oder trinitarisches Pneuma-Verständnis« sei »nicht gerechtfertigt«[53].

Zu dieser Feststellung kommt er durch »eine genauere Prüfung«[54] des Begriffs κοινωνία und des Genitivs τοῦ πνεύματος, sowie einer Untersuchung der Struktur der Formel von 2 Kor 13,13.

Erstere ergibt nach seiner Meinung, daß κοινωνία τοῦ πνεύματος »gen. obj. ist und ›Anteilhabe am Pneuma‹ bedeutet«[55]. Dabei übernimmt er ganz und gar H. Seesemanns Auffassung; denn dieser habe »überzeugend nachweisen können, daß der Annahme eines gen. obj. nichts im Wege steht«[56].

Ist damit aber wirklich schon das Wichtigste gesagt und die Lösung des Problems erreicht?

Wie Seesemann legt auch Hermann den Begriff κοινωνία als »Gemeinschaft im Sinn von Anteilhabe« aus. Das ist erstaunlich und verrät zugleich das Ungenügen der Seesemannschen Auffassung. Warum bringen beide den Begriff »Gemeinschaft« ins Spiel, um κοινωνία wiederzugeben, wenn sie ihn doch für so unbrauchbar halten?

Hermann z. B. schreibt a.a.O.: »Wenn κοινωνία τοῦ πνεύματος die Gemeinschaft meint, die vom Pneuma gewirkt ist (also gen. subj. wäre), dann wäre die inhaltliche Inkonzinnität der Formel größer als die formale Schwierigkeit eines Genitivwechsels im Falle eines gen. obj.«. Ebensowenig überzeugend fährt er fort: »Faßt man κοινωνία als geistgewirkte Gemeinschaft auf, so stellt man das dritte Glied der Formel auf eine ganz andere Ebene als die ersten zwei: die χάρις Christi und die ἀγάπη Gottes sind auf den Menschen zugehende, aber in Gott beziehungsweise Christus verbleibende Größen, die κοινωνία dagegen wäre dann ›ein göttliches Werk auf Erden‹«. (Letzteres ist Zitat nach Windisch)

Resultat: »Die drei Begriffe χάρις, ἀγάπη und κοινωνία hätten sich also nicht zur Koordination angeboten, wenn κοινωνία τοῦ πνεύματος die vom Pneuma bewirkte Gemeinschaft bedeutete«. Man fragt sich nur warum nicht? Hermann muß selbst zugeben, daß ein Verständnis im Sinne von »Gemeinschaft«, »die vom Geist gewirkt ist«, ein »durchaus paulinischer Gedanke«[57] wäre. Worin besteht dann die behauptete »inhaltliche Inkonzinnität« der Formel?

Eine solche besteht doch nur, wenn man zugleich den seltsamen Gegensatz

---

[53] A.a.O. 138. Für viele Autoren, die ein solches behaupten, handle es sich »um ein einfaches Apriori«, andere schlössen zu schnell von »der triadischen Struktur der Formel« auf »Trinität«. Kuss gibt dazu a.a.O. 583 allerdings zu bedenken: »Man wird auch nicht übersehen dürfen, daß die Erkenntnis des Verhältnisses von Gott, Christus, Geist in der gewiß unsystematischen Weise, wie sie Paulus eigen ist, eben doch spürbar auf der Linie fortrückt, die zu der kirchlichen Trinitätslehre der späteren Zeit führt«.

[54] A.a.O. 136.

[55] A.a.O. 137.

[56] A.a.O. 136.

[57] A.a.O. 136 A. 21 mit Hinweis auf 1 Kor 12.

konstruiert, χάρις und ἀγάπη seien »in Gott bzw. Christus verbleibende Größen«, κοινωνία »ein göttliches Werk auf Erden«.

Geht es aber nicht doch – wie ich in meiner Auslegung zu zeigen versuchte – in
allen drei Fällen um durchaus gleichrangige, wenn auch nicht gleichartige, erfahrbare Wirklichkeiten, Heilsgüter, bei denen lediglich Herkunft bzw. Vermittlung
verschieden bestimmt sind? Nämlich: die durch Christus erworbene und zugeeignete »Gnade«, die von Gott herkommende und geschenkte »Liebe« und die in der
Teilhabe am Pneuma gründende »Gemeinschaft«[58].

Hermanns Argumentation muß um so mehr verwundern, als ja eben dies das
Ergebnis seiner gesamten Untersuchung ist, daß Gott und Christus »nur durch
das Pneuma, nur als Pneuma wirksam und gegenwärtig« sind, bzw. das Pneuma
die von der Personalität Gottes bzw. Christi durchdrungene »Ausstrahlungskraft
des göttlichen Wesens und Handelns« ist[59].

Insofern besteht also zweifellos eine differenzierbare Struktur der Formel von
2 Kor 13,13, aber keine unerträgliche inhaltliche Inkonzinnität.

In seiner Strukturanalyse kommt Hermann ja auch zu demselben Ergebnis:
»Auch der gen. obj. koordiniert das dritte Glied den beiden vorausgehenden nicht
ganz parallel«; d. h. aber doch: insoweit blieben seine Einwände auch gegen die
von ihm selbst angenommene Auffassung Seesemanns gerichtet. Und wenn die
»Sonderstellung gegenüber den beiden ersten Gliedern« in jedem Falle offenkundig und diese auch »ganz natürlich« ist, »wenn man die theologische Eigenart der
paulinischen Pneuma-Auffassung beachtet«[60], dann werden die gemachten Einwände vollends gegenstandslos, und es gilt mit Hermann selbst: »Weil die
κοινωνία τοῦ πνεύματος nur dadurch zustande kommt, daß sich Gott selbst (und
seinem Heilswirken gemäß auch Christus der Herr) als Pneuma dem Menschen
gewährt, muß der Wunsch, die Korinther möchten der Teilhabe am heiligen
Pneuma (immer mehr) gewürdigt werden, in einer Weise angefügt sein, die nicht
einfach parallelschaltet, sondern Raum läßt für jene differenzierte Zuordnung des
Pneuma zum θεός und zum Kyrios, wie sie für die paulinische Theologie
charakteristisch ist. Das Verständnis des formelhaften Ausdrucks mußte dafür
Raum lassen, daß in der κοινωνία τοῦ πνεύματος die χάρις τοῦ Ἰησοῦ
Χριστοῦ und die ἀγάπη τοῦ θεοῦ gegenwärtig, wirksam und zur geschichtlich

---

[58] Kuss nennt diese Auslegung a.a.O. 582f »gekünstelt«, verwahrt sich dabei aber
vornehmlich gegen den Versuch, »hier theologisch exakte Bestimmungen herauszulesen und
etwa die ›Gnade‹ als Gabe auf den Urheber Jesus Christus, die ›Liebe‹ auf den Urheber Gott
und . . . die ›Gemeinschaft‹ auf den Urheber Pneuma (vgl. Phil 2,1) einzuschränken«. Sein
Votum richtet sich also nicht eigentlich gegen die vorgeschlagene Bestimmung der Genitive
als solche der Urheberschaft.
[59] A.a.O. 141.
[60] A.a.O. 137. Kuss registriert a.a.O. 582 lediglich die mögliche »Sonderstellung« des
dritten Glieds und zieht sie einer »strengen Parallelität« zu den ersten beiden Gliedern vor;
aber er erklärt sie nicht.

greifbaren Gestalt wurden. Dies aber ist durch die Sonderstellung des dritten Gliedes der Fall«[61].

Zutreffender kann man es eigentlich nicht sagen.

Dann hindert aber auch nichts mehr, κοινωνία τοῦ πνεύματος in der erarbeiteten Weise als »Gemeinschaft durch Teilhabe am heiligen Geist« wiederzugeben. Paulus wünscht, daß diese den Korinthern immer mehr geschenkt werde, weil sie gerade darin der Gnade Christi und der Liebe Gottes teilhaft werden.

2 Kor 13,13 bestätigt also nur, was sich bei Paulus auch sonst als seine Pneuma-Auffassung erheben läßt[62]. Hierzu darf im einzelnen auf I. Hermann, vor allem auf den zweiten Teil seiner Studie verwiesen werden.

Die wichtigsten Ergebnisse seien in Kürze referiert:

»Pneuma ist Funktionsbegriff: es ist die göttliche Kraft, durch die der erhöhte Herr als der Besitzer des Pneuma in seiner Kirche gegenwärtig und wirksam ist.« (Zu ergänzen wäre: durch die Gott als der Geber des Pneuma und der erhöhte Herr . . .)

»Pneuma ist für den Christen eine Erfahrungsgegebenheit: es ist die im Innern des Menschen ansetzende, ihn formende Macht, die der Mensch als an sich wirkend erfährt und die er zugleich als das den ganzen Neuen Bund charakterisierende Neue wahrnimmt.

»Pneuma ist – wie δόξα – eine eschatologische Wirklichkeit: es ist aber zugleich die in die Geschichte hineingegebene Gottesgabe, die als Angeld der kommenden Vollendung das Ausharren in dieser Welt und die Tugend der Hoffnung ermöglicht«.

»Dieses Pneuma ist der Kyrios Christus selbst, insofern er – in dieser Weise seit der Erhöhung – sich dem Menschen gewährt und von ihm erfahren werden kann«[63].

Dieses aus 2 Kor 3 (v. a. V 17a: ὁ δὲ κύριος τὸ πνεῦμά ἐστιν) gewonnene Ergebnis der Identität von Kyrios und Pneuma hat Hermann an 5 zentralen paulinischen Gedankenkreisen zu erhärten versucht[64] und aus seinen Studien den Schluß gezogen, daß diese Identität tatsächlich »Grundlage *aller* paulinischen Aussagen über das göttliche Pneuma« sei[65].

Hier interessieren v. a. die Kapitel 7 und 8 seiner Untersuchung, weil darin über den Geist als »*Prinzip der Einheit*« gehandelt wird[66].

---

[61] Hermann a.a.O. 137.
[62] Vgl. dazu auch meine Arbeit »Ekklesia« 322–335.
[63] Alle Zitate a.a.O. 57.
[64] A.a.O. 69–122 (7. Kapitel: Die Auferbauung der Gemeinde nach 1 Kor 12; 8. Kapitel: Die Einheit der Kirche; 9. Kapitel: Der Weg zur gläubigen Existenz; 10. Kapitel: Die Freiheit von Sünde, Gesetz und Tod; 11. Kapitel: Die Auferweckung der Toten).
[65] Vgl. a.a.O. 132–139 (13. Kapitel: Die Identität von Kyrios und Pneuma als Grundlage *aller* paulinischen Aussagen über das göttliche Pneuma).
[66] Vgl. a.a.O. 69–98, v. a. 83.84.86.94.97.

Hermann geht zunächst der Triasformel von 1 Kor 12,4–6 nach und resümiert dazu[67]:

»Der Satz διαιρέσεις δὲ χαρισμάτων εἰσίν, τὸ δὲ αὐτὸ πνεῦμα bildet also den Ausgangspunkt für eine in rhetorischer Steigerung vorgetragene theologische Reflexion: Hinter dem in den χαρίσματα erfahrenen Wirken des Pneuma steht das Wirken, die auch die χαρίσματα umfassende Dienstverteilung des Kyrios; hinter beiden aber das alles umfassende und in sich schließende Wirken des θεός«.

»Für die Frage nach dem Verhältnis von Kyrios und Pneuma ergibt sich, daß Pneuma für die dem Menschen zugewandte und von ihm als lebendige Gotteskraft erfahrene Wirkgegenwart des erhöhten Herrn steht. Dabei ist die Tatsache, daß die Charismen als Wirkungen einer göttlichen, Pneuma genannten Macht zu verstehen sind, den Korinthern geläufig. Daß aber die διακονίαι als die alle Charismen umfassenden Dienste an der Gemeinde auf den Kyrios zurückzuführen sind, das ist die theologische Aussage des Paulus, mit der er das Wirken des Pneuma an den Kyrios bindet«.

»Das Handeln des Pneuma steht nicht als etwas Selbständiges neben dem davon getrennten Handeln des Kyrios und des θεός. Es werden nicht einfach drei Wirkweisen statisch nebeneinandergestellt und addiert. Es handelt sich vielmehr um ein dynamisches Ineinander der den verschiedenen Größen zuerteilten Wirksamkeiten«.

Von hier aus erläutert Hermann schließlich den synonymen Gebrauch von Χριστός und πνεῦμα in 1 Kor 12,11–13, einer für unseren Zusammenhang deshalb besonders bedeutsamen Stelle, weil hier in singulärer Weise das πνεῦμα und die Gemeinde als »Leib Christi« in Beziehung zueinander gesetzt erscheinen: καὶ γὰρ ἐν ἑνὶ πνεύματι ἡμεῖς πάντες εἰς ἓν σῶμα ἐβαπτίσθημεν . . . καὶ πάντες ἓν πνεῦμα ἐποτίσθημεν[68].

Mit diesem V 13 und der Rede von dem ἓν πνεῦμα nimmt Paulus die πνεῦμα-Thematik von 1 Kor 12,4–11 wieder auf, um sie bis 12,27 fortzuführen – jetzt aber unter dem veränderten Blickwinkel des Leib-(Christi-)Seins der Gemeinde (vgl. VV 13.27). Diese in 12,13–27 festgehaltene Veränderung des Blickwinkels bewirkt in V 12 die Wendung: οὕτως καὶ ὁ Χριστός, die augenscheinlich ein οὕτως καὶ τὸ ἓν πνεῦμα ersetzt – womit zwei Gedankenreihen miteinander verbunden, ja in eins gesetzt werden: Der »Gemeinde als Ganzheit« ist das Pneuma gegeben. »Der einzelne gewinnt erst Anteil am Pneuma . . ., indem er (durch die Taufe) ein Glied der Gemeinde wird«[69]. Genauso verhält es sich mit den Leib-Aussagen: Die

---

[67] A.a.O. 75f.
[68] Vgl. dazu a.a.O. 78 A. 58, wo Hermann wohl mit Recht die Deutung von ἐποτίσθημεν auf Eucharistie oder Firmung ablehnt und sich mit J. Weiß, Lietzmann, Kümmel, Allo und Schnackenburg für die Deutung auf die Taufe entscheidet: »Wir sind vom πνεῦμα überströmt, durchtränkt und durchdrungen worden« (Schnackenburg, Heilsgeschehen 77–86, hier 80).
[69] A.a.O. 70. Kuss spricht daher a.a.O. 558 von der »Bindung der einzelnen Pneumagaben an und in die Gemeinschaft«.

Gemeinde als Ganzheit ist »Leib Christi«, an dem einer Glied wird durch die Taufe. Der »Leib Christi« ist dabei so vorgegeben wie das πνεῦμα[70]. V 13 besagt nun: In diesen einen Leib (Christi) werden wir durch das eine πνεῦμα hineingetauft.

Es besteht also zwischen dem als ὁ Χριστός bezeichneten Leib und dem durch das eine Pneuma gebildeten, in den man hineingetauft wird, ein Identitätszusammenhang.

Hierzu erläutert Hermann: »Das instrumentale ἐν[71] bezeichnet die Taufe in einen einzigen Leib als ein in der Kraft des Pneuma gewirktes Geschehen. Dabei verdient das ἑνί besondere Beachtung: Der Einheit des Leibes Christi entspricht das eine Pneuma«. Damit will Paulus »das den Vers 11 beherrschende ›ἐν πνεῦμα‹ wieder aufnehmen«. »In beiden Fällen, bei den vielen verschiedenen Charismen und bei den vielen verschiedenen Gliedern der Gemeinde, ist das eine göttliche Pneuma das Prinzip der Einheit, durch das der erhöhte Herr die Getauften in den einen Leib eingliedert. Indem der Christus als Pneuma sich selbst gibt, gliedert er sie in seinen Leib ein«[72].

Das Verhältnis zwischen Kyrios und Pneuma nennt Hermann daher »Wirkidentität«[73]. Deshalb könnten bezüglich der »Einheit des Gemeindeorganismus« zwei Gedanken nebeneinander stehen, nämlich daß dieser »der Leib des einen Christus ist, und die Aussage, das Pneuma gewährleiste die Einheit dieses Leibes«.

Damit sind die beiden wesentlichsten einheitsstiftenden Faktoren aufgewiesen: der erhöhte Herr und sein Geist. Zu ihrer Zuordnung kann man mit Hermann sagen: »Die durch die Einheit des Pneuma gewährleistete Einheit der Gemeinde«, ihrer Glieder wie der ihnen geschenkten Charismen, ist dabei nur »die erfahrbare Außenseite jener Einheit, deren Grund der erhöhte Kyrios ist«[74], oder mit anderen Worten: Für Paulus erscheint »der erhöhte Kyrios als das Prinzip der Einheit unter den Christen, und zugleich das Pneuma in einer genau entsprechenden Funktion«[75].

Hermann geht sodann in einem eigenen Kapitel (Kap. 8) der κυριότης, der

[70] Vgl. dazu Hermann a.a.O. 79–81. Das reale Leib-Christi-Sein der Gemeinde sollte nicht dadurch verunklart werden, daß man von einem »Gleichnis vom Leibe« redet (Kuss a.a.O.); in 1 Kor 12, 12–27 wird ersteres nur durch letzteres veranschaulicht.

[71] das er mit Schnackenburg, Heilsgeschehen 24 A. 80, gegen Oepke, ThW II 537, und J. Weiß verteidigt, »welche die Formel mit ›von einem Geist umfaßt‹ übersetzen« (a.a.O. 83 A. 99).

[72] Alle Zitate a.a.O. 83. Dieser Zusammenhang wird außer acht gelassen, wenn man nur auf »die von innen kommende zusammenbindende, Einheit stiftende Macht« aufmerksam macht, »welche nichts anderes ist als das Pneuma selbst« (Kuss a.a.O. 557).

[73] A.a.O. 84.

[74] A.a.O. 85.

[75] A.a.O. 86. Daß Hermann unter den objektiven Gründen für die Einheit der Glaubenden neben dem einen Christus, dem einen Pneuma und dem einen Leib auch die »eine Kirche« aufzählt, ist im Blick auf Paulus nicht legitim. Vgl. dazu meine Arbeit »Ekklesia« 229–255.

Ausübung der Herrschermacht des erhöhten Kyrios nach und folgert: »Im Leben der Gemeinde bedarf die Einheit der Glieder, wie sie seinsmäßig durch den *einen* Christus gegeben und durch sein Herr-sein gefordert ist, der *Realisation* im konkreten Zueinander der einzelnen«. »Dieses subjektive Korrelat jener objektiv gegebenen und geforderten Einheit realisiert sich in der Agape«[76]. Auch diese erscheint aber als Gabe des Kyrios (vgl. 1 Thess 3,12) genauso wie als Gabe bzw. Frucht des Geistes (vgl. Röm 15,30; Gal 5,22).

Wieder ergibt sich aus der Analyse der Texte, »daß der Ursprung der vom Pneuma gewirkten Liebe kein anderer als der Kyrios Christus selber ist. Er selbst wirkt mittels des ihm von Gott zugeeigneten Pneuma die Agape in den Herzen der Glaubenden«[77]. Nicht zuletzt in Gal 3,26–4,7 findet Hermann seine »bisherigen Ergebnisse von neuem bestätigt: Die Funktion des Pneuma wird von Paulus immer gesehen in Abhängigkeit vom Tun des Kyrios. Jede durch Christus gesetzte Realität (z. B. die von ihm erworbene υἱοθεσία) wird erst durch das Pneuma für den Menschen erfahrbar«[78]. »Erst durch das Pneuma wird jener Kreislauf sichtbar, der vom Vater über den Kyrios durch das Pneuma den Menschen erreicht und von dort aus zum Vater zurückkehrt in dem Ruf ›Abba, Vater‹«[79].

Was besagt dies alles nun für die κοινωνία (τοῦ ἁγίου) πνεύματος in 2 Kor 13,13 und Phil 2,1?

Wenn Pneuma – wie I. Hermann gezeigt hat – nach dem Verständnis des Paulus immer die göttliche Kraft ist, durch die Gott handelt und der Erhöhte gegenwärtig und wirksam wird, dann ist auch die κοινωνία πνεύματος eine durch Gott und Christus gesetzte Realität, die »erst durch das Pneuma für den Menschen erfahrbar« wird – aber eben erfahrbar: die Gemeinschaft der Gemeinde durch die gemeinsame Teilhabe am heiligen Geist[80].

Darum genügt es nicht, von der objektiv gewirkten Teilhabe am heiligen Geist zu reden; denn was Paulus ausdrücken will, ist ja gerade die erfahrbare, d. h. auch subjektiv realisierbare »Gemeinschaft durch die gemeinsame Teilhabe am heiligen Geist«.

Solche subjektive Realisierung der objektiv gegebenen κοινωνία πνεύματος erwartet Paulus z. B. Phil 2,1.

---

[76] A.a.O. 92.
[77] A.a.O. 93.
[78] A.a.O. 96.
[79] A.a.O. 98.
[80] Kuss, Römerbrief 567, akzentuiert richtig, wenn er auf die »Rolle des Geistes bei der *Konstituierung der Gemeinde*« abhebt (Hervorhebung von mir). Trotzdem hält er für »die beiden umstrittenen Texte« 2 Kor 13,13 und Phil 2,1 die Auslegung »das Anteilhaben der Glaubenden am heiligen Pneuma« für wahrscheinlicher und betont diesen Gedanken von dem »den ganzen Menschen erneuernden Anteilhaben« statt der in seiner Übersetzung »Gemeinschaft des Geistes« festgehaltenen Aussage von der Gemeinde als Gemeinschaft.

III. KAPITEL

A. Das paulinische Prinzip κοινωνία

Gal 6,6

Κοινωνείτω δὲ ὁ κατηχούμενος τὸν λόγον τῷ κατηχοῦντι ἐν πᾶσιν ἀγαθοῖς.
»Gemeinschaft aber habe der Unterrichtete im Wort mit dem Unterrichtenden in allen Gütern«.

Κοινωνείτω (δέ) scheint hier ähnlich umfassend und auch in ähnlichem Sinn verstanden werden zu müssen wie das absolut gebrauchte κοινωνία in Gal 2,9. An beiden Stellen scheint es sich um eine »Gemeinschaft« zu handeln, die durch das eine (wenngleich nicht einheitliche) Evangelium gestiftet wird; dort die zwischen Paulus und Jerusalem bestehende und durch den Handschlag bekräftigte Gemeinschaft derer, die gemeinsam Anteil an der Aufgabe der Verkündigung des Evangeliums haben; hier die Gemeinschaft, die durch die Verkündigung dieses Evangeliums zwischen Verkünder und Hörer, zwischen Lehrer und Schüler entsteht.

Diesen – nach dem bisherigen Ergebnis durchaus begründeten – Vermutungen stehen H. Seesemanns Ausführungen[1] zu Gal 6,6 entgegen. Er führt allerdings lediglich den Nachweis, daß κοινωνεῖν bei Paulus in der transitiven Bedeutung von »Anteil geben« Verwendung finde[2], und stellt sogleich lapidar fest[3]: »Es besteht kein Grund, diese Bedeutung Gal 6,6 nicht einzusetzen; auch ist sie allein[4] geeignet, den Sinn des Verses voll verständlich zu machen«. »Die Einsetzung der transitiven Bedeutung ergibt den guten Sinn: der Schüler soll dem Lehrer an allen Gütern teil geben.« Nun wird niemand bestreiten, daß Gal 6,6 auch bei diesem Verständnis von κοινωνεῖν einen guten Sinn ergibt; ob Seesemann damit jedoch »den Sinn des Verses voll verständlich« gemacht hat, wie er selbst glaubte, muß ernstlich bezweifelt werden.

Vergleicht man allerdings die Kommentarliteratur, möchte man die Erhebung des vollen Sinnes von Gal 6,6 überhaupt für ein aussichtsloses Unterfangen halten. Die Schwierigkeiten, denen die Auslegung begegnet, scheinen ebenso groß wie zahlreich:

[1] Seesemann a.a.O. 24f.
[2] Gegen Lipsius, Gal z. St., und Sieffert, Gal z. St.; vgl. auch Meyer, Gal 298, wonach die transitive Bedeutung »nirgends im N. T., auch nicht Rom. 12,13 nachweislich« sei.
[3] A.a.O. 25.
[4] Allem Anschein nach ist dieses »allein« im Sinne von »ausschließlich« zu verstehen; es könnte freilich auch zum Ausdruck bringen wollen, daß dadurch weitere Überlegungen überflüssig gemacht seien.

Umstritten ist 1. die Stellung des Verses im Gesamtzusammenhang. Während die einen ihn isoliert betrachten, sehen andere nach vorwärts und rückwärts unterschiedlich bestimmte Verbindungen und Zusammenhänge. Dunkel ist 2. der konkrete Bezug zu den galatischen Gemeindeverhältnissen. Die ungelöste Frage nach den Gegnern im Galaterbrief erlaubt verschiedenartige Spekulationen über Anlaß und Hintergründe der Mahnung und ihren Bedeutungsumfang. Weitgehend von Vorentscheidungen abhängig ist 3. die Bestimmung der Rolle des κατηχῶν und des amtlichen oder nichtamtlichen Charakters seiner Tätigkeit. Verschieden auslegbar ist 4. κοινωνεῖν (τινί τινος bzw. ἐν oder εἰς) in: a) Gemeinschaft haben (mit jemandem an etwas) und b) Anteil geben (jemandem an etwas). Schließlich besteht 5. ein unversöhnlicher Gegensatz im Verständnis von ἐν πᾶσιν ἀγαθοῖς im Sinne von a) zeitlichen oder b) sittlichen Gütern.

All diesen Fragen ist nachzugehen; denn nur ein einigermaßen gesichertes Gesamtverständnis kann es ermöglichen, Wesen und Bedeutung der zwischen dem Unterrichtenden und dem Unterrichteten entstehenden κοινωνία zu bestimmen.

1. Die Stellung von Vers 6 im Zusammenhang

Wenngleich jede Unterteilung des Galaterbriefes etwas Künstliches an sich hat, wird doch häufig der Versuch einer Gliederung unternommen, wobei die Einschnitte recht verschieden angesetzt sind[5]. Leicht wird dabei übersehen, daß der Aufbau dieses Briefes sich gegen solche systematischen Zergliederungen sträubt, weil seine Gedanken in immer neuen Ansätzen um ein Zentralthema kreisen. Diesen Grundgedanken des Galaterbriefes sehe ich mit C. Holsten[6] im Festhalten der durch den Kreuzestod Christi erworbenen Freiheit von Gesetz und Beschneidung und der Verwirklichung dieser Freiheit aus dem einwohnenden Gottesgeist. Kap. 1 und 2 bezeugen den Kampf des Paulus für dieses »sein« Evangelium bis zu seiner vollen Anerkennung nach dem Streit mit Petrus in Antiochia; Kap. 3 und 4 liefern den »Schriftbeweis« für die Gerechtigkeit aus Glauben und das Ende des

---

[5] Vgl. z.B. Schmidt, Gal 13 f: I. Das Leben: der Erfahrungsbeweis (1,1–3,5) unter dem Motto »laßt euch leiten *durch* das Leben des Apostels einst und jetzt« (= Mittel); II. Die Lehre: der Schriftbeweis (3,6–4,31) – »laßt euch tränken *aus* dem Quell der Heiligen Schrift« (= Ursprung); III. Die Leitung: der Tatbeweis (5,1–6,18) – »laßt euch befestigen *zu* den Werken des Geistes« (= Ziel).

[6] Vgl. Holsten, Gal 51–55; vgl. auch F. C. Baur, Paulus der Apostel Jesu Christi, Stuttgart 1845, 257: »Es lassen sich demnach drei Hauptelemente des Briefs unterscheiden, ein persönlich apologetisches, ein dogmatisches und ein practisches. Alle drei greifen sehr eng in einander ein. Der dogmatische Theil des Briefs hat auf der einen Seite den Beweis für die apostolische Auctorität des Apostels zu seiner Voraussetzung, auf der andern geht er von selbst in das Practische über«.

Gesetzes; Kap. 5 und 6 schließlich handeln von der Berufung zur Freiheit und dem Leben im Geiste. Diese Einteilung verzichtet auf eine genauere Abgrenzung, weil darin keine Übereinstimmung zu erzielen ist. Der Galaterbrief ist eben keine dogmatische Abhandlung, sondern eine Kampfschrift einzig für das Evangelium des Christus, das in den paulinischen Gemeinden mit dem Apostolat des Paulus steht und fällt. Seine Aussagen werden wie in einer Klammer zusammengefaßt in 5,25: εἰ ζῶμεν πνεύματι, πνεύματι καὶ στοιχῶμεν – »wenn wir leben im Geiste, dem Geiste lasset uns auch folgen«. Der erste Teil dieses Satzes faßt die Ausführungen des Briefes zusammen, die von der Bedeutung der Tat Gottes im Kreuz Jesu Christi für das Leben der Gläubigen handeln, während der zweite Teil die Konsequenzen aufzeigt, in welchen diese Tat Gottes im Leben der Gläubigen sich auswirkt und auswirken muß[7]. Inwieweit dieses ζῶμεν πνεύματι sakramental verstanden werden darf, ist umstritten, wie überhaupt die Antinomie von Indikativ und Imperativ bei Paulus[8]; doch daran besteht kein Zweifel: Glaube und Leben des Christen stehen in einer unaufgebbaren Zuordnung und Entsprechung. Nach der Darlegung des »daß« folgt deshalb mit der zweiten Satzhälfte der Überschritt zum »wie« des Lebens im Geiste[9], das für die folgenden Weisungen bestimmend bleibt. Paulus denkt dabei vorwiegend »an die Aufgaben«, »die uns die christliche Gemeinschaft bringt«[10]. Diese Gemeinschaft kennt durchaus Unterschiede, sei es an Stellung und Ansehen, sei es an Gaben und Fähigkeiten, so daß Paulus vor eitler Ehrsucht wie vor Neid zu warnen sich gezwungen sieht (5,26). Diese Mahnungen sind – wie fast alle folgenden – so allgemein gehalten, daß man sich einer allzu bestimmten Festlegung auf etwaige Gruppen oder Personen enthalten sollte. Von Bedeutung dürfte aber sein, daß es bei aller gegenseitigen Achtung und Hilfeleistung, die grundsätzlich immer von der ganzen Gemeinde gefordert werden, einer Anerkennung von Verschiedenheiten bedarf; V 6 zeigt, daß darunter nicht nur Unterschiede der Gaben, sondern auch der Aufgaben innerhalb der Gemeinde zu verstehen sind.

Für die umstrittene Frage, inwieweit V 6 überhaupt nach vorwärts oder rückwärts mit dem Gesamtzusammenhang verbunden oder isoliert zu betrachten

[7] Vgl. Holsten, Gal 15f; er differenziert drei Gedankengruppen in zwei Abschnitten: a) einen theoretisch-demonstrativen Teil in zwei Aussagen: göttlicher Ursprung und göttliches Recht der Unabhängigkeit des Heidenevangeliums und Übereinstimmung vom Evangelium der Gerechtigkeit aus Glauben mit dem geschichtlich geoffenbarten Gotteswort; b) einen praktisch-paränetischen Teil über die Verwirklichung der Freiheit vom Gesetz mit Ermahnungen für das religiöse Gemeindeleben.

[8] Vgl. S. Schulz, Katholisierende Tendenzen in Schliers Galaterkommentar, in: KuD 5 (1959) 41. Mußner, Gal 391, spricht von der »›Paradoxie‹ der pln. Ethik!«

[9] Vgl. Schmidt, Gal 92ff. Die Markierung eines »Einschnitts« zwischen 5,24 und 5,25 übersieht die »Klammer«-Funktion von V 25, den engen Bezug von Kap. 3–5 zu Kap. 6. Wenn man schon einen Einschnitt macht, dann in V 25 selbst: zwei Hälften, die Satz und Brief zusammenbinden und trennen.

[10] Schlatter, Gal 138.

ist, hat die Feststellung eines Zentralgedankens – wie er sich auf eine kurze Formel gebracht in 5,25 zu erkennen gibt[11] – bereits eine Vorentscheidung bedeutet; denn mag man auch mit K. L. Schmidt[12] sagen: »So locker auch das Gefüge dieser Schlußmahnungen ist«, sie stehen alle unter der Forderung des πνεύματι καὶ στοιχῶμεν, oder – wie K. L. Schmidt selbst hinzufügt – sie sind doch alle »auf *ein* Thema konzentriert«: »das ›Gesetz Christi‹« (6,2). Diese Formulierung ist »gewollt gegensätzlich«[13] gegen das mosaische Gesetz, das in seiner Funktion als Mittel zur Rechtfertigung abgetan ist durch die im Kreuz Christi geschehene Berufung zur Freiheit (vgl. 5,13); mit ihr betont Paulus, daß diese Freiheit gerade nicht zügellose Willkür bedeutet, sondern ein Stehen in der Liebe, die der Geist wirkt und die mit dem Geist gegeben ist[14]. Die auf das πνεύματι καὶ στοιχῶμεν folgenden Ermahnungen stehen also alle unter dem Gedanken: »das ist das Leben der Christen in der Sphäre und Kraft des ihnen zu teil gewordenen Geistes«[15]. Das ganze Gesetz ist erfüllt in der vom Geist gewirkten Liebe (vgl. 5,14); sie ist der Ausdruck der Freiheit (vgl. 5,13). Dagegen bedeutet jenes sich gegenseitig »Beißen und Auffressen« (vgl. 5,15), wie es in den galatischen Gemeinden eingerissen ist, eine ernste Gefahr für die Einheit der Gemeinde. Daher die Aufforderung πνεύματι καὶ στοιχῶμεν[16] als eine Mahnung zu gegenseitigem Dienen aller vom Geist der Liebe Erfüllten.

Es ist demnach abwegig, die Mahnungen von 5,26 bis 6,5 als in besonderer Weise an die Lehrer gerichtet zu vermuten[17], oder zu behaupten, sie behandelten »priva« – im Gegensatz zu dem 6,6ff Geforderten, »quae cum aliis communicanda sunt«[18]. Auch wird man die in auffälliger Weise in 6,1 apostrophierten ὑμεῖς οἱ πνευματικοί nicht mit besonderen Charismatikern, auch nicht mit den Gegnern identifizieren dürfen[19], die dann ironisch als in vermeintlich besonderer Weise vom Geist Begabte herausgestellt würden. Das ἀλλήλων[20] in V 2 ist wie στοιχῶμεν (5,25) ein deutlicher Hinweis, daß nicht einzelne angesprochen sind, sondern alle im Verhältnis zueinander, sofern sie »im Geiste leben«, also πνευματικοί sind. Jedes selbstgefällige sich Rühmen und sich Vordrängen ist nicht nur Selbst-

---

[11] Steinmann, Gal 160, registriert die Ambivalenz dieses Satzes, wenn er ihn als Abschluß der bisherigen Darlegungen *oder auch* Überleitung und Grundlegung der folgenden Ermahnungen bezeichnet.
[12] Schmidt, Gal 92; vgl. Oepke, Gal 145; Zahn, Gal 259ff: V 25 ist Ausgangspunkt einer neuen Reihe von Ermahnungen, nicht Abschluß von V 13ff.
[13] Schmidt a.a.O. 93.
[14] Vgl. Zahn, Gal 260f.
[15] Zahn, Gal 267.
[16] στοιχεῖν ist »Sache mehrerer, oder doch des Einzelnen im Verhältnis zu andern« und bedeutet, »eine Reihe bilden, in Reih und Glied hinter einander oder neben einander stehen oder einherschreiten« (Zahn, Gal 267); vgl. W. Bauer z.St.
[17] Vgl. de Wette, Gal 83; er nennt verschiedene ältere Vertreter dieser Auffassung.
[18] de Wette a.a.O.
[19] So Schmithals, Häretiker 50, im Anschluß an Lütgert, Gesetz und Geist 12f.
[20] Vgl. Zahn, Gal 269; ἀλλήλων hebt die Heraushebung sogleich wieder auf.

betrug (vgl. 6,3), sondern ist – da es zum Neid herausfordert (vgl. 5,26) – eine Gefahr für die Gemeinde[21]. Die Unterschiede innerhalb der Gemeinde sind grundsätzlich gefallen (vgl. 3,27ff); darum ist das Einer-sein-in-Christus (vgl. 3,28) gefährdet, wo einzelne glauben, etwas zu sein, während sie doch nichts sind (vgl. 6,3). Das »Gesetz Christi« ist, daß einer des anderen Lasten trägt (vgl. 6,2). Daran knüpft möglicherweise V 6 an[22], so daß man A. Schlatter[23] zustimmen könnte, nach dessen Auffassung die vorausgehenden Verse die Kirchenzucht im allgemeinen nennen, während V 6 die Aufgabe der Gemeinde gegen ihre Lehrer zur Sprache bringe.

Wie immer man den Zusammenhang der Verse 5,26–6,5 mit 6,6 bestimmt[24] – es dürfte nicht angehen, auf eine Anknüpfung an das Vorhergehende ganz zu verzichten und den einfachen Übergang zu einem neuen Gegenstand anzunehmen[25]. Völlig isoliert betrachtet ist diese knappe Anweisung ein schwer verständlicher Fremdkörper[26], zumal ihr Inhalt der Eindeutigkeit entbehrt. Ist der Zusammenhang mit den vorausgehenden Versen auch locker, so stehen doch alle Weisungen unter der Forderung der Gestaltung des Gemeindelebens aus dem Geist.

Eine enge Verbindung wird dagegen vielfach mit den folgenden VV 7–10 hergestellt. Mit W.M.L. de Wette verstehen sie auch in neuerer Zeit viele[27] als eine

---

[21] Vgl. Steinmann, Gal 161: »Gefährdung der brüderlichen Gemeinschaft und eines gedeihlichen Gemeindelebens«.

[22] Lightfoot, Gal 217, paraphrasiert den Übergang so: »I spoke of bearing one another's burdens. There is one special application I would make of this rule. Provide for the temporal wants of your teachers in Christ«.

[23] Schlatter, Gal 142; wenn Schlatter freilich von »Kirchenzucht« spricht, leistet er dem Mißverständnis Vorschub, als handle es sich um eine rechtliche, nicht aber geistliche Ordnung; diese wäre auch dann gemeint, wenn sich aus 5,26 und den dort aufscheinenden Unterschieden der Aufgaben eine Anspielung auf Amtsträger herauslesen ließe.

[24] Schmidt, Gal 92ff, läßt zwar V 6 »völlig abrupt« folgen, weist aber andererseits mit Recht hin auf das in 5,26 betont vorangestellte μή (mit dreimaligem ἀλλήλους, ἀλλήλοις, ἀλλήλων) und das ebenso betonte, korrespondierende κοινωνείτω δέ in 6,6. Ähnlich Schlier, Gal 275, der zwar von einem »ohne Übergang« fortführenden δέ spricht und von einer dritten selbständigen Mahnung für ein »ganz anderes Gebiet«, aber auch daran festhält, daß diese Mahnung noch unter dem übergeordneten Gesichtspunkt des πνεύματι στοιχεῖν zu sehen sei.

[25] Vgl. Sieffert, Gal 339 A. Er nennt diesen Verzicht »besser« als die verschiedenen Verbindungen, die vorgeschlagen wurden, spricht aber selbst von einem »nachdrücklich ... an die Spitze tretenden« κοινωνείτω δέ; auch Schmidt, Gal 92ff, verweist auf Exegeten, für die V 6 ein »nicht sonderlich betonter Anhang« am Schluß der Mahnungen für das christliche Gemeindeleben sei, während V 7 zu einer großen Gerichtsdrohung ansetze.

[26] Schmidt, Gal 95: »Für andere Ausleger ist diese Einzelweisung ein völlig isolierter Einzelspruch, der in sich zur Not verständlich sei, ohne daß wir heute noch – im Gegensatz zu den ... Galatern! – wissen könnten, warum Paulus auf einmal dieses Einzelthema angeschnitten hat«. Vgl. auch Steinmann, Gal 163, wonach der Vers aus dem Zusammenhang »herausfällt«.

[27] de Wette, Gal 84; ähnlich Bisping, Gal 304: »Ermahnung zur Freigebigkeit«; »War-

Warnung an jene, »welche sich nicht freigebig gegen die Lehrer bewiesen«. Die ausführlichste Begründung dieses Zusammenhangs gab H. Lietzmann[28], der das Ziel der Ermahnungen in den VV 9.10 erblickte, und zwar in der Aufforderung: »Gutes tun an des Glaubens Genossen«. Dabei sei von materieller Unterstützung die Rede. Nachdem sich aber »auch V. 7.8 mit dem gleichen Thema beschäftigen« – das zeige die Wiederholung des Hauptbegriffs von VV 7.8 θερίσει in V 9 – müsse man »auch den an sich doppeldeutigen V. 6 in gleichem Sinne auffassen«. Gegenüber den VV 1–5 sei zwar damit ein neues Thema angeschlagen, aber die VV 7.8 stellten den inneren, V 6 (κοινωνείτω) den äußeren Zusammenhang her. Jeder soll sein Verdienstgepäck selbst tragen (V 5), mitteilen soll er dagegen anderen von seinen irdischen Gütern. Durch die Ausweitung auf »des Glaubens Genossen« in V 10 sei die Ermahnung am Ende weiter gefaßt als am Beginn V 6, wo nur vom Gutes-tun gegenüber den Lehrern die Rede war.

Diese Auslegung von V 6 aus dem Zusammenhang mit den VV 7–10 wird jedoch von anderen heftig bestritten.

Am entschiedensten[29] verwahrt sich gegen sie A. Oepke[30]. Das Verständnis der VV 7–10 habe gelitten dadurch, »daß man sie lediglich als Begründung zu dem im Sinne der Katechetenbesoldung verstandenen V 6 wertete«. Wie immer man den Begründungszusammenhang nämlich deute, »bei allen derartigen Versuchen kommt die Wucht dieser gewaltigen Versgruppe erheblich zu kurz«. Der Gegensatz Fleisch – Geist, um den es im wesentlichen im Galaterbrief geht, trete noch einmal beherrschend in den Vordergrund[31]. Die Gerichtsdrohung – veranschau-

nung vor dem Irrtum, als ob Werke der Barmherzigkeit überhaupt nicht nötig seien, oder als komme es auf die innere Gesinnung bei der Setzung des äußern Werkes nicht an«; vgl. Lightfoot, Gal 218f; Zahn, Gal 274; Lietzmann, Gal 42f; Schlatter, Gal 142; Amiot, Gal 229f; Althaus, Gal 52: Paulus »redet . . . von den Geldopfern des Christen«.

[28] Lietzmann a.a.O.; vgl. auch Zahn a.a.O.: es gilt »auch in bezug auf die Verwendung des Besitzes die allgemeine Regel von V. 7b«, d.h. wer sich den Pflichten der Liebe entzieht und seinen Besitz nur für das eigene Wohlsein verwendet, wird Verwesung ernten; »wer dagegen seinen irdischen Besitz zur Förderung des allen Gliedern der Gemeinschaft gemeinsamen Geisteslebens verwendet, der wird . . . von dem Geist, in dessen Dienst er es gestellt hat, ewiges Leben ernten«. de Wette a.a.O. sagt – wohl mit Recht – einschränkend, daß der Fall von V 6 »mit unter den allgemeinen Grundsatz (von V 7) zu stellen ist« (Hervorhebung von mir).

[29] Abgelehnt wird diese Auffassung u.a. von Sieffert, Gal 340f; Bousset, Gal 70; Steinmann, Gal 164; Kuss, Gal 281f; Schmidt, Gal 96; Lagrange, Gal 159; Schlier, Gal 276. Der allgemeine Inhalt gestattet nach ihrer Meinung keine Verbindung der VV 7–10 mit der speziellen Anweisung von V 6. V 7 ist nicht »eine Begründung der Unterhaltspflicht gegenüber den christlichen Lehrern« (Steinmann), gehe vielmehr auf alle vier Beispiele (Schlier) und sei eine »Bekräftigung aller vorangehenden sittlichen Weisungen 5,13ff« (Sieffert), ein allgemeiner »Hinweis auf das göttliche Gericht« (Schlier) über das »sittliche Leben« (Kuss).

[30] Oepke, Gal 153.

[31] Dieser Ansicht ist auch Lagrange, Gal 159: »d'ailleurs l'opposition entre la chair et l'esprit (6,8) indique un thème beaucoup plus général«; er hält die Auslegung Lightfoots »soyez généreux« für ganz unmöglich.

licht im Bild von Saat (= Leben in diesem Aion) und Ernte (= Parusie) – unterstreiche die Entscheidung, um die es gehe: die Absage an das Fleisch und den Wandel im Geist.»Hätte Pls ... Gebefreudigkeit anregen wollen ..., so hätte er schreiben müssen: *wie* der Mensch sät, *so* wird er ernten (vgl. 2 Kor 9,6.10)«.

Im übrigen sei »auf das Fleisch säen« so wenig geeignet als Ausdruck für einen Mangel an Gebefreudigkeit, wie »auf den Geist säen« als Ausdruck für Freigebigkeit. Eine solche Interpretation sei viel »zu eng«. σάρξ als Grund und Inhalt des Lebens bedeute Todesverfallenheit – πνεῦμα Lebensmacht. Es gehe also im Säen auf Fleisch oder Geist »ganz elementar« um die »gegensätzlichen Möglichkeiten der Lebensgestaltung«. Die »Beharrlichkeit im Tun des Guten« – wie sie in 6,6–10 gefordert wird – ist als Erweis des πνεύματι στοιχεῖν »unerläßliche Bedingung für den Lohnempfang«[32]. So kommt A. Oepke zu dem Schluß:»Daß an eine aus unbekannten Gründen unvermittelt eingeführte Anweisung zur Katechetenbesoldung die folgenden VV sich gut anschlössen, ist lediglich Konstruktion, die der Prüfung nicht standhält«[33]. Weder die Gerichtsdrohung in V 7 noch das Bild vom Säen und Ernten in den VV 7–9 noch die Mahnung von V 10 seien auf Mildtätigkeit zu begrenzen, und τὸ καλὸν ποιεῖν in V 9 »ausschließlich oder in erster Linie auf Almosen zu beziehen, besteht kein Anlaß«[34].

Ergebnis:

Die verschiedenartige Einordnung von V 6 in den Gesamtzusammenhang des Galaterbriefs, wie vor allem in den »praktisch-paränetischen Teil«[35] 5,25b–6,10, bedingt auch eine verschiedene Wertung seiner Bedeutsamkeit. Isoliert man den Vers als Einzelspruch – dessen völlig unerwartetes Auftauchen nur infolge unserer Unkenntnis der galatischen Verhältnisse so rätselhaft erscheint –, dann liegt eine Abwertung des Verses nahe; er ist dann eine »angehängte Bemerkung«, die »in sich zur Not verständlich« ist[36].

Anerkennt man dagegen einen wenigstens lockeren Zusammenhang mit den vorausgehenden Ermahnungen unter dem »übergeordneten Gesichtspunkt«[37] des πνεύματι στοιχεῖν – dann ist das rechte Verhältnis zwischen Schülern und

---

[32] Oepke, Gal 154; vgl. auch Schlier, Gal 276: Die genannten Fehlhaltungen »erscheinen leicht als so geringfügige Dinge, daß einer sich trotzdem noch gern als Pneumatiker bezeichnet. Aber in Wirklichkeit sind es Dinge, bei denen man die Seligkeit verlieren kann«.

[33] Oepke, Gal 152. Gegen Zahns Auslegung des μυκτηρίζειν (6,7) als Hinweis auf Leute, die die »Nase rümpfen« bei der Forderung von materiellen Opfern für die Lehrer, macht Oepke a.a.O. 153 geltend, daß sie sprachlich nicht richtig – denn μυκτηρίζειν bedeute »mit breitem Gesicht lachen« – und durch die folgenden Verse nicht zu rechtfertigen sei. Vgl. dagegen Schlier, Gal 276: »die Nase rümpfen«, »verächtlich behandeln«, »verspotten«.

[34] Oepke, Gal 155; dagegen de Wette, Gal 85: τὸ καλόν »faßt auch die Wohltätigkeit in sich«.

[35] Holsten, Gal 15.

[36] Schmidt, Gal 95.

[37] Schlier, Gal 275.

Lehrern ein ernstes Gemeindeproblem. Dies wäre um so mehr der Fall, wenn die VV 7–10 in besonderer Weise – wenngleich nicht ausschließlich – jenen gelten, die den Lehrern die geschuldete Dankbarkeit verweigern; denn dann rückt dieses gestörte Lehrer-Schüler-Verhältnis in den Mittelpunkt der Sorge des Apostels um seine Gemeinden. Es ist ja faktisch die einzige Konkretion seiner Mahnungen. Der Überblick über die bisherigen Lösungsversuche hat keinen als zwingend erweisen können; am wenigsten dürfte jedoch die Behauptung zutreffen, V 6 stehe beziehungslos im Zusammenhang ohne jede Gedankenverbindung nach vorwärts und rückwärts.

2. *Der Bezug von Vers 6 auf die Verhältnisse in den galatischen Gemeinden*

Die Veranlassung zu der Mahnung von V 6 »lag unstreitig in den speziellen Verhältnissen der galatischen Gemeinden, die uns aber nicht näher bekannt sind«[38]; der Anlaß selbst bleibt völlig im Dunkeln. In diesen Aussagen sind sich die Autoren weithin einig.

Was man daher an Vermutungen äußern kann, ist immer von bestreitbaren Voraussetzungen abhängig. Die ungelöste Frage nach den Gegnern im Galaterbrief[39] erlaubt zudem sehr verschiedenartige Spekulationen über die Hintergründe der Mahnung und ihren Bedeutungsumfang.

Unter der Voraussetzung, die VV 7–10 sind noch Warnung an die Schüler, kann man V 6 als Vorwurf mangelnder Freigebigkeit verstehen[40]; ihr die »Nase rümpfen« gegen die materielle Unterstützung der Lehrer überhaupt[41], könnte im Blick auf V 7 als eine Verspottung – nicht nur der Lehrer, sondern – Gottes selbst verstanden sein; in jedem Fall wäre es dann ein Vorwurf der Undankbarkeit[42].

Ohne Bezug auf die VV 7–10 ließe sich V 6 als »special application«[43] des Satzes »einer trage des anderen Lasten« (vgl. V 2) oder auch als gegensätzliche Fortführung von V 5 verstehen[44], wobei die Auflösung des Widerspruchs zu V 2 den

---

[38] Bisping, Gal 303; vgl. Holsten, Gal 54; Schmithals, Häretiker 41.

[39] Vgl. dazu J. Eckert, Die urchristliche Verkündigung im Streit zwischen Paulus und seinen Gegnern nach dem Galaterbrief (BU 6), Regensburg 1971, v.a. 229–238; jetzt auch Mußner, Gal 11–29.

[40] So schon Hieronymus u.a., genannt bei de Wette, Gal 84.

[41] Vgl. Zahn, Gal 274.

[42] So de Wette, Gal 84; daß solche Kälte und Undankbarkeit eingerissen seien, setze ein längeres Bestehen der Gemeinden voraus.

[43] Lightfoot, Gal 217: »Otherwise it might be taken as qualifying the clause which immediately precedes: ›Each man must bear his own burden; but this law does not exempt you from supporting your spiritual teachers‹«; doch Lightfoot gibt zu bedenken: »Such a turn of the sentence however . . . might be expected to be marked in some more decided way than by the very faint opposition implied by δέ«. Vgl. auch Buzy, Gal 475.

[44] Vgl. Lagrange, Gal 159: »Après avoir parlé (1–5) des devoirs imposés aux spirituels . . . Paul expose aussi (δέ d'opposition) ce qui convient à ceux qui sont dans la situation d'enseignés«.

Anschluß mit δέ veranlaßt haben könnte. Aber nicht nur an die Mahnungen zur Brüderlichkeit in den vorausgehenden VV, auch an jene zum rechten Wandel im Geiste, läßt sich V 6 angeschlossen denken. Unvereinbar mit dem πνεύματι στοιχεῖν ist eitle Ehrbegierde, die Überheblichkeit zu meinen, etwas zu sein (vgl. 6,3), zu urteilen über solche, die einen Fehltritt begingen (vgl. 6,1) etc. Alle diese Mahnungen zielen ab auf solche, die zwar »im Geiste leben«, aber nicht »dem Geiste folgen« (vgl. 5,25), die das richtige στοιχεῖν noch zu erlernen haben, daher »Schüler« sind, denen in V 6 ihr Angewiesensein auf die Lehrer vor Augen gehalten wird.

Isoliert man den Vers als eingestreute Einzelmahnung, kann man im Hintergrund die Gegner des Paulus vermuten, die sich »als neue Lehrer eingeschlichen« haben und »die durch ihre Zusatzpredigt einen Fortschritt (zu) erzielen« behaupteten[45]. »An sich« – meint W. Schmithals[46] – »genügte die Annahme, daß man sich in Galatien um der neuen ›Lehre‹ willen von den alten Lehrern abwendet«[47]; aber auch er versucht, diese »neue Lehre« und die Absichten der neuen Lehrer näher zu bestimmen, obwohl die uneinheitlichen Angaben des Briefes über gegnerische Vorwürfe kaum ausreichen, die neue Lehre und ihre Vertreter zu charakterisieren. Wären die Gegner Judaisten – wie man bisher ziemlich einhellig vermutete –, ließe sich der Fortschritt, den ihre Zusatzpredigt erstrebte, nur in der Verpflichtung auf das Gesetz und – damit verbunden – auf den jüdischen Festkalender und in der Rückkehr zur Beschneidungspraxis erklären. Der Angriff würde sich dann nicht gegen Lehrer als solche richten, die Galater würden nur beschwätzt, sich »neuen« Lehrern zuzuwenden. Einen solchen Angriff auf die Lehrer als Amtsträger vermutete W. Lütgert aufgrund seiner Zwei-Fronten-Theorie[48]. Jene ὑμεῖς οἱ πνευματικοί von 6,1 wären dabei als die besonders herausgehobenen Gegner zu verstehen, deren hochmütiges Vollkommenheitsbewußtsein sich gegen die Autorität von Lehrern auflehnt; wir hätten die Gegner demnach als eingebildete Pneumatiker und Autokraten zu bezeichnen, die nicht identisch sein könnten mit den anderen Gegnern, welche Beschneidung fordern und Rückkehr zum Gesetz. Diese Zwei-Fronten-Theorie hat W. Schmithals[49] als unhaltbar bezeichnet und deshalb die Gegner einheitlich als judenchristliche Gnostiker bestimmt[50], die zwar

---

[45] Schmidt, Gal 96; er denkt dabei an Judaisten mit einem »schwärmerischen Perfektionismus«.

[46] Schmithals, Härektiker 41.

[47] Vgl. dazu Lütgert, Gesetz und Geist 20: »Ein spezieller Zug . . . ist, daß sie die Gemeinden verleiten, ihre Lehrer nicht zu versorgen«. Ähnlich Zahn, Gal 273f: »Es müssen also Leute vorhanden gewesen sein, welche sie (die Galater) zu einer Vernachlässigung dieser Pflicht (nämlich der materiellen Unterstützung ihrer Lehrer) verleiten möchten«.

[48] Lütgert, Gesetz und Geist 20f.

[49] Schmithals, Häretiker 28.

[50] Und dies nicht nur im Galaterbrief, sondern für alle Paulusbriefe, speziell die Korintherbriefe, den Thessalonicher- und den Philipperbrief. Vgl. Schmithals, Die Gnosis in Korinth, Göttingen 1956 (²1965).

Beschneidung fordern, aber sich frei wissen vom Gesetz. Ihr Pneumabesitz läßt sie aufbegehren gegen die Existenz von Lehrern überhaupt; denn für den Gnostiker waren »nicht die ὁδοὶ ἐν Χριστῷ, die Paulus πανταχοῦ ἐν πάσῃ ἐκκλησίᾳ (1 Kor 4,17) lehrte, die in der Tradition der Gemeinde . . . weitergegeben wurden und die darum an κατηχοῦντες gebunden waren, für die christliche Existenz maßgebend . . ., sondern das Vorhandensein des Pneuma, das nicht der Jünger vom Lehrer empfing, sondern nur durch einen *Pneumatiker* im Menschen geweckt werden konnte«. Zu diesem Schluß fühlt sich Schmithals um so mehr berechtigt, da die Gegner »schon den Apostolat des Paulus wegen seiner fehlenden pneumatischen Unmittelbarkeit« verwarfen; »so« – meint er – »konnte irgendein Lehrer erst recht keine Anerkennung von Seiten der gnostischen Pneumatiker finden«[51]. Auch diese These gilt es an Hand des Textes zu prüfen, wenngleich W. Foerster[52] sie von vornherein »verdächtig« nennt, weil sie »zu sehr Konstruktionen« erlaubt, »denen das richtige Fundament fehlt«.

Generell lassen sich diese Thesen – wenn überhaupt – nur aus V 6 und seinem Kontext erhärten oder widerlegen; nimmt man V 6 für sich, haben sie nur den Wert von Vermutungen.

3. Κατηχούμενος und κατηχῶν

Soviel ist nach dem Vorausgehenden sicher: Das Verhältnis zwischen Unterrichteten und Unterrichtenden in den galatischen Gemeinden war für Paulus ein ernster Grund zur Besorgnis. Darum mahnt er in 6,6 zur Erfüllung der durch den Unterricht entstehenden und nicht so ohne weiteres aufkündbaren Verpflichtung des Schülers gegenüber seinem Lehrer.

Dabei bleibt ungewiß, ob hier an ein individuelles Lehrer-Schüler-Verhältnis gedacht ist[53] oder ob der Gedanke prinzipieller zu verstehen ist. Die Beispiele für die Besoldung des Lehrers durch den Schüler, wie sie nach A. Oepke im üblichen Privatunterricht bei Juden und Griechen zu finden sind[54], erlauben jedenfalls nicht, die Praxis der paulinischen Gemeinden zu erklären[55].

[51] Schmithals, Häretiker 41 f.
[52] W. Foerster, Abfassungszeit und Ziel des Galaterbriefes, in: Apophoreta. Festschrift für E. Haenchen, Berlin 1964, 138.
[53] Seeberg, Katechismus 269f, nennt die Singulare ὁ κατηχούμενος und κατηχῶν »unnatürlich, wenn Paulus eine Vorschrift meinte, die für die Gemeindeglieder gegenüber den Lehrenden gelten sollte«, während sie »natürlich ist, wenn er den Unterricht im Sinne hatte, welchen der Katechet dem Katechumenen erteilte«.
[54] Vgl. Oepke, Gal 151.
[55] Vgl. Oepke, Gal 150. Beyer (ThW III 639f) sieht zwar auch im jüdischen Rabbi ein bedeutsames »Vorbild für die hohe Bedeutung des Lehrers im religiösen Bereich«; dennoch wäre es zu viel behauptet, wollte man für das Verhältnis κατηχῶν – κατηχούμενος einen unmittelbaren Einfluß des Rabbinats und seines (individuellen) Lehrer-Schüler-Verhältnisses konstatieren; dies um so mehr, als Paulus mit κατηχεῖν einen der LXX und dem Judentum fremden und in der Profangräzität seltenen term. techn. für »unterrichten« gebraucht (vgl. ThW III 638,23 f).

Weder die inhaltliche Bestimmung des κατηχεῖν durch τὸν λόγον[56] noch die Grundbedeutung von κατηχεῖν selbst[57] verweisen auf den Taufunterricht einzelner Katechumenen, so daß man annehmen dürfte, Paulus beabsichtige, seine Forderung »dem einzuschärfen, welcher in seinem Hause von einem christlichen Lehrer den Taufunterricht empfing« – wie A. Seeberg vermutet[58]. Κατηχεῖν – »neben dem üblichen διδάσκειν ein ganz wenig und in der religiösen Sprache des Judentums überhaupt nicht gebräuchliches Wort«[59] – dürfte von Paulus absichtlich gewählt sein, um das spezifisch Christliche dieser Lehrtätigkeit auszudrükken. Ähnliches läßt sich ja auch an den übrigen Amts- und Funktionsträgern in den paulinischen Gemeinden beobachten[60]. Bei Paulus scheint der κατηχῶν noch nicht im strengen Sinn term. techn. zu sein, sondern vielmehr allgemeinste Bezeichnung einer Lehrtätigkeit, wie andererseits κατηχούμενος noch nicht den Taufbewerber meint, sondern den Hörer jeglicher Unterweisung[61]. Auch ὁ λόγος läßt sich nur als eine Zusammenfassung des Verkündigungs- und Lehrstoffes verstehen, als »das Evangelium« in der umfassendsten und allgemeinsten Bedeutung; mag man noch mit H. Schlier[62]

[56] ὁ λόγος wird zwar von Seeberg, Katechismus 269, unter Hinweis auf Hebr 6,1 als Katechismusstoff gedeutet, doch die Mehrzahl der Autoren spricht von der Wortunterweisung schlechthin. Vgl. Sieffert, Gal 338:»Lehre« κατ᾽ ἐξοχήν = das Wort Gottes, das Evangelium; so auch Zahn, Gal 272; Lietzmann, Gal 42; Schlatter, Gal 142; Steinmann, Gal 163; Kuss, Gal 281; Oepke, Gal 150; Amiot, Gal 229f; Schmidt, Gal 96; Buzy, Gal 475; Schlier, Gal 275f A. 5; Althaus, Gal 52; Lagrange, Gal 159; Lyonnet, Gal 39.

[57] κατηχεῖν heißt in der Grundbedeutung »von oben herab antönen« (ThW III 638,24f), »unter den Schall bringen« (Oepke, Gal 150), dann »unterrichten« in der doppelten Bedeutung von »etwas berichten, mitteilen« und »belehren« (ThW a.a.O.). Bei Paulus ist es keineswegs auf die Unterweisung in den Anfangsgründen – etwa innerhalb eines Taufunterrichts – zu beschränken (vgl. Röm 2,18; 1 Kor 14,19), sondern allgemein »Unterricht über den Glaubensinhalt geben« (ThW a.a.O.).

[58] Seeberg, Katechismus 270, geht davon aus: »Diese Forderung konnte unmöglich an alle Gemeindeglieder gegenüber den Lehrenden gerichtet werden«. Die Unterstützung, die Paulus durch die ganze Gemeinde von Philippi erfährt (vgl. Phil 4,10–20), spricht freilich eindeutig gegen diese Behauptung. Wenn Seeberg weiterhin herausstellt: »Unsere Stelle beweist nicht nur, daß Paulus für den Taufunterricht das Verbum κατηχεῖν verwandt hat, sie läßt auch erkennen, daß dieser *Unterricht im Hause der Katechumenen* stattzufinden pflegte«, wo der Katechet »für die Zeit des Unterrichts Aufnahme und Unterhalt« fand, so sind das reine Mutmaßungen, die der Text nicht einmal andeutungsweise rechtfertigt. Gegen Seeberg auch Oepke, Gal 150: »noch nicht in dem späteren speziellen Sinn des (im apostolischen Zeitalter noch fehlenden) Taufunterrichts«.

[59] ThW III 639,30f.

[60] Man vergleiche z.B. ἐπίσκοπος, διάκονος (Phil 1,1), προιστάμενος (Röm 12,8; 1 Thess 5,12) und das von Paulus so häufig verwendete ἀπόστολος (Gal 1,1 u.ö.).

[61] Die Feststellung Bispings, Gal 303: κατηχεῖν »wurde der solenne Ausdruck für die Erteilung des christlichen Unterrichts«, gilt wohl für die spätere Entwicklung, läßt sich aber für die paulinischen Gemeinden noch nicht erhärten. Gleiches gilt für den κατηχούμενος. So die meisten Exegeten; vgl. Oepke, Gal 150; Buzy, Gal 475; Lagrange, Gal 159; u.a. Das Katechumenat im späteren Sinn begegnet erstmals 2 Klem 17,1; siehe dazu ThW III 639,38.

[62] Schlier, Gal 275f A. 5; im Anschluß an ihn Schmithals, Häretiker 41.

diesen λόγος eine »relativ fixierte Lehre« nennen, Umfang und Inhalt lassen sich nicht bestimmen. Es dürfte also abwegig sein, in Gal 6,6 die Existenz eines Katechumenats oder eines schon fixierten Katechismusstoffes ausgedrückt zu sehen[63]. Nichts deutet in Wirklichkeit darauf hin, Paulus spreche hier – oder anderswo – vom Unterricht im Hause eines Katechumenen oder auch nur allgemein vom Taufunterricht. Der ganze Brief ist vielmehr an Getaufte gerichtet, deren Geistbesitz einen entsprechenden Wandel im Geiste erfordert (vgl. 5,25). Das Gemeinschaftsverhältnis von Lehrer und Schüler weist also auf die Tatsache »innergemeindlicher Unterweisung der Gläubiggewordenen«[64], nicht aber auf Missionspredigt oder Taufunterricht. Auf die Frage, in welchem Rahmen wir uns diese Unterweisung konkret zu denken haben, gibt der Text keine Antwort. Es kämen die Gemeindeversammlungen ebenso in Frage wie die Zusammenkünfte von Haus- und Wohngemeinschaften, natürlich auch der in der Antike gebräuchliche Privatunterricht.

Damit stellt sich das Problem des Amtscharakters des κατηχῶν und seiner Stellung innerhalb der Gemeinde. Der Text läßt in jedem Fall »eine Lehrtätigkeit erkennen, die nicht allein sich über einen gewissen Zeitraum erstreckt, sondern auch den Lehrenden so in Anspruch nimmt, daß für Erwerbsarbeit kein Raum bleibt«[65]. Dann kann aber nicht als wahrscheinlich gelten, daß es immer nur von Fall zu Fall wechselnde Personen waren, die in der Gemeinde diese Lehrtätigkeit auf sich nahmen, »Lehrer der minder Kundigen«[66]; eher wird man an einen festen Personenkreis[67] zu denken haben, für den diese Lehrtätigkeit eine charakteristische Funktion war – wenn sich auch möglicherweise sein Aufgabenbereich nicht darin erschöpfte.

Die Forderung der κοινωνία ἐν πᾶσιν ἀγαθοῖς, welche materielle Unterstützung zumindest einschließt, deutet auf den bei Paulus häufig begegnenden Anspruch jener, die dem Evangelium dienen, so daß sie auch ein – vom Herrn verordnetes – Recht haben, vom Evangelium zu leben (vgl. 1 Kor 9,14). Der Hinweis auf die Dauer ihrer Lehrtätigkeit und den Anspruch auf Lebensunterhalt seitens der Gemeindeglieder legen es also nahe, von einem »Amt« des κατηχῶν in der Gemeinde zu reden[68]. Es ist ein Dienst an der Gemeinde, den nicht jeder zu

---

[63] Gegen Seeberg, Katechismus 268 ff.

[64] Zahn, Gal 272.

[65] Greeven, Propheten, Lehrer, Vorsteher bei Paulus 17 A. 38. Vgl. Burton, Gal 335.

[66] Zahn, Gal 272.

[67] Ob in der Gemeinde nur ein oder mehrere »Lehrer« tätig waren, läßt sich nicht ausmachen, dürfte aber in der Regel wohl von der Art und Größe der Gemeinde abhängig gewesen sein.

[68] ThW III 639: »Gal 6,6 . . . begründet mithin Recht und Notwendigkeit eines berufsmäßigen Lehrerstandes in der Gemeinde«. Damit ist die Stelle zweifellos überinterpretiert; sie läßt nur die Tatsache und Bedeutsamkeit des Unterrichtenden für die Gemeinde erkennen; über Recht und Notwendigkeit wird nicht reflektiert und von einem »Lehrerstand« kann keine Rede sein.

leisten vermöchte[69] und der zu umfassender Gemeinschaft (ἐν πᾶσιν ἀγαθοῖς) verpflichtet, d. h. aber auch zu Gefolgschaftstreue um des »Wortes« willen, das der κατηχῶν zu verantworten hat. Der Ton der Mahnung von Gal 6,6 liegt ja zweifellos auf dem voranstehenden κοινωνείτω δέ, das man auch als eine Forderung nach Gehorsam bezeichnen kann[70], wenn man nur die paulinische Wendung ins Positive und Prinzipielle genügend betont, wonach es um eine Gemeinschaft geht, die nur in Freiheit und Freiwilligkeit möglich ist.

Im Hintergrund dieser Mahnung zum Gehorsam stehen die – wie immer zu bestimmenden – Gegner, welche die Gemeinden von Galatien zur Auflehnung gegen ihre Lehrer reizen[71].

Die Gleichsetzung der κατηχοῦντες mit den διδάσκαλοι von 1 Kor 12,28, wie sie häufig vorgenommen wird[72], scheint mir nicht gerechtfertigt. διδάσκαλος ist ein schon geprägter term. techn., den Paulus oder die paulinischen Gemeinden möglicherweise als »einen in der *Diaspora-Synagoge* ›technisch‹ gebrauchten Begriff«[73] einfach übernahmen; κατηχῶν hingegen ist eine Funktionsbeschreibung der Tätigkeit des Lehrens, wie sie nur bei Paulus begegnet und für die der »Gesetzeslehrer« der synoptischen Überlieferung keine Analogie darstellen muß, so daß man – wie beim διδάσκαλος vielleicht – von einer sachlichen Übereinstimmung des κατηχῶν und des synagogalen διδάσκαλος im Bewahren, Weitergeben und Fruchtbarmachen der Traditionen und von beginnender christlicher Schriftgelehrsamkeit zu sprechen berechtigt wäre[74].

Der κατηχῶν ist weder im Hinblick auf die Art und Weise noch auf Inhalt und

---

Sieffert, Gal 338 A. 2, spricht davon, daß »mit dem χάρισμα διδασκαλίας ausgerüstete Gemeindeglieder vorhanden« waren, »welche dem Geschäfte des fortgesetzten Unterrichtes in ihren Gemeinden oblagen«; das darf aber den »amtlichen« Charakter ihrer »charismatischen« Tätigkeit nicht verdunkeln; zwar wird im Folgenden der Gegensatz Geist–Fleisch auf die Mahnungen von 5,26–6,6 angewendet, aber nicht die Tätigkeit des κατηχῶν als »charismatisch« ausgewiesen. Vgl. Steinmann, Gal 163: »Andeutung auf Amtsträger in den Gemeinden . . . wahrscheinlich«.

[69] Vgl. Greeven a.a.O. 16.

[70] Vgl. Lagrange, Gal 159, der den κατηχῶν bezeichnet als einen, »quiconque enseigne avec autorité«.

[71] Lütgert, Gesetz und Geist 20f: »Schon hier zeigt sich, daß der Geist sich vom Amt emanzipiert. Sie verachten die Träger des Amtes und verleiten die Gemeinden, dieser Verachtung durch Vernachlässigung der Lehrer Ausdruck zu geben«. Er sieht in Gal 6,6–10 den »bekannten Übermut der Vollkommenen« geschildert. Schmithals, Häretiker 41, pointiert diese Theorie im Sinne von Agitation gnostischer Apostel gegen die Existenz von Lehrern überhaupt und die an sie gebundenen Traditionen der Gemeinde. Ein Beweis für diese Theorien ist nicht zu erbringen; die Stelle erklärt sich auch hinreichend aus dem Gesamt des Galaterbriefes: »neue« Lehrer beschwätzten die Gemeinde zur Abkehr von den alten.

[72] Vgl. Schlier, Gal 275f A. 5; Greeven, Propheten, Lehrer, Vorsteher bei Paulus 17; ThW III 639.

[73] Greeven a.a.O. 25.

[74] Gegen Greeven a.a.O. 28.

Umfang seines Unterrichts bestimmbar. Jede Form des Unterrichts, von der Verkündigung in der Gemeindeversammlung bis zur Einzelunterweisung ist für ihn denkbar. Durch die Begrenzung auf die Unterweisung der getauften Gemeindeglieder scheint die Zuordnung zur Gemeinde betont ausgedrückt zu sein. Missionspredigt und Taufunterricht – sofern es solchen zur Zeit des Paulus schon gegeben haben sollte – müssen damit nicht absolut aus dem Tätigkeitsbereich des κατηχῶν ausgegrenzt sein; Paulus jedoch hat dies im Zusammenhang des Galaterbriefes durch nichts angedeutet. Durch die Unbestimmtheit der Funktionsbezeichnung des κατηχῶν und seine Zuordnung zur Ortsgemeinde könnte man eher versucht sein, mit K. L. Schmidt[75] an den »Tatbereich der rechten Leitung einer Gemeinde« zu denken. Der κατηχῶν ist der einzige »Amtsträger« in den galatischen Gemeinden, den der Brief zu erkennen gibt; die Treue, die Paulus von den galatischen Gemeinden um des »Wortes« willen fordert, dem die Lehrer dienen, ist ebenso umfassend, wie der mit τὸν λόγον bezeichnete Tätigkeitsbereich dieser Lehrer. Gegenüber dem, was man im Philipperbrief über den Aufgabenbereich der ἐπίσκοποι und διάκονοι aussagen kann oder auch gegenüber den κοπιῶντες, προιστάμενοι, νουθετοῦντες von 1 Thess 5,12 scheint beim κατηχῶν von Gal 6,6 der Akzent eindeutig auf den Wortdienst gelegt, auf Unterricht oder Verkündigung im weiteren Sinn, so daß man ihn – um seine Tätigkeit nicht vorschnell auf den Unterricht und im Sinne einer Identifikation mit den διδάσκαλοι einzugrenzen – eher einen »Gemeindeprediger«[76] nennen könnte. Sollte man den folgenden V 7 zur Interpretation des Amtes des κατηχῶν heranziehen dürfen, wogegen freilich viele Kommentatoren Einwendungen vorbringen[77], dann würde diese Gerichtsdrohung besagen: Gott selbst wird verspottet, wo der Lernende dem Lehrenden die Gemeinschaft verweigert oder aufkündigt. Hinter dem Lehrenden stünde dann unmittelbar Gott selbst, und er »läßt seiner nicht spotten«; er läßt den Menschen ernten, was er sät – Verachtung für Verachtung. In diesem Fall hätten wir eine bedeutsame Reflexion über die Bedeutung des Gemeinde-»Amtes« festzuhalten.

---

[75] Schmidt, Gal 96.
[76] So z.B. Lietzmann, Gal 42: »Prediger des Evangeliums«. Sieffert, Gal 338 A. 2, möchte auch reisende Evangelisten nicht ausschließen.
[77] Sieffert läßt ihn a.a.O. 341 als Motivierung von V 6 gelten, wenn auch nicht ausschließlich, da der Vers alle vorangehenden Mahnungen bekräftige; doch nennt er die behauptete Verspottung Gottes durch mangelnde Freigebigkeit gegen die Lehrer »willkürlich und gezwungen«. Gegen einen unmittelbaren Zusammenhang sprechen sich aus: Bousset, Gal 70; Steinmann, Gal 164; Kuss, Gal 281 f; Oepke, Gal 153; Buzy, Gal 475; Schmidt, Gal 96; Lagrange, Gal 159; Schlier, Gal 276.

4. Zur Bedeutung von κοινωνεῖν in Gal 6,6

Nach dem bisher Erarbeiteten lassen sich zwar Beziehungen von V 6 zum Kontext nicht gänzlich leugnen[78], doch helfen sie wenig zur näheren Bestimmung seiner Aussagen. Ist man aber in der Auslegung ganz auf V 6 selbst verwiesen, bekommt die richtige Erfassung von κοινωνεῖν geradezu Schlüsselcharakter für das Gesamtverständnis.

Die gewöhnliche Bedeutung von κοινωνεῖν τινος ist »Anteil haben an etwas«[79] mit dem Genitiv der Sache, an der man Anteil hat. Doch liegt in der Natur des Teil-habens der Gedanke der »Partnerschaft mit jemandem an etwas«[80]. κοινωνεῖν mit dem Dativ der Person, mit der man, und mit dem Genitiv der Sache, an der man gemeinsam Anteil hat, wird man darum als das Grundmuster der mit κοινωνεῖν verbundenen Vorstellungen bezeichnen dürfen. Bei dieser dativischen Konstruktion wird der partitive Genitiv der Sache häufig durch präpositionale Wendungen (ἐν oder εἰς oder πρός) ersetzt, die den Bereich gemeinsamer Teilhabe bezeichnen; das ist auch im Profangriechischen gebräuchlich[81]. Bei der Verwendung von κοινωνεῖν mit dem Genitiv der Sache tritt der Gedanke der Partnerschaft in den Hintergrund; die personalen Bezüge bleiben unerwähnt[82]. Dieser Gebrauch findet sich bei Paulus nicht. Er verwendet κοινωνεῖν immer nur mit dem Dativ oder einer Präposition[83], wobei der Dativ meist auf eine Person, in Röm 15,27 aber auch auf eine Sache bezogen ist. Diese doppelte Beziehbarkeit auf Person und Sache (mit der man bzw. an der man gemeinsam Anteil hat[84]) ist ein deutlicher Hinweis darauf, daß für κοινωνεῖν – ebenso wie für κοινωνία, κοινωνός – der Gedanke an ein »Gemeinschafts«- bzw. »Partnerschaftsverhältnis« konstitutiv ist. Immer geht es um die *gemeinsame* Teilhabe mit jemandem oder an etwas bzw. mit jemandem an etwas.

Schon J. Chr. K. v. Hofmann[85] hat hier richtig gesehen, daß die Konstruktion von κοινωνεῖν mit dem Dativ – sei es der Sache oder der Person – bedeutet, daß man »in ein Gemeinschaftsverhältnis tritt« oder es »betätigt«. Für dieses Gemein-

---

[78] Ich möchte hier Burton, Gal 336, zustimmen: »Neither view is so probable as that which finds the suggestion of the sentence in what precedes and its further enforcement in VV. 7.8. Thus interpreted, the whole passage becomes continuous and intelligible«.

[79] Vgl. Bauer, WB 867,1; so im NT nur Hebr 2,14.

[80] Vgl. Lightfoot, Gal 218: »properly intransitive and equivalent to κοινωνὸς εἶναι ›to be a partner with‹«.

[81] Vgl. Bl.-Debr. § 169,1; ThW III 798.

[82] Vgl. dazu Hauck, ThW III 798.

[83] Vgl. Bl.-Debr. a.a.O.

[84] Lightfoot, Gal 218, verlagert den Akzent unnötig, wenn er erläutert: »the person or thing with which the other makes common cause«.

[85] Hofmann, Gal 197; beim Dativ der Sache spricht er deshalb von »*Mit*besitz«, »*Mit*bestreitung«, »*Mit*schuld« oder »*Mit*leidenschaft« (Hervorhebung von mir). Vgl. dazu Lightfoot a.a.O.: »The dative, which is explained by the idea of partnership . . .«; Burton, Gal 336: »›to be a partner in‹ (a thing) or ›with‹ (a person)«.

schaftsverhältnis ist grundlegend, daß es durch gemeinsame Teilhabe an etwas vermittelt wird; doch beweist der transitivische Gebrauch von κοινωνεῖν zumindest für Paulus, daß er in der Tat auch an die Betätigung bzw. den Ausdruck eines Gemeinschaftsverhältnisses, an ein Anteil-Geben denkt[86].

Man hat gelegentlich bestreiten wollen, daß κοινωνεῖν von Paulus transitivisch verwendet werde[87]; doch diese Bestreitung ist ungerechtfertigt[88]. Der transitivische Gebrauch geht aus einem Vergleich von Gal 6,6 mit Phil 4,15 unzweideutig hervor und wird auch durch die frühchristliche Literatur – speziell im Zusammenhang mit Gal 6,6 – belegt[89].

A. Oepke[90] hat die zwei Seiten des in κοινωνεῖν liegenden Partnerschaftsverhältnisses an einem eindrucksvollen Beispiel aufgewiesen: μὴ πυρός, μὴ λύχνου, μὴ ποτοῦ, μὴ βρωτοῦ μηδενὸς μηδένα τούτῳ κοινωνεῖν, μηδὲ λαμβάνειν, μηδ᾽ αὐτὸν τούτῳ διδόναι (Ps.-Demosth. 25,61). Er stellt dazu fest:»Das Wort bezeichnet hier die Gemeinsamkeit des Habens sowohl im Sinne des Partizipierens wie des Abgebens«. Sollte das wirklich nur *hier* so sein?

Man wird doch der Auskunft Oepkes mißtrauen dürfen, wenn er erklärt: »Ersteres ist die näherliegende und *zunächst häufigere* Bedeutung«.»In der *späteren Sprache* wird aber die Bedeutung ›abgeben‹ herrschender«[91]. Ähnlich steht es mit H. Lietzmanns Feststellung:»Κοινωνεῖν τινί τινος heißt ›mit jemand gemeinsam Anteil einer Sache haben‹, was sich *dann* zu der Bedeutung ›jemand Anteil an etwas nehmen lassen‹ = ›ihm mitgeben‹ *entwickelt*«[92]. Sind das nicht in Anbetracht der schmalen Beweislage allzu kühne, wenn nicht fragwürdige Behauptungen? Es kann doch auch nur reiner Zufall sein, daß einmal diese, einmal jene Seite des Begriffs angesprochen ist. Gerade weil κοινωνεῖν (κοινωνία, κοινωνός) inhaltlich so viele Implikationen enthält, die sich dann auch in den

---

[86] Unkorrekt ist es, wenn Schmidt, Gal 96, vom »Gemeinschaftssinn« spricht, der sich betätige, denn es geht um den Ausdruck eines Verhältnisses, eines Zustands.

[87] Vgl. Meyer, Gal 298; Sieffert, Gal 338: Man dürfe κοινωνεῖν nicht mit κοινοῦν gleichsetzen; κοινωνεῖν aber finde sich im NT nirgends transitivisch, auch nicht Röm 12,13. Dabei wird übersehen, daß in Phil 4,15 aus dem Zusammenhang eindeutig hervorgeht, daß nicht die Gemeinde »Anteil hat« am Apostel, sondern umgekehrt ihrerseits dem Apostel eine Unterstützung gewährt hat.

[88] Vgl. dazu Seesemann, KOINΩNIA 25; Bisping, Gal 326: »kann im *transitiven* und auch im *intransitiven* Sinne genommen werden«.

[89] Seesemann verweist a.a.O. auf Barn. 19,8: κοινωνήσεις ἐν πᾶσιν τῷ πλησίον σου καὶ οὐκ ἐρεῖς ἴδια εἶναι. Lietzmann, Gal 42, hält die Stelle für eine »volle Parallele« zu Gal 6,6; möglicherweise stelle sie sogar den »ältesten Kommentar« dazu dar. Schlier, Gal 275, nennt ferner zum Vergleich Did. 4,8; Just. Apol. I, 15,10. Vgl. auch ThW III 809 A. 72.

[90] Oepke, Gal 150. Sollten die Worte μηδὲ λαμβάνειν . . . tatsächlich eine spätere Hinzufügung sein, wie der Herausgeber (Blass, 1888) vermutete? (Diesen Hinweis verdanke ich H. Seesemann, der ihnen daher die Bedeutung nicht geben kann, die Oepke ihnen beilegte.)

[91] Oepke, Gal 150f (Hervorhebung von mir).

[92] Lietzmann, Gal 42 (Hervorhebung von mir); so dann auch Seesemann a.a.O. 5.

verschiedenartigen grammatikalischen Ausformungen äußern, kommt der Beobachtung des jeweils spezifischen subjektiven Sprachgebrauchs solche Bedeutung zu. E. Burton[93] scheint mir deshalb im Recht zu sein, wenn er sagt:»It seems probable, indeed, that the word itself is always, strictly speaking, neutral in meaning, as is the English verb, ›share‹, and the noun, ›partner‹«.

Dann aber ist jeweils von der allgemeinen Grundbestimmung von κοινωνεῖν (κοινωνία, κοινωνός) auszugehen und nur vom Kontext her eine präzise Erfassung der jeweils zum Ausdruck kommenden Aspekte möglich. Th. Zahn[94] erläutert diese Grundbestimmung von κοινωνεῖν τινί τινος so: Sie »bezeichnet nicht unmittelbar ein Verhältnis von Personen zu einander, sondern zunächst eine Beziehung mehrerer Personen zu einem ihnen gemeinsamen Gegenstand, welcher allerdings eine Gemeinschaft der Personen untereinander zur Folge hat«.

Mit A. Oepke müßte man fortfahren: Diese »Gemeinsamkeit des Habens« umfaßt die beiden Aspekte des »Partizipierens« und des »Abgebens«, d. h. des (gemeinsamen) Anteil-nehmens und des (gegenseitigen) Anteil-nehmen-lassens. Beides wird mit κοινωνεῖν ausgedrückt[95]; und nur der Zusammenhang kann jeweils zu erkennen geben, ob ein Empfänger oder Geber gemeint ist[96].

Ergebnis:

κοινωνεῖν τινι ἔν τινι (bzw. εἴς τι) drückt bei Paulus eine zweiseitige Beziehung der Partnerschaft aus, ein Verhältnis gegenseitigen Anteil-gebens und Anteilnehmens mit dem Ziel des gemeinsamen Anteil-habens[97]. Im Hintergrund steht ein Gemeinschaftsverhältnis, das durch gemeinsame Teilhabe an etwas entsteht und zur gegenseitigen Verpflichtung der Partner, nach Gal 6,6; Röm 15,26f; Phil 4,10ff zu einem wechselseitigen Anteil[98]-geben an den jeweils mitteilbaren Gütern führt.

Es ergibt sich also, daß man auch κοινωνεῖν nicht ohne gedankliche Zwischenglieder wiedergeben kann und daß eine Übersetzung wie »mitteilen«[99] kein volles Verständnis ermöglicht. Als gedankliche Voraussetzungen für Gal 6,6 wären mitzubedenken: a) Die Gemeinschaft, die durch die gemeinsame Teilhabe des

---

[93] Burton, Gal 336.

[94] Zahn, Gal 272. Auch für Zahn ist »die *regelmäßige*, nur *zufällig* im NT nie vollständig vorliegende Ausstattung des Wortes« die Basis seiner Definition (Hervorhebung von mir).

[95] Dagegen sieht Zahns Definition stärker auf das mit κοινωνία ausgedrückte Verhältnis der Gemeinschaft der κοινωνοί, die gemeinsam Anteil haben an etwas und dadurch in Gemeinschaft treten miteinander. So ist ihm die Erfassung der Aspekte von κοινωνεῖν und v. a. der Nuancen im Verhältnis zu κοινωνία/κοινωνοί nicht recht gelungen.

[96] Lightfoot, Gal 218: »He who κοινωνεῖ . . . may be either the receiver . . . or the giver«.

[97] Vgl. ThW III 808f; dazu Burton, Gal 336: »a mutual, reciprocal sharing«.

[98] Bisping, Gal 326, spricht korrekt von einem Mitteilen »*von* seinen zeitlichen Gütern« (Hervorhebung von mir). Damit erledigen sich die Einwände, Paulus habe nie Gütergemeinschaft gefordert und hätte eine solche Forderung auch für unangemessen gehalten.

[99] Vgl. Lietzmann, Gal 42; Schneider, Gal 146: »mitgeben«.

Unterrichtenden und des Unterrichteten an dem einen Evangelium gegeben ist;
b) das Gemeinschaftsverhältnis, das zwischen beiden dadurch entsteht, daß der
Unterrichtende dem Unterrichteten Anteil gibt am Evangelium; c) daß dieses
Gemeinschaftsverhältnis im Kern ein Schuldverhältnis ist, weil sich der Unterrichtete in seiner christlichen Existenz dem Unterrichtenden verdankt; d) daß
diese Dankbarkeit ihren Ausdruck finden muß in dem Anteil-geben des Unterrichteten an seinen Gütern[100]; e) daß also zwischen beiden ein partnerschaftliches
Verhältnis besteht, das sich im Anteil-geben und Anteil-nehmen an den jeweils
mitteilbaren Gütern realisiert und konkretisiert[101].

Erst auf diesem Hintergrund versteht man die volle Bedeutung von Gal 6,6:
»Gemeinschaft aber habe (oder halte) der Unterrichtete im Wort mit dem (ihn)
Unterrichtenden in allen Gütern«.
Was aber heißt »in allen Gütern«?

5. Der Bedeutungsumfang von ἐν πᾶσιν ἀγαθοῖς in Vers 6

Grundsätzlich stehen sich in dieser Frage zwei Meinungen gegenüber: die gewöhnliche – von der überwiegenden Mehrheit der Autoren vertretene[102] – Auffassung des Satzes als Mahnung zur Unterstützung der Lehrer mit »materiellen
Gütern« und die gegensätzliche[103], wonach Paulus auffordere, Gemeinschaft zu
halten mit den Lehrern in allem »sittlich und geistig Guten«.

Das Ergebnis der Untersuchungen zu κοινωνεῖν τινι ἔν τινι scheint eindeutig
das erstgenannte Verständnis zu unterstützen, so daß der Satz besagen würde,
»der Schüler teile dem Lehrer für die geistlichen Güter, die er von diesem
empfängt, von seinen zeitlichen Gütern willig mit, da der Lehrer billig seinen
leiblichen Unterhalt von denen, welchen er die höchste geistliche Nahrung reicht,
verlangen kann«[104].

Dagegen werden aber sprachliche und sachliche Einwände erhoben: τὰ ἀγαθά
= die materiellen, zeitlichen »Güter« komme im NT nur Lk 12,18 vor; bei Paulus
werde es ausschließlich von sittlich-religiösen Gütern, von sittlich Gutem (vgl. τὸ
ἀγαθόν Gal 6,10) und geistlich Heilsamem gebraucht[105]. Der Zusammenhang von

---

[100] Schneider, Gal 146, spricht etwas zu allgemein von einer »Gemeinschaft«, die man
»pflegen« soll.
[101] Man wird demnach keinesfalls dem Gewicht des paulinischen Prinzips κοινωνία
gerecht, wenn man mit Mußner, Gal 402, lediglich von der »selbstverständlichen Bereitschaft, seinem Lehrer Anteil an allen Lebensgütern zu geben«, spricht.
[102] Did., Theod. v. Mopsv., Theodt., Chrysost., Luther, Bengel, Lightfoot, Bisping,
Zahn, Bousset, Lietzmann, Loisy, Schlatter, Steinmann, Kuss, Schmidt, Amiot, Lagrange,
Buzy, Lyonnet, Schlier, Althaus; vgl. auch ThW III 808 f (Hauck).
[103] Marcion (nach Hieron.), Ambrst., Hieron., Thomas v. A., Meyer, Sieffert, Lipsius,
Oepke.
[104] Bisping, Gal 303.
[105] Vgl. Sieffert, Gal 338 f; Oepke, Gal 151 f.

V 6 sei auf Sittliches bezogen, sowohl 6,4.5 wie 6,7–10, also müsse es auch V 6 sein, der sonst »sonderbar abgerissen« erscheine[106]. Anstoß erregt vor allem das πᾶσιν; denn das würde eine »vollständige Gemeinschaft aller irdischen Güter bedeuten«[107]. Eine solche Forderung nach Gütergemeinschaft wäre »unangemessen«[108]. Das wahrscheinliche Verständnis sei demnach: »(Jeder wird seine eigene Last tragen.) Gemeinschaft aber habe der im Wort Unterwiesene mit seinem Lehrer in allem Guten! Dem Wort und Vorbild des Führers folgend strebe er der Vollkommenheit nach!«[109] Oder – mit stärkerem Akzent auf der Bedeutsamkeit der Mahnung für das Gemeindeleben, das durch die Wühlarbeit der neuen Lehrer gefährdet erscheint – das gestörte Verhältnis Schüler–Lehrer sei »dem Gedeihen des gemeinsamen sittlichen Strebens und Lebens höchst hinderlich«, deshalb soll der Schüler »mit dem Lehrer gemeinschaftlich streben und wirken, besonders also auch alles sittlich Gute und Heilsame vom Lehrer sich aneignen«[110].

Die Argumente für diese Auffassungen lassen sich aber weithin entkräften. Schon im vorausgehenden Abschnitt hatte sich die Haltlosigkeit der Behauptung F. Siefferts ergeben, κοινωνεῖν könne man nicht transitivisch verstehen, es komme so im NT nicht vor[111]. Daß τὸ ἀγαθόν und τὰ ἀγαθά immer nur das sittlich Gute bezeichne, dürfte nun ebensowenig aufrechtzuerhalten sein: weder sind τὸ ἀγαθόν und τὰ ἀγαθά ein und dasselbe, noch darf man den Unterschied zwischen substantiviertem Adjektiv und zu einem reinen Substantiv gewordenen Adjektiven übersehen[112]. Eindeutiger als bei τὸ ἀγαθόν, das in der Tat häufig für »das sittlich Gute« gebraucht wird[113] – aber daneben auch im Sinne des Vorteils und Nutzens, also in der Bedeutung »zum Guten« (vgl. Röm 8,28; 13,4; 15,2)[114] –, ergibt sich der genannte Unterschied bei τὰ ἀγαθά: Röm 3,8; 10,15; Lk

---

[106] Sieffert a.a.O.; ähnlich Oepke a.a.O. Steinmann, Gal 163f, empfindet den Vers zwar auch als herausfallend, doch interpretiert er ihn – wie die meisten Exegeten – im Sinne einer Entschädigung für den Unterricht der Lehrer.

[107] Steinmann a.a.O.

[108] Sieffert a.a.O. Bei Paulus finde sich keine Idee vom Besitz als Gemeingut; sie sei ihm auch nicht zuzutrauen, »am wenigsten in einem Brief an Gemeinden, in welchen Missdeutungen und auch Missbrauch von Seiten gegnerischer Lehrer zu besorgen stand«. So schon Meyer, Gal 299; vgl. Lipsius, Gal 65; Dalmer, Gal 209; neuerdings Zerwick, Gal 115. Auch Oepke fragt a.a.O.: »Wann und wo hat Pls sonst volle Gütergemeinschaft verlangt?«

[109] Oepke, Gal 152.

[110] Sieffert, Gal 340. So verstanden bestehe keine Abhängigkeit von 2 Kor 11,7–10; 1 Kor 9,7–14; 2 Kor 12,13–18; ἐν πᾶσιν ἀγαθοῖς sei die »Sphäre, in welcher gemeinschaftliche Sache gemacht wird«. Damit erledige sich auch der Einwand, statt κοινωνεῖν müßte man bei sittlichem Verständnis von τὰ ἀγαθά eher μιμεῖσθαι erwarten (vgl. de Wette, Gal 84); denn es gehe um das gestörte Gemeindeverhältnis, die Gemeinschaft von Lehrer und Schüler.

[111] Vgl. Mußner, Gal 403 (und A. 4).

[112] Vgl. Bauer, WB 4f.

[113] u. [114] Bauer a.a.O.; ein besonders deutliches Beispiel für den Unterschied von substantiviertem Adjektiv und zum reinen Substantiv gewordenen Adjektiv gibt Röm 13,3f: τὸ ἀγαθὸν ποίει, καὶ ἕξεις ἔπαινον ἐξ αὐτῆς · θεοῦ γὰρ διάκονός ἐστιν σοὶ εἰς τὸ ἀγαθόν.

16,25 ist jeweils das Adjektiv substantiviert[115] (so auch Joh 5,29); zum reinen Substantiv geworden ist es dagegen Lk 1,53; 12,18 f[116]. Bei dieser Verwendung lassen sich »die Güter« allgemein als »Dinge, die auf das Wohlbefinden des Menschen Beziehung haben«[117] verstehen; der Bedeutungsumfang reicht dann von religiösen, geistigen, seelischen, sittlichen, bis zu höchst materiellen Gütern[118]. Bei Paulus ist die Verwendung von τὰ ἀγαθά Gal 6,6 auf jeden Fall singulär[119], ob man τὰ ἀγαθά nun im Sinne von »sittlichen« oder »materiellen« Gütern verstehen will.

Daß es »materielle Güter« bedeuten kann, bezeugen nicht nur die analogen Beispiele aus dem profanen Gebrauch und bei Lukas, sondern auch die paulinische Verwendung von τὸ ἀγαθόν in der Bedeutung »das Gute, der Vorteil, der Nutzen«. ἀγαθόν ist »reiner Formalbegriff«, der »seine inhaltliche Füllung« entweder »durch das Substantiv, mit dem es verbunden wird« oder – substantiviert – aus dem Zusammenhang erhält[120]. Der Zusammenhang von Gal 5,25–6,10 spricht aber keineswegs so eindeutig von allgemein »Sittlichem«, wie das von F. Sieffert, A. Oepke u. a. behauptet wird. Das hat der Überblick über die verschiedenartigen Bestimmungen des Zusammenhangs von V 6 zur Genüge dargetan.

Die Berechtigung des Einspruchs gegen die Deutung von ἐν πᾶσιν ἀγαθοῖς auf »volle Gütergemeinschaft« wird man grundsätzlich nicht leugnen können. Paulus hat zwar keinen Zweifel daran gelassen, daß es eine Anordnung des Herrn ist, daß diejenigen, die das Evangelium verkünden, vom Evangelium leben sollen, und er »setzt voraus, daß die Apostel samt ihren Frauen (Familien?) durch die Gemeinden unterhalten werden«[121], aber er spricht nicht von voller Gütergemeinschaft[122]. Wenn er auch für seinen Teil im allgemeinen auf dieses Recht auf Lebensunterhalt verzichtete, »damit wir dem Evangelium von Christus kein Hindernis bereiten« – wie er 1 Kor 9,12 dies begründet[123] –, so bestand er prinzipiell doch auf diesem Rechtsanspruch. Die Begründung, die er für die Billigkeit dieses Anspruchs gibt: »Wenn wir euch das Geistige säten, ist es da etwas Großes, wenn wir von euch das

---

[115] In Röm 10,15 ohne Artikel.
[116] Bauer verweist a.a.O. zur Bedeutung »Besitztümer, Schätze« auf Hdt 2,172 u. a. P. Ryl. 28,182; Sir 14,4; Wsh 7,11; 1 Klem 8,4. Schon de Wette, Gal 84, hatte auf den Unterschied zwischen τὸ ἀγαθόν und τὰ ἀγαθά aufmerksam gemacht; auch er fand τὰ ἀγαθά als »das sittlich Gute« nur in Joh 5,29.
[117] ThW I 10,19.
[118] Vgl. ThW I 10,26.
[119] Denn Röm 3,8 ist es nur Gegensatz zu τὰ κακά und Röm 10,15 steht es absolut gebraucht innerhalb eines Zitats; beide Male ist der Sinn nicht auf das geistig oder sittlich Gute begrenzbar.
[120] Vgl. ThW I 10.
[121] Oepke, Gal 151 f.
[122] Vgl. 1 Kor 9,4–14.
[123] Vgl. auch 2 Kor 11,7–10; Phil 4,10–20; dazu Lightfoot, Gal 218.

Irdische ernten?«[124], ist dabei kennzeichnend für Paulus. Das ist der Grundgedanke, der in seiner Auffassung das Verhältnis Apostel/Gemeinde – Lehrer/Schüler bestimmt[125]. Daß dieser Grundgedanke auch Gal 6,6 zugrunde liegt, wird durch das in den VV 7–9 folgende Bild vom Säen und Ernten als sehr wahrscheinlich nahegelegt[126]. – Von »voller Gütergemeinschaft« ist dabei nur insofern die Rede, als die Gemeinschaft durch den wechselseitigen Austausch von – freilich sehr verschiedenen – Gütern zustande kommt. Totaler scheint der Anspruch des Paulus zu sein, wie er aus Phil 2,30 zu erheben ist, wo es von Epaphroditos heißt: »damit er auffülle euren Mangel des Dienstes gegen mich« oder in Phlm 19: »damit ich dir nicht sage, daß auch du dich selbst mir schuldest«. Darauf kann hier nur hingewiesen werden als Andeutung einer Antwort auf die Frage A. Oepkes, wann und wo Paulus sonst derartiges verlangt habe[127].

Aus dem Text von Gal 6,6 geht nun aber nicht hervor, ob das Lehrer-Schüler-Verhältnis als ein ganz persönliches gedacht ist, d. h. ob vom einzelnen Schüler so weitgehende »Gütergemeinschaft« mit seinem Lehrer gefordert wird, oder ob der Singular χατηχούμενος nur gewählt ist, damit keiner sich ausschließe von dieser gemeinsamen Verpflichtung der Gemeinde[128]. Jedenfalls werden Leistungen von jedem einzelnen für den Unterhalt der oder des Lehrers in der Gemeinde gefordert. Der Einwand A. Oepkes[129], »von einer Entschädigung für den Dienst an der *Orts*gemeinde verraten die paul. Briefe nichts, am wenigsten so, daß das einzelne Gemeindeglied sie zu zahlen gehabt hätte«, dürfte sich damit als nicht stichhaltig erwiesen haben.

Aus der Tatsache, daß die in Gal 6,6 verlangte »Gütergemeinschaft« zwischen Lehrer und Schüler keinesfalls im Sinne der Apg als Vergemeinschaftung des Privatbesitzes[130], sondern als Gemeinschaft, die durch wechselseitigen Austausch von (geistigen und irdischen) Gütern realisiert wird, zu betrachten ist, erklären sich nicht nur die so gegensätzlichen Auffassungen von »geistigen« und »materiellen« Gütern einerseits, wie die Vermittlungsversuche[131] andererseits. So wenig

---

[124] 1 Kor 9,11.

[125] Er findet sich so neben 1 Kor 9,11 auch in Röm 15,27 und Phil 4,15.

[126] Vgl. dazu auch 2 Kor 9,6.

[127] Oepke, Gal 152. »Gütergemeinschaft« darf dabei nicht so verstanden werden, als habe Paulus »allen Besitz als Gemeingut betrachtet« (de Wette, Gal 83, unter Heranziehung von Apg 4,32). Dieser Gedanke läßt sich bei Paulus nicht belegen; darin hat Oepke Recht, de Wette hingegen irrt.

[128] »Der antike Unterricht blieb durchweg Privatunterricht und hatte daher gewisse Leistungen des Schülers an den Lehrer zur Voraussetzung« (Oepke, Gal 151). Die Analogien bei den Rabbinen und Griechen geben freilich keinen Aufschluß über die Unterrichtspraxis in den paulinischen Gemeinden.

[129] Oepke, Gal 152.

[130] Vgl. Steinmann, Gal 163: fern liege ihm jeder »Eingriff in die Vermögensverhältnisse anderer«.

[131] Einen Ausgleich versuchen etwa Bisping, Gal 326; Schaefer, Gal 349; Burton, Gal 338 f; die an »*beides* zugleich« denken (Bisping).

nämlich die Erklärung von τὰ ἀγαθά als »geistige und sittliche Güter« an dieser Stelle und im Zusammenhang des Briefes zu befriedigen vermag[132], auch die gegenteilige Deutung als »materielle Güter« überzeugt nicht restlos[133]. Der Zusammenhang erfordert ein sehr viel nuancierteres Verständnis. Die in den VV 5,26–6,6 genannten Beispiele scheinen alle auf konkrete Schwierigkeiten und Gefahren des Gemeindelebens anzuspielen[134] – am deutlichsten wohl V 6, hinter dem die Lehrtätigkeit von Gegnern in den galatischen Gemeinden aufscheint. Die Ermahnungen selbst aber sind allgemein und prinzipiell gehalten[135]. Dieses Ineinander von konkretem Bezug und prinzipieller Antwort ist für den »paränetischen Zug« des Galaterbriefes charakteristisch. Der Brief steht ganz unter dem Gegensatz von Geist und Fleisch einerseits (vgl. 5,17)[136] und der Zuordnung von Freiheit und Liebe andererseits (vgl. 5,13)[137]. Im Blick auf diese grundsätzlichen Aussagen des Briefes werden in 5,26–6,10 – nachdem in 5,25 noch ausdrücklich dieser Bezug hergestellt ist – die aktuellen Probleme der Gemeinden angeschnitten und dem Zusammenhang einbezogen. ἐν πνεύματι στοιχεῖν heißt dann im folgenden, von der Freiheit den rechten Gebrauch machen (vgl. 5,13 ff mit 5,26), die Werke des Geistes vollbringen (vgl. 5,22 f ὁ δὲ καρπὸς τοῦ πνεύματος – πραΰτης mit 6,1 πνευματικοί – ἐν πνεύματι πραΰτητος), das Gesetz Christi erfüllen (vgl. 5,13.14 mit 6,2). Die Abfolge ist gewiß nicht streng logisch. Die VV 3.4 z. B. greifen zurück auf 5,26 und sind geradezu als ein Kommentar zu diesem Vers anzusehen. V 6 hingegen setzt in gedanklicher Verbindung zu V 2 (und V 5) die Mahnung, einander die Lasten zu tragen, fort mit dem Hinweis auf Partnerschaft mit dem Lehrer (bzw. prinzipiell den Lehrern). So gewiß dabei auch und gerade an materielle Leistungen des Schülers, d. h. an eine Entschädigung des Lehrers gedacht ist, dürfte die Aussage des Verses darin sich doch keineswegs erschöpfen[138]. Angesprochen ist vielmehr die Gemeinschaft zwischen Lehrer und Schüler ganz generell, die ihren Ausdruck findet im gegenseitigen Anteilgeben an allen Gütern[139]; seitens des Schülers, der hier gemahnt

[132] Vgl. Schlier, Gal 275: »Im übrigen kann man fragen, was eine allgemeine Mahnung an den Schüler wie die: in allem Guten mit dem Lehrer Gemeinschaft haben, in unserem Zusammenhang und überhaupt soll«; vgl. ferner Lightfoot, Gal 218.
[133] Vgl. Lietzmann, Gal 42: τὰ ἀγαθά sind »nicht einfach ›die irdischen Güter‹« (so wenig wie in V 10 τὸ ἀγαθόν); dazu Seeberg, Katechismus 269.
[134] de Wette, Gal 84: »dort wie h. Gebrechen des christlichen Gemeinschaftslebens«; vgl. Schlier, Gal 276; Lütgert, Geist 20f; Schmithals, Häretiker 41.
[135] Insofern haben jene recht, die wie Sieffert und Oepke von allgemein sittlichen Aussagen sprechen; doch sie vernachlässigen dabei gerade die konkreten Bezüge, die zwar nur in Umrissen deutlich werden, aber in V 6 doch einigermaßen zuverlässig bestimmbar sind.
[136] 5,17: »denn das Fleisch verlangt wider den Geist, der Geist aber wider das Fleisch«.
[137] 5,13: »denn ihr wurdet zu Freiheit gerufen, Brüder; nur, nicht die Freiheit zu Gelegenheit dem Fleisch, vielmehr durch die Liebe dienet einander«.
[138] Vgl. Lietzmann, Gal 42; Schlier, Gal 275.
[139] Vgl. dazu Seeberg, Katechismus 269: »Paulus wählt mit Absicht einen Ausdruck, der

wird, fordert das Treue, Gehorsam, Dankbarkeit bis hin zur Konkretion dieser Gemeinschaft in der Bestreitung des Unterhalts des Lehrers[140] – sei es durch den einzelnen oder die Gemeinde insgesamt.

Man wird also hier für ἐν πᾶσιν ἀγαθοῖς eine Ausweitung zur umfassenden »Gemeinschaft in allem Guten« feststellen können, ohne daß damit die Forderung nach materieller Unterstützung aus dem Blick geriete. Unter dem erwähnten Gegensatz Geist – Fleisch und der Zuordnung Freiheit – Liebe findet auch die Fortsetzung in den VV 7–10 ihre Erklärung.

Wie in 1 Kor 9,11, wo Paulus die Aussaat des Geistigen mit der Ernte irdischer Güter verbindet, und wie in 2 Kor 9,6, wo er kärgliche Aussaat mit kärglicher Ernte bedroht, jeweils in Zusammenhängen mit materieller Unterstützung, so veranschaulicht Paulus auch in Gal 6,7–9 die Forderung nach Gemeinschaft des Schülers mit dem Lehrer in allen Gütern mit dem Bild von Aussaat und Ernte. Die Ernte, d. h. der Lohn (vgl. 6,9), wird der Aussaat entsprechen.

Durch die Verbindung des Bildes mit dem übergeordneten Gegensatz Geist – Fleisch wird die Aussage in V 8 wiederum ins Allgemeine und Prinzipielle erhoben, ohne daß der Bezug auf V 6 und seinen konkreten, seinerseits jedoch schon verallgemeinerten Inhalt ganz verloreninge[141].

Dennoch wird man nicht sagen dürfen, Paulus wolle in diesen Versen mit dem Hinweis auf den richtenden Gott, der seiner nicht spotten läßt (vgl. V 7) nur zu größerer Freigebigkeit anspornen[142]. Die Mahnung von V 7, wie die der VV 8

beides zugleich, geistliche und materielle Güter zu umfassen geeignet war. Die Gemein-schaft, welche zwischen beiden besteht, ist eo ipso eine solche, in welcher der Lehrende dem Lernenden geistliche Güter mitteilt, sie soll nun aber zugleich eine solche sein, in welcher der Lernende dem Lehrenden materielle Güter mitteilt«. »Es soll ein gegenseitiger Austausch stattfinden«.

[140] Schmithals, Häretiker 41, meint: »Der Streit um das Verständnis von ἐν πᾶσιν ἀγαθοῖς . . . ist kaum sehr sinnvoll, da auch die irdischen Güter zu dem ›Guten‹ gehören und Paulus offenbar gar nicht über die Art des ›Gutes‹ reflektiert, sondern den Ton ganz auf κοινωνείτω legt: gehorcht euren Lehrern . . ., verlaßt die nicht, die euch . . . unterweisen – solange es jedenfalls keine Gemeinschaft im Schlechten ist«.
Damit umgeht er die größten Schwierigkeiten, indem er – was Schlier, Gal 20 A. 1, für seine ganze Untersuchung feststellt – »Richtiges und Falsches« mischt. Die Betonung des κοινωνείτω δέ erklärt sachlich nicht die κοινωνία ἐν πᾶσιν ἀγαθοῖς.

[141] Steinmann, Gal 160, spricht von einer allgemeinen Färbung der Aussagen ab 6,7, deren Inhalt keine Verbindung mit V 6 gestatte. Die VV 7–10 seien »für alle geltende Begründung der Notwendigkeit christlicher Lebensführung« (a.a.O. 164). Dagegen wohl mit Recht Schmidt, Gal 96: »Die sich anschließende . . . Gerichtsdrohung (V 7) ist nur scheinbar beziehungslos, in Wirklichkeit höchst beziehungsvoll. Das einzelne Gemeindeglied soll auf den, der ihm das Wort Gottes recht verkündigt, mit besonderer Beteiligung hinsehen, weil der Wortverkündiger ganz besonders verantwortlich ist«. Der Gegensatz von Fleisch und Geist betrifft nach Schmidt a.a.O. auch und gerade den »Tatbereich der rechten Leitung einer Gemeinde«.

[142] Man verkennt den Zusammenhang und gibt V 6 zu viel Gewicht, wenn man wie Althaus, Gal 52 f, die VV 7.8 nur von den Geldopfern der Christen reden läßt und »säen« = »schenken, freigebig Besitz austeilen« faßt. »Auf das Fleisch säen« würde dann hindeuten

und 9, ist vielmehr auf alle in 5,25b–6,6 vorausgehenden Aussagen zu beziehen: πνεύματι καὶ στοιχῶμεν – denn: ὁ σπείρων εἰς τὸ πνεῦμα ἐκ τοῦ πνεύματος θερίσει ζωὴν αἰώνιον (6,8).

Im Blick auf diese Ernte folgen die abschließenden – alle Einzelmahnungen an die Gemeindeglieder zusammenfassenden – Aufforderungen der VV 9 und 10: Gutes zu tun, solange dazu Zeit ist, »am meisten aber gegen die ›Hausgenossen‹[143] des Glaubens«.

Zusammenfassung

Die Mahnung von Gal 6,6 an den Unterrichteten, Gemeinschaft zu halten mit dem Unterrichtenden in allen Gütern, zielt auf ein partnerschaftliches Verhältnis des gegenseitigen Anteilgebens an geistigen und materiellen Gütern zum Ziele der Gemeinschaft des Anteilhabens an allem Guten.

An diesem Willen zur Gemeinschaft hängt die Einheit der Gemeinde. Der Dienst am Wort, den der Unterrichtende ausübt, verpflichtet die Hörer zu Treue und Gefolgschaft bis hin zur Bestreitung seines Lebensunterhalts. Dieser Dienst geschieht also in einer gewissen Vollmacht[144], so daß Paulus im Hortativ zur Anerkennung solcher Autorität, hinter der Gott selber steht (vgl. V 7), auffordern kann. Verachtung der Unterrichtenden wäre letztlich eine Verachtung Gottes.

Auch wenn sich die Stellung des κατηχῶν in der Gemeinde nicht näher präzisieren läßt, hängt doch an der Treue zu ihm die Einheit der gefährdeten Gemeinde, so daß das Gemeindeleben in hohem Maße von ihm beeinflußt oder gar abhängig zu denken sein wird[145]. Vermutlich wird mit κατηχῶν also ein vom

auf die Befriedigung eigener Bedürfnisse und »auf den Geist säen« würde heißen, »die irdischen Mittel in den Dienst der Gemeinde und damit in den Dienst des Evangeliums stellen«. Solche Auslegung ist mit Oepke, Gal 154, als »zu eng« zu bezeichnen. Von Unterstützung der Lehrer ist schon nicht mehr unmittelbar die Rede, wenn das Bild vom Säen und Ernten durchbrochen wird von den möglichen Saat- und Erntefeldern Geist – Fleisch; mit ἑαυτοῦ ist »das Bildhafte vollends aufgehoben« (Oepke a.a.O.); vgl. Steinmann, Gal 164.

[143] οἰκεῖος begegnet nach Michel (ThW V 137) im paulinischen Sprachkreis und ist offenbar vom Gemeindeverständnis bestimmt: die Gemeinde ist οἶκος τοῦ θεοῦ, die Christen sind Hausgenossen in Bezug auf den Glauben (vgl. Zahn, Gal 276 A. 28). Zwar sind alle Nächste, aber als Christen haben wir »doch vor allem den Bau, Aufbau und Ausbau unseres eigenen Hauses . . . nach Kräften zu fördern« (so Schmidt, Gal 97). Gegen Michel ist allerdings zu sagen, daß Paulus selbst nirgends *die Gemeinde* οἶκος τοῦ θεοῦ nennt.

[144] Vgl. Lagrange, Gal 159: »avec autorité«. Zerwick, Gal 116, expliziert daher die »Gemeinschaft . . . in allem Guten« als »Gehorsam gegen sein Wort« und »Nachahmung seines Beispiels«; zwar sind dies nicht alle Implikationen, aber doch einige wichtige.

[145] Vgl. Oepke, Gal 150; Zahn, Gal 272: die innergemeindliche Unterweisung ist »noch in späterer Zeit nicht an ein bestimmtes kirchliches Amt gebunden«. Gegen Siefferts Einwand, Gal 338 A. 2: »Eigens angestellte διδάσκαλοι ausser den Presbytern (s. z. Eph 4,11)« habe es damals noch keine gegeben, wird man – abgesehen von der fragwürdigen Aussage in bezug auf die Presbyter und der Heranziehung von Eph 4,11 –

Wortdienst her geprägtes Gemeindeamt zu verstehen sein, obgleich die prinzipielle Formulierung nicht ausschließt, darunter sogar den Apostel selbst oder seine Mitarbeiter oder Wanderprediger zu verstehen[146].

Inhalt und Art des Unterrichts lassen sich nicht näher bestimmen; doch weist die Offenheit und Unbestimmtheit der Formulierung von Gal 6,6 über ein individuelles Lehrer-Schüler-Verhältnis hinaus ins Prinzipielle.

Gal 6,6 hat also – und darin liegt die besondere Bedeutung dieser Stelle – grundsätzlichen Charakter; sie enthält das paulinische Prinzip κοινωνία, das Prinzip der kirchlichen Gemeinschaft: Zwischen Unterrichteten und Unterrichtenden entsteht immer ein verpflichtendes Gemeinschaftsverhältnis. Vermittelt wird es durch das verkündigte »Wort«, d. h. aber durch das Evangelium selbst.

Die Frage nach den Kriterien rechter oder falscher Verkündigung wird nicht gestellt. Paulus scheint fest damit zu rechnen, daß seine eigene Autorität als des verantwortlichen Erstverkünders des Evangeliums in den galatischen Gemeinden ebenso Anerkennung finden werde[147] wie die Autorität der in den Gemeinden selbst wirkenden Verkünder. Das Problem einer möglicherweise zu versagenden Gemeinschaft taucht hier – wo es ja letztlich um seine eigene Stellung zu den galatischen Gemeinden und um die Anerkennung derer geht, die sein (paulinisches) Evangelium verkünden – nicht auf[148]. Und die Gegner nimmt Paulus nicht in den Blick[149].

Soweit scheint er seiner Sache sicher gewesen zu sein, daß er nicht damit rechnete, die Gemeinden könnten ihm oder den Verkündern seines Evangeliums tatsächlich die Gemeinschaft und Gefolgschaft aufkündigen und sich den »neuen« Lehrern zuwenden. Er hielt es daher nur für nötig, ihnen mit Ernst und Nachdruck den Grundsatz ihrer Verpflichtung zur κοινωνία in Erinnerung zu bringen.

---

sagen müssen, daß er in dieser Form an der Situation der galatischen Gemeinden vorbeigeht; auch ist für Gal 6,6 auf eine Identifizierung von κατηχῶν = διδάσκαλος zu verzichten.

[146] Auch Buzy, Gal 475, denkt wegen der allgemeinen Formulierung von V 6 daran, Paulus »ne pouvait omettre de recommander une autre forme de charité qui lui a tenu grandement à cœur au cours de son apostolat: celle qui consistait à subvenir aux besoins des apôtres et des catéchistes«.

[147] Dalmer, Gal 209f, ist einer der wenigen, der den Apostel ausdrücklich in die prinzipielle Aussage von Gal 6,6 einbezieht. Paulus denke »nicht bloß an die später sog. Katechumenen«, »sondern an alle Glieder der Gemeinde, die zu ihm, dem κατηχῶν, immer noch die Stelle von κατηχούμενοι einnahmen«.

[148] Die Einschränkung, die Kühl, Gal 94, in der Formulierung ἐν τοῖς ἀγαθοῖς gegeben sieht, wird vom Text nicht nahegelegt. Kühl paraphrasiert so: »Ich bin allerdings der Meinung, daß eine Gemeinschaft zwischen Schülern und Lehrern stattfinden soll, jedoch nur in allem sittlich wahrhaft Guten. Dagegen, wenn sie euch Verderbliches lehren, sollt ihr ihnen die Gemeinschaft versagen«. Ähnlich jetzt auch Schmithals, Häretiker 41.

[149] Meyer, Gal 300: »Daß P. nur das Verhältnis zu wahren, Paulinischen Lehrern meint, versteht sich von selbst«.

Es zeigte sich, daß es nicht angeht, κοινωνεῖν/κοινωνία linear zu übersetzen und etwa – wie H. Seesemann[150] – sich in Gal 6,6 mit der »passenden« Übersetzung »Anteil geben« zu bescheiden. Der Begriffsinhalt in seiner ganzen Komplexität ist damit verkannt und kommt in der Interpretation nicht voll zum Tragen. Gerade darin aber liegt das spezifisch Paulinische in der Verwendung von κοινωνία/κοινωνεῖν/κοινωνός, daß er mit den verschiedenen Implikationen dieser Begriffe arbeitet, deren Grundmuster »Gemeinschaft mit jemand durch gemeinsame Teilhabe an etwas« ist. Welche Akzente im einzelnen gesetzt bzw. welche Implikationen betont werden, darüber kann nur der jeweilige Kontext Aufschluß geben[151]. Gal 6,6 erläutert die durch die Verkündigung des Evangeliums bzw. jede Art des Unterrichts entstehende Gemeinschaft zwischen Verkündiger und Hörer bzw. Lehrer und Schüler als Partnerschaft des gegenseitigen Anteilgebens; d. h. der Verkündiger bzw. Lehrer gibt Anteil an den geistlichen Gütern des Evangeliums, darum soll der Hörer bzw. Schüler dankbar Anteil geben an all den Gütern, über die er verfügt; dazu gehört auch die (Mit-)Bestreitung des Lebensunterhalts dessen, der ihn unterrichtet[152]. Nicht volle Gütergemeinschaft[153] wird demnach urgiert, wohl aber eine Gemeinschaft durch wechselseitiges Anteilgeben an den jeweils mitteilbaren Gütern[154]. Die Gemeinschaft, von der Paulus spricht, kann des sichtbaren Ausdrucks (des Willens zur Gemeinschaft) nicht entraten[155]. Es kann nur verwundern, daß H. Seesemann diese Schlüsse nicht selber schon gezogen hat, sondern hartnäckig auf der Bedeutung κοινωνεῖν = »Anteil geben« insistierte. Dabei sind seine Beobachtungen[156] sämtlich geeignet, das erarbeitete Gesamtverständnis von Gal 6,6 gerade durch die sachgerechte Auslegung des paulinischen κοινωνία-Begriffs zu erhärten.

Seesemann bemängelte an Lietzmanns Definition von κοινωνεῖν τινί τινος =

[150] Seesemann, KOINΩNIA 24 f.
[151] Vgl. Burton, Gal 336: »It is the context alone that indicates which aspect of the partnership is specially in mind«.
[152] Vgl. Burton, Gal 336: »κοινωνείτω is best taken as in Phil 4,15 as referring to a mutual, reciprocal sharing, wherein he that was taught received instruction and gave of his property«. Derselbe Gedanke kommt auch in 1 Kor 9,11 und Röm 15,27 zum Ausdruck; vgl. dazu Bring, Gal 237.
[153] Auch »Gemeingut« ist nicht das, was Paulus meint (gegen Wörner, Gal 177; so auch schon de Wette, Gal 83).
[154] Der Einwand, daß Gal 6,6 nur die »Verpflichtung dessen, der die Lehre empfängt« (Schneider, Gal 147), angesprochen sei, also nicht eigentlich das wechselseitige Anteilgeben zum Ausdruck komme (so schon Hofmann, Gal 197; Wörner, Gal 177), ist nur formal richtig.
[155] Hofmann, Gal 197, erklärt die κοινωνία mit jemandem so: »sei es daß man zu ihm in ein Gemeinschaftsverhältnis tritt oder daß man es an ihm betätigt«. Die alternative Formulierung läßt das innere Bezugsverhältnis freilich noch nicht erkennen.
[156] Vgl. Seesemann a.a.O. 5 f.

»jemand Anteil an etwas nehmen lassen« = »ihm mitgeben«, daß darin »ein Merkmal« – und zwar »das wesentlichste dieser Bedeutung« – nicht zum Ausdruck komme: die Verba auf – ἑω bezeichneten in der Regel »ein sich Befinden in einem Zustand oder die gewohnte Ausübung einer Tätigkeit«. κοινωνεῖν heiße also »nur insofern ›Anteil geben‹, als es zur ›gewohnten Tätigkeit‹ werden soll«; »niemals wird damit das *einmalige* Anteilgeben angedeutet«[157]. »›Anteil geben‹ drückt der Grieche durch das Wort μεταδιδόναι aus«[158]. Seesemann dürfte richtig vermuten, daß »in dem Vorhandensein von μεταδιδόναι« auch »der Grund für die seltene Verwendung von κοινωνέω = ›Anteil geben‹« liegt. Letzteres sei »stets ein gewählter Ausdruck geblieben«, dem »eine besondere Nuance« eigen sei: die der Genossenschaft[159], die μεταδιδόναι nicht auszudrücken vermöge.

Das einzige tatsächliche Problem scheint demnach zu sein, jeweils die »besondere Nuance« von κοινωνεῖν etc. zu erheben. Seesemann ist diesem Problem aus dem Weg gegangen: er ließ alle die genannten Beobachtungen einfach fallen und blieb bei »Anteil geben«.

Ist die besondere Nuance mit »Gemeinschaft halten durch partnerschaftliches Anteil geben (an allen Gütern)« richtig bestimmt, dann erweisen sich alle Auslegungen, die in Gal 6,6 nur »ein Wort über das *äußere* Verhältnis von Lehrer und Schüler *beim* christlichen Unterricht«[160] finden wollen, als gänzlich verfehlt. κοινωνία meint bei Paulus eine umfassende Gemeinschaft, die speziell dem Unterrichteten als eine Verpflichtung der Dankbarkeit vorgestellt wird[161]. Dabei wird von Paulus nur »der Grundsatz im allgemeinen aufgestellt«, »dessen Ausführung dem Zartgefühl und der Freigebigkeit jedes Einzelnen überlassen bleibt«[162]. A. Hilgenfeld scheint mir auch darin im Recht, wenn er fortfährt: »Wir sehen hieraus, daß die Lebensunterhaltung der christlichen Lehrer in paulinischen Gemeinden zwar im allgemeinen als Pflicht der Unterwiesenen galt, aber *nicht bestimmter normiert* war. Ganz ähnlich war ja auch die Stellung des Apostels zu seinen Gemeinden, der es einerseits als seinen unbefleckten Ruhm ansehen konnte, das Evangelium unentgeltlich zu verkündigen (1 Kor 9,18; 2 Kor 11,7f), aber doch andererseits auch freiwillige Unterstützungen von seinen Gemeinden annahm (2 Kor 11,9; Phil 4,15)«[163].

[157] Die grundsätzlich richtige Feststellung Seesemanns wird man in diesem Punkt differenzieren müssen. Röm 15,26f enthält zumindest einen Hinweis darauf, daß die κοινωνία = »Gemeinschaft« durch konkrete Gemeinschaftserweise ihren Ausdruck finden soll; daher die Formulierung κοινωνίαν τινὰ ποιήσασθαι.

[158] Vgl. dazu auch das zu 1 Kor 10,16–21 und speziell zu μετέχειν (μετοχή) Gesagte.

[159] Seesemann bezieht sich dabei a.a.O. 6 auf eine Definition von Cremer-Kögel (S. 612), von der er glaubt, sie »dürfte den richtigen Gedanken enthalten«. Fraglich ist nur, ob der Gedanke mit »zum Genossen machen« richtig erfaßt ist.

[160] Bousset, Gal 72 (Hervorhebung von mir).

[161] Vgl. Schlatter, Gal 146.

[162] Hilgenfeld, Gal 193; vgl. Holsten, Gal 131; Schlatter, Gal 146.

[163] Hilgenfeld, Gal 193 (Hervorhebung von mir); und dies eben als Ausdruck der κοινωνία; vgl. Phil 4,15!

Mehr und anderes scheint Paulus in der Tat weder hier noch anderswo im Sinn gehabt zu haben[164].

Es bestätigt sich also unsere These: Paulus verlangt nicht volle Gütergemeinschaft, wohl aber »Gemeinschaft durch gegenseitiges *Anteil* geben an den jeweils mitteilbaren Gütern«.

B. Die Anwendung des Prinzips κοινωνία bei Paulus

Was sich aus der Erörterung von Gal 6,6 an Prinzipiellem für die »kirchliche« Gemeinschaft ergibt, findet seine Konkretion an all den Stellen, an denen die verschiedenen Gemeinschaftsverhältnisse zur Sprache kommen. Das Gemeinschaftsverhältnis der paulinischen Gemeinden zu Jerusalem wird dabei in diesem Kapitel weitgehend ausgeklammert; es soll im folgenden Kapitel Gegenstand einer eigenen Untersuchung sein.

I. Κοινωνία = Gemeinschaft mit jemandem durch gemeinsame Teilhabe an etwas

1. Die Gemeinschaft zwischen Apostel und Gemeinde im Bezug auf das Evangelium

Phil 1,5

Εὐχαριστῶ τῷ θεῷ μου . . . ἐπὶ τῇ κοινωνίᾳ ὑμῶν εἰς τὸ εὐαγγέλιον ἀπὸ τῆς πρώτης ἡμέρας ἄχρι τοῦ νῦν

»Ich danke meinem Gott[165] . . . für eure Gemeinschaft im Bezug auf das Evangelium vom ersten Tag an bis zum Jetzt«

Wie an kaum einer anderen κοινωνία-Stelle gehen hier die Meinungen der Exegeten auseinander. Meint Paulus »das gemeinsame brüderliche Zusammenhal-

---

[164] Holsten, Gal 131, geht hier entschieden zu weit, wenn er von Lebensgenossen spricht, »welche einen gemeinsamen und gleichen Anteil an allen Lebensgütern haben, die der Begüterte besitzt«.

[165] Ob die uns interessierende Wendung tatsächlich von εὐχαριστῶ V 3 abhängt oder mit μετὰ χαρᾶς V 4 zu verbinden ist, braucht hier kaum zu beschäftigen. Ersteres ist wahrscheinlicher. Vgl. dazu Meyer, Phil 12 f; Lipsius, Phil 217; Lightfoot, Phil 83; Bisping, Phil 160; Michaelis, Phil 13; Gnilka, Phil 44; v. a. Vincent, Phil 6; dort ausführliche Begründung. Dibelius, Phil 62, differenziert: »In 1,5 wird der Sache nach der Gegenstand des Dankes genannt, formell aber der Grund zur Freude«.

ten«[166] in der Förderung des Evangeliums? Denkt er an die Gemeinschaft, die durch das Evangelium entstanden ist[167]? Oder an die Gemeinschaft der Philipper mit ihm, ihrem Apostel, der ihnen das Evangelium verkündete[168]? Spricht er verhüllend von den Unterstützungen der Philipper[169]? Versteht er diese vielleicht als Ausdruck ihrer Gemeinschaft am Evangelium[170]? Ist ganz allgemein an den »Christenstand« erinnert[171] oder ist »die tätige Anteilnahme am Ev., d. h. an seiner Verkündigung«[172] angesprochen? Der Meinungsstreit scheint unlösbar. Κοινωνία ὑμῶν steht relativ für sich, und die Näherbestimmung εἰς τὸ εὐαγγέλιον ist nicht eindeutig zu erfassen. Das erlaubt vielfältige Kombinationen, zumal man nicht ohne weiteres auf den sonstigen paulinischen Sprachgebrauch verweisen kann; die präpositionale Verbindung κοινωνία εἰς kann ja durchaus eine sehr eigenständige Komponente ins Spiel bringen. So erläutert z. B. de Boor[173] das εἰς als Hinweis darauf, »daß die Philipper nicht nur den objektiven Anteil am Evangelium passiv besaßen, sondern aktiv zum Evangelium hin gewandt lebten und für das Evangelium mit einstanden«.

Was bei den verschiedenen Kommentatoren auffällt, ist dies: sie entscheiden sich in den seltensten Fällen ausschließlich für eine der oben skizzierten Verstehensmöglichkeiten. In den meisten Fällen finden sich – bei wechselnder Zuordnung im einzelnen – verschiedene Aussagen miteinander verbunden. Das liegt gewiß zum einen an der offenen, allerlei Vermutungen begünstigenden Formulie-

---

[166] Meyer, Phil 13; vgl. de Wette, Phil 179; Lipsius, Phil 217; Vincent, Phil 7. Michaelis, Phil 13, lehnt diese Deutung ab, »da der Gen ὑμῶν das nicht bedeuten kann«; so auch Ewald, Phil 42.

[167] Seit Theodoret oft vertreten; neuerdings von Lohmeyer, Phil 17; Friedrich, Phil 99; Hauck, ThW III 805; (ältere Zeugen bei de Wette, Phil 178).

[168] So v. a. Chrys. und Theophyl.; vgl. Lightfoot, Phil 83; Schlatter, Phil 61. Tillmann, Phil 130, beruft sich zwar auch auf Chrysostomus, betont aber nur den Gedanken der Anteilnahme am Evangelium durch Unterstützung des Apostels, nicht aber den der Gemeinschaft zwischen Apostel und Gemeinde.

[169] Ältere Zeugen bei Meyer, Phil 13; vgl. v. a. Bisping, Phil 160; Barth, Phil 8: »zweite Anspielung auf die empfangene Geldunterstützung«; auch Beare, Phil 52 f, denkt bei »the furtherance of the gospel« nur an Unterstützung und Hilfe.

[170] Barth erwägt a.a.O., »daß Paulus an mehr denkt«: »Ihre persönliche Teilnahme an *ihm*, will Paulus sagen, ist Teilnahme an . . . seiner *Botschaft*« und »Mitarbeit . . . bei der Verkündigung«. Lightfoot a.a.O.: »cooperation in the widest sense«: »participation with the Apostle whether in sympathy or in suffering or in active labour or in any other way. At the same time their almsgiving was a signal instance of this cooperation and seems to have been foremost in the Apostle's mind«.

[171] Dibelius, Phil 62; vgl. Haupt, Phil 8.

[172] Michaelis, Phil 13; er denkt dabei nicht nur an die Sammlung von Liebesgaben für Paulus, sondern auch an Fürbitte, Gastfreundschaft u.a., auch an Missionsarbeit im mazedonischen Hinterland oder Aussendung eigener Missionare. Vgl. dazu auch Ewald, Phil 42; Tillmann, Phil 130.

[173] de Boor, Phil 42.

rung[174], könnte aber und wird wohl auch mit der Struktur des Begriffs κοινωνία zusammenhängen.

Im allgemeinen geht man – wie E. Haupt[175] – davon aus, daß κοινωνία »entweder den gemeinsamen Anteil mehrerer an demselben Gute ... oder das teilnehmende Verhalten zu einer Person« bezeichnet. »Im ersteren Sinne würde P. hier danken, daß die Philipper gemeinsam am Evangelium Anteil bekommen haben, im zweiten dafür, daß sie in Hinsicht auf das Evangelium, d. h. dessen Verkündigung, teilnehmende Gesinnung bewiesen haben«. Die Entscheidung ist schwierig, gesteht Haupt. Der Sache nach handelt es sich also um die bekannten Grundbedeutungen[176] von κοινωνία = »Anteil haben an etwas« und »Gemeinschaft haben oder halten mit jemand«, wobei korrekterweise das »Gemeinschaft halten mit jemand« als dritte Möglichkeit eigens genannt werden müßte, weil es auf ein »Anteil geben an etwas« hinausläuft.

Solange man diese Bedeutungsmöglichkeiten freilich nur nebeneinander stellt[177], ohne das innere Bezugsverhältnis erkannt zu haben, ergibt sich daraus kein Schlüssel zum Verständnis des mit κοινωνία Gemeinten.

Eine brauchbare Definition gab M. R. Vincent[178]. Nach ihm bezeichnet κοινωνία: »A relation between individuals which involves common and mutual interest *and* participation in a common object«. Leider hat auch er diese Definition kaum fruchtbar gemacht; seine Auslegung von Phil 1,5 bleibt blaß und scheint von seiner eigenen Definition für κοινωνία wenig beeinflußt[179].

Was Vincent meines Erachtens richtig sieht, ist für κοινωνία der Oberbegriff »Gemeinschaft«, d. h. »a relation between individuals«, genauer also: das mit κοινωνία ausgedrückte Gemeinschaftsverhältnis. Weniger scharf erfaßt ist dessen strukturelles Gefüge. Zwar betont Vincent sowohl das Moment des Gemeinsamen wie das der Wechselseitigkeit in diesem Gemeinschaftsverhältnis, und er vergißt auch nicht die Anteilnahme an einer gemeinsamen Sache zu erwähnen; aber die logische Zuordnung dieser in κοινωνία enthaltenen Implikationen (vgl. »which involves«) ist ihm nicht gelungen. Versucht man es mit einer Kurzformel, könnte man sagen: κοινωνία bezeichnet bei Paulus ein Gemeinschaftsverhältnis,

174 Vgl. de Boor a.a.O.: »Der lebendig biegsame Wortlaut des griechischen Satzes ist für uns kaum wiederzugeben«.
175 Haupt, Phil 7.
176 Vgl. de Wette, Phil 178: »Gemeinschaft mit oder in etwas«; de Boor, Phil 42: »Koinonia bedeutet ›Gemeinschaft mit‹ oder ›Anteilhaben an‹«.
177 Vgl. Ewald, Phil 42: κοινωνία »kann sowohl im Sinne des Anteilhabens (›an etwas beteiligt sein‹) als im Sinne des Anteilnehmens (›sich aktiv beteiligen‹, mit einem Anderen ›sich vergenossenschaften‹, etwa durch Mitteilung einer Gabe), als auch im Sinne einer gegenseitigen bzw. beiderseitigen Anteilnahme (daher κοινωνία = Gemeinschaft, wohl auch Umgang) gebraucht werden«.
178 Vincent, Phil 6f (Hervorhebung von mir).
179 A.a.O. 7 registriert er lediglich »the principle of Christian fellowship which underlies the gift«, meint aber dann: »Here it means sympathetic participation in labor and suffering«.

das durch wechselseitiges Anteilgeben und Anteilnehmen entsteht und eben darin auch sich ausdrückt. Verdeutlichend wäre zu erläutern: Das Gemeinschaftsverhältnis entsteht dadurch, daß jemand gemeinsam mit einem andern Anteil empfängt an einer Sache; geschieht dies zugleich *durch* den andern, wird er zu dessen Schuldner und ist verpflichtet, ihm auch seinerseits Anteil zu geben an seinen Gütern. Im Einzelfall kann jeweils das »Gemeinschaft haben« oder das »Gemeinschaft halten« akzentuiert sein; also im ersten Fall die gemeinsame Teilhabe mit jemandem an etwas, im zweiten Fall das (bei Paulus häufig antwortende) jemandem Anteil geben an etwas. Immer bleibt das Ergebnis wechselseitiger Anteilnahme und Anteilgabe das Gemeinschaftsverhältnis zwischen Personen[180]. κοινωνοί sind deshalb »Personen, die in einem Gemeinschaftsverhältnis zueinander stehen, weil sie gemeinsam Anteil haben an etwas«; und mit κοινωνεῖν werden vornehmlich die Akte des Anteilgebens und Anteilnehmens selbst ausgedrückt.

Diese Struktur des Begriffsfelds von κοινωνία hat bisher in allen Fällen zu einem vollen Verständnis der κοινωνία-Texte verholfen.

Nun erklärt sich vielleicht auch der Meinungsstreit zwischen den Auslegern: Wo von κοινωνία so allgemein gesprochen wird wie in Phil 1,5, schwingen naturgemäß alle die genannten inneren Momente des Begriffs mit; daher lassen sich einzelne leicht absolut setzen und gegeneinander ausspielen oder auch fast willkürlich miteinander verbinden.

Wenn G. Friedrich[181] z. B. in seiner Auslegung von Phil 1,5 die »Beteiligung der Philipper an der Wortverkündigung« und auch »die finanzielle Unterstützung, die die Philipper dem Verkündiger des Evangeliums zuteil werden ließen«, als nicht sachgemäße Erklärungsversuche zurückweist mit der Begründung: »Das gehört mehr zu den Folgen dieser Teilhabe« (am Evangelium), dann hat er zwar in etwa recht, was die »Folgen« betrifft, aber unrecht, wenn er glaubt, diese ausklammern zu dürfen: Das Verhältnis gemeinsamer Teilhabe am Evangelium sucht seinen notwendigen Ausdruck in wechselseitigem Anteilgeben und Anteilnehmen, »im Hinblick auf das Evangelium«[182]. Mithin wird man die κοινωνία von Phil 1,5 als Gemeinschaft verstehen dürfen, die Paulus und die Gemeinde verbindet; sie entstand durch die gemeinsame, durch Paulus vermittelte Teilhabe am Evangelium. In V 7 wird Paulus in ganz ähnlicher Weise von den Mitteilhabern an der durch ihn vermittelten Gnade reden[183]. Der Sinn dürfte nicht allzu sehr differieren; denn in beiden Fällen ist an »Heilsbotschaft und Heil«[184] zugleich zu denken, woran die Philipper Anteil bekamen und wodurch zwischen ihnen und

[180] Die scharfe Ablehnung von κοινωνία als Gemeinschaft im Sinne eines »Verhältnisses zwischen Personen« bei Haupt, Phil 7, wird vielleicht verständlich von der Erläuterung »Friedens- und Liebes«-Verhältnis her.

[181] Friedrich, Phil 99.

[182] Daß hier »nicht die Vorstellung des Zweckes hineingetragen werden darf, sondern nur die der Richtung auf etwas vorhanden ist«, dürfte Haupt, Phil 8, richtig sehen.

[183] Vgl. die Auslegung zur Stelle.

[184] Dibelius, Phil 62.

dem Apostel als deren Vermittler »ein wechselseitiges Verhältnis des Gebens und Empfangens«[185] entstand.

Daß dieses »Anteilgewinnen am Evangelium« in Phil 1,5 zwar »vorausgesetzt«, aber nicht ausgedrückt sei und nur »ein aktives Anteilnehmen der Gemeinde, ihre Beteiligung am Evangelium, ihr Mitwirken an der Evangeliumsverkündigung anvisiert« werde, ist eine Behauptung, mit der sich J. Gnilka[186] selbst widerspricht, nachdem er zunächst feststellt: »Die Ausrichtung auf das verkündigte und zu verkündigende Evangelium[187] wird durch die Konstruktion κοινωνία ὑμῶν εἰς verstärkt«. In der Tat ist das Gemeinschaftsverhältnis zwischen Apostel und Gemeinde im verkündigten Evangelium begründet und hat in der Verkündigung des Evangeliums bzw. im Dienst am Evangelium eine gemeinsame Ausrichtung; ein Grund, beide Momente zu trennen, ist nicht ersichtlich. Gnilka überbetont offensichtlich das εἰς (τὸ εὐαγγέλιον), von dem H. Seesemann gezeigt hat, daß es hier lediglich »einen Genetiv ersetzt und daß diese Ersetzung wegen ὑμῶν notwendig war«[188]. Sinngemäß ist daher auszugehen von der κοινωνία τοῦ εὐαγγελίου, von der Teilhabe am Evangelium, das »rettende Macht hat« und »sich auch bei den Philippern vom ersten Tag an kraftvoll erwiesen und Frucht geschaffen«[189] hat. Diesen Gedanken der wirksam gewordenen Teilhabe am Evangelium wird man in dem εἰς (τὸ εὐαγγέλιον) zumindest angedeutet finden dürfen; er wird durch das folgende ἀπὸ τῆς πρώτης ἡμέρας ἄχρι τοῦ νῦν ohnehin zwingend nahegelegt[190]. Dieser Gedanke ist also gleichfalls mitenthalten, aber man darf auch ihn nicht isolieren. Im Gegenteil: »In den Begriff der tätigen Teilnahme für das Evangelium« muß dann »die dem Ap. gesandte Unterstützung mit eingeschlossen werden«[191]; auch und gerade sie war Ausdruck der durch das Evangelium gestifteten κοινωνία[192].

[185] K. J. Müller, Phil 55. Nicht zu Unrecht erinnert hier Lohmeyer, Phil 17, an das Apostelamt des Paulus.
[186] Gnilka, Phil 45; seine Rede von der »Gemeinschaft mit dem Evangelium« (44) ist ganz unsachgemäß.
[187] Weniger glücklich sind seine Aussagen a.a.O. A. 24: »κοινωνία mit Genitiv geht auf eine gewonnene oder zu gewinnende Gemeinschaft«, mit εἰς betreffe es »die gegebene oder zu gebende«; denn der Doppelaspekt von Geben und Empfangen kann auf beide Weisen Ausdruck finden.
[188] Zu Seesemann a.a.O. 75 vgl. Dibelius, Phil 63; ferner Haupt, Phil 8, und Lohmeyer, Phil 17 A. 3, der zu berücksichtigen gibt, »daß die Funktion der Präposition εἰς nicht mehr scharf empfunden« wurde.
[189] Friedrich, Phil 99. Gnilka, Phil 44, nennt das Evangelium daher eine »feste Größe«, die »fast personifiziert« erscheine.
[190] Vgl. Ewald, Phil 42.
[191] de Wette, Phil 179: »Denn so unwürdig es des Ap. wäre, dieses als alleinigen Gegenstand seiner dankbaren Freude zu nennen, so unnatürlich wäre es im Anfange eines durch dies Geschenk vorzüglich veranlaßten Briefes gar nicht daran zu denken«. Vgl. dazu auch Lightfoot, Phil 83.
[192] Haupt, Phil 8: Paulus fasse die Geschenke »als eine Beteiligung der Phil. an dem Werk der Mission« auf.

Was im übrigen sonst noch unter diese »vom ersten Tag an bis zum Jetzt« wirksam gewordene Teilhabe am Evangelium zu rechnen ist, läßt sich bestenfalls vermuten[193]. Folgt man den Hinweisen von V 7, so ist mit einiger Sicherheit an die verschiedenartigen Unterstützungen zu denken, die Paulus (im Gefängnis) von seiten der Philipper erhalten hat[194]; aber auch an deren Mitwirkung bei der Verbreitung und Befestigung des Evangeliums – also an Dienst am Evangelium im engeren und im weiteren Sinne[195]. Phil 1,5 ist demnach ganz nach dem bisher erarbeiteten Gesamtverständnis von κοινωνία etc. zu interpretieren: Die »Gemeinschaft im Bezug auf das Evangelium« ist eine durch die Verkündigung des Paulus vermittelte, in gemeinsamer Teilhabe am Evangelium bestehende und in Diensten für das Evangelium sich ausdrückende. Daß diese Dienste seitens der Gemeinde vorwiegend dem Paulus (als »ihrem« Apostel) persönlich geleistete Dienste, also eigentlich nur mittelbar Dienste am Evangelium sind[196], macht für Paulus keinen Unterschied und entspricht völlig dem Gemeinschaftsverhältnis, das er mit κοινωνία ausdrückt. Daß dieses Ergebnis von H. Seesemann bestritten wird, ist nicht verwunderlich. Da er nur die lineare Wiedergabe von κοινωνία mit »Anteilhaben« gelten lassen will, versteht er die κοινωνία εἰς τὸ εὐαγγέλιον als »Anteilhaben am Evangelium«, und dies mit Theodoret als »Umschreibung für ›Glauben‹«, den Paulus auch sonst fast regelmäßig in den Dankgebeten seiner Briefeingänge erwähne[197]. Dieser Hinweis hat aber so wenig Beweiskraft wie die Umschreibung mit »Glauben« Wahrscheinlichkeit.

Wenn es richtig ist, »daß Paulus anstatt τῇ τοῦ εὐαγγελίου – εἰς τὸ εὐαγγέλιον schrieb, daß aber diese beiden Wendungen für ihn dasselbe ausdrückten«[198], sollte Seesemann nicht behaupten, E. Lohmeyers Satz falle dahin[199], der in Wahrheit zum Zeugnis wider ihn wird: »Wo immer bei Paulus der Begriff ›Gemeinschaft‹ mit dem Gen. eines Nomens verbunden ist, das ein religiöses Gut bezeichnet, da

---

[193] Vgl. Michaelis, Phil 13; Gnilka, Phil 45 A. 25.

[194] Zu den Geld- und Sachspenden (vgl. 4,10–20) kam in jedem Fall der persönliche, für die Gemeinde stellvertretend geleistete Dienst des Epaphroditos; vgl. Phil 2,25–30.

[195] Vgl. Vincent, Phil 7; er konstruiert zwischen »your close association in the furtherance of the gospel« und »»participation‹ in the gospel as sharers of its blessings« einen Gegensatz, bei dem er seine eigene Definition von κοινωνία (a.a.O 6 f) gänzlich außer acht läßt; ähnlich Zahn, Phil 191.

[196] Vgl. K. J. Müller, Phil 55: »Das Geben Pauli und das Empfangen der Philipper diente unmittelbar dem Evangelium, das Geben der Philipper und das Empfangen Pauli diente mittelbar demselben« (Hervorhebung von mir). Vgl. dazu Seesemann a.a.O. 77–79, der für Chrysostomus dasselbe Verständnis erarbeitet; allerdings die Frage daran knüpft, ob dieser damit auch wirklich Paulus verstanden habe. Nach unserem Ergebnis ist daran (gegen Seesemann) kein Zweifel.

[197] Seesemann a.a.O. 79 (Theodoret, MSG 82, 561: κοινωνίαν δὲ τοῦ Εὐαγγελίου τὴν πίστιν ἐκάλεσε).

[198] Seesemann a.a.O. 75.

[199] Seesemann a.a.O. 75 A. 4.

gibt dieser Gen. den Grund und die Norm an, durch welche Gemeinschaft erst möglich und wirklich wird«²⁰⁰.

Was Paulus und die Philipper verbindet, ist eine solche Gemeinschaft: durch das Evangelium gestiftet, an dem sie gemeinsam Anteil haben, und auf das Evangelium bezogen, dem sie je auf ihre Weise dienen.

2. Die Gemeinschaft zwischen Apostel und Gemeinde durch gemeinsame Teilhabe an den Leiden Christi

Phil 3,10

... τοῦ γνῶναι αὐτὸν καὶ τὴν δύναμιν τῆς ἀναστάσεως αὐτοῦ καὶ κοινωνίαν παθημάτων αὐτοῦ ...

»... zu erkennen ihn und die Kraft seiner Auferstehung und die Gemeinschaft seiner Leiden ...«

Was an dieser Stelle das Hauptaugenmerk verdient, ist die Wendung als ganze, ihr Kontext und ihre theologische Bedeutung. Denn auf den ersten Blick scheint es, als würfe die Formulierung κοινωνία παθημάτων selbst keine neuen Probleme auf. Es besteht im wesentlichen Einmütigkeit unter den Auslegern, die durchwegs mit »Gemeinschaft seiner Leiden« übersetzen, wobei nach H. Seesemann²⁰¹ »κοινωνία damit richtig als ›Anteilhaben‹ und παθημάτων als Gen. obj. aufgefaßt« sei. Ich stelle meine Bedenken gegen diesen Konsens einmal zurück, weil meine eigene Auffassung »Gemeinschaft (durch Teilhabe) an seinen Leiden« gleichfalls einer Rechtfertigung bedarf.

Nun ist Phil 3,10 auffällig ungleichmäßig gebaut: der Wendung τὴν δύναμιν τῆς ἀναστάσεως steht die artikellose, aber gleichfalls mit καί an τοῦ γνῶναι αὐτόν angeschlossene Verbindung κοινωνίαν παθημάτων gegenüber. Wie erklären sich die verschiedenen Angleichungsversuche in den Handschriften? Die meisten von ihnen haben beide Male den Artikel, in ℵ AB fehlt der erste, in ℵ B auch der zweite. Eine nachträgliche Weglassung dürfte unwahrscheinlich sein; sie zerstört das Gleichmaß der Glieder. Wir haben also mit nachträglicher Angleichung zu rechnen. Stand aber vielleicht ursprünglich wenigstens der Artikel vor παθημάτων, der »dann von Abschreibern einerseits der Symmetrie wegen auch bei κοινωνία eingesetzt, von anderen aus dem gleichen Grunde auch bei παθημάτων ausgelassen ist«²⁰²? Möglich wäre es, aber es bleibt doch Vermutung. Deshalb empfiehlt es sich, von der artikellosen Fassung als der schwierigsten auszugehen²⁰³.

Damit aber – meint P. Ewald²⁰⁴ – »entfällt die Möglichkeit, das zweimalige καί

²⁰⁰ Lohmeyer, Phil 138 f. Was er mit »Norm« meint, lasse ich dahingestellt.
²⁰¹ Seesemann a.a.O. 83.
²⁰² Haupt, Phil 133; er hält dies für »am wahrscheinlichsten«.
²⁰³ Vgl. Lipsius, Phil 237; Ewald, Phil 164.
²⁰⁴ Ewald a.a.O.

korrelativ zu fassen (sowohl – als auch) und den Doppelausdruck als Epexegese zu αὐτόν zu nehmen«. Man habe »*entweder* den Artikel vor δύναμιν auch zu κοινωνίαν zu ziehen und beides zusammen als Epexegese zu αὐτόν zu nehmen« . . . »*oder* man hat κοινωνίαν παθημάτων αὐτοῦ undeterminiert zu fassen. Dann aber kann es nicht epexegetisch verstanden werden, sondern fügt ein neues Moment bei«.

Daß Ewald die erste Möglichkeit überhaupt konzediert, ist inkonsequent; daß er sie ablehnt, geschieht ohne zwingenden Grund[205]. Die Handschriften DFGKLP, die vor κοινωνίαν den Artikel setzen, waren offenbar nicht seiner Meinung[206]. Gegen ihn spricht ferner die deutlich chiatische[207] Stellung der Momente Auferstehung – Leiden (V 10a) und Tod – Auferstehung (VV 10b.11). Diese Glieder sind offensichtliche Explikationen des τοῦ γνῶναι αὐτόν von V 10, wie Explikationen der in V 8 erwähnten γνῶσις Χριστῷ ᾽Ιησοῦ. Darin wird man E. Haupt[208] zustimmen müssen, der als Ergebnis seiner ausführlichen Erörterung der Probleme feststellt: »Klarheit kommt nur in den Gedankengang, wenn man den finalen Infin.-Satz V 10 dem ersten Finalsatz mit ἵνα subordiniert[209]. Die *beiden* Finalsätze bilden *zusammen genommen* die Parallele zu der Zweckbestimmung διὰ τὸ ὑπερέχον τῆς γνώσεως Χρ. V 8. Was dort in diesem einen Ausdruck zusammengefaßt ist, wird hier in zwei Sätze zerlegt«; wobei im zweiten »die auf αὐτόν folgenden Bestimmungen in jenem αὐτόν schon wesentlich eingeschlossen sind«.

Die Abfolge der Gedanken wäre demnach so zu umreißen: Paulus erachtet alles für Schaden »wegen der überragenden Größe der Erkenntnis Christi Jesu«, seines Herrn. Er tut dies aber deswegen, »damit« er »Christus gewinne und in ihm erfunden werde«. Dieses Geschehen ist also mit seiner Berufung[210] erst in Gang gekommen und auf das – keineswegs nur eschatologische – Ziel der vollen Erkenntnis Christi gerichtet[211]. »Ihn erkennen«, heißt näherhin »die Kraft seiner Auferstehung« und »die Gemeinschaft seiner Leiden« erfassen[212].

---

[205] Diese weiteren Begriffe seien von »so heterogener Natur«, »daß sie schwerlich in dieser Weise zusammengedacht sein können«.

[206] Warum Gnilka, Phil 196 A. 65, wie schon Lightfoot, Phil 150 (»severs the close connection«), glauben, diese Einfügung zerstöre gerade die innere Zusammenbindung, ist mir unerfindlich.

[207] Vgl. Michaelis, Phil 58; Gnilka, Phil 195 A. 62.

[208] Haupt, Phil 130f; hier 131; vgl. Bisping, Phil 208.

[209] Die Subordination ist allerdings so eindeutig wohl doch nicht zu behaupten. Mit Lipsius, Phil 237, kann man auch »die Art und Weise« ausgesprochen finden, »wie er in Christo erfunden zu werden begehrt«; vgl. Bisping, Phil 208: »parallel«; so auch Michaelis, Phil 57.

[210] Vgl. Seesemann a.a.O. 84 A. 3.

[211] Gegen Lohmeyer, Phil 138, vgl. auch Michaelis, Phil 57; Gnilka, Phil 196: »Diese Gleichgestaltung ist kein Vorgang, der auf irgendein Stadium des christlichen Lebens beschränkt werden darf, sondern der die gesamte christliche Existenz, ihre diesseitige wie ihre zukünftige Verwirklichung umgreift«.

[212] Vgl. Dibelius, Phil 90: »Das γινώσκειν auf das ›Innewerden‹ dieser Kraft geht, ergibt

Es ist kaum umstritten, daß hier die Kraft gemeint ist, welche von der Auferstehung Christi ausgeht, nicht jene, welche in seiner Auferstehung wirksam wurde[213]. Die δύναμις τῆς ἀναστάσεως ist die Kraft, die sich am Apostel wie an jedem Gläubigen mächtig erweist und ein neues Sein in ihnen schafft; eine Macht, an der man objektiv Anteil gewinnt, so daß an sich durchaus hier schon von κοινωνία gesprochen sein könnte. Es geht um »die gegenwärtig erfahrbare *Verbundenheit* mit Christus«, »die Möglichkeit und Wirklichkeit immer innigerer *Gemeinschaft* mit Christus«, wie W. Michaelis[214] erläutert, der die δύναμις τῆς ἀναστάσεως, »die das Leben des Christen umgestaltende Macht der Auferstehung bzw. des Auferstandenen«, mit »Gemeinschaft mit Christus« identisch sieht und deshalb fortfährt: »Schafft die Gemeinschaft mit Christus neues Leben, so bedeutet sie doch andererseits . . . zugleich *Anteilhaben an seinen Leiden und seinem Tode*«[215].

Diese Interpretation der Doppelwendung von κοινωνία aus ist zwar formal bestreitbar als interpretatio ad sensum, doch dient sie ohne Frage ihrem sachlichen Verständnis. Was Michaelis richtig erkannt hat, ist die mit κοινωνία ausdrückbare Gleichzeitigkeit des Gedankens an die Gemeinschaft einerseits und des Gedankens der Teilhabe an etwas andererseits. Daß er ersteren vorauswirken sieht in der Verbundenheit zwischen Christus und den Gläubigen (durch die an ihnen wirksam gewordene Kraft seiner Auferstehung) muß nicht falsch sein.

Bedenkt man, daß bei κοινωνίαν παθημάτων αὐτοῦ im Unterschied zu τὴν δύναμιν τῆς ἀναστάσεως beide Male der Artikel fehlt und daß die logische Zuordnung der Glieder in Phil 3,8–11, v. a. aber 3,10 f in jedem Fall der Eindeutigkeit entbehrt[216], wäre folgende Auflösung denkbar: zu erkennen ihn – und (zwar) die Kraft seiner Auferstehung und (diese bedeutet zugleich) Gemeinschaft (durch Teilhabe) an seinen Leiden, (nämlich:) gleichgestaltet werdend seinem Tode, ob vielleicht ich hingelange zur Herauserstehung aus Toten.

Der Chiasmus wäre damit keineswegs zerstört, die Explikation von τοῦ γνῶναι αὐτόν (bzw. τῆς γνώσεως Χριστοῦ Ἰησοῦ) nicht preisgeben. Nur wäre die Explikation eine fortschreitende, und zwar schon von ἵνα an: Paulus hält alles für

---

sich deutlich aus der Verbindung mit δύναμις und κοινωνία«. Ähnlich de Wette, Phil 213: »erfahren, inne werden«, »aneignen«; Lightfoot, Phil 150: »not simply ›know‹, but ›recognize, feel, appropriate‹«.

[213] Vgl. de Wette, Phil 213; Meyer, Phil 114; Haupt, Phil 132; Ewald, Phil 164 f; Vincent, Phil 104; Beare, Phil 122.

[214] Michaelis, Phil 57 (Hervorhebung von mir); vgl. Dibelius, Phil 90: »Verbundensein mit Christus«.

[215] Michaelis a.a.O. 57 f; er sieht in dieser Überlegung gerechtfertigt, »daß die Leiden erst nach der Auferstehung genannt werden«.

[216] Zu συμμορφιζόμενος spricht Haupt, Phil 133, z.B. von »einem außerhalb der Konstruktion stehenden Partizip«; vgl. dazu v. a. Ewald, Phil 166 f.
Und daß der Artikel vor κοινωνίαν in dem ersten mitenthalten sei (Beare, Phil 123; Gnilka, Phil 196 A. 65), ist auch nur eine Möglichkeit.

Unrat, damit er Christus gewinne (aktiv) und in ihm erfunden werde (passiv); dies geschieht darin, daß er Christus erkennt[217], näherhin[218] die Kraft seiner Auferstehung; diese bedeutet aber zugleich Gemeinschaft (durch Teilhabe) an seinen Leiden – was hinausläuft auf ein Gleichgestaltetwerden mit seinem Tode, womit Hoffnung auf künftige Auferstehung sich verbindet.

Mag man diesen Auslegungsversuch im einzelnen bestreiten: Soviel ist – mit M. R. Vincent[219] gesprochen – sicher:»Like the knowledge of the power of the resurrection, the fellowship of the sufferings is involved in the mystical union with Christ«.

Mit»mystical union« liefert Vincent zwar wiederum eine bestreitbare[220] und heutzutage verpönte Auslegungskategorie; aber wie immer man die gedachte Verbindung erläutert, für Paulus ist sie eine Realität, die mit einem Hinweis auf »enge Beziehung« nicht adäquat erfaßt ist. H. Seesemann[221] spricht unmittelbar zuvor entschieden richtiger von der»Beteiligung an Christi Leiden« bzw. von der »Teilnahme« an ihnen und resümiert dann auch[222], daß κοινωνία »ein *inniges* Anteilhaben« ausdrücke,»das schon *beinahe* den Charakter des *Einswerdens* annimmt«.

Was er hiermit nur unzureichend umschreibt, ist die mit κοινωνία ausgedrückte»Gemeinschaft durch Teilhabe«. Es geht ja nicht nur abstrakt um die Erkenntnis[223] des Teilhabens an Christi Leiden, sondern um die erfahrbare Gemeinschaft mit Christus – in Teilhabe an seinen Leiden. Genauso handelt es sich bei der Kraft seiner Auferstehung nicht um eine solche an sich, sondern um eine sich mitteilende, daher erfahrbare, Verbindung schaffende. Wenn Vincent feststellt:»The fellowship of the sufferings follows the experience of the power of the resurrection«, betont er zu Recht gerade diese Erfahrbarkeit:»One who is not under the power of the resurrection will not share Christ's sufferings«[224].

Die Leiden, die Apostel oder Gläubige erleiden, sind nicht einfachhin identisch mit den Leiden Christi; sie sind κοινωνία παθημάτων αὐτοῦ, d. h. (Gemeinschaft mit ihm durch) Teilhabe *an* seinen Leiden.

---

[217] wie er auch umgekehrt von Christus ergriffen ist (vgl. V 12).

[218] καί »introduces a definition and fuller explanation of αὐτόν (Vincent, Phil 104). Über das zweite καί ist damit noch nicht entschieden. Lightfoot, Phil 150, findet die ganze Wendung »added by way of explanation«.

[219] Vincent, Phil 105.

[220] Beare, Phil 123: »Here the thought is more than mystical; the reality of the mystical experience is unfolded and exhibited in the concrete matter-of-fact experience of the outward life«.

[221] Seesemann a.a.O. 85.

[222] Seesemann a.a.O. 86 (Hervorhebung von mir).

[223] Vgl. Bisping, Phil 209: »nicht von einer bloß *theoretischen* Erkenntnis Christi zu verstehen«; Gnilka, Phil 196, spricht von einem»Prozeß der Verähnlichung«, der »als ein Erkenntnisvorgang aufgefaßt« sei.

[224] Vincent a.a.O. 105. »The resurrection is vieved . . . as a present, continuously active force . . .«.

Dem korrespondiert natürlich die Vorstellung von der Teilgabe an den Leiden; so daß E. Lohmeyers Aussage:»›seine Leiden‹ stiften also die Gemeinschaft des Gläubigen mit Christus oder Gott« durchaus sachgemäß ist, sofern man von der unmotivierten Hinzufügung »oder Gott« einmal absieht[225]. Christus gibt Anteil an der Kraft seiner Auferstehung, aber auch Anteil an seinen Leiden. Die darin gründende Gemeinschaft mit ihm[226] hat die völlige Gleichgestaltung der Gläubigen zum Ziel in Tod und Auferstehung[227]. Dies gilt es zu erkennen; und diese Erkenntnis ist nach Paulus von überragender Bedeutung (vgl. V 8)[228].

Vergleicht man zu Phil 3,10 v. a. 2 Kor 1,5–7[229], ergibt sich eine volle Bestätigung dieses Ergebnisses: Die Leiden Christi sind überreich auf den Apostel übergegangen; ebenso aber auch die Ermutigung durch Christus. Beides soll er weitervermitteln[230] an die Gemeinden, die mit ihm in einem Gemeinschaftsverhältnis stehen als Teilhaber an den Leiden wie an der Ermutigung (d. h. seinen Leiden und seiner Ermutigung, die zugleich Leiden und Ermutigung Christi sind).

Die Grundgedanken sind beide Male dieselben, nur die Akzente sind verschieden. 2 Kor 1,5–7 akzentuiert die Vermittlerrolle des leidenden Apostels, Phil 3,10f die Hoffnung, die im Ertragen von Leiden liegt: dem συμπάσχειν mit Christus entspricht das συνδοξασθῆναι (vgl. Röm 8,17), dem Gleichgestaltetwerden seinem Tode die Auferweckung von den Toten[231]. Der Apostel ist hierin mit seiner Hoffnung (vgl. V 11) Beispiel und Vorbild[232].

2 Kor 1,7

... ἡ ἐλπὶς ἡμῶν βεβαία ὑπὲρ ὑμῶν εἰδότες ὅτι ὡς κοινωνοί ἐστε τῶν παθημάτων, οὕτως καὶ τῆς παρακλήσεως.

»... unsere Hoffnung für euch ist fest, weil wir wissen, daß ihr wie der Leiden, so auch der Ermutigung Teilhaber seid«.

Daß bei κοινωνία, κοινωνοί immer ein Gemeinschaftsverhältnis mitzudenken ist, das durch gemeinsame Teilhabe an etwas entsteht, beweist für 2 Kor 1,7 der Zusammenhang völlig eindeutig.

---

[225] Lohmeyer, Phil 139: dagegen Seesemann a.a.O. 83f A. 3.

[226] Vgl. Lipsius, Phil 237; Tillmann, Phil 154:»Lebensgemeinschaft«.

[227] Der Gedanke ist allgemein und keineswegs speziell auf das (möglicherweise) bevorstehende Martyrium von Paulus zu beziehen. Gegen Meyer, Phil 116; Lohmeyer, Phil 139f, vgl. auch Michaelis, Phil 58: Dibelius, Phil 90.

[228] Dibelius weist a.a.O. auf die gnostische Herkunft dieser Vorstellung hin.

[229] Häufig wird auch auf 1 Kor 15,31.32; 2 Kor 4,10.11; Gal 6,17; (Kol 1,24) hingewiesen.

[230] Vgl. K. J. Müller, Phil 259:»ein Leiden an Stelle der Gemeinde und zum Besten der Gemeinde«.

[231] Vgl. de Boor, Phil 117f.

[232] Beare, Phil 123:»representative type of the Christian believer«.

Nur wenn man den Vers isoliert, kann man den Gedanken der »Teilhabe« allein ausgedrückt finden und darin einen guten Sinn erkennen[233]; doch eben solche Isolierung geht nicht an. V 7 ist das Schlußglied einer Gedankenkette, die man für die Gesamtauslegung der VV 3–7 nicht unberücksichtigt lassen darf. In diesen einleitenden Versen geht es bereits um das Generalthema des 2. Korintherbriefs: das (Gemeinschafts-)Verhältnis zwischen dem Apostel und seiner Gemeinde[234]. Der Apostel wird ausgewiesen als ein Zwischenglied zwischen Gott, Christus und der Gemeinde: Gott ist es, der den Apostel in allen seinen Bedrängnissen ermutigt, damit er seinerseits diese Ermutigung weitergeben kann an die solcher Ermutigung bedürftige Gemeinde (vgl. V 3 f). Die Bedrängnisse aber sind nichts anderes als die Leiden Christi selbst; und auch die Ermutigung kommt durch Christus (vgl. V 5). Vermittelt wird jedoch beides durch den Apostel: seine Bedrängnisse bringen der Gemeinde Ermutigung, seine Ermutigung wiederum ermutigt die Gemeinde zum geduldigen Ertragen derselben Leiden, wie auch er sie erleidet (vgl. V 6). Der Apostel ist also das Medium der Vermittlung, eine Rolle, die sich auch aus anderen Zusammenhängen verdeutlichen läßt und die ich andernorts auch schon dargestellt habe[235].

Woran die Korinther Anteil nehmen, das sind zunächst die Leiden und Bedrängnisse des Apostels und die ihm zuteil gewordene Ermutigung. Weil aber diese seine Bedrängnisse wie auch die der Gemeinde Leiden Christi darstellen und von Christus auch alle Ermutigung kommt, kann man mit A. Bisping[236] sagen: »Die Leiden, welche der Gläubige um Christi willen erduldet, sind Leiden Christi selbst; Christus leidet da in seinen Gliedern«.

Daß Bisping dies freilich schon in V 5 ausgedrückt findet, ist nicht ganz korrekt; er übersieht, daß sich das ἡμεῖς in den VV 4–6 immer auf den Apostel bezieht[237]. Erst der Gesamtzusammenhang und V 7 erlauben die Ausweitung auf jeden Gläubigen, die Aussage vom Leiden Christi in allen seinen Gliedern, und Bispings weitere Feststellung: »Unter Christen ist vermöge der inneren organischen Verbindung, worin sie zu einander und zu ihrem gemeinschaftlichen Haupte, Christo, stehen, alles gemeinschaftlich«[238].

Diese Aussage zu V 7 ist allerdings wiederum nicht völlig präzis; sie erklärt nicht das Zustandekommen der Verbindung und läßt die Rolle des Apostels

---

[233] Vgl.z. B. Schmiedel, 2 Kor 211: »Genossen der Leiden«; Héring, 2 Kor 23: »associés à nos souffrances«; de Boor, 2 Kor 30 f: »Teilhaber der Leiden«.
Dagegen de Wette, 2 Kor 159: »nicht bloß Teilnahme, Mitgefühl«; Godet, 2 Kor 31: V 6 »ne permet absolument pas ce sens« (nämlich: »sympathie étant un souffrir avec«).

[234] Vgl. Bachmann, 2 Kor 34 f: Dieser Briefanfang »hat mindestens für den ganzen ersten Teil des Briefes thematischen Wert«.

[235] Vgl. meine Arbeit »Ekklesia« 272–275, und Blank, Paulus und Jesus 285 ff. 304–326.

[236] Bisping, 2 Kor 8.

[237] Vgl. de Wette, 2 Kor 157; er hält aber die Genossen des Apostels für eingeschlossen; ähnlich Belser, 2 Kor 36; Windisch, 2 Kor 39.

[238] Bisping a.a.O. 9.

gänzlich unerwähnt[239]. Auf ihn aber sind die Leiden Christi wie die Ermutigung durch Christus zunächst übergeflossen; er sollte dadurch in die Lage versetzt werden (vgl. εἰς τὸ δύνασθαι V 4), sie der Gemeinde weiterzuvermitteln. Und diese Vermittlung geschieht in der realen,»Gemeinschaft« eröffnenden »Teilhabe« der Gemeinden an seinen Leiden wie an seiner Ermutigung[240].

K. Prümm[241] spricht daher nicht zu Unrecht davon, daß »die ganze Darlegung unter den beherrschenden Gedanken einer *mehrfachen Gemeinschaft*« trete. Die grundlegende ist die »Christusgemeinschaft« als »Daseinsform des Apostolats«. Von ihr wird aber nicht ausdrücklich gesprochen; sie ist vorausgesetzt. Was hingegen als eigentlicher Skopus der einleitenden Verse von 2 Kor 1,3–7 Ausdruck findet, ist das Gemeinschaftsverhältnis zwischen Apostel und Gemeinde, begründet in deren Teilhabe an des Apostels Leiden und an seiner Ermutigung[242]. Da diese jedoch Christusleiden und Ermutigung durch Christus bedeuten, ist auch das Verhältnis zwischen Apostel und Gemeinde Ausfluß dieser sie gemeinsam umfassenden »Christusgemeinschaft«; der Apostolat aber ist Teil einer von Gott und Christus ausgehenden und auf die Gemeinde zielenden »Heils«-Bewegung (vgl. V 6).

Daß die »Gemeinschaft mit Christus« an die »Teilhabe an seinen Leiden« geknüpft ist, zeigte deutlich Phil 3,10[243]. Aus dieser Stelle ging eindeutig hervor, daß Paulus an wirkliche Teilhabe denkt; denn die κοινωνία παθημάτων wird

---

[239] Bisping erläutert seine Aussage mit 1 Kor 12,26, wonach alle Glieder sich mitfreuen und mitleiden, wenn ein Glied leidet oder sich freut. Paulus ist aber nicht nur ein Glied unter anderen; seine Funktion als Apostel darf man so nicht einebnen. Ähnlich Belser, 2 Kor 36; er verweist auf Phil 3,10; Eph 3,13.

[240] Schon de Wette, 2 Kor 158, sprach von der vermittelnden Funktion des Apostels. Doch dieser Aspekt kommt bei den Auslegern bis heute kaum zum Tragen. Vgl. Plummer, 2 Kor 15: »they receive comfort from the same source that he does – from God through Christ«. Heinrici hatte 1887 (2 Kor 93) noch betont, daß hier von Paulus die Rede ist, der »als berufener Apostel in die Nachfolge Christi eingetreten« sei, ohne daraus die richtigen Schlüsse abzuleiten; 1900 spricht er (2 Kor 63) nur noch von »Leidenserfahrungen . . . in Ausübung unseres Berufs«. Bachmann, 2 Kor 31, spricht immerhin vom »Verhältnis der Gemeinde zu den ihren geistlichen Lebensstand vermittelnden Predigern«. Auch Windisch, 2 Kor 39, sieht das Motiv des »Mittlers« anklingen.

[241] Prümm, Diakonia Pneumatos I 18. Er registriert auch die »bemerkenswerte Ähnlichkeit mit den Beschreibungen der apostolischen Daseinsform, die der Apostel in 4,7–12 und in 6,4–10 geben wird«, wo er ebenfalls die Gemeinde als »eigentlichen Nutznießer aller seiner Opfer« hinstelle, nennt aber die Gedankenführung bis V 7 unverständlicherweise trotzdem »ganz allgemeingültig gehalten« (a.a.O. 17).

[242] Der Gedanke wird verwässert, wenn Prümm a.a.O. 18 nur die »Gemeinschaft mit der Lebensform der Herde« angesprochen sieht, oder Schaefer, 2 Kor 373, und Belser, 2 Kor 36, nur die »Gemeinsamkeit« betonen. Auch genügt es nicht, wie Windisch, 2 Kor 39.43, von »Leidens- und Trostgemeinschaft« zu reden.

[243] Vgl. dazu neben Windisch, 2 Kor 40–42, v.a. Bachmann, 2 Kor 30 A. 1: παθήματα τοῦ Χριστοῦ besagt, »daß der Lebenszusammenhang des Apostels mit seinem Herrn tatsächlich und notwendig ein Leidenszusammenhang ist«.

erläutert mit: συμμορφιζόμενος τῷ θανάτῳ αὐτοῦ. Daran dürfte auch A. Klöpper[244] gedacht haben, wenn er für 2 Kor 1,7 eine Deutung der κοινωνία τῶν παθημάτων im Sinne »der *sympathetischen* Anteilnahme« als »ungenügend« ablehnt, weil »nur an eine *reale* Anteilnahme zu denken« sei, und dann fortfährt: »In dem Maße, als es dem Apostel gelingt, die Leser in seine Leidens- und Trostgemeinschaft nicht bloß psychologisch-sympathetisch, sondern objektiv-real hineinzuziehen: gewinnt er nicht nur die volle hingebende Liebe jener zu seiner eigenen Person wieder[245], sondern, worauf ihm im Grunde alles ankommt, zu der genuinen Form seiner Evangeliumsverkündigung[246], deren Angelpunkte das Kreuz und die Auferstehung Christi (objektiv), das Mit-Christo-Sterben und Mit-Christo-Lebendiggemachtwerden (subjektiv) sind«[247].

Was in Frage steht, ist also zweifellos die »Gemeinschaft« zwischen Apostel und Gemeinde; doch genügt es nicht, hier allgemein von der »Lebensgemeinschaft«[248] zu sprechen; denn das Besondere in 2 Kor 1,7 ist, daß diese »Gemeinschaft« durch »die gemeinsame Teilhabe an den Leiden Christi« bestimmt ist und daß dem Apostel in diesem Geschehen die Rolle des Vermittlers zukommt.

II. Κοινωνός, κοινωνοί = Personen, die in einem Gemeinschaftsverhältnis zueinander stehen, weil sie gemeinsam Anteil haben an etwas

1. Das Gemeinschaftsverhältnis der Teilhaber am Tisch des Herrn bzw. der Dämonen

1 Kor 10,18.20

Als Ergebnis der ausführlichen Erörterungen zu 1 Kor 10,16–21 ließ sich für κοινωνός, κοινωνοί bei Paulus Folgendes festhalten: κοινωνοί sind jene, die in einem Gemeinschaftsverhältnis zueinander stehen, weil sie gemeinsam Anteil haben an etwas. Verkürzend kann man natürlich von »Teilhaber« oder »Teilnehmer« sprechen; nur darf man dabei die in der genannten

---

[244] Klöpper, 2 Kor 126. »Teils ideales (im Vorgefühl), teils wirkliches Mitdulden« erläutert de Wette, 2 Kor 159. Heinrici, 2 Kor 63 f, widerspricht ihm: »dann stände καί vor ἡμεῖς unlogisch«. Der Widerspruch ist aber nur ein scheinbarer: Immer sind es Christi Leiden, die Apostel oder Gemeinde zu erdulden haben; aber das schließt ja nicht aus, daß die Gemeinde – nach V 7 – ebenso real an den Leiden des Apostels teilhat, wie nach V 5 f jeder, v. a. der Apostel selbst teilhat an den Leiden Christi.

[245] Dies ist die leitende Absicht des ganzen 2. Korintherbriefes; vgl. dazu meine Arbeit »Ekklesia« 134 ff; ferner Belser, 2 Kor 38; Bachmann, 2 Kor 33–35.

[246] Nach Héring, 2 Kor 22, formuliert V 7 in fast klassischer Manier das Prinzip der »mystique paulinienne«.

[247] Vgl. Allo, 2 Kor 9: »Tout homme racheté, dans la doctrine de Paul, est associé à la Passion du Christ, et, virtuellement déja, à la gloire bien heureuse de sa vie ressuscitée; les apôtres les premiers«.

[248] Windisch, 2 Kor 43.

Explikation enthaltenen Momente des gemeinsamen Anteil-habens wie des darin begründeten Gemeinschaftsverhältnisses nicht außer acht lassen. Wo im Einzelfall die Akzente liegen bzw. welche dieser Momente zum Tragen kommen, kann nur aus dem jeweiligen Kontext erschlossen werden.

Für 1 Kor 10,18.20 findet nun H. Seesemann »die Bedeutung ›Genosse‹ . . . nahegelegt«[249]. Er verweist auf den Gebrauch »im Zusammenhang mit dem Opferwesen«[250] und sieht in κοινωνός eine »Bezeichnung für den Genossen beim Opfermahl«[251]. Das ist um so verwunderlicher, als er zunächst feststellt, κοινωνός bedeute »in erster Linie ›Teilhaber‹« und werde »im Griechischen im allgemeinen nicht mit dem Genetiv der Person verbunden«. Diese Verbindung begegne erstmalig in der LXX; und dort bedeute κοινωνός dann »vor allem ›der Genosse‹«. Seine eigene Zusammenstellung der ntl. Stellen hätte ihn aufmerksam machen müssen, daß Paulus κοινωνός nur verbunden mit Genitiven der Sache, d. h. aber nur in der Bedeutung »Teilhaber« verwendet[252]. Eine Abhängigkeit von technischen Bezeichnungen im antiken Opferwesen oder auch vom Sprachgebrauch der LXX wird man demnach nicht so ohne weiteres unterstellen dürfen.

Die Auslegung von 1 Kor 10,16–21 zeigte darüber hinaus, daß Paulus ganz bewußt mit den Implikationen von κοινωνία, κοινωνοί arbeitet. Auch das beweist, daß er diese Begriffe keineswegs mechanisch übernimmt, vielmehr sie sehr nuanciert einsetzt. In diesem Text lag ihm daran – wie sich aus dem Zusammenhang von 1 Kor 8–10 ergab –, auf die Gefahr hinzuweisen, die sich aus dem Essen von Opferfleisch jeglicher Art, besonders aber aus der Teilnahme an Götzenopfermahlzeiten ergibt: man tritt in Gemeinschaft mit den Mächten, denen die Opfer geweiht sind, und mit denen, die mit-teilhaben an den Opfern. Das ist genauso, sagt Paulus, wie beim Herrenmahl: wenn wir Anteil bekommen an Brot und Wein, und damit an Leib und Blut Christi, treten wir in Gemeinschaft mit ihm und untereinander. Die Gemeinschaft mit den Dämonen und die mit den Dämonenverehrern beim Essen von Götzenopferfleisch ist nicht weniger real[253].

Den ersten Gedanken führt Paulus in 1 Kor 10,19–21 nicht voll aus, wenngleich voller als den in V 18, wo er die Opfer Israels in den Blick nimmt. Beide Male läßt er absichtlich offen, ob es sich letztlich überhaupt um eine »wirkliche« Gemeinschaft handelt – wie beim Herrenmahl um die wirkliche Gemeinschaft mit Christus; er hebt nur ab auf das Gemeinschaftsverhältnis der κοινωνοί in ihrer Teilhabe am Altar und an den Dämonen.

[249] Seesemann, KOINΩNIA 52.
[250] A.a.O. 102 (mit Verweis auf Lietzmann, zu 1 Kor 10,18).
[251] A.a.O. 52 (dort auch alle folgenden Zitate).
[252] Der Hinweis auf die seltsame Wendung κοινωνοὶ τοῦ θυσιαστηρίου (1 Kor 10,18) in der θυσιαστήριον verhüllend für θεός stehe, wäre auch dann kein Beleg für seine Auslegung »Genossen«, wenn die Vermutung der Verhüllung zuträfe; denn κοινωνοί bliebe immer noch mit θυσιαστήριον, einem Genitiv der Sache, verbunden.
[253] Vgl. dazu Wendland, 1 Kor 80: »Unmöglich ist es, gleichzeitig in zwei entgegengesetzten *Gemeinschaftsverhältnissen* zu stehen« (Hervorhebung von mir).

Diese Nuancierung in den Aussagen ist nur möglich aufgrund der Nuancen des Begriffsinhalts von κοινωνία/κοινωνοί bei Paulus. Übersieht man diese für ihn charakteristische Verwendung und betont man statt dessen die terminologische Abhängigkeit von der Sprache der LXX oder des antiken Opferwesens, verkennt man auch die bedeutsame Rolle der mit κοινωνία etc. ausgedrückten Sachverhalte; und das sind durchwegs ganz zentrale innerhalb seines theologischen Denkens.

2. Das Gemeinschaftsverhältnis derer, die teilhaben an der Verkündigung des Evangeliums

2 Kor 8,23

Nur in 2 Kor 8,23 und Phlm 17 ist der Gebrauch von κοινωνός bei Paulus ein absoluter, so daß man allgemein nicht mit »Teilhaber« übersetzt, sondern lieber mit »Genosse«[254]. Die Teilhabe an etwas scheint an beiden Stellen nicht angedeutet zu sein[255].

H. Seesemann erwähnt daher auch beide Stellen nur ganz beiläufig. Immerhin mußte er registrieren, daß sowohl J. Y. Campbell wie H. v. Soden in Phlm 17 »eine Anspielung des Paulus auf gemeinsamen Besitz mit Philemon finden« zu können glaubten[256].

Ob der Hinweis auf den gemeinsamen Besitz zutrifft, mag vorerst dahingestellt bleiben. Bedeutsam ist ja schon die Fragestellung als solche. Beide haben offenbar empfunden, daß das Element der »Teilhabe an etwas« auch bei scheinbar fehlender näherer Bestimmung von κοινωνός nicht übergangen werden dürfe. Wie dieses Element der Teilhabe freilich näherhin zu verstehen ist, kann allein der jeweilige Kontext ergeben.

Dessen Erfassung begegnet aber in 2 Kor 8,23 erheblichen Schwierigkeiten. Die Wendung εἴτε ὑπὲρ Τίτου, κοινωνὸς ἐμὸς καὶ εἰς ὑμᾶς συνεργός scheint zu kurz für eine eindeutige Auslegung. Doch soviel läßt sich sagen: Titus wird deutlich abgehoben von den Brüdern, die mit ihm zusammen die Kollektenabordnung des Paulus bilden. Er erscheint in V 16f als der Leiter der Delegation, dem nach V 18f ein von den Gemeinden gewählter und nach V 22 ein weiterer, von Paulus bestimmter Bruder bei- bzw. untergeordnet werden. Diese Brüder werden in 8,23b ausgewiesen als ἀπόστολοι ἐκκλησιῶν und als δόξα Χριστοῦ: Sie sind »Abgesandte von Gemeinden«; auf ihrer Sendung liegt »Glanz von Christus«. Ich habe darüber das Wichtigste schon an anderer Stelle dargelegt[257]; es mag

---

[254] Vgl. z. B. de Wette, 2 Kor 222; Bachmann, 2 Kor 326: »(Arbeits-)Genosse«.
[255] Dennoch vermerkt de Boor, 2 Kor 187: »›Gefährte‹ (wörtlich: Teilhaber)«.
[256] Seesemann a.a.O. 52; vgl. H. v. Soden, Hand-Commentar zum Neuen Testament III,1, Freiburg 1891, 76 (im Sinne »des Teilhabens an einem materiellen Besitz zu fassen«), und J. Y. Campbell, Κοινωνία and its Cognates in the New Testament, in: JBL (1932) 352–380; hier 362.
[257] Vgl. meine Arbeit »Ekklesia« 147–157.

daher genügen, das Ergebnis festzuhalten:»Aus der Parallelität von V 23b zu
V 23a ergibt sich, daß nicht jeweils zwei selbständige Ehrenprädikate gemeint
sind, sondern daß die Stellung der Empfohlenen nur je nach zwei Seiten bestimmt
ist«.»Die δόξα Χριστοῦ ist also nicht etwas Hinzukommendes, sondern etwas,
was dem ἀπόστολος-ἐκκλησιῶν-Sein inhäriert«. Über ihren Auftrag, ihrem
Apostelsein, liegt»Glanz von Christus«;»darin ist die Würde und Autorität der
ἀπόστολοι ἐκκλησιῶν begründet«[258]. Demgegenüber erscheinen aber die ehren-
vollen Prädikate, die in 8,23a dem Titus gegeben werden, von noch größerem
Gewicht; er wird»als qualifizierter Mitarbeiter des Apostels im Gegenüber zur
Gemeinde und den Mit-abgesandten herausgehoben«[259]. Das bedeutet aber: Paulus kennt feine Differenzierungen in der Charakterisierung seiner Mitarbeiter. Die
»Abgesandten von Gemeinden« entbehren zwar auch nicht der sie autorisieren-
den Beziehung zu Christus, aber ihr Apostelsein ist doch ein abgeleitetes, ein
durch Gemeinden vermitteltes.

Titus dagegen steht in unmittelbarer Beziehung zu Paulus selbst, dem von
Christus berufenen Apostel und Gemeindegründer. Wenn dieser ihn nun als
κοινωνὸς ἐμὸς καὶ εἰς ὑμᾶς συνεργός ausweist, muß das doch wohl mit eben
dieser Differenzierung etwas zu tun haben. Für εἰς ὑμᾶς συνεργός ergibt sich
dieser Schluß geradezu zwingend aus 1 Kor 9,1: οὐ τὸ ἔργον μου ὑμεῖς ἐστε ἐν
κυρίῳ; Paulus glaubt, auf seinen unanfechtbaren Anspruch, Gründer der Gemeinde zu sein, hinweisen zu können: sie ist sein ἔργον ἐν κυρίῳ – und Titus ist in
dieser Hinsicht nach 2 Kor 8,23a (vgl. εἰς ὑμᾶς) sein συνεργός.

Dies bedeutet aber nach paulinischem Sprachgebrauch[260]: Titus hat unmittelbar
Anteil an dem ἔργον, das Gott durch seinen συνεργός, den Apostel, wirkt. Er ist
als συνεργός des Apostels mit hineingenommen in dieses Wirken Gottes – an der
Gemeinde (bzw. den Gemeinden). Von hier aus begründet sich auch (genau wie
beim Apostel selbst) das Gegenüber zu der von ihm mitbegründeten Gemeinde.

Damit ergibt sich für κοινωνὸς ἐμός, womit die Rolle des Titels nur nach der
anderen, Paulus zugewandten Seite hin bestimmt wird, daß auch hier der Gesichtspunkt der»Teilhabe an etwas« nicht fehlen wird. Daß nicht gesagt wird,
woran Titus konkret teilhat, hat in der absoluten Verwendung von συνεργός seine
Entsprechung. Ließ sich hierfür aus dem gesamten Sprachgebrauch des Paulus
eine zureichende Erklärung ableiten, so wird man Entsprechendes auch für
κοινωνός versuchen dürfen, wenngleich sich dazu keine ebenso deutliche Stelle
zur Auslegung anbietet.

Aus der Gesamttendenz von 2 Kor 8,23a.b und aus der Zusammenstellung mit
συνεργός heraus wird man auf die Verkündigung des Evangeliums schließen
müssen, an welcher Titus teilhat[261]. Vergleichbar wäre dann am ehesten Phil 1,5,

---

[258] A.a.O. 152 (–155).
[259] A.a.O. 302.
[260] A.a.O. 267–272. 316–318.
[261] So schon Klöpper, 2 Kor 394:»Genosse ... in der Verkündigung, Ausbreitung,

wo Paulus an den Philippern die κοινωνία rühmt »im Hinblick auf« das Evangelium. Ist es dort die Annahme des Evangeliums, die Gemeinschaft begründet, so hier die Teilhabe an seiner Vermittlung[262].

2 Kor 8,23a ist dann sinngemäß wiederzugeben mit: »(im Hinblick auf die Verkündigung des Evangeliums) mein Teilhaber, im Hinblick auf euch (die Gründung und Befestigung der Gemeinde) (mein und Gottes) Mitarbeiter«.

3. Das Gemeinschaftsverhältnis zwischen dem Apostel und Philemon, als einem durch ihn zum Glauben Gekommenen

Phlm 6

ὅπως ἡ κοινωνία τῆς πίστεώς σου ἐνεργὴς γένηται . . .

»daß deine Gemeinschaft des Glaubens wirksam werde . . .«

Wieder muß die Auseinandersetzung mit H. Seesemanns Gegenargumenten gesucht werden, der auch hier an der Bedeutung »das ›Anteilhaben‹« festhält[263]. Er beanstandet an der Auslegung E. Lohmeyers, der κοινωνία τῆς πίστεως wiedergibt mit »Gemeinsamkeit, die Philemon durch ›Glauben‹ mit allen Gläubigen zu Teil geworden ist«[264], sie lasse zwei Punkte unklar: »1. warum ›mit allen Gläubigen‹ im Text nicht ausgedrückt ist« und »2. wie diese *Gemeinsamkeit* wirksam werden soll«[265].

Auch die Erklärungen der Kirchenväter lehnt er als »nicht streng textgemäß« ab. Es sei »nicht ersichtlich, wie ἡ κοινωνία τῆς πίστεώς σου den Glauben bezeichnen soll, den Philemon *gemeinsam mit Paulus* hat«[266]. Ein weiteres Argument ist ihm die Stellung der κοινωνία-Wendung im Briefeingang, wo sie nach 1 Kor 1,9 und Phil 1,5 nur »als ›Anteilhaben‹ zu verstehen« sei[267].

Förderung des Evangeliums überhaupt«; Belser, 2 Kor 270: »mein Genosse und Gehilfe auf dem Gebiete der Mission«; de Boor, 2 Kor 187: »›Gefährte‹ (wörtlich: Teilhaber) in der großen Sache des Evangeliums«.

[262] Daß dem Titus deswegen »amtliche Eigenschaft« zukomme, hebt Belser a.a.O. hervor. Das läßt sich von Paulus her noch vertreten; nicht mehr hingegen die Auslegung von Schaefer, 2 Kor 486: »›mein Genosse‹ und zwar im Amte«, und Gutjahr, 2 Kor 682: »Amtsgenosse in der Verkündigung des Evangeliums«.

[263] Seesemann, ΚΟΙΝΩΝΙΑ 79–83. Vgl. Ewald, Phlm 273 (kein brauchbares Ergebnis, solange man dabei κοινωνία im Sinne von Gemeinschaft nimmt«); ähnlich Eisentraut, Phlm 39f; Dibelius, Phlm 103; Jang, Phlm 28, und Lohse, Phlm 271: »nicht die Gemeinschaft, sondern die Teilhabe«. Auf die grundsätzlichen Möglichkeiten der Wiedergabe von κοινωνία braucht hier nicht erneut eingegangen zu werden. Vgl. dazu v. a. Haupt, Phlm 180ff; Radford, Phlm 351f, und Moule, Phlm 142.

[264] Lohmeyer, Phlm 178; »danach ist πίστις gen. auctoris« (a.a.O. A. 3).

[265] Seesemann a.a.O. 80.

[266] Seesemann a.a.O. 81.

[267] Seesemann a.a.O. 81f und 83. Dibelius argumentiert a.a.O. ähnlich; doch ist sein Schluß auf »die Analogien der anderen Briefe« alles andere als zwingend. In 1 Kor 1,9 ist von der behaupteten »*Glaubens*gemeinschaft mit Christus« (Hervorhebung von mir) gar nicht

Letzteres muß uns nicht beschäftigen; denn dieser Hinweis hat nicht die geringste Beweiskraft. Man kann an allen diesen Stellen auch einheitlich mit »Gemeinschaft« übersetzen. Phlm 6 würde in diesem Fall – nach unserem bisher erarbeiteten Schema – lauten: Ich bete[268],»daß die durch deine Teilhabe am Glauben entstandene Gemeinschaft wirksam werde . . .«[269].

In dieser Auslegung werden zugleich die tatsächlichen Schwächen der Lohmeyerschen Fassung deutlich: Der Aspekt der »gemeinsamen« Teilhabe »mit allen Gläubigen« schwingt zwar immer mit im Begriff κοινωνία, wird aber hier durch das σου zurückgedrängt[270]. Es geht allein um Philemons Teilhabe am Glauben und die dadurch entstandene Gemeinschaft[271] mit dem Apostel, durch dessen Verkündigung er zum Glauben kam[272]. Die Auslegung der Kirchenväter berücksichtigt zu Recht diesen aus dem gesamten Brief und speziell aus V 17 erhebbaren Tatbestand.

Diese Gemeinschaft[273] soll nun wirksam werden[274] in der Erfüllung der Bitte, die

die Rede, und zu Phil 1,5 muß er selbst eine gewisse Verwandtschaft zur Aussage von Phlm 6 konstatieren im »werktätigen Ausdruck«, den diese Glaubensgemeinschaft sucht.

[268] Vgl. dazu Dibelius a.a.O. und Seesemann a.a.O. 80 A. 1. Zur allgemeinen Problematik von Phlm 6 (Moule, Phlm 142: »the most obscure verse in this letter«) siehe Holtzmann, Phlm 433.

[269] Schlatter, Phlm 316, spricht verschwommen von der »Gemeinschaft, zu der der Glaube ihn mit Jesus, mit Paulus und mit allen, die Christen sind, geführt hat«. Nicht präzis genug ist auch die Wiedergabe bei Thompson, Phlm 184: »fellowship with us in our common faith«.

[270] Deshalb geht es nicht um die »Gemeinschaft, die der Glaube zwischen Philemon und den Christen geschaffen hat« (Meinertz, Phlm 116; vgl. Bieder, Phlm 22:»Glaubensgemeinschaft« = »Schar ›aller Heiligen‹«); erst recht nicht um die »Gemeinschaft Philemons mit Christus« (Schlatter, Phlm 317; ähnlich Scott, Phlm 105). Seesemanns Warnung (a.a.O. 70 A. 4), daß der Aspekt der »gemeinsamen « Teilhabe nicht unnötig eingetragen werden dürfe, besteht hier zu Recht.

[271] J. Weiß, 1 Kor 258, hatte durchaus das Richtige im Blick, wenn er u. a. mit Bezug auf Phlm 6 von »Gemeinschaft an etwas« sprach. Er hat nur das Ineinander von »Gemeinschaft mit jemand« durch »Teilhabe an etwas« nicht gesehen und machte deshalb zu Unrecht die »Elastizität des griechischen Genetivs« dafür verantwortlich, daß »je nach Bedürfnis« die Bedeutung »Gemeinschaft mit Jemand« oder »an etwas« hervortrete (vgl. Seesemann a.a.O. 40).

[272] Bei den Formulierungen von Oosterzee, Phlm 159 (»Glaube . . ., welchen Philemon gemeinschaftlich mit Paulus und allen Christen teilt . . .«) und Schumann, Phlm 61 (»Glaubensgemeinschaft mit anderen Christen, obenan mit Paulus«) wird das spezifische Gemeinschaftsverhältnis zwischen Paulus und Philemon, auf das V 17 rekurriert, zu stark eingeebnet; allerdings ist zuzugeben, daß dieses nicht so deutlich angesprochen ist, als daß man die Ausweitung auf andere Christen ausschließen müßte.

[273] Zumeist wird nur von Philemons »Glaubensgemeinschaft« gesprochen, ohne daß der Frage »Gemeinschaft mit wem?« Aufmerksamkeit geschenkt würde. Vgl. Haupt, Phlm 180: »Gemeinschaft, welche der Glaube hervorbringt«, d. h. gen. obj.: »Gemeinschaft in Bezug auf das Glauben«; so auch Eisentraut, Phlm 37–42. Anders de Wette, Phlm 80; er faßt die Gemeinschaft des Glaubens als gen. subj.; so auch Vincent, Phlm 179: »the communication of thy faith« – »to others« (180).

Paulus – im Verzicht auf den Gehorsam heischenden Befehl (vgl. VV 8.21) – an Philemon zu richten beabsichtigt (vgl. V 17b und die Neuaufnahme des κοινωνία-Gedankens in V 17a).

Erst so ergibt sich ein schlüssiges Gesamtverständnis des Philemonbriefes und der diversen Aspekte des paulinischen κοινωνία-Verständnisses, die er enthält. Auch die gesamte Wendung ἡ κοινωνία τῆς πίστεώς σου mit dem nachhängenden σου gibt bei obigem Verständnis einen guten Sinn[275]. Πίστις muß dann hier – im Gegensatz zu V 5 – eine objektive Größe sein, eine Gabe, an der man teilhaben kann[276]. Philemon hat durch Paulus daran Anteil bekommen, ist dadurch zu seinem Schuldner geworden und wird von Paulus auf dieses Verhältnis schuldiger Dankbarkeit hin angesprochen.

Phlm 17

εἰ οὖν με ἔχεις κοινωνόν, προσλαβοῦ αὐτὸν ὡς ἐμέ.

»Wenn du also mich zum Genossen[277] hast, nimm ihn auf wie mich«.

Paulus hatte im Vorausgehenden (V 8ff) eine Fülle von Argumenten angehäuft, die es Philemon leicht machen sollten, der Bitte zu entsprechen, die er nun in V 17 an ihn richtet: den entlaufenen Sklaven Onesimos aufzunehmen, als sei es Paulus selbst, den es aufzunehmen gelte.

Was aber meint der erste Teil der zusammenfassenden Konklusion[278] von V 17?

---

[274] Eine solche »Gemeinschaftserweisung des Glaubens des Philemon« schien Ewald, Phlm 272, fern zu liegen. Auch Jang, Phlm 85 A. 37, behauptet: »Nicht eine Gemeinschaft, sondern der Glaube soll also wirksam werden«. Aber diesen Aussagen steht der Text eindeutig entgegen. Lightfoot, Phlm 335, überspringt den Gedanken der wirksam werdenden Gemeinschaft und legt den Akzent einseitig auf »your kindly deeds of charity, which spring from your faith«; d. h. auf »die aus dem Glauben erwachsende Wohltätigkeit« (Ewald, Phlm 272; dieser Gebrauch sei »fraglich«, und der Gedanke wäre »ebenso seltsam als wunderlich ausgedrückt«; anders Haupt, Phlm 181: durch den späteren kirchlichen Sprachgebrauch »als möglich erwiesen«).

[275] Vgl. dagegen Haupt, Phlm 181: »Faßt man κοιν. τ. πίστ. als Glaubensgemeinschaft, so macht das hinzugefügte σου Schwierigkeiten«. »Deine Glaubensgemeinschaft, d. h. die Gemeinschaft, welche du in Bezug auf das Glauben hast«, könne sich dann nicht auf die zwischen Philemon und Paulus bestehende Gemeinschaft beziehen; das würde »ausdrücklich hervorgehoben sein müssen« (182). Dieser Einwand ist jedoch keineswegs stichhaltig. Aus dem Kontext des ganzen – im übrigen ja sehr kurzen – Briefes ergibt sich m. E. deutlich genug, daß der paulinische κοινωνία – Gedanke die Basis der gesamten Argumentation des Apostels ist. Dies gilt auch gegenüber Radford, Phlm 351, der zu »fellowship of thy faith« sagt: »Without further definition, in spite of the corresponding substantive partner in verse 17, it can scarcely mean the fellowship of Philemon with the Apostle – an intrusive idea in the present context«.

[276] Gegen Seesemann a.a.O. 82f.

[277] So die gewöhnliche Wiedergabe. Vgl. Eisentraut, Phlm 88; Schlatter, Phlm 321; Scott, Phlm 111; Thompson, Phlm 188; Lohse, Phlm 283.

[278] Das οὖν markiert deutlich den Einsatz einer Schlußfolgerung. Es geht also nicht an –

Man wird nicht fehlgehen, wenn man auf die in V 6 an Philemon gerühmte κοινωνία τῆς πίστεως zurückverweist[279].

Dieses gewichtige Stichwort von der »Gemeinschaft des Glaubens« ist ja – worauf schon zu Phlm 6 hingewiesen wurde – geradezu der Schlüssel zum Gesamtverständnis des Philemonbriefes: Philemon ist durch Paulus zum Glauben gekommen[280]. Es entstand also zwischen ihnen jenes aus Gal 6,6 zu erhebende »Gemeinschaftsverhältnis« des gegenseitigen Anteil-gebens und Anteil-nehmens zum Zwecke des gemeinsamen Anteil-habens[281]. Der Apostel, der an den geistigen Gütern, d. h. hier am Glauben, Teilhabe gewährte, konnte daraus Ansprüche ableiten im bezug auf das der entstandenen κοινωνία entsprechende Verhalten des Philemon. Daran erinnert Paulus auch mehrmals im Verlaufe des Briefes. Er tut es wohl verhalten und immer bemüht, den Anspruchcharakter seiner Feststellungen seelsorglich zu relativieren; aber dies liegt einzig darin begründet, daß sein Verhältnis zu Philemon so ungetrübt freundschaftlich war, daß er sich mit Andeutungen begnügen konnte[282]. Charakteristisch dafür ist V 8 f, wo Paulus betont, daß er durchaus das Recht habe, Philemon das Geziemende zu gebieten, aber »um der Liebe willen« darauf verzichte, es zu tun. Auch V 13 enthält einen solchen Hinweis auf das mit κοινωνία ausgedrückte Verhältnis: An sich hätte Philemon selbst dem Apostel »zu Diensten zu sein«, dessen Glaubensverkündigung er seine neue Existenz im Glauben verdankt. Nur deshalb kann Paulus den

wie Dibelius, Phlm 106 – in κοινωνός nur »die ›geistliche‹ Beziehung zu dem Adressaten« eingeschlossen zu erklären und dafür auf das in V 16 vorausgehende καὶ ἐν σαρκὶ καὶ ἐν κυρίῳ zu deuten. Zwischen beiden besteht kein erkennbarer Bezug (vgl. Seesemann a.a.O. 52). Die wichtigste Frage ist ohnehin nicht, »ob mit κοινωνός nur das Verhältnis zwischen Christen gemeint ist . . . oder zugleich auch eine freundschaftliche Beziehung« (Dibelius a.a.O.; ähnlich Scott, Phlm 111, der hinzufügt: »Probably he wishes to suggest both ideas«); die Besonderheit des paulinischen κοινωνία-Verständnisses kommt dabei noch gar nicht in Sicht.

[279] Schon Oosterzee, Phlm 162, sprach mit Hinweis auf V 6 von »Genossen des Glaubens«, doch ist dies zu allgemein. Das gilt auch für Lohmeyer, Phlm 189, der von »Gefährte« und »Verbundenheit des Bruders mit dem Bruder im Glauben« spricht, und für Thompson, Phlm 188: »are partners, sharing a common belief in Jesus Christ and a desire to serve him«.

[280] Meinertz, Phlm 118: Paulus ist »der geistliche Vater des Onesimus«. Auch Schumann, Phlm 96, verweist auf diese Verdanktheit des Glaubens des Philemon, die in der Tat die Basis des paulinischen κοινωνία-Verständnisses darstellt.

[281] Bieder, Phlm 44, nähert sich dem an: »Teilhaber« besage, »daß zwei an derselben Sache Anteil haben und darum, aber eben nur darum, innigst miteinander verbunden sind«. Richtiger wäre gewesen, »dadurch« zu sagen; so hebt Bieder lediglich auf die gemeinsame »Aufgabe« ab, nicht aber auf das entstandene Gemeinschaftsverhältnis.

[282] Dennoch genügt es keinesfalls – wie Jang, Phlm 37; ähnlich Lohse, Phlm 283 – ein »enges Vertrauensverhältnis« zu konstatieren und daher abzuschwächen: »Wenn Du mich als Genossen . . . akzeptierst« (Jang a.a.O. 36). Vgl. dagegen Radford, Phlm 362: »It means more than a friend or even a comrade; it refers to the partnership of Paul and Philemon in the service of the Lord«. Letzteres ist freilich so ungenau wie Lohses Erläuterung a.a.O.: »Ihre κοινωνία gründet in der zutiefst verbindenden Zugehörigkeit zum einen Herrn, die zu gemeinsamem Handeln in Glaube und Liebe zusammenschließt«.

Dienst des Onesimos als einen stellvertretenden werten. Noch deutlicher tritt dieses Schuldverhältnis in V 19 zutage, wenn Paulus den Philemon erinnert, daß er ja sogar sich selbst ihm schulde.

Das mit κοινωνία umschriebene »Gemeinschaftsverhältnis«, das im Kern ein Verhältnis geschuldeter[283] Dankbarkeit ist, kommt also im Philemonbrief in mehrfacher Hinsicht zur Sprache. Der ganze Brief ist geradezu eine Konkretion dessen, was Paulus unter κοινωνία versteht; und umgekehrt ist das mit κοινωνία Gemeinte bestimmend für seine Auslegung[284].

Von diesem Gesamtkontext her wird deutlich, daß die Übersetzung von V 17a mit: »Wenn du also mich zum Genossen hast . . .« unzureichend ist. Gemeint ist: »Wenn du also mit mir in diesem Verhältnis von κοινωνία stehst[285] . . .«. Damit dürfte das aus 1 Kor 10,18.20 gewonnene Ergebnis erhärtet sein[286].

III. Κοινωνεῖν = Gemeinschaft haben oder halten durch wechselseitiges Anteil-geben und Anteil-erhalten

Nach dem bisher – vor allem zu Gal 6,6 – Erarbeiteten ist zur Bestimmung von κοινωνεῖν auszugehen von der Grundbedeutung »Gemeinschaft haben« oder »Gemeinschaft halten«. Dabei stehen gerade jene Momente im Vordergrund, die sich bei κοινωνία immer nur als impliziert erfassen ließen: das wechselseitige

[283] Der Hinweis auf den Gehorsam des Philemon in V 21 zeigt, daß Paulus das Gemeinschaftsverhältnis nicht einfach als Partnerschaft versteht. Über- und Unterordnung werden keineswegs aufgehoben, auch wenn sie durch die Liebe wie aufgehoben erscheinen (vgl. V 8f).

[284] Deutlicher als andere sah hier Meyer, Phlm 373, die »Idee der *christlichen* Gemeinschaft« ausgedrückt; allerdings nicht in ihrer speziellen paulinischen Fassung, sondern allgemein (Gemeinschaft »des übereinstimmenden Glaubens, Liebens, Hoffens, Gesinntseins, Wirkens u.s.w.«).

[285] Vgl. de Wette, Phlm 84: »Genossen«, »oder: mit mir Gemeinschaft hältst«. De Wette erläutert: nicht der Güter, nicht der Freundschaft, »sondern des Geistes, des Glaubens und der Liebe«; aber die Gemeinschaft der Liebe schließt natürlich die verneinten Bereiche der Betätigung von κοινωνία keinesfalls aus, sondern ein; die geforderte brüderliche Aufnahme des Onesimos beweist es. Ebenfalls willkürlich behauptete Ewald, Phlm 284 A. 2: »Das Wort läßt das persönliche Moment zurücktreten hinter dem Verbundensein durch Gemeinschaft der Anschauungen und Interessen«.

[286] Zu diesem Gemeinschaftsverhältnis der κοινωνοί, die gemeinsam Anteil haben an etwas, erklärt Lightfoot, Phlm 343: »Those are κοινωνοί, who have common interests, common feeling, common work«. In dieser grundsätzlich richtigen Bestimmung ist freilich das spezifisch paulinische κοινωνία-Verständnis noch nicht erfaßt; sie genügt daher nicht zur Erklärung von Phlm 17. Paulus und Philemon sind nicht allgemein »Partner, die gemeinsame Interessen verfolgen oder als Genossen an demselben Unternehmen beteiligt sind« (Lohse, Phlm 283); sie stehen *zueinander* in einem Gemeinschaftsverhältnis. Vgl. Meyer, Phlm 372: »Wenn du mich zum *Genossen* hast, wenn du nicht außer *Gemeinschaft* mit mir stehest . . .« (letzteres sollte allerdings positiv formuliert sein).

Anteil-geben und Anteil-nehmen, Teilhabe und Teilgabe, Betätigung und Erweis von Gemeinschaft.

War es in Gal 6,6 der κατηχούμενος, der aufgefordert wurde, mit seinem Lehrer »Gemeinschaft zu halten«, so sind es in den folgenden Texten die Gemeinden, die an diese ihre Verpflichtung erinnert werden, sei es gegenüber dem Apostel – ihrem Lehrer – oder gegen Jerusalem als der Muttergemeinde, von der alle geistigen Güter ausgingen.

Die zugrunde liegende Vorstellung ist immer dieselbe: Zwischen dem, der verkündet, und dem, der durch diese Verkündigung zum Glauben kommt, entsteht ein Gemeinschaftsverhältnis: der zum Glauben Gekommene wird zum Schuldner des Verkündigers, dem er seine neue Existenz im Glauben verdankt. Was er schuldet, ist Dankbarkeit und ihr Erweis in konkretem Tun.

1. Die Anwendung des Prinzips κοινωνία auf das Verhältnis der paulinischen Gemeinden zu Jerusalem

Röm 15,27

entfaltet diesen Grundgedanken der geschuldeten Dankbarkeit in bezug auf die paulinischen Gemeinden und die Muttergemeinde von Jerusalem. Paulus stellt zu dem »Gemeinschaftswerk«[287], das seine Gemeinden in der Makedonia und Achaia beschlossen hatten, fest: ὀφειλέται εἰσὶν αὐτῶν – sie sind »ihre Schuldner«. Also ist es nur recht und billig, wenn sie für die empfangenen geistigen Güter eine materielle Gegenleistung erbringen.

Das mit κοινωνία ausgedrückte Gemeinschaftsverhältnis wird damit in Röm 15,27 in seinen Strukturen verdeutlicht: Die heidenchristlichen Gemeinden[288] hatten Anteil erhalten an den von Jerusalem ausgegangenen geistigen Gütern. Diese Aussage ist prinzipiell und drückt die bleibende Bedeutung der Urgemeinde als Ursprungsort der christlichen Heilsverkündigung aus. Denn auch wenn nicht gesagt wird, was näherhin unter »den geistigen Gütern« zu verstehen ist, kann nur an jene Güter gedacht sein, die mit der Ausbreitung des Evangeliums zusammenhängen[289], in erster Linie also an den Glauben[290]. Daran Anteil empfangen zu haben, hat die heidenchristlichen Gemeinden zu Schuldnern der Jerusale-

---

[287] Siehe dazu die Auslegung von Röm 15,26.

[288] Zu τὰ ἔθνη vgl. Sickenberger, Röm 297: »die Heidenchristen«; Michel, Röm 371: »die heidenchristlichen Gemeinden«.

[289] Bei τά πνευματικά denkt Lipsius, Röm 198, zu eng vom Begriff her an die »Gaben des heiligen Geistes«, »die von ihnen aus zu den Heiden gekommen sind«; vgl. dagegen Sickenberger a.a.O.: »das geistige Heil«; Michel, Röm 371: »die Gnadengaben des neuen Äons«; Lagrange, Röm 358: »la doctrine du salut«. An das Evangelium denken Cornely, Röm 763: »Evangelium omniaque quae affert bona«; ähnlich Jülicher, Röm 330; Brunner, Röm 104; Althaus, Röm 134.

[290] Vgl. Phlm 6; dazu B. Weiss, Röm 590.

mer werden lassen: sie schulden es nun auch, in den sarkischen (d. h. leiblichen, materiellen) Gütern ihnen[291] zu dienen[292]. Wir haben es also mit einem Wechselverhältnis zu tun, bei dem durchaus ungleiche Güter ausgetauscht werden – geistige und materielle[293]. Teilhabe an den einen verpflichtet zur Teilgabe an den andern; darin muß sich die Dankbarkeit der Schuldner ausweisen, muß sich ihr Stehen zur entstandenen κοινωνία dokumentieren[294].

2. Die Anwendung des Prinzips κοινωνία auf das Verhältnis zwischen Apostel und Gemeinde

Phil 4,15

... οὐδεμία μοι ἐκκλησία ἐκοινώνησεν εἰς λόγον δόσεως καὶ λήμψεως εἰ μὴ ὑμεῖς μόνοι ...

»Es wißt aber auch ihr, Philipper, daß im Anfang des Evangeliums, als ich wegging aus Makedonia, keine Gemeinde mit mir Gemeinschaft hielt auf Rechnung von Geben und Nehmen, außer ihr allein«.

κοινωνεῖν ist hier absolut gebraucht im Sinne von κοινωνίαν ἔχειν. Die Übersetzer drücken das dadurch aus, daß sie die Wendung häufig mit »in Gemeinschaft treten«[295] wiedergeben. Doch diese Wiedergabe scheint mir nicht unbedenklich.

---

[291] Gemeint sind hier nicht die von Jerusalem ausgegangenen Verkündiger, sondern die Jerusalemer Urgemeinde bzw. deren Glieder. Jülicher, Röm 330, spricht hier ungenau von den »Juden in Jerusalem«.

[292] Zu λειτουργεῖν vgl. Lipsius a.a.O.: »Die Darbringung der Spende wird als eine Opfergabe betrachtet«; Cornely, Röm 764: »sacrum ministerium« – »sacrificium quoddam Deo ... oblatum«; Reithmayr, Röm 761: »eine Art Opfergabe«. Dagegen B. Weiss, Röm 590; Lagrange, Röm 358: »sans caractère sacré«. Huby, Röm 485 A. 2, will wenigstens »une nuance religieuse« darin finden; ähnlich Gutjahr, Röm 488: »nebenbei als ... Opferdienst«.

[293] Das ἐν τοῖς σαρκικοῖς registrieren bes. Sanday-Headlam, Röm 412: »in temporal things«; B. Weiss a.a.O.: »im Gebiet (ἐν) der irdischen Güter«. Auch Michel, Röm 371, spricht von einem, »wenn auch andersartigen, Gegenwert«; vgl. Reithmayr a.a.O.: »Gegensatz« – »aus ihrem irdischen Besitze«; ähnlich Schlatter, Gottes Gerechtigkeit 390 f.

[294] Vgl. Zahn, Röm 602: »Erfüllung einer Dankespflicht«; Michel a.a.O.: »vor Gott gültige Verpflichtung«. Michel gibt dafür leider keine Erklärung; immerhin weist er in A. 1 auf κοινωνίαν ποιεῖσθαι V 26 und die »Partnerschaft« hin, die »beiderseitig anerkannt und bestätigt« sei. Brunner, Röm 104, sieht in der Kollekte »ein Zeugnis, ja sogar einen Beweis der Einheit der Gemeinden«; ähnlich Barth, Röm 518. Althaus, Röm 134, findet »die wesentlichen Beziehungen« bezeichnet, »die in der Sammlung nur zum Ausdruck kommen: ›Dienstleistungen‹, ›Teilnahme‹« (auch das ist noch unzureichend). Nur Dodd, Röm 232, erkennt, daß es um die »communion with Jerusalem« geht und nennt die Sammlung »the outward sign of such communion«.

[295] Vgl. de Wette, Phil 228; Meyer, Phil 160; Ewald, Phil 215 A 1; auch Vincent, Phil 148: »became partner with me« – »entered into partnership with me«.

Man verbindet damit allzu leicht die Vorstellung von einer »*Abmachung* des gegenseitigen Gebens und Nehmens«[296]. Von einer solchen kann aber gar keine Rede sein.

κοινωνία ist Ausdruck eines Verhältnisses von Verdanktheit, das im Kern ein Schuldverhältnis einschließt[297]. Dieses kann man nur anerkennen oder mißachten; aus ihm kann man Pflichten ableiten (vgl. κοινωνείτω Gal 6,6), aber auch Rechte (vgl. Phlm 8.13.19.21). Diese Rechte kann man in Anspruch nehmen; man kann aber auch wie Paulus ganz bewußt auf sie verzichten[298]. Daß Paulus den Philippern gegenüber eine Ausnahme machte, liegt – wie allgemein gesehen wird[299] – an seinem besonders vertrauensvollen Verhältnis zu dieser Gemeinde. Dieses erlaubte, daß Paulus von den Philippern ganz unbesorgt Unterstützungen annehmen konnte, ohne die Unterstellung fragwürdiger, die Verkündigung des Evangeliums gefährdender Motive fürchten zu müssen[300]. Das Gemeinschaftsverhältnis zwischen dem Apostel und dieser Gemeinde war offenbar ein herzliches und von Mißtrauen unbelastet; die Gemeinde wußte um die entstandene κοινωνία mit dem Apostel und anerkannte die daraus resultierenden Verpflichtungen.

Nur dieses ungetrübte Gemeinschaftsverhältnis gestattete es Paulus, die κοινωνία geradezu geschäftsmäßig zu erläutern als eine εἰς λόγον[301] δόσεως καὶ λήμψεως – »auf Rechnung von Geben und Nehmen«. Das bedeutet nicht: »Paulus wird geschäftlich«[302]; er bedient sich lediglich der Geschäftssprache[303], um die Gegenseitigkeit der Beziehung, das Wechselseitige im Geben und Nehmen auszudrücken[304]. Das κοινωνεῖν besteht für ihn in einem geradezu aufrechenbaren Austausch von Gütern. Was die Philipper »geben«, sind nach dem Kontext

---

[296] Gnilka, Phil 177 (Hervorhebung von mir); vgl. dagegen Haupt, Phil 173: »Schwerlich . . . eine förmliche Abmachung . . .«.

[297] Vgl. Gal 6,6; v. a. aber Röm 15,26f; Phlm 19. Man kann deshalb nicht – wie Michaelis, Phil 72 – lediglich die »freiwillige Leistung« der Philipper hervorheben.

[298] Lohmeyer, Phil 185, spricht u. a. vom »Anspruch auf Unterstützung« – vom »Recht des Apostels« – von »Ausübung einer alten Pflicht«.

[299] Vgl. etwa Lueken, Phil 401; Lightfoot, Phil 164; Schlatter, Phil 106f; Tillmann, Phil 161; de Boor, Phil 149.

[300] Vgl. 1 Kor 9,12.

[301] Daß εἰς λόγον auch einfach »im Bezug auf« o. ä. heißen könnte, wird allgemein eingeräumt, aber im Blick auf V 17 für nicht ausreichend erachtet. Vgl. de Wette, Phil 228; Ewald, Phil 216 A. 1; Vincent, Phil 148.

[302] Gnilka, Phil 177. Nach de Boor, Phil 149, wurden die Philipper gar »›Teilhaber‹ in seinem ›Geschäft‹«!

[303] Vgl. Bisping, Phil 227: »vom Handelswesen entlehnt«; Vincent, Phil 148: »a mercantile metaphor«; Beare, Phil 155: »he heaps up business terms«; Lohmeyer, Phil 185: »der geschäftliche Ausdruck, der doch ein Zeichen besonderer Nähe sein soll«. Dibelius, Phil 97, läßt seltsamerweise offen, ob uneigentliche Rede vorliege.

[304] Vgl. die »Analyse der Vorstellung« bei Meyer, Phil 160. Lohmeyer bezeichnet sie a.a.O. als »Gegenseitigkeitsverhältnis«.

v. a. materielle Güter[305]. Man wird es deshalb nicht gerade als abwegig bezeichnen dürfen[306], darin den Dank für die geistigen Güter ausgedrückt zu sehen, deren Teilhaber sie durch den Apostel geworden sind[307]. Auch wenn die Formulierung von Phil 4,15 uneingeschränkt wechselweises Geben und Nehmen postuliert, wird doch auch hier nicht Gütergemeinschaft verlangt, und die auszutauschenden Güter bleiben verschiedenartig[308].

Die zugrundeliegende virtuelle Totalität des mit κοινωνία ausgedrückten und zugleich geforderten Gemeinschaftsverhältnisses darf allerdings auch nicht übersehen werden[309]. Es handelt sich – mit E. Haupt zu reden[310] – um eine »Gemeinschaft zwischen ihnen, vermöge deren ein gegenseitiger Austausch . . . stattfindet, so daß jeder an allem teil hat, was der andere erlebt oder hat«.

Gemeinschaft ist für Paulus eine Beziehung, die durch gemeinsame Teilhabe an etwas vermittelt wird[311] und in konkretem Anteil-geben und Anteil-nehmen Ausdruck findet[312]. Dieser Konkretisierungen und Aktualisierungen kann Gemeinschaft nicht entraten; sie lebt vom Wechsel des Gebens und Nehmens.

Allerdings wird man darauf hinweisen dürfen, daß Haupt entschieden zu weit geht mit seiner Aussage, daß »jeder an allem« teilhaben solle. Eine Zusammenstellung aller κοινωνία-Texte bei Paulus würde zeigen, daß der Katalog von Gemeinschaftsgütern durchaus begrenzt ist. Die Totalität gilt wohl prinzipiell und der Intention nach, aber Paulus wird nirgends zum Schwärmer. Was er erstrebt – und doch nur annehmen kann, wenn sie in Freiheit geleistet wird –, ist die Gemeinschaft, in der Geben und Nehmen einander korrespondieren, wie es bei den Philippern von Anfang an[313] der Fall war. Die Unterstützungen, die sie Paulus angedeihen ließen, waren Ausdruck der Dankbarkeit, die sie ihrem Apostel

---

[305] Aus Phil 2,25–30 (Phlm 13) ergibt sich aber, daß die Gemeinden (bzw. einzelnen), die durch den Apostel zum Glauben kamen, sich auch zu persönlicher Dienstleistung verpflichtet wußten (bzw. wissen sollten).

[306] Nach de Wette, Phil 228, sei daran »am wenigsten« zu denken.

[307] Gegen Meyer, Phil 161, der diese Eintragung aus 1 Kor 9,11; Röm 15,27 »willkürlich« nennt, vgl. Bisping a.a.O.; Lipsius, Phil 245; Haupt, Phil 173; Ewald, Phil 216 A. 1; Lueken, Phil 401; Dibelius, Phil 97; Lohmeyer, Phil 185.

[308] Dem widerspricht Lightfoot, Phil 165: »the intermingling of different things destroys the whole force of the clause«. Durch seine Begründung, εἰς λόγον etc. sei »added to define the kind of contributions intended«, wird man davon nicht überzeugt.

[309] Vgl. Gal 6,6: ἐν πᾶσιν ἀγαθοῖς.

[310] Haupt, Phil 172.

[311] Dieser Gesichtspunkt wird in Haupts Formulierung (»vermöge deren«) verschleiert. Er wird in 4,15 aber auch nicht direkt ins Spiel gebracht.

[312] Lipsius, Phil 246, stellt die Dinge auf den Kopf, wenn er die Spende als Gemeinschaftsverhältnis hingestellt sieht. Sie ist für Paulus »Zeichen ihrer Teilnahme« (Lueken, Phil 401), d. h. Ausdruck der zwischen ihnen bestehenden Gemeinschaft.

[313] Zu ἐν ἀρχῇ τοῦ εὐαγγελίου vgl. Ewald, Phil 214 f; Beare, Phil 154; Lohmeyer, Phil 184 f.

schuldeten, und der Gemeinschaft, die sie mit ihm hielten, halten wollten und auch als einzige in dieser Form halten durften[314].

3. Die Ausweitung des Prinzips κοινωνία auf »gesamtkirchliches« Gemeinschaftsbewußtsein

Röm 12,13

... ταῖς χρείαις τῶν ἁγίων κοινωνοῦντες ...
».. . Anteil nehmend an den Nöten[315] der Heiligen . . .«

Die Bedeutung »Anteil nehmen« wird hier im allgemeinen nicht bestritten[316]. Die Aufforderung im Sinne von: »Nehmt Anteil . . .« scheint ohne direkte Veranlassung und wird deshalb in der Regel auch ganz allgemein als eine Ermunterung zu brüderlich fürsorglichem Verhalten verstanden. A. Nygren[317] z. B. legt von 1 Kor 13 her aus und gewinnt so im Blick auf die »Liebe« – dem durchgängigen Thema von Röm 12,9–21 – den Sinn: »Sie nimmt sich der Notdurft der Heiligen an«. Die Frage ist nur, wer sind »die Heiligen«? Wenn Th. Zahn[318] recht hätte mit der Auffassung, die v. a. durch K. Holl[319] Verbreitung fand, daß οἱ ἅγιοι in den Kollekten-Erörterungen »eine stereotype Benennung der Christen Palästinas« sei, müßte man κοινωνεῖν ganz von Röm 15,26 f her verstehen, und es wäre dann hier wie dort auf den allgemeinen Grundsatz bezüglich der κοινωνία = geschuldeter Dankbarkeit zwischen den Heidenchristen-Gemeinden und der Jerusalemer Muttergemeinde angespielt. Zahn meint: »Jedenfalls redet er nicht von Wohltätigkeit gegen die bedürftigen Brüder in der eigenen Ortsgemeinde, was ein ἀλλήλων oder τῶν ἀδελφῶν erfordern würde, wofür auch κοινωνεῖν ταῖς μνείαις ein sonderbarer Ausdruck wäre«. Letzteres ist kein zwingender Hinweis. Sucht man nämlich nach einer Erklärung für diese »ungewöhnliche und minder deutliche«[320] Lesart, die auf ein in der Kollekte »zum Ausdruck gebrachtes Gedenken«[321]

[314] Gnilka, Phil 178, akzentuiert durchaus richtig, wenn er »Pflicht und Auszeichnung zugleich« heraushebt. So auch Lohmeyer, Phil 185.
[315] Auf die Lesart ταῖς μνείαις braucht hier nicht eingegangen zu werden; vgl. dazu Zahn, Röm 550 (v. a. A. 47) und 551: Sanday-Headlam, Röm 362; v. a. aber Lagrange, Röm 304 f; Michel, Röm 305.
[316] Vgl. Barrett, Röm 240: »›share in‹, ›partake of‹«; Gutjahr, Röm 409: »anteilnehmen«; Lagrange, Röm 305: »s'associer à«.
[317] Nygren, Röm 302; vgl. Dodd, Röm 196.
[318] Zahn, Röm 551; seine Argumentation beruht aber weithin auf der Lesart ταῖς μνείαις und auf der – nach Röm 15,25–31 falschen Annahme, Paulus wolle auch die römische Gemeinde noch an seinem Kollektenwerk beteiligen. Zu Letzterem vgl. B. Weiss, Röm 590 f Anm.
[319] Holl, Kirchenbegriff 58–62.
[320] Zahn, Röm 550.
[321] Zahn, Röm 551; so auch Barth, Röm 443. Mit der Möglichkeit, daß auf die Kollekte für Jerusalem angespielt sei, rechnet auch Dehn, Vom christlichen Leben 53; Michel, Röm 305, erwähnt sie nur u. a.

hinweisen würde, ist die nachträgliche Angleichung an Röm 15,26f wahrscheinlicher als eine spätere Verallgemeinerung des Gedankens. Da der Kontext von Röm 12,9–21 aber durchwegs allgemein gehalten ist, wäre eine Konkretion im Blick auf die Kollekte für Jerusalem höchst ungewöhnlich[322]. Dann spricht aber auch alles dafür, in οἱ ἅγιοι einen allgemeinen Hinweis auf »die Gläubigen« zu sehen[323] – ohne Beschränkung auf die Brüder in der Ortsgemeinde[324]. Die Mahnung zur Gastfreundschaft schließt sich dem in der Folge zwanglos an.

In seiner Allgemeinheit läßt sich Röm 12,13 demnach am besten so verstehen, daß solches »sich der Nöte der Gläubigen Annehmen« Ausdruck jenes Gemeinschaftsverhältnisses ist, das zwischen allen Gläubiggewordenen besteht, die Anteil gewonnen haben an den Heilsgütern[325]. Wenn die Nuancen im Gebrauch von κοινωνία etc. bisher richtig bestimmt sind, dann liegt in Röm 12,13 der Gedanke an die κοινωνοί nahe, die gemeinsamen Teilhaber am Glauben, nicht aber – wie in Röm 15,26f – jener an die κοινωνία – d. h. der Gedanke an das Gemeinschaftsverhältnis untereinander, nicht der an das Verhältnis geschuldeter Dankbarkeit zu jemandem. Von einer »Gütergemeinschaft« ist nichts angedeutet; es besteht auch kein Grund, diesen Gedanken hier einzutragen[326]. Wieder einmal zeigt es sich, daß man bei der Erfassung des mit κοινωνία etc. Gemeinten von den verschiedenen inhaltlichen Implikationen auszugehen hat; nur so lassen sich die Nuancen im Einzelfall sachgemäß erheben. Für κοινωνεῖν ist dann festzuhalten: Röm 15,27 liefert ein Beispiel für κοινωνεῖν = »teilhaben« (im Sinne von Anteil empfangen an etwas), Röm 12,13 für aktives »teilnehmen« (= Anteil gewähren[327] an etwas). In beiden Fällen steht ein Gemeinschaftsverhältnis im Hintergrund, das sich im

---

[322] Vgl. Barrett, Röm 240: »It is unlikely that there is here a special reference to the Jerusalem church«. Auch Gutjahr, Röm 409 A. 7, lehnt Zahns »ausschließliche Deutung auf die palästinensischen Gläubigen« ab; sie könne nur »eingeschlossen« sein. Allenfalls eine »Aufforderung zum Gebet« würde Sickenberger, Röm 277, in μνείαις sehen; ähnlich Lagrange, Röm 304f.

[323] Vgl. Lipsius, Röm 181: »die Gläubigen«; Schaefer, Röm 370: »Christen«; Reithmayr, Röm 667: »Mitchristen«; Sanday-Headlam, Röm 362: »fellow-Christians«; Michel, Röm 305: »Brüder«. (Das muß für die Kollektentexte nichts bedeuten; denn um einen solchen handelt es sich ja hier vermutlich nicht!)

[324] Vgl. Gutjahr, Röm 409: »allerwärts«; Dehn a.a.O. 52f; er denkt auch an die gegenseitige Hilfe von Gemeinden.

[325] Schlatter, Gottes Gerechtigkeit 346, spricht von einem »Merkmal der brüderlichen Gemeinschaft«. Dodd, Röm 198f, nennt die »Christian community« eine »family of brothers«: »there will be a full sharing of needs and resources«. Für Lagrange, Röm 305, ergibt sich daraus »l'obligation d'accueillir des frères«. Reithmayr, Röm 666f, hebt das Moment des Gemeinsamen (hier sogar überdeutlich) hervor: »an etwas *Mit*anteil nehmen, sich etwas *mit*aneignen« – »Bedürfnisse der *Mit*christen« (Hervorhebung von mir).

[326] Gegen Reithmayr, Röm 667: »Besitztum als gemeinsames betrachten«; richtiger Cornely, Röm 665: »quasi communes habeant« (nämlich: necessitates et facultates).

[327] Vgl. Gal 6,6.

ersten Fall zu erkennen gab als Schuldverhältnis der »empfangenden« heidenchristlichen Gemeinden gegenüber der »gebenden« Urgemeinde zu Jerusalem, im letzteren als Solidaritätsverhältnis derer, die gemeinsam an den Heilsgütern Anteil empfingen. Akzentuiert ist dabei durch κοινωνεῖν jeweils nur eine Seite jenes mit κοινωνία umschriebenen Gemeinschaftsverhältnisses. Daß dieses in seiner Vollgestalt ein wechselseitiges Verhältnis des Anteil-gebens und Anteil-nehmens umgreift, verdeutlichte die Auslegung von Phil 4,15[328].

IV. Συγκοινωνός, συγκοινωνεῖν = Gemeinschaftsverhältnisse oder Gemeinschaftsverhalten aufgrund gemeinsamer Teilhabe an etwas

H. Seesemann, der sein Hauptaugenmerk auf den Begriff κοινωνία selbst legte, hat dem übrigen Begriffsfeld bemerkenswert wenig Platz eingeräumt. Zu συγκοινωνός/συγκοινωνεῖν finden sich lediglich einige wenige Bemerkungen bei der Erörterung von Phil 4,14 und eine resümierende Anmerkung[329]. In ihr behauptet er, κοινωνία mit Gen. bedeute nur dann »gemeinsamer Anteil«, »wenn die κοινωνία von zwei (oder mehreren) Subjekten ausgesagt wird oder wenn das ›gemeinsam‹ sonst irgendwie kenntlich gemacht ist«. Dazu gebrauche Paulus »verschiedentlich die Präposition συν«.

Die Richtigkeit der ersten Behauptung sei einmal dahingestellt, obschon man sich fragen wird, warum das Moment des Gemeinsamen bei κοινωνός fehlen soll, wenn es in κοινωνοί enthalten ist. Zu prüfen gilt es hier zunächst die Bedeutung der Komposita mit συν.

1. Die Gemeinsamkeit der Anteilnahme an den Bedrängnissen des Apostels

Phil 4,14
πλὴν καλῶς ἐποιήσατε συγκοινωνήσαντές μου τῇ θλίψει.
»Doch recht tatet ihr, daß ihr gemeinsam Anteil genommen habt an meiner Bedrängnis«.

Seesemann bezieht das συν auf τῇ θλίψει, weil ihm dünkt, daß »die wörtliche Wiedergabe ›zusammen Anteil haben‹ hier keinen rechten Sinn ergibt«[330]. In seiner Übersetzung: »ihr habt recht getan, mit meinem Leiden Anteil – oder besser:

---

[328] Seesemann, KOINΩNIA 32 f, erkennt zwar die Entsprechung von »Mitteilen« und »Teilhaben« bei κοινωνεῖν, betont sogar diese »Doppelseitigkeit des Ausdrucks« und übersetzt auch mit »Gemeinschaft haben«, zieht aber daraus keinerlei Schlüsse für das Gesamtverständnis von κοινωνία etc.
[329] Seesemann a.a.O. 33 f und 70 f A. 4.
[330] Seesemann a.a.O. 33; den Widerspruch zu seinen eigenen Äußerungen 70 f A. 4 scheint er nicht bemerkt zu haben.

Gemeinschaft – zu haben«, spielt er dann wieder – wie so oft[331] – mit dem Begriff »Gemeinschaft«, ohne daraus irgendwelche Konsequenzen zu ziehen.

Nimmt man seinen Hinweis ernst, kann man auch für συγκοινωνός/συγκοι-νωνεῖν von der Grundstruktur der κοινωνία bei Paulus ausgehen: Paulus dankt den Philippern, daß sie Gemeinschaft hielten mit ihm durch gemeinsame Teilhabe an seiner Bedrängnis. Erst bei dieser Auslegung finden alle Einzelaspekte des Satzes eine zureichende Erklärung. Κοινωνεῖν hat dann drei nähere Bestimmungen bei sich: den Dativ der Sache, an der die Philipper teilhaben, den Genitiv der Person, mit der sie in Gemeinschaft stehen durch die gemeinsame Teilhabe, und die Präposition συν, mit der die Gemeinschaft des Teilhabens noch unterstrichen wird[332]. Aber nicht jene mit dem Apostel[333] oder seiner Bedrängnis, sondern die Gemeinsamkeit der Anteilnahme seitens der Glieder der Gemeinde.

Versteht man diese Anteilnahme als »tätige«[334], denkt man allzu ausschließlich an die materiellen (und personellen) Hilfeleistungen selbst, während es Paulus gerade darauf ankommt, diese auszulegen als Zeichen der realen Anteilnahme an seiner Bedrängnis und darin als Ausdruck der Gemeinschaft, die zwischen ihnen besteht[335].

Die Teilhabe an seiner Bedrängnis ist dabei eine ebenso objektive[336] wie die Gemeinschaft, die in ihr sich bezeugt[337]. Und von dieser Teilhabe wird betont, daß sie eine gemeinsame, gemeinschaftliche, gewesen sei. Darin liegt ja wohl der Grund, daß Paulus mit den Philippern anders verfahren konnte als sonst mit seinen Gemeinden: er mußte kein Mißverständnis fürchten – auch nicht von Minderheiten; die ganze Gemeinde stand in κοινωνία zu ihm – auch und gerade in seiner θλῖψις.

---

[331] Ähnlich heißt es z.B. bei ihm a.a.O. 32 zu κοινωνεῖν: Die Bedeutung geht an allen Stellen »über ›teilhaben‹ hinaus und kann vielleicht am besten mit ›verbunden sein, Gemeinschaft haben‹ wiedergegeben werden«.

[332] Vgl. Lohmeyer, Phil 183: »Auf dem Partizipium liegt der Ton; und dieses spricht nicht von einer Unterstützung oder Erleichterung, sondern von der Herstellung einer ›Gemeinschaft‹«. Daß θλίψει nicht von συγκοινωνήσαντες regiert sein soll (Meyer, Phil 159) oder μου von θλίψει abhänge (Lipsius, Phil 245; Lohmeyer, Phil 25 A. 2), sind nicht einsichtige Behauptungen.

[333] Vgl. K. J. Müller, Phil 342; Bisping, Phil 226.

[334] Vgl. Barth, Phil 125; Ewald, Phil 213.

[335] Vgl. Gnilka, Phil 176: es wird »ihre Tat gedeutet«; sie ist »Zeichen ihrer Teilnahme« (Lueken, Phil 401), »Ausdruck für die Gemeinschaft« (Haupt, Phil 172).

[336] Vgl. Gnilka, Phil 176: »Sie machten sich seine Drangsal zu eigen«. Der »Anteilnahme an seiner Gnade« (1,5–7) korrespondiert hier die »Anteilnahme an seiner Drangsal«. »Beides bedeutet in gleicher Weise eine reale Zuwendung ...« (Hervorhebung von mir); vgl. Lipsius, Phil 245: »tatsächliche Gemeinschaft«; Haupt, Phil 172: Gemeinschaft durch gegenseitigen Austausch bzw. wechselseitige Teilhabe. Nicht ganz so präzis Meyer, Phil 159; Bisping, Phil 227; Lightfoot, Phil 164: »sympathy and companionship in his sorrow«.

[337] Lohmeyer, Phil 183, nennt die Leiden des Apostels sogar »Gemeinschaft stiftend«. Auch das ist richtig, nur verlagert es den Akzent von Phil 4,14f.

2. Die Gemeinsamkeit der Teilhabe an der Gnade des Apostels
Phil 1,7

. . . συγκοινωνούς μου τῆς χάριτος πάντας ὑμᾶς ὄντας.
». . . die ihr allesamt Mitteilhaber meiner Gnade seid«.

Die enge Verwandtschaft[338] zwischen Phil 4,14 und 1,7 ist offenkundig: Wie im Leiden, so besteht zwischen Apostel und Gemeinde auch Gemeinschaft in der gemeinsamen Teilhabe an der Gnade.
Und doch herrscht keine völlige Entsprechung, auch wenn E. Lohmeyer[339] eine »genaue Parallele« konstatiert und daraus den Schluß ableitet, der Streit um das μου sei damit entschieden: man müsse es dem Wort χάρις zuweisen. Er übersieht, daß in 4,14 die Sache, an der Gemeinde und Apostel gemeinsam Anteil haben, die θλῖψις, im Dativ steht, in 1,7 aber im Genitiv. Das kann nur bedeuten, daß in 4,14 auf dem Genitiv der Person (μου) ein anderer Akzent liegt als in 1,7. Hier ist die Gemeinschaft durch gemeinsame Teilnahme an der Gnade ausgesagt, aber betont, daß es seine, des Apostels, Gnade ist, an der die Gläubigen teilhaben; dort ist auf die Gemeinschaft mit dem Apostel abgehoben, von der gesagt wird, daß sie in der gemeinsamen Teilhabe der Gemeinde an seiner Bedrängnis zum Ausdruck komme.
Paulus hätte vielleicht auch in 1,7 schreiben wollen, συγκοινωνούς μου τῇ χάριτι. Dann wäre der Gedanke dem in 4,14 eher parallel[340]. Aber im Briefeingang und im Hinblick auf die ihm gegebene Gnade[341] biegt er den Gedanken um und akzentuiert damit eindrucksvoll den Apostolat als »Ort der Vermittlung« der Gnade. Lohmeyer hat dies richtig gesehen, wenn er zur Begründung der Wendung »seine Gnade« auf Paulus als »Gründer und Bewahrer ihrer gläubigen Gemeinschaft« hinweist und den Sinn der Worte noch vom »Verhältnis von Apostel und Gemeinde« bestimmt findet[342]. Auch wenn Paulus hier nicht unmittelbar auf sein apostolisches Amt anspielt, ist doch nur dieses gemeint, sofern es von Gott her jenes Gnadengeschehen in Gang bringt bzw. jene Gnade vermittelt, woran teilzuhaben Paulus an den Philippern rühmt. Weil durch ihn vermittelt, ist es »seine« Gnade.
»Der fast gewaltsam dichte Ausdruck« bedarf dringend der Auflösung. Lohmeyers eigener Vorschlag: οἵτινες ἔχετε σὺν ἐμοὶ τὴν κοινωνίαν τῆς χάριτός μου schafft jedoch nur wenig Klarheit[343].

---

[338] Lohmeyer, Phil 183, und Gnilka, Phil 176, weisen ausdrücklich darauf hin.
[339] Lohmeyer a.a.O. 25 A. 2.
[340] Daß συγκοινωνούς 1,7 einen Zustand, συγκοινωνήσαντες 4,14 ein Verhalten ausdrückt, bedeutet allerdings einen nicht zu übersehenden Unterschied.
[341] Vgl. 1 Kor 3,10; Gal 2,9; Röm 12,3.6; 15,5, wo ἡ χάρις ἡ δοθεῖσά μοι immer die besondere Gnade des apostolischen Amtes meint. Vgl. Blank, Paulus und Jesus 184–197.
[342] Lohmeyer a.a.O. 26f.
[343] Lohmeyer a.a.O. 26 A. 1; dabei unterliegt das σὺν ἐμοί schwersten Bedenken.

Ausgangspunkt für die Auflösung der Wendung muß doch wohl συγκοινω-νοί[344] sein: Apostel und Gemeinde stehen miteinander in einem Gemeinschafts-verhältnis, dadurch, daß die Gemeinde durch ihn Anteil erhielt an der Gnade –»seiner Gnade«, weil durch ihn vermittelt. Die Verbindung συν – κοινωνοί wird dann das Moment des Gemeinsamen verstärken, auch wenn es damit in Spannung steht zu dem nachgetragenen πάντας ὑμᾶς. Letzteres bringt aber zweifellos keinen neuen Aspekt ins Spiel, sondern verstärkt nur einen schon ausgedrückten. E. Lohmeyer und J. Gnilka dürften dessen Tendenz richtig deuten, wenn sie in πάντας ὑμᾶς »eine versteckte Mahnung zur Einmütigkeit«[345] sehen. Niemand sollte sich ausgeschlossen fühlen dürfen: alle in der Gemeinde sind Mitteilhaber seiner Gnade, alle gemeinsam – und ohne Ausnahme.

Auch wenn Paulus die κοινωνία, die ihn und die Gemeinde der Philipper verbindet, unangefochten weiß (vgl. 4,14), läßt er es doch in seinem Brief auch sonst an Hinweisen auf immer größere Einmütigkeit nicht fehlen[346]. Was mit συγκοινωνοί verstärkt wird, ist demnach doch wohl eindeutig das Moment des Gemeinsamen.

3. Die Gemeinsamkeit der Teilhabe an den Verheißungen des Evangeliums

1 Kor 9,23

πάντα δὲ ποιῶ διὰ τὸ εὐαγγέλιον, ἵνα συγκοινωνὸς αὐτοῦ γένωμαι.

»Alles aber tue ich wegen des Evangeliums, damit ich Mitteilhaber an ihm werde.«

Von dieser Stelle kann erst jetzt gesprochen werden; denn aus ihr allein wäre der Sinn von συγκοινωνός nur schwer zu bestimmen. J. Weiß hat sorgfältig Beob-achtungen zusammengestellt, die ihm den Schluß nahelegten, der zum Folgenden überleitende V 23 stamme »vielleicht nicht von P. selber, sondern von einem Sammler und Redaktor«[347]. Er registriert: »V. 23 fällt aus dem streng geschlossenen Gefüge V. 19–22 schon formell heraus«. πάντα δὲ ποιῶ ist eine »nichtssagende Zusammenfassung des Vorigen« und der Hinweis auf διὰ τὸ εὐαγγέλιον »eine nach der Spezialisierung in V. 19–22 auffallende Allgemeinheit«.

»Frappierend« ist schließlich die im ἵνα-Satz liegende »Wendung ins Subjekti-ve«: »bisher war nur davon die Rede, daß P. um der *Sache* des Ev. willen sich anpasse«, jetzt tut er plötzlich »alles um seines[348] Heiles willen«. »Denn nur darin

---

[344] Schon die Eintragung von κοινωνία verzerrt bei Lohmeyer die Akzente.
[345] Gnilka, Phil 49 (mit Lohmeyer, Phil 27).
[346] vgl. 1,9f. 25f. 27; 2,1ff; 4,2f.
[347] J. Weiß, 1 Kor 246 (dort auch alle folgenden Zitate).
[348] Conzelmann, 1 Kor 191, spricht von einer »utilitaristisch« klingenden Wendung ins Subjektive.

kann das συγκοινωνεῖν τοῦ εὐαγγελίου bestehen, daß er an den Gütern mit Anteil bekommt, welche jene Heilsbotschaft verheißt«.

Dieser Auslegung von συγκοινωνεῖν scheint mir nichts hinzuzufügen. Der Schluß, den J. Weiß aus diesen gewiß richtigen Beobachtungen zog, dürfte dennoch nicht gerechtfertigt sein. Bedenkt man den Gesamtkontext von 1 Kor 8–10, ergibt sich ein zwar vielfach unterbrochener, aber nichtsdestoweniger geschlossener Gedankengang. Paulus will durchgängig den Verzicht auf ἐξουσίαι motivieren mit dem Hinweis auf das Heil der Brüder. Rücksichtslose Ausübung von ἐξουσίαι führt leicht zur Versündigung an den Brüdern und damit an Christus (vgl. 8,12). So kann einer sein Heil aufs Spiel setzen, auch wenn er nur sein gutes »Recht« wahrzunehmen glaubt; er geht der Teilhabe an den Verheißungen des Evangeliums verlustig. Diese Implikationen ergeben sich zwingend aus Kap. 9, wo Paulus seinen eigenen Verzicht auf die Rechte am Evangelium, die ihm als Apostel und Gemeindegründer zustehen, erläutert. Wollte er seine ἐξουσίαι ausnutzen, könnte er leicht dem Evangelium ein Hindernis bereiten (vgl. 9,12). Statt Menschen zu gewinnen, würde er sie abstoßen, statt sie zu retten (vgl. 9,22) – würde er am Ende selbst ausgeschlossen von den Heilsverheißungen des Evangeliums.

Denselben Gedanken formuliert 9,27 so: »daß ich nicht etwa, anderen verkündet habend, selbst unbewährt dastehe«. V 23 fällt demnach keineswegs so aus dem Zusammenhang, wie J. Weiß das glauben machen will. Er nimmt, wenn auch in einer sehr allgemeinen Form, den leitenden Grundgedanken auf (vgl. 10,32 f), daß die Annahme des Evangeliums ein nach allen Seiten hin unanstößiges Verhalten fordert, das nicht den eigenen Nutzen sucht, sondern den der Vielen, auf daß sie gerettet werden. Daß das eigene Heil von dieser Rücksicht auf die Rettung der anderen abhängt, ist sozusagen nur die Rückseite desselben Gedankens. Sie wird in 9,23 und 27 angesprochen[349] und am Beispiel der Väter in 10,1–10 ausdrücklich illustriert: auch sie waren erwählt und wurden verworfen, weil es sie nach dem Bösen gelüstete (vgl. 10,1.6). Solcher Verwerfung zu entgehen, meint Paulus, lohnt sich jeder Verzicht und jeder Einsatz. Er demonstriert es an sich selbst: seinem Verzicht auf die Apostelrechte am Evangelium (9,1–18) und an seinem Bemühen, allen alles zu werden (9,19–22). Auf diese Weise hofft er als Verkünder (vgl. 9,27) zusammen mit jenen[350], denen er das Evangelium verkündete, dessen Verheißungen teilhaft zu werden.

Die Bedeutung des συν in συγκοινωνός ist damit geklärt, das aus Phil 1,7; 4,14 gewonnene Ergebnis erhärtet: συγκοινωνός ist »im Hinblick auf die τινες geschrieben« und kann nur bedeuten, daß der Apostel »mit Anteil bekommt« an den Gütern, »welche jene Heilsbotschaft verheißt«[351].

---

[349] Daß V 27 dem V 23 »entspricht«, vermerkt auch Conzelmann, 1 Kor 191.
[350] Lietzmann, 1 Kor 43, hat gerade diesen Aspekt des gemeinsam mit jemand Anteilbekommens übergangen.
[351] J. Weiß, 1 Kor 246.

Was συν hervorhebt, ist also auch hier die Gemeinsamkeit des Teilhabens – zusammen mit anderen[352].

Röm 11,17

. . . καὶ συγκοινωνὸς τῆς ῥίζης τῆς πιότητος τῆς ἐλαίας ἐγένου . . .

». . . du aber, der du von einem wilden Ölbaum stammst, unter ihnen eingepfropft worden bist und Mitteilhaber der saftreichen Wurzel des Ölbaums wurdest, . . .«

Auch diese Stelle spricht eindeutig vom Verhältnis gemeinsamer Teilhabe. Den Heidenchristen wird gesagt, daß sie keinen Grund und kein Recht haben, sich gegenüber dem Volk Israel erhaben zu dünken. Zwar habe Gott aus dem »Ölbaum« Israel Zweige ausbrechen müssen; aber nicht der Ölbaum selbst wurde vernichtet, nur bestimmte Zweige mußten infolge ihres Unglaubens entfernt werden. Andere Zweige sind am Stamm verblieben, und unter sie wurden die Heidenchristen gleichsam eingepfropft. Die Heidenchristen sollten daher nie vergessen, daß sie von einem wilden Ölbaum stammen und daß ihre Berufung darin besteht, »gemeinsam mit dem Judenchristentum Anteil an der Fettigkeit der Wurzel gewonnen zu haben«. O. Michel[353] expliziert dies so: »Die ›Wurzel‹ des Ölbaumes besteht in den Erzvätern, die Fettigkeit der ›Wurzel‹ in der Erwählung, die den Erzvätern zuteil wurde, und die die gleiche ist wie die unsrige«.

Worauf es in unserem Zusammenhang allein ankommt, sollte jedenfalls nicht bestritten werden können:

συγκοινωνός bezeichnet ein Gemeinschaftsverhältnis, bei dem die gemeinsame Teilhabe mit anderen an etwas akzentuiert ist.

---

[352] Kümmels Einspruch (im Anhang zu Lietzmann, 1 Kor 180), συγκοινωνός heiße niemals »aktiver Teilnehmer«, ist mir unverständlich und wird durch seine berechtigte Ablehnung der Übersetzung »Mitarbeiter am Evangelium« nicht erzwungen.

[353] Michel, Röm 274–277; hier 276.

IV. KAPITEL

A. Die Kollekte der paulinischen Gemeinden für Jerusalem

Gal 2,9.10

⁹ καὶ γνόντες τὴν χάριν τὴν δοθεῖσάν μοι Ἰάκωβος καὶ Κηφᾶς καὶ Ἰωάν-νης, οἱ δοκοῦντες στῦλοι εἶναι, δεξιὰς ἔδωκαν ἐμοὶ καὶ Βαρναβᾷ κοινωνίας, ἵνα ἡμεῖς εἰς τὰ ἔθνη, αὐτοὶ δὲ εἰς τὴν περιτομήν · ¹⁰ μόνον τῶν πτωχῶν ἵνα μνημονεύωμεν, ὃ καὶ ἐσπούδασα αὐτὸ τοῦτο ποιῆσαι.

»⁹ Und erkennend die mir gegebene Gnade gaben Jakobus und Kephas und Johannes, die als Säulen Geltenden, mir und Barnabas die Hand zu Gemeinschaft, daß wir zu den Heiden, sie aber zu den Beschnittenen (gehen sollten[1]); ¹⁰ nur der Armen daß wir gedächten – und gerade dies habe ich mich befleißigt zu tun«.

Nur an ganz wenigen Stellen findet H. Seesemann im NT die Bedeutung »Gemeinschaft« für κοινωνία gerechtfertigt[2], v. a. an den beiden Stellen, wo κοινωνία absolut gebraucht ist: Apg 2,42 und Gal 2,9, wobei hier nur letztere einer näheren Betrachtung unterzogen wird[3].

Eine solche neuerliche Betrachtung könnte leicht überflüssig erscheinen, wenn ohnehin Übereinstimmung zu bestehen scheint. Die Frage ist jedoch, wie weit reicht die Übereinstimmung? Und wie ist die »Gemeinschaft« von Gal 2,9 näherhin zu verstehen? Worin ist sie begründet und welche Bedeutung kommt ihr aus dem gesamten Kontext heraus zu? Die verschiedenartigen Antworten, die sich auf all diese Fragen in der Kommentarliteratur finden, sollten Grund genug sein, einen neuen Versuch zur Klärung zu unternehmen. Und Seesemann selbst ermuntert dazu am allermeisten, wenn er in seiner Ergebnisübersicht[4] ausgerechnet zu Gal 2,9 feststellt, κοινωνία habe hier die Bedeutung »die ›Gemeinschaft‹ im Sinne von ›Einigkeit, gemeinsames Anteilhaben‹«. Diese Präzisierung ist – wie wir sehen werden – gerade an dieser Stelle gänzlich ohne Anlaß. Sie deckt sich

---

[1] Es macht keinen großen Unterschied, ob man nun εὐαγγελιζώμεθα (bzw. εὐαγγελί-ζωνται) oder πορευθῶμεν (bzw. πορευθῶσιν) sinngemäß ergänzt; vgl. dazu etwa Sieffert, Gal 120.

Unberührt davon ist die Sachfrage, ob die beabsichtigte Scheidung eine geographische oder ethnographische sein sollte, eine prinzipielle oder einfach Paulus konzedierte, ob nur eine Scheidung der »Missionsbemühungen« (Eckert, Verkündigung 195), »Arbeitsfelder« (Dalmer, Gal 62) oder aber gar eine Trennung der Zuständigkeit und Verantwortung (Bring, Gal 74, spricht z. B. von »Hauptverantwortung«).

[2] Vgl. Seesemann a.a.O. 86.

[3] Als nicht paulinischer, wenn auch möglicherweise vom paulinischen Sprachgebrauch beeinflußter Text, bleibt Apg 2,42 hier außer Betracht.

[4] Seesemann a.a.O. 99.

zwar mit unserem bisher entwickelten Ergebnis, wird aber eben dort, wo sie zwingend geboten schien, von Seesemann abgelehnt, jedenfalls nicht ernsthaft zur Erhellung der mit κοινωνία ausgedrückten Sachverhalte in Erwägung gezogen[5].

Für die Auslegung von Gal 2,1–10 ist nun von Bedeutung, daß man V 9f aus dem von vielen Parenthesen gestörten und mit oft bis heute ungeklärten Anspielungen und Einschränkungen überladenen Text herauslösen und mit einiger Berechtigung für sich betrachten kann; denn diese Verse bringen »das Ergebnis der Verhandlungen«[6] von Jerusalem.

Mit W. Bousset[7] wird man dazu sagen können: »Das Resultat der gesamten Verhandlungen war für Paulus ein durchaus günstiges«. »Der Erfolg hatte für ihn gesprochen, die Gründung der heidenchristlichen Kirche durch ihn hatte sich als eine mindestens ebenso gewaltige Tatsache erwiesen, wie die Gründung der judenchristlichen Gemeinde durch Petrus«. »Hinter beiden stand mit seiner Wirksamkeit, für jedes Auge erkennbar, derselbe allmächtige Gott. Da waren die Maßgebenden groß genug gewesen, sich der Gnade Gottes, die so deutlich gesprochen hatte, zu beugen«. »So wurde unter feierlichem Handschlag[8] das Bündnis und der schicksalsschwere Vertrag geschlossen, der die Einheit der neuen Bewegung wahrte«.

Es ist nun aber sehr die Frage, ob mit »Bündnis« und »Vertrag schließen« die Wendung δεξιὰς ἔδωκαν (ἐμοὶ καὶ Βαρναβᾷ) κοινωνίας in V 9 angemessen wiedergegeben ist. Th. Zahn[9] hält dem entgegen: »Mag sonst δεξιάν oder δεξιὰς διδόναι ein bereits zur Metapher gewordener Ausdruck für einen Vertrags- oder Friedensschluß sein[10] . . ., so muß doch hier, wo von einem vorangegangenen Streit oder auch nur von einem gespannten Verhältnis zwischen Paulus und den δοκοῦντες jede Andeutung fehlt, es sich also nur um die äußere Darstellung der jetzt zum vollen Bewußtsein gekommenen Übereinstimmung zwischen ihnen im Gegensatz zur feindseligen Haltung der falschen Brüder handeln kann, der Ausdruck im eigentlichen Sinn genommen werden«, d. h. als Handschlag.

Ein wesentlich stärkeres Gegenargument scheint mir jedoch gerade in der Hinzufügung von κοινωνία selbst zu liegen. Hieße es nur δεξιὰς ἔδωκαν,

---

[5] Vgl. v. a. Seesemanns Aussagen zu 1 Kor 10,16ff a.a.O. 34–56, besonders 44.51.

[6] Eckert, Verkündigung 191. Wenn Meyer, Gal 85f A. 2, und in seiner Gefolgschaft Sieffert, Gal 117 A. 2, nur von einem »Fortschritt der Schilderung« sprechen, bezieht sich dies lediglich auf den Anschluß mit καὶ γνόντες an ἰδόντες in V 7.

[7] Bousset, Gal 44.

[8] Über die Modalitäten dieses »feierlichen« Handschlags ist viel gerätselt worden; vgl. Zahn, Gal 104: »nicht heimlich«, »in Gegenwart einer größeren Versammlung«, »womöglich auch im Beisein von Vertretern der Parteien, gegen welche demonstriert werden sollte«; ähnlich Mußner, Gal 121: »öffentliche (vielleicht gegen die ›Falschbrüder‹ demonstrativ gerichtete) Besiegelung der bleibenden ›Gemeinschaft‹«.
Notwendig sind derartige Überlegungen jedoch keineswegs; sie haben ohnehin nur den Wert von Vermutungen.

[9] Zahn, Gal 103f.

[10] Zahn verweist auf 1 Makk 6,58; 11,62; Jos., Bell. IV, 2,2.

könnte man all denen zustimmen, die wie H. A. W. Meyer[11] betonen: »Das Geben der Rechten ist Bundes-Symbol«. Meyer sieht in κοινωνία »das qualitative Moment hervortreten« und übersetzt: »die Gemeinschafts-Rechten«. Er denkt also an so etwas wie »Eides-Hände«. Dafür hinkt κοινωνίας aber viel zu stark nach und steht zu deutlich in Beziehung zum erklärend angefügten ἵνα-Satz. Außerdem dürfte man nicht übersehen, daß Paulus nicht nach Jerusalem gekommen war, um einen Vertrag auszuhandeln. Seine Besorgnis in V 2: μή πως εἰς κενὸν τρέχω ἢ ἔδραμον, ob er nicht ins Leere liefe oder gelaufen sei, wird man durchaus ernst nehmen müssen. Was er in Jerusalem sucht, ist eine Bestätigung der Richtigkeit seines gesetzesfreien Evangeliums, eine Demonstration der Einheit[12] mit den Jerusalemer Autoritäten[13] – zur Abwehr der Gegner, die sie bestreiten. Und eben diesen Sinn mußte der Handschlag haben, nicht Konzession und Bündnis, mit dem ihm freie Hand gelassen wurde in den Fragen der Heidenmission, sondern »Demonstration der Einheit«.

A. Bisping[14] sieht dies am deutlichsten, wenn er konstatiert: »Paulus sagt: δεξιὰς ἔδωκαν – κοινωνίας, weil seine Gegner ohne Zweifel auf *Exkommunication* des Gesetzesverächters angetragen hatten«. Um derartiges muß es – der Sache nach – tatsächlich gegangen sein, sonst ließe sich die Schärfe der gesamten Ausführungen des Galaterbriefs und speziell die der Apologie von Gal 1 und 2 kaum verstehen.

Man spielt doch wohl die Bedeutung jener Vorgänge – vor allem in Gal 2 – ganz ungerechtfertigt herunter, wenn man – wie W. Bousset[15] – behauptet: »Das ganze ist mehr, als es gewöhnlich geschieht, als ein persönliches Erlebnis des Paulus aufzufassen. Von einer offiziellen Verhandlung . . . und einem offiziellen Resultat kann gar keine Rede sein«.»Unter dem Eindruck der überragenden Persönlichkeit des Paulus haben die führenden Persönlichkeiten dem Paulus freundlich erklärt, daß sie ihn in seiner Tätigkeit gewähren lassen wollten, und ihm als Zeichen gemeinschaftlicher Gesinnung den Handschlag gegeben«. Dem steht der Text (und dem steht die Geschichte des Urchristentums) eindeutig entgegen. Es

---

[11] Meyer, Gal 88; vgl. Lightfoot, Gal 110: »gave pledges«; d. h. die Redewendung ist zu verstehen »as a symbol of contract or friendship«; so dann auch Burton, Gal 95 f. Auch Mußner, Gal 121, gibt die Auskunft: δεξιά bzw. δεξιαί habe »geradezu die Bedeutung ›Bündnis, Vertrag‹«.

[12] Zur Kontextbestimmung verweise ich auf meine Arbeit »Ekklesia« 104–126, v. a. 113–119.

[13] Vgl. Eckert, Verkündigung 208: Was in Gal 1 und 2 durchgängig erörtert wird, ist »das Verhältnis des Paulus zu den Autoritäten der Urgemeinde«; und bei dieser »Frage nach den Autoritäten in der Urkirche« geht es für Paulus ganz wesentlich um die Übereinstimmung seiner eigenen Autorität mit jener der Jerusalemer, die vor ihm »Apostel« waren.

[14] Bisping, Gal 216. Dies trifft zumindest die Tendenz der paulinischen Gegenargumentation. Daß die Falschbrüder von V 4 in Jerusalem – oder Antiochia – auch formell einen solchen Antrag eingebracht hätten, wird damit nicht behauptet.

[15] Bousset, Gal 45.

wurde mit dem Handschlag zu Jerusalem eine κοινωνία besiegelt, die in einer
der schwierigsten Fragen der frühen Christenheit eine, wenn auch vorläufi-
ge, noch nicht völlig befriedigende und auch keineswegs dauerhafte Lösung
brachte. Die Einheit von gesetzestreuem Judenchristentum und gesetzesfreiem
Heidenchristentum, die damals durchaus hätte zerbrechen können, blieb gewahrt[16].

Auch wenn man annehmen wollte, daß Paulus tatsächlich κατὰ ἀποκάλυψιν
(vgl. V 2), völlig aus eigenem Antrieb und aus eigenstem Interesse nach Jerusalem
hinaufging, darf man doch nicht vergessen, daß ihn dazu die Situation in vielfältig-
ster Weise zwang. Nicht zuletzt die Gegner in seinen Gemeinden, die sein Werk in
empfindlichster Weise zu stören, ja zu zerstören imstande waren[17], nötigten zur
Klärung. Und da sie vornehmlich die Jerusalemer Autoritäten (und Traditionen)
gegen Paulus ausgespielt haben werden, konnte nur in direkter Auseinandersetzung mit diesen eine Verständigung gesucht werden. Im übrigen läßt sich ja nicht
einmal ausschließen, daß Paulus nicht doch in irgendeiner Form nach Jerusalem
»zitiert« wurde. Zwar dürfte man dies nach seiner eigenen Darstellung der Dinge
nicht in Betracht ziehen; doch geschieht die auffällige Betonung seiner Freiheit
und Selbständigkeit möglicherweise nicht ohne tendenziöse Absicht.

Wie immer dem sei: Die Entwicklung hatte damals einen derart spannungsgela-
denen Status erreicht, daß er eine Bedrohung der Einheit darstellte und drängend
nach Klärung verlangte. Hier kann man nicht von einer privaten Angelegenheit
des Paulus reden. Es müssen also alle Auffassungen zurückgewiesen werden, die
in Gal 2,9 lediglich ein Bündnis im Sinne des Gewähren-lassens des Paulus seitens
der Jerusalemer Autoritäten sehen wollen. Nicht ohne Grund erwähnt Paulus in
2,9 die volle Übereinstimmung gerade mit den drei führenden Männern der
Jerusalemer Gemeinde; an ihrer Spitze Jakobus[18]. Wie immer seine Voranstellung

---

[16] Vgl. Eckert, Verkündigung 191: »›der Handschlag der Gemeinschaft‹ dokumentiert
die Einigung, die jedoch gerade getrennte Wege für die Missionsbemühungen vereinbarte«.
Mußner, Gal 123: die Abmachung »diente also letzten Endes dem innerkirchlichen
Frieden«.

Schon Weizsäcker, Das apostolische Zeitalter 161, sah in dieser »Hand der Gemeinschaft«
ein »Zeichen der Gemeinschaft«. »Und diese Gemeinschaft, κοινωνία . . ., ist nicht bloß
persönliche Anerkennung oder Ausdruck einer Bundesgenossenschaft für den verwandten
Zweck, sondern die Anerkennung der Glaubens- und Heiligtumsgemeinschaft«. Im Blick
auf die damals bedrohte Einheit zwischen den Heiden- und Judenchristen, zwischen Paulus
und den Jerusalemern, folgert Weizsäcker: Diese κοινωνία, »in welche sie mit dem
Heidenapostel unter Anerkennung ihres Verfahrens traten, ist der *Anfang der großen
christlichen Kirche*« (Hervorhebung von mir).

[17] Gal und 2 Kor sind dafür die sprechendsten Zeugnisse.

[18] Zu den Fragen um seine Person, um seine Stellung in der Jerusalemer Gemeinde und
seine gesamtkirchliche Funktion braucht hier nicht Stellung genommen zu werden. Vgl.
dazu Bisping, Gal 215; Zahn, Gal 103; ferner die bei Eckert, Verkündigung 190f, angegebe-
ne Literatur.

zu werten sein mag[19], seine Rolle als Autorität speziell für die Judenchristen[20] ist unbestreitbar, und damit auch das Gewicht seiner Nennung für die Argumentation des Paulus:»Auch er hat dem Paulus die Rechte gereicht, auch er hielt es also nicht für notwendig, daß die Heidenchristen das Gesetz beobachteten, auch er hat das Recht des paulinischen Heidenevangeliums anerkannt«[21].

Am stärksten unterstreicht diese Gesamttendenz die besonders gewichtige Hinzufügung von οἱ δοκοῦντες στῦλοι εἶναι zu den Namen in V 9[22]. Es waren nicht irgendwelche Verhandlungspartner, mit denen Paulus es zu tun hatte, sondern »die für Säulen gelten, die nach allgemeiner Meinung die Stellung tragender Säulen in dem Gebäude[23] der christlichen Kirche einnehmen. Wenn diese Säulenmänner sein Evangelium anerkannt haben, wie können dann die Judaisten sich herausnehmen, es für einen grundstürzenden Irrtum zu erklären und zu sagen, daß es nicht zur Seligkeit führen könne!«[24]

Versucht man nun das Fazit im Blick auf δεξιὰς ἔδωκαν – κοινωνίας zu ziehen, wird man mit J. Dalmer zunächst vorsichtig formulieren:»Daß sie einander die Hand gaben, sollte ein Zeichen der Gemeinschaft sein; sie fühlten sich miteinander verbunden dadurch, daß sie zusammen an der einen Aufgabe der Ausbreitung des Evangeliums arbeiteten. Nur die Arbeitsfelder sollten verschieden sein«[25]. Dalmer gibt bereits einen Hinweis auf das, was die κοινωνία in den Augen aller Beteiligten begründet und den Handschlag als Ausdruck des Willens zur Gemeinschaft ermöglicht haben wird: die »gemeinsame Teilhabe« an der »Aufgabe der Ausbreitung des Evangeliums«. Es wird jedoch zu prüfen sein, ob damit schon alles gesagt ist, was der Text impliziert.

Auf alle Fälle sind wir weit entfernt von einem »Vertrag«. Der »unlogisch«[26],

---

[19] Vgl. Eckert, Verkündigung 191: es ist »kaum angängig, einen der verschiedenen Erklärungsversuche als den einzig möglichen zu bezeichnen«.

[20] Eine große Zahl von Exegeten sieht darin entweder *den* oder doch *einen* möglichen Grund für die Voranstellung des Jakobus. Vgl. z. B. Bisping, Gal 215 f; Schaefer, Gal 242; Lagrange, Gal 37; Oepke, Gal 50; ferner Gaechter, Petrus und seine Zeit 278; Fürst, Paulus und die »Säulen« der Jerusalemer Urgemeinde 9; Conzelmann, Urchristentum 41.

[21] Dalmer, Gal 61.

[22] In welchem Verhältnis diese στῦλοι zum Kreis der δοκοῦντες von V 2 bzw. der δοκοῦντες εἶναί τι von V 6 stehen, kann hier vernachlässigt werden; vgl. dazu Schlier, Gal 67(-79). Daß die Bezeichnung der führenden Männer als στῦλοι aus dem Munde der Judaisten stammt, ist immerhin möglich; vgl. Zahn, Gal 103.

[23] Von einem »Tempel« zu reden, ist vom paulinischen Sprachgebrauch her nicht gerechtfertigt (gegen Lightfoot, Gal 109 f); allenfalls wäre hier an einen »Bau« zu denken, wie ihn 1 Kor 3,9 ff im Sinn hat; doch ist auch diese Annahme nicht zwingend. Die Rede von den στῦλοι in der Bedeutung »tragende Pfeiler« ist allgemeinster Natur und durch zahlreiche Beispiele aus der Antike als geläufige Sprachformel belegt. Vgl. Meyer, Gal 87; Lightfoot, Gal 109 f; Lietzmann, Gal 13.

[24] Dalmer, Gal 61 f.

[25] A.a.O. 62.

[26] Lietzmann, Gal 13: der Finalsatz ist »abhängig von dem unausgesprochenen Gedanken: ›mit der näheren Bestimmung‹«. Dazu Lightfoot, Gal 110: »The ellipsis of the verb

aber zur Erklärung angefügte Finalsatz ἵνα ἡμεῖς εἰς τὰ ἔθνη

... gibt keine Vertragspunkte wieder, sondern lediglich die Tendenz der praktischen Realisierbarkeit der κοινωνία.

Ich möchte daher auch darin Dalmer zustimmen: »Der Streit«, »ob diese Abmachung geographisch oder ethnographisch gemeint sei«, – »ist überflüssig«.

»Was ausgemacht wurde, war dies, daß die Heidenmission die Aufgabe des Paulus und Barnabas sein sollte, während die alten Apostel nach wie vor ihren Beruf in der Verkündigung des Evangliums an die Juden sahen«[27]. Damit wurde im Grunde nur bestätigt, was sich bis dahin an Entwicklung faktisch ohnehin ergeben hatte[28]. Immerhin fand diese Entwicklung nun ihre offizielle Anerkennung[29]. »Die dabei selbstverständlich und notwendig mit der Praxis verknüpften, zunächst schon durch die jüdische Diaspora bedingten Modifikationen, nach welchen sich die prinzipielle Scheidung der Wirkungskreise in der Tat nur relativ und ohne ausschließliche geographische und ethnographische Abgrenzung durchführen ließ, beruhten auf sich und blieben unbesprochen«[30]. Darin lag weiter Zündstoff, von dessen Gefährlichkeit Gal 2,11–14 eine lebhafte Anschauung vermittelt.

Es dürfte demnach nicht korrekt sein, vom ἵνα-Satz V 9 zu sagen, er enthalte die »Bedingungen der Abmachung« von Jerusalem und κοινωνία müsse daher »offenbar als ›Vertrag‹ verstanden werden«[31]. V 9 enthält (und zwar ihrer Tendenz nach) die Abmachungen selbst, von denen man hoffte, daß sie auch künftig die κοινωνία zu gewährleisten imstande sein würden.

Kontext und V 9 selbst lassen also nur die eine Möglichkeit, δεξιὰς ἔδωκαν – κοινωνίας als Austausch eines Händedrucks zu verstehen, der nicht nur die bestehende »Gemeinschaft« zeichenhaft ausdrücken und bestätigen, sondern auch für die Zukunft als Ausdruck des Willens zur Gemeinschaft wirksam bleiben sollte.

κοινωνία bezeichnet also in Gal 2,9 in jedem Fall »Gemeinschaft«, und zwar im Sinne von »Einheit«. Berücksichtigt man die explizierten Komponenten, kommt in κοινωνία gerade auch der »Wille zur Gemeinschaft« und damit der »Wille zur Einheit« deutlich zum Ausdruck.

occurs in St Paul under various conditions. A foregoing ἵνα is one of these; see 1 Cor 1,31; 2 Cor 8,13; Röm 4,16: comp. 2 Cor 8,11«.
[27] Dalmer, Gal 62. Er zitiert ein treffendes Wort von Haupt, Gal 67: »So wenig Paulus geholt zu werden brauchte, wenn ein Heide in Palästina sich bekehren wollte, so wenig Petrus, wenn das Entsprechende in Korinth geschah«.
[28] Diese Einstellung der frühen Christenheit läßt sich allenthalben an Beispielen verdeutlichen und hat geradezu prinzipielle Bedeutung.
[29] Es genügt nicht, mit Zahn, Gal 107, zu sagen, daß »das Neue nur in der ausdrücklichen Feststellung des bereits herausgebildeten Zustandes lag«; entscheidend ist dessen ausdrückliche Billigung.
[30] Sieffert, Gal 120, im Anschluß an Meyer, Gal 88, der »Praxis«, »Modifikationen« und »ausschließliche« Abgrenzung noch eigens hervorhob.
[31] Seesemann a.a.O. 86.

Offen ist nun noch die Frage, die mit J. Dalmers Aussage aufgeworfen war: Das Gefühl, »zusammen an der einen Aufgabe der Ausbreitung des Evangeliums« zu arbeiten, stehe hinter dem »Zeichen der Gemeinschaft« von Gal 2,9 und drücke sich in ihm aus.

Läßt sich die behauptete Begriffsfüllung »Gemeinschaft (mit jemand) *durch* gemeinsame Teilhabe (an etwas)« auch in Gal 2,9 verifizieren – trotz des absoluten Gebrauchs? Erstaunlicherweise bejaht H. Seesemann diese Frage (wie eingangs bemerkt), ohne ihr überhaupt in der Exegese dieses Verses nachgegangen zu sein[32] (und obwohl er dieser Erklärung auch sonst keinen Raum gibt). In Seesemanns Besprechung von Gal 2,9 findet sich lediglich Zustimmung zu H. Lietzmanns[33] Umschreibung des Verses: »Sie bekräftigten durch Handschlag, daß sie uns als κοινωνοὶ[34] Χριστοῦ und ἐν Χριστῷ anerkannten«. Ob allerdings diese »Umschreibung« so »richtig« ist, wie Seesemann meint[35], und ob sie zur Klärung des Begriffsinhalts von κοινωνία etwas beiträgt? Das wird man doch sehr bezweifeln müssen. Die Einführung von Χριστοῦ und ἐν Χριστῷ ist völlig willkürlich und durch nichts nahegelegt[36]. Es geht ausschließlich um die Gemeinschaft, wie sie zwischen Paulus und Jerusalem bestand.

Der Sache näher kommt hier Th. Zahn[37]. Er formuliert als »Ergebnis«, »daß die drei Säulenmänner die zwei Heidenmissionare feierlich durch Handschlag als ihre Genossen anerkannten und zwar mit der Bestimmung, daß diese in der Richtung auf die Heiden tätig seien, während sie selbst in der Richtung auf die Beschnittenen arbeiteten«. Erst »das den Sinn des Handschlags bestimmende κοινωνίας« lasse dabei diesen »den Anschein . . . einer Vereinigung von Brüdern zu gleichem Zweck gewinnen«. Zahns Schlußfolgerung lautet nun: Diese Anerkennung »als Teilhaber an ihrer Berufsarbeit« setze die »Teilhaberschaft an dem gleichen Heil und Heilsglauben« voraus.

Er operiert offensichtlich mit jenem Element »Teilhabe (an etwas)«, ohne es überzeugend einbringen zu können. Auch er liefert im Grunde nur Umschreibun-

---

[32] Vgl. Seesemann a.a.O. 99 mit 86f.

[33] Überhaupt neigt Seesemann dazu, Lietzmanns Auffassungen allzu bereitwillig zu übernehmen; vgl. a.a.O. 5,25,43,44,53,102.

[34] Ähnlich meinte schon de Wette, Gal 21, von »Genossen (in der Wirksamkeit)« sprechen zu sollen.

[35] A.a.O. 87. Die Richtigkeit gewährleistet ihm die Erklärung des Theophylakt (MSG 124, Sp. 973): διὸ καὶ ʼδεξιὰς ἔδωκανʼ, τουτέστι, συνεφώνησαν, καὶ κοινωνοὺς ἡμᾶς ἐποιήσαντο, καὶ ἔδειξαν ὅτι ἀρέσκονται τῷ κηρύγματί μου ὡς μηδὲν διαφέροντι τοῦ λόγου αὐτῶν. Theophylakt bleibt aber offenbar viel näher am Text als Lietzmann und Seesemann, wenn er die Übereinstimmung betont, die in der Handreichung zum Ausdruck kommt, und das Gemeinschaftsverhältnis, in welches die Jerusalemer Paulus aufnahmen. Auch die Rolle des paulinischen Evangeliums ist sachgemäß eingeführt. Übertrieben scheint lediglich die Unterschiedslosigkeit zur Verkündigung der Jerusalemer.

[36] In der Zusage der Gemeinschaft lag zugleich die Anerkennung, »daß Gemeinschaft des *Geistes* bestehe«, meint Wörner, Gal 57. Das ist genauso willkürlich.

[37] Zahn, Gal 104.

gen und setzt mit κοινωνοί einen Akzent, der vom Text nicht gedeckt wird. Es wird nicht auf das Genossesein zwischen Paulus und den Jerusalemer Autoritäten abgehoben[38], sondern auf die – beide umgreifende – Gemeinschaft, Übereinstimmung, Einheit, die durch ihren Handschlag bekräftigt wird[39].

Will man also vermeiden, willkürlich dieses oder jenes Element zu benennen, das die Gemeinschaft (durch Teilhabe an etwas) begründet, bleibt nur der auf κοινωνία folgende und es in gewisser Weise erklärende ἵνα-Satz.

Zwar ist nicht mit letzter Sicherheit zu bestimmen, wie die fehlenden gedanklichen Zwischenglieder[40] und das zu ergänzende Prädikat aussehen müßten[41]; doch daß die vollmächtige apostolische Verkündigung des Evangeliums auf dem Spiele steht, geht aus V 9c und aus dem Kontext von Gal 2,1–10 völlig eindeutig hervor. Was Paulus in Jerusalem von den führenden Autoritäten der Urgemeinde zu erreichen suchte, war ja nichts anderes als die Bestätigung der Richtigkeit seines gesetzesfreien Evangeliums (und damit auch der Unabhängigkeit seiner gesamten Mission)[42].

Nun wäre der »Handschlag zu Gemeinschaft« unverständlich, wäre diese Bestätigung verweigert worden. Diese kann aber nur gegeben worden sein, wenn wenigstens grundsätzlich Übereinstimmung darüber erzielt wurde, daß es sich bei aller Verschiedenartigkeit der Ausprägung[43] bei dem Evangelium des Paulus und dem Evangelium der »Geltenden« im Kern doch um ein einziges Evangelium handelte.

Demnach ist es keine dem Text nur aufgezwungene Behauptung, wenn man

---

[38] Vgl. S. 129 A. 35; zu Theophylakts Auslegung wäre in diesem Punkt dasselbe kritisch anzumerken. Von »Genossen« und von der »Anerkennung eines brüderlichen Gemeinschaftsverhältnisses« spricht auch Lipsius, Gal 26; ähnlich Schlatter, Gal 45, und neuerdings Schneider, Gal 52. Daß Holsten, Gal 75 f, von »Genossenschaft« spricht, kann nicht verwundern; seine Auffassung wurde schon in der Auslegung von 1 Kor 10,16 ff dargestellt.

[39] Die »Gemeinschaft der Apostel« (Schneider a.a.O.) ist allenfalls eine ableitbare Aussage; wobei zu beachten wäre, daß der Text überhaupt nicht von den »Aposteln« spricht und damit nichts zur Lösung des Apostel-Problems beiträgt; vgl. dazu Eckert, Verkündigung 208.

Schneider geht demnach a.a.O. zu weit, wenn er folgert: »Mit dieser Entscheidung ist anerkannt, daß Paulus Apostel ist«.

[40] Zahn, Gal 104, spricht von »Betätigung«, meint also: die Gemeinschaft solle in den getrennten Wegen ihre Betätigung finden; Lietzmann, Gal 13: »mit der näheren Bestimmung«. Selber würde ich vorschlagen: Gemeinschaft, »die dadurch gewährleistet sein sollte«, daß . . .

[41] Hierin herrscht größere Übereinstimmung; denn ob πορευθῶμεν (πορευθῶσιν) oder εὐαγγελιζώμεθα (εὐαγγελίζωνται) zu ergänzen ist, immer ist gemeint: mit der Verkündigung des Evangeliums zu den Heiden oder Juden gehen. Vgl. dazu Lagrange, Gal 38: »›aller‹ ou ›s'adresser à‹ ou plutôt ›porter l'évangile‹«.

[42] Vgl. dazu Bornkamm, Paulus 57–62.

[43] Lipsius, Gal 26, faßt fälschlich nur die »Verschiedenheit der Missionsgrundsätze« ins Auge.

schlußfolgert, daß die »Gemeinschaft«, die damals in Jerusalem besiegelt wurde, in der »gemeinsamen Teilhabe an« der Verkündigung des einen Evangeliums ihren Grund hat – und daß dieser Zusammenhang auch bei den Verhandlungen selbst erkannt wurde.

Die volle Bedeutung der κοινωνία von Gal 2,9 kommt damit erst in Sicht. Ich habe sie in meiner Arbeit »Ekklesia« so umrissen: »Die Einheit, die mit dem Austausch des besiegelnden Händedrucks erreicht war, war eine durch das eine Evangelium gestiftete – nicht eine organisatorisch-institutionelle, wohl aber eine ›gesamtkirchliche‹«[44].

Wenn es richtig ist, daß Paulus in Gal 2,9 mehr oder weniger das Ergebnis der Jerusalemer Verhandlungen referiert[45], ist 2,10 ein integraler Bestandteil dieses Ergebnisses[46]. Nun konnte aber gezeigt werden, welche Schlüsselrolle in diesem Zusammenhang dem Begriff κοινωνία zukommt, der die »gesamtkirchliche Einheit« als »Gemeinschaft« (durch Teilhabe an dem einen Evangelium) definiert und zugleich die Selbständigkeit und Unabhängigkeit der paulinischen Missionsarbeit neben derjenigen der Jerusalemer Autoritäten unterstreicht. Es steht daher zu vermuten, daß κοινωνία auch noch in V 10 nachwirkt. Diese Vermutung wird schon dadurch nahegelegt und gestützt, daß (zeitlich) nach dem Galaterbrief an allen Stellen, wo die Kollektenvereinbarung zur Sprache kommt, auch und gerade von κοινωνία die Rede ist[47]. Diese Vermutung wird aber auch durch das im Text stehende zweifache ἵνα angeregt.

Sinngemäß akzentuiert Paulus so: Die Jerusalemer gaben uns damals die Hand zu Gemeinschaft; denn sie hatten sich überzeugt, daß die Einheit durch unsere Verkündigung des gesetzesfreien Evangeliums unter den Heiden nicht gefährdet war. Diese κοινωνία sollte dadurch gewährleistet werden, *daß* in der Verkündigung beide Seiten sich gegenseitig anerkannten und »auf Rivalität und Konkur-

---

[44] Ekklesia 119. Vgl. Bornkamm a.a.O. 59: »In diesem Sinne wurde die Einheit der Kirche von beiden Seiten durch Handschlag besiegelt«. Zerwick, Gal 41: »In einer gefährlichen Stunde der jungen Kirche wird ihre Einheit gewahrt und bekräftigt und zugleich eine gewisse Vielheit der Wege anerkannt«. Die Rede von »der Kirche« (Zerwick: »machtvolles Inerscheinungtreten der einen Kirche«) ist freilich eine Verkennung der spezifisch paulinischen Sicht der Dinge. Mit »gesamtkirchlich« will ich selber nur ausdrücken, daß die Bedeutsamkeit der in Jerusalem erreichten Einheit für alle Gemeinden (= Kirchen) gilt und sie umgreift.

[45] Vgl. Wörner, Gal 56; Bornkamm, Paulus 60: »sicher im engen Anschluß an die ausdrücklich getroffene Vereinbarung formuliert«.

[46] Vgl. Burton, Gal 99: »The clause is not a request added to the agreement, but a part of the agreement itself«.

[47] Vgl. 2 Kor 8,4.23; 9,13 und Röm 15,26.27. Daß der Begriff 1 Kor 16,1ff »noch« fehlt, könnte ein Hinweis darauf sein, daß Gal 2,9f eine wichtige Phase in der Entwicklung der paulinischen Theologie markiert. Aus der »Gemeinschaft mit Christus« (1 Kor 1,9; 10,16–20) wäre die gesamtkirchliche »Gemeinschaft zwischen Heidenchristen und Judenchristen«, die »Gemeinschaft zwischen Paulus und den Jerusalemer Autoritäten« deduziert.

renz im Missionsbereich der anderen verzichteten«[48], und[49] sie sollte darin ihren sichtbaren Ausdruck[50] finden, *daß* wir der Armen (zu Jerusalem) gedächten. Die Diskussion über Gal 2,10 ist seit K. Holls Aufsatz über den »Kirchenbegriff des Paulus in seinem Verhältnis zu dem der Urgemeinde«[51] reichlich auf der Stelle getreten, obwohl es durchaus nicht an Modifizierungen seiner Grundthese gefehlt hat[52]. Holl sah das vorgezogene μόνον τῶν πτωχῶν so ausschließlich von οὐδὲν προσανέθεντο in V 6 abhängig, daß die Bedeutung einer »richtigen Auflage«[53] nie mehr ernsthaft in Frage gestellt, sondern immer nur der Charakter dieser »Auflage« diskutiert und interpretiert wurde.

Dabei hat man nicht völlig übersehen, daß Paulus an der Aussage: »sie haben mir nichts auferlegt« keinerlei Abstriche duldet, sondern bekräftigend fortfährt ἀλλὰ τοὐναντίον: »ganz das Gegenteil war der Fall«. Dennoch glaubte man, in V 10 wegen des betonten μόνον eine, wenn auch insgesamt abgeschwächte und nicht ohne Tendenz nachgetragene, aber doch echte »Auflage« annehmen zu müssen.

Ob diese Annahme gerechtfertigt ist, kann – wenn überhaupt – nur aus dem Gesamtgefüge der Kollektentexte letztlich geklärt werden. Aus Gal 2,10 ist sie jedenfalls nicht zu erhärten. Einmal steht das προσανέθεντο von V 6 doch sehr weit von V 10 entfernt und wird jeder Gedanke an eine Auflage durch οὐδέν und τοὐναντίον so massiv abgewehrt, daß schon deshalb sich Zweifel melden. Zum andern paßt der Gedanke an eine Auflage allenfalls zu V 10, keinesfalls zu V 9. In beiden Fällen sind aber die ἵνα-Aussagen auf κοινωνία zu beziehen[54], so daß sie nur als deren Erläuterungen verstanden werden können. V 10 entspricht demnach zwar einer von den Jerusalemer Autoritäten veranlaßten »Abmachung«, die man

---

[48] Bornkamm, Paulus 60; vgl. Hilgenfeld, Gal 136: »Absicht, beiden Missionen somit eine klare, sich nicht gegenseitig durchkreuzende Richtung zu geben«.

[49] Eine »Zusatzbestimmung« (Lietzmann, Gal 13) wird man V 10 deshalb keinesfalls nennen dürfen.

[50] Vgl. Mußner, Gal 124: »ein überzeugender Ausdruck ›der Gemeinschaft‹«.

[51] K. Holl, Der Kirchenbegriff des Paulus in seinem Verhältnis zu dem der Urgemeinde, in: SAB 1921, 2. Halbband, 920–947; ferner in: Gesammelte Aufsätze zur Kirchengeschichte II: Der Osten, Tübingen 1928, 44–67; neuerdings auch in: Das Paulusbild in der neueren deutschen Forschung, hg. von K. H. Rengstorf, Darmstadt 1964, 144–178.

[52] Vgl. Kümmel, Kirchenbegriff und Geschichtsbewußtsein 1 f (dort weitere Literatur); ferner Georgi, Kollekte 10 f; Bornkamm, Paulus 61 f.

[53] Holl a.a.O. 61.

[54] Vgl. Meyer, Gal 87: Trennung des Genitivs κοινωνίας von seinem Nomen regens, »weil der folgende Zwecksatz ἵνα ἡμεῖς etc. über κοινωνίας Aufschluß gibt«. Und a.a.O. 89 zu V 10: »Gewöhnlich ergänzt man nach μόνον ein Verb. wie αἰτοῦντες oder παρακαλοῦντες, was zwar an sich zulässig wäre, jedoch ganz entbehrlich ist, da μόνον τῶν πτωχῶν ἵνα μνημ. sich von δεξιὰς ἔδωκαν ἐμοὶ καὶ Βαρν. κοιν. abhängig zeigt, *so daß es beschränkend dem vorherigen ἵνα parallel geht*« (Hervorhebung von mir). Ähnlich Bisping, Gal 216; Lightfoot, Gal 110; Lipsius, Gal 27; Sieffert, Gal 122; Burton, Gal 99; Lagrange, Gal 39.

damals getroffen hat[55], doch ist ihr sinngebender Bezugspunkt nicht προσανέθεντο in V 6, sondern κοινωνία in V 9; und damit ist ihr Sinn Ausdruck und Befestigung der Gemeinschaft[56], nicht aber erzwungene »Auflage« oder gar »Steuer«.

F. Sieffert[57] begegnet dem Einspruch, »daß das Verteilen des Arbeitsfeldes und das Gedenken an die Armen[58] zu ungleichartige Dinge wären, um einander parallel zu stehen«, nicht ganz zu Unrecht damit, daß er das Kollektenwerk als »ein bleibendes, die getrennten Teile der Christenheit verbindendes Band« bezeichnet. Präziser spricht R. A. Lipsius[59] von einem »Band brüderlicher Liebe zwischen Heidenchristen um Judenchristen«... »trotz der verschiedenen Stellung beider Teile zum mosaischen Gesetz«.

Freilich wird man den von vielen betonten Aspekt dieser Kollekte, den K. Holl so überbetont hat, nicht übersehen können: sie impliziert in jedem Falle – auch ohne den Bezug auf προσανέθεντο – eine Anerkennung der Rolle Jerusalems als der Muttergemeinde der Christenheit. Aber es sind doch sehr verschiedene Dinge, ob man in der Kollektenvereinbarung dankbare Anerkennung ausgedrückt findet oder eine rechtlich zu verstehende Forderung aus einer Vorrangstellung Jerusalems ableitet. Will man also nicht zu viel behaupten, kann man die in der Kollektenvereinbarung liegende Absicht mit A. Hilgenfeld nur darin finden, »daß die Heidenmission ... ihren Zusammenhang mit der Urgemeinde« bekunden[60] und »das Bewußtsein der Zusammengehörigkeit«[61] sichtbaren Ausdruck finden sollte.

---

[55] Bousset, Gal 44 f, spricht von einer »Bitte«, welche die Apostel hinzugefügt hätten (vgl. Lightfoot, Gal 110: »only they asked us«); doch will ihm scheinen, »als ob in dieser als selbstverständlich erhobenen Forderung ein letzter Rest jüdischer Anmaßung liege«. Paulus »hatte gegenüber dieser Forderung der Mildtätigkeit keine Bedenken«; sie war ihm »Pietätspflicht«.

[56] Merkwürdig verschwommene Aussagen finden sich dazu bei Bring, Gal 77 f. Was soll z. B. heißen: »Die Einheit der Kirche wird durch die gemeinsame Verantwortung für die Kollekte gekennzeichnet«? Klar dagegen Schaefer, Gal 243: »Ausdruck der Zusammengehörigkeit und der *Einheit* in der Kirche«.

[57] Sieffert, Gal 121; vgl. auch 122 f. Mißverständlich ist freilich der Ausdruck »die getrennten Teile der Christenheit«; denn von einer Trennung kann keine Rede sein; sie sollte ja in Jerusalem gerade verhindert werden.

[58] Zur Frage nach den »Armen« siehe Sieffert, Gal 122; Lagrange, Gal 39 f. Ihr ist im Zusammenhang von Röm 15,26 ff ausführlicher nachzugehen.

[59] Lipsius, Gal 27.

[60] Hilgenfeld, Gal 137 (»Beurkunden« meint hier sicher nichts anderes als »bekunden«); ähnlich Schlatter, Gal 46.

[61] Kühl, Gal 63. Für Conzelmann, Theologie 280, ist die Kollekte »einfach die Darstellung der Einheit der Kirche durch einen Akt der Liebe«; damit verschwimmen die geschichtlichen Konturen jedoch allzusehr.

Zusammenfassung:
Unbestritten ist für Gal 2,9 die Bedeutung von κοινωνία = »Gemeinschaft«, im Sinne von Einheit. Es konnte aber gezeigt werden, daß die Nuancen damit noch keinesfalls erfaßt sind, die den charakteristischen Inhalt dieses Begriffs ausmachen. Zum einen gehört dazu der Aspekt des »Willens zur Gemeinschaft«, und damit des »Willens zur Einheit«[62]. Und zum anderen der Aspekt der »gemeinsamen Teilhabe«, der aus dem Kontext heraus auf die Teilhabe an dem einen Evangelium zu beziehen ist (bzw. an der Aufgabe der Verkündigung des einen Evangeliums)[63].

Gal 2,9 (in Verbindung mit dem ebenfalls auf κοινωνία zu beziehenden ἵνα-Satz V 10) erlaubt darüber hinaus die Feststellung, daß die jeweiligen Implikationen nicht ohne gedankliche Zwischenglieder erhoben werden können[64]. Darin liegt – wie es scheint – ein Spezifikum des paulinischen Sprachgebrauchs.

Schon in 1 Kor 1,9; 10,16–21 ließ sich die »Gemeinschaft mit Christus« nur durch das vermittelnde »Teilhabe an Christi Leib und Christi Blut« voll erfassen. Noch zwingender – wenngleich nicht gänzlich eindeutig – sind Zwischenglieder in Gal 2,9f zu ergänzen. Ihre Tendenz ist klar:
Die durch Handschlag bekräftigte Gemeinschaft wird *dahingehend näher bestimmt[65], daß* sie auf gegenseitiger Anerkennung der verschiedenartigen Ausprägungen des einen Evangeliums *beruht* und *daß* sie durch die vereinbarte Kollekte ihren *Ausdruck* findet[66].

2 Kor 8,1.4.6.8.23
Das Kernproblem in Kapitel 8 und 9 ist die Frage nach den Hintergründen der Kollekte für Jerusalem und ihrer Bedeutsamkeit. Warum setzt sich Paulus so

[62] Meist wird deshalb vom »Zeichen der Einheit« oder »Zeichen der Gemeinschaft« gesprochen. Vgl. dazu Burton, Gal 96: »The genitive can hardly be defined grammatically more exactly than as a genitive of inner connection«. κοινωνία »defines that which the giving of the right hands expressed, and to which the givers pledged themselves«.

[63] Kähler, Gal 36: »Zeichen der Gemeinschaft rücksichtlich der Evangelistenarbeit«. Burton a.a.O.: »implying a friendly participation in the same work«. Zahn, Gal 106: »Gemeinschaft im Ev und in der Arbeit für das Ev«.

[64] Burton a.a.O.: »The clause defines the content of the agreement implied in δεξιὰς ἔδωκαν . . . κοινωνίας«.

[65] Oepke, Gal 51, spielt die Bedeutung der Kollekte zunächst gegen den Text allzu stark herab, wenn er zu V 10 von einer »anhangsweise« hinzugefügten »Bitte« spricht. Doch kann er nicht umhin, sie a.a.O. 54f dann »doch als etwas in seiner Art Einzigartiges« zu werten. Paulus habe »die nicht ganz selbstlose Anregung der Urgemeinde« bereitwillig aufgenommen, um »dadurch die Gemeinschaft zwischen dem juden- und heidenchristlichen Zweig der entstehenden Kirche zu stärken«. Damit dürften die Akzente richtig gesetzt sein.

[66] Diesen Abschnitt habe ich zwischenzeitlich in überarbeiteter Form veröffentlicht unter dem Titel »Gemeinschaft (κοινωνία) zwischen Paulus und Jerusalem (Gal 2,9f.). Zum paulinischen Verständnis von der Einheit der Kirche«, in: FS Mußner, Kontinuität und Einheit, hg. v. P.-G. Müller und W. Stenger, Freiburg–Basel–Wien 1981, 30–42.

leidenschaftlich für sie ein? Welche Rolle spielt für Paulus Jerusalem? Welcher Art ist der Anspruch, den Jerusalem möglicherweise gegenüber Paulus erhoben hat? Ist die umständliche Art, wie Paulus für diese Kollekte wirbt, ein Versuch, die rechtliche Abhängigkeit gegenüber Jerusalem zu verdunkeln, oder ist diese paränetische Form notwendiges Korrelat zur Sache, um die es geht, oder auch nur bedingt von der historischen Situation? Anders gefragt: Läßt sich hinter der paulinischen Einkleidung ein anderer Sachverhalt erheben, und welche Bedeutsamkeit hat dann die Darstellung aus der Sicht des Paulus? Auf all diese Fragen wird 2 Kor 8.9 nur eine Teilantwort zu geben vermögen.

Einordnung in den Zusammenhang[67]: Der Anschluß von 8,1–24 an 7,5–16 ist unbestritten; man darf also die den Abschnitten 1,1–2,13; 7,5–16 zugrundeliegende Situation voraussetzen. Dann ist folgendes zu bedenken[68]:

1. Die Vorgänge in Korinth und ihre Folgen, welche zwischen 1 und 2 Kor die Beziehung zwischen Paulus und der Gemeinde in eine Krise getrieben hatten, ließen vermutlich – zumindest bis zur Ankunft des Titus – den Eifer für die schon in Gang gekommene Kollekte (vgl. 1 Kor 16,1–4) erlahmen. Die zurückliegenden, harten Auseinandersetzungen machen es Paulus nun nicht gerade leicht, neuerdings für die Kollekte zu werben[69].

2. Soweit hatte der »Freudenbrief« (2 Kor 1–7) aber den vorangegangenen »Tränenbrief« und die ihn auslösenden Fakten schon vergessen lassen, daß Paulus 7,15.16 in einer Art petitio principii den »Gehorsam aller« und die Aufnahme unter »Furcht und Zittern«, wie sie Titus in Korinth zuteil geworden waren, auch für sich glaubt wieder in Anspruch nehmen zu können, indem er abschließend feststellt: »ich freue mich, daß ich in allem mich verlassen kann auf euch«.

3. Nachdem so »sein Vertrauen in die Gem. und der Gehorsam der Gem. gegen ihn wieder hergestellt«[70] war, ist der Zeitpunkt günstig, das Sammelwerk für Jerusalem, woran ihm persönlich – aus welchen Gründen auch immer – offenbar sehr viel lag, voranzubringen.

4. Die Zeit scheint zu drängen; die Kollekte soll zum Abschluß gebracht werden. Dies und der Umfang, den dieses Kollektenwerk inzwischen angenommen hatte (vgl. 1 Kor 16,1–4; Gal 2,10; 2 Kor 8,1; 9,2), könnten auf eine »gewisse Verpflichtung«[71] schließen lassen.

[67] Die Teilungshypothesen zum 2 Kor beziehen sich in der Regel auf die in Kap. 9 vermutete Dublette zu Kap. 8, und erklären 9,1–15 für einen aus dem Zusammenhang lösbaren Empfehlungsbrief an alle Gemeinden in Achaia – einen Kollektenrundbrief gewissermaßen –, lassen aber die Zusammengehörigkeit zwischen 1,1 – 2,13; 7,5–16 und 8,1–24 unangetastet; vgl. dazu Windisch, 2 Kor 242f, und v. a. W. Schmithals, Die Gnosis in Korinth (FRLANT 66), Göttingen 1956, 18f (²1965, 90f).

[68] Vgl. dazu Bachmann, 2 Kor 309f.

[69] Vgl. Lietzmann, 2 Kor 133.

[70] Windisch, 2 Kor 242. Daß Windisch in dieser Weise vom wiederhergestellten Gehorsam spricht, ist eine Ungereimtheit, nachdem er gleichzeitig mit Nachdruck behauptet, die These von der Gehorsamsverweigerung sei unhaltbar (a.a.O. 240).

[71] Bachmann, 2 Kor 309f.

5. Welche Rolle die Sammlung für Jerusalem in der Auseinandersetzung mit den korinthischen Gegnern spielte, ob etwa diese »gegen ihn Vorwürfe der Unredlichkeit erhoben« oder ob sie die Kollekte »als einen Beweis nahmen für die Superiorität der jerusalemischen Gemeinde und der von dorther kommenden oder legitimierten Missionsprediger«[72], ist zunächst nicht ersichtlich, muß aber zumindest als Fragehorizont hier angedeutet werden.

Auf diesem Hintergrund befragen wir nun den Text, soweit er zu unserer Thematik Aussagen enthält: Paulus beginnt mit einem Hinweis auf die χάρις[73] . . . ἐν ταῖς ἐκκλησίαις τῆς Μακεδονίας[74]. Daß damit der Eifer im Hinblick auf die Kollekte gemeint ist, ergibt der Zusammenhang; dieser wird als eine »von Gott gegebene Gnade« bezeichnet, aber nicht ταῖς ἐκκλησίαις, sondern ἐν ταῖς ἐκκλησίαις. Nach Ph. Bachmann[75] bezeichnet Paulus damit die in diesen Gemeinden »hervorgetretene Tatsache als einen Hulderweis Gottes«, »von dem sich durch den Zusammenhang von selbst verstehe, daß er ihm, dem Pl, erwiesen worden sei«. Gibt man diesem ἐν soviel Gewicht, so legen es in der Tat die VV 4.5 nahe, den Hulderweis Gottes auf Paulus zu beziehen, von dem sich die Makedonier μετὰ πολλῆς παρακλήσεως diese »Gnade« erbaten und dem sie sich nächst dem Herrn in ihrem Geben schenkten[76].

Aber auch wenn man dieser Deutung des ἐν nicht zustimmen will, bleibt davon der genannte Zusammenhang der VV 1.4.5 unberührt; denn mag der Apostel in 8,1–7 auch in einer »geschachtelten Ausdrucksweise«[77] schreiben, so ist diese

[72] Bachmann, 2 Kor 310. Die Frage nach den Gegnern ist noch immer schwer zu beantworten. Auch ist bis heute strittig, ob überhaupt ein Zusammenhang besteht zwischen den Kapiteln 10–13 und 1–8. Seit A. Hausrath, Der Vier-Kapitelbrief des Paulus an die Korinther, Heidelberg 1870, wird dies immer häufiger bestritten.
Hinter den Kapiteln 1–7 steht jedoch nicht nur der Vorfall mit dem ἀδικήσας, sondern der Vorwurf des Paulus richtet sich auch hier schon – und nicht erst in den Kapiteln 10–13 – gegen die ganze Gemeinde, die nicht eindeutig genug zu ihm stand; es läßt sich zeigen, daß der Kern des Vorwurfs Ungehorsam gegen ihn als Apostel ist. Wenn aber auch von 2,14– 4,15 »Pls mehr oder weniger betont von sich als *Apostel*« spricht, um dieses Thema von 5,11 ff bis 7,4 »nie ganz zu verlassen« (so Schmithals, Gnosis 27 bzw. ²1965, 99), so kann man wohl nicht behaupten, daß erst in den Kapiteln 10–13 die Bestreitung der Autorität des Paulus als Apostel thematisch werde, vielmehr ist es dort die Auseinandersetzung mit den Gegnern, die in den Kapiteln 1–8 im Hintergrund bleibt, da es hier um die Versöhnung mit der ganzen Gemeinde geht. 2,6 verdeutlicht ja, daß nur οἱ πλείονες sich in der Bestrafung des τοιοῦτος zu Paulus bekannten (vgl. 7,7.11).
[73] Vgl. dazu Windisch, 2 Kor 243.
[74] Daß die Gemeinden von Philippi, Thessalonich, Beröa etwa gemeint sind, wird man mit Kuss, 2 Kor 227, u. a. vermuten dürfen.
[75] Bachmann, 2 Kor 310, hat darauf als erster aufmerksam gemacht, und Windisch, 2 Kor 243, der ἐν als Ersatz für den einfachen Dativ verstehen will (mit Verweis auf Bl.-Debr. § 220,1), läßt diese von Bachmann vorgeschlagene Deutung offen.
[76] Das spricht gegen Windischs Ausweitung auf »die ganze beteiligte Christenheit« (a.a.O.).
[77] Lietzmann, 2 Kor 133.

Tatsache doch nicht mit Sicherheit aus der nachwirkenden Verlegenheit gegen- über Korinth[78] herzuleiten. Der Grund dafür könnte und wird wohl in der Kollekte selbst liegen.

Denn so gewiß es ist, daß Paulus nur zögernd auf die Fortführung der Kollekte in Korinth zu sprechen kommt (vgl. V 6) und sich bemüht, das vorbildliche Beispiel der Gemeinden Makedonias nicht so darzustellen, daß es die Korinther kränken könnte, viel auffälliger noch ist die umschreibende Kennzeichnung der Kollekte selbst als χάρις (8,1.4.6.7.19), διακονία (8,4; vgl. auch 9,1.12.13), κοινωνία (8,4). Das Verhältnis dieser Begriffe zueinander wird in V 4 angedeutet, nachdem in V 3 gesagt ist, die Gemeinden Makedonias hätten nach Kräften, ja »über Kraft« und völlig unaufgefordert[79] gegeben[80]. Sie taten es δεόμενοι ἡμῶν τὴν χάριν καὶ τὴν κοινωνίαν τῆς διακονίας τῆς εἰς τοὺς ἁγίους. Ihr Bitten beweist, »daß P. als der Veranstalter und legitime Leiter des Unternehmens«[81] anzusehen ist. Worauf aber richtet sich das Bitten?

χάριν für sich zu nehmen als »Gnadenwerk«, so daß die Bitte sich auf die »Zulassung zu dem Gnadenwerk«[82] bezöge, ist wohl möglich, aber weniger naheliegend als die Verbindung von τὴν χάριν mit τῆς διακονίας und die Deutung als »Gnadengeschehen« (vgl. V 1).

Die διακονία εἰς τοὺς ἁγίους wäre dann in zweifacher Hinsicht näher bestimmt: als χάρις (τοῦ θεοῦ) und als κοινωνία (τῶν ἐκκλησιῶν εἰς τοὺς ἁγίους). Von einem »Hendiadyoin«[83] zu sprechen, ist demnach unpräzis; denn die erste Näherbestimmung ist eine »theo«-logische, die zweite eine »ekklesio«- logische; beide Gesichtspunkte sind gleichermaßen wichtig, wie der Fortgang zeigt[84].

Es handelt sich bei der Kollekte um ein Gnadengeschehen von Gott her (vgl. V 1) und auf Gott hin (vgl. V 4) und *zugleich* um einen Beitrag zur κοινωνία der

---

[78] Vgl. Lietzmann a.a.O.

[79] »Daß Pl sich jeder Einflußnahme auf die Beratung und Beschlußfassung der Gemein- den in dieser Sache enthalten habe«, kann man dem αὐθαίρετοι so wenig entnehmen wie dem ἐκκλησίαι ein körperschaftliches Moment (gegen Bachmann, 2 Kor 313). Der Ton liegt auf der völligen Freiwilligkeit: die Gemeinden – ein Abstraktbegriff, dem die konkreten Gemeindeversammlungen zwar zugrunde liegen, der aber bereits zum Namen geworden ist – haben es »aus eigener Initiative, unaufgefordert und ohne Zwang« (Windisch, 2 Kor 245) gegeben.

[80] Der Satzbau ist in den VV 3.4 gestört; vgl. dazu Bachmann, 2 Kor 312; Windisch, 2 Kor 245. Hinter αὐθαίρετοι wird man wohl mit Windisch das Verbum von V 2 oder besser mit Bachmann jenes von V 5 (ἔδωκαν) zu ergänzen haben.

[81] Windisch, 2 Kor 246.

[82] Windisch a.a.O.; vgl. zu dieser Bedeutung 1 Kor 16,3; der Gesichtspunkt ist in jedem Fall verändert: in V 1 ist es Gnade von Gott her, in V 4 Gnadenwerk auf Gott hin.

[83] Lietzmann, 2 Kor 133; so auch Schmiedel, 2 Kor 260; Heinrici, 2 Kor 271; Belser, 2 Kor 244; Plummer, 2 Kor 235; Gutjahr, 2 Kor 664; Allo, 2 Kor 214; Tasker, 2 Kor 112.

[84] Vgl. VV 5.6 u. v. a. 19.

Gemeinden untereinander und vor allem zur Gemeinschaft »gegenüber den Heiligen«, d. h. mit Jerusalem[85].

Der Gnadencharakter dieser διακονία haftet aber der Kollekte selbst an, so daß nicht erst das ihr zugrunde liegende Geschehen als χάρις (τοῦ θεοῦ), d. h. als Gnadengeschehen von Gott her, zu verstehen ist, sondern auch das Werk selbst. Der innere Bezug auf Gott geht also auch dann nicht verloren, wenn χάρις in 8,4.6.7.19 absolut gebraucht wird und damit die von H. Windisch[86] vorgeschlagene Bedeutung »Gnadenwerk« (auf Gott hin) annimmt. Paulus spricht selten abstrakt von »Gnade«; denn diese manifestiert und konkretisiert sich ihm in einem Geschehen oder Werk. Ähnliches gilt für κοινωνία[87]. Auch sie ist nicht nur Teilnahme[88] oder Gemeinschaft, vielmehr konkretisiert sich diese Gemeinschaft in der »Gemeinschaftserweisung«[89]. Die διακονία εἰς τοὺς ἁγίους ist also gleicherweise Gnadenwerk, dem ein Gnadengeschehen inhäriert, wie auch Gemeinschaftswerk, das der Gemeinsamkeit des gemeinsamen Vorgehens der paulinischen, nicht nur der makedonischen Gemeinden entspringt und Gemeinschaftswillen bezeugt – beides im Bezug auf »die Heiligen« (von Jerusalem)[90]. Auch wenn

[85] Unterläßt man es, 2 Kor 8,4 von Röm 15,26 ff her zu interpretieren und demgemäß εἰς τοὺς ἁγίους hier als eine abgekürzte Sprechweise für εἰς τοὺς πτωχοὺς τῶν ἁγίων τῶν ἐν Ἰερουσαλήμ zu verstehen (wie z. B. Windisch a.a.O.), dann hätte zumindest hier die These von Holl ihren berechtigten Ansatz, Jerusalem habe mit der Selbstbezeichnung als οἱ ἅγιοι den Anspruch erhoben, »Vorort« der Christenheit zu sein. Gegenüber 1 Kor 16,1 und 2 Kor 8,4 könnte ja der Näherbestimmung von Röm 15,26 eine ganz bestimmte Tendenz zugrunde liegen.

[86] Windisch, 2 Kor 246. So spricht dann Kuss, 2 Kor 227, im Blick auf die Gesamtausgabe des Textes von »Hilfswerk«, »Liebeswerk«.

[87] Windisch macht zwar a.a.O. aufmerksam auf die Möglichkeit, daß κοινωνία auch »Beisteuer, Almosen« im technischen Sinn sein könne (so z. B. de Wette, 2 Kor 215; Bisping, 2 Kor 101), entscheidet sich aber für die abstrakte Bedeutung »Gemeinschaft, Beteiligung« (wie Heinrici, 2 Kor 271; Lietzmann, 2 Kor 133; Tasker, 2 Kor 112). Bezüglich χάρις hat er dagegen (a.a.O. 243) den Nachweis für diese (von mir auch für κοινωνία behauptete) Konkretion des abstrakten Begriffs der göttlichen »Huld« bis hin zu der »Auswirkung der empfangenen Gnade im Verkehr mit den Brüdern« geführt. Daß für κοινωνία ähnliches gilt, beweisen neben 2 Kor 8,4 auch 9,13 und v. a. Gal 6,6. Vgl. dazu die Studie von J. M. Gonzáles Ruiz, Sentido communitario-ecclesial de algunos sustantivos abstractos en San Pablo, in: Estudios Biblicos XVII,1, Madrid 1958, 289–322.

[88] Mit »Teilnahme« etc. operieren z. B. Plummer, 2 Kor 215; Gutjahr, 2 Kor 664; Sickenberger, 2 Kor 125; Wendland, 2 Kor 218; de Boor, 2 Kor 176; aber damit ist die paulinische Gedankenverschränkung von »Gemeinschaft *durch* Teilnahme« nur unzureichend erfaßt.

[89] Bachmann, 2 Kor 313; vom »Gemeinschaftswerk des Dienstes« spricht er a.a.O. 314. Ähnlich Prümm, Diakonia Pneumatos I 507f: κοινωνία »bezeichnet hier die Gemeinschaftsbeteiligung an einem Werk, nämlich eben der ›Diakonie‹«.

[90] Belser, 2 Kor 243, nennt als Zweck von χάρις und κοινωνία »Herstellung der Gemeinschaft«; doch geht es nicht um deren Herstellung, sondern um deren Erweis. Schaefer, 2 Kor 477, sieht schon in χάρις eine »Bezeichnung für Kollekte« und fügt hinzu, daß diese »unter dem andern Gesichtspunkte von der Gemeinschaft der Gemeinden mit ei-

man nur an die Armen der Jerusalemer Urgemeinde denken will, ohne in den »Heiligen« den von K. Holl behaupteten Anspruch Jerusalems ausgedrückt zu finden, ist es bedeutsam genug, daß – vermutlich – alle paulinischen Gemeinden für Jerusalem sammeln und darin einen Dienst (διακονία) sehen, dessen Bedeutsamkeit als »Gnadenwerk« theologisch begründet und als »Erweis der Gemeinschaft« für die »Gesamtkirche« sichtbar wird. Das muß nicht einen rechtlichen Vorrang Jerusalems implizieren, den Paulus faktisch durch sein Kollektenwerk anerkennen würde, wohl aber muß es einen ideellen Vorrang ausdrücken, so daß die Kollekte etwa eine aus Dankbarkeit geschuldete Dienstleistung gegenüber der Muttergemeinde darstellt. διακονία, χάρις und κοινωνία sind demnach keineswegs einfach Synonyma.

In V 5 werden nun die χάρις und κοινωνία τῆς διακονίας unter dem veränderten Blickwinkel der Vermittlung noch einmal angesprochen. Die Makedonier haben mehr als erhofft gegeben, nämlich ἑαυτούς[91]; erklärend wird hinzugefügt: πρῶτον τῷ κυρίῳ καὶ ἡμῖν διὰ θελήματος θεοῦ. In der Kollekte sieht Paulus also zuerst eine Selbsthingabe an den Herrn; dadurch wird die Kollekte zur χάρις (τοῦ θεοῦ), das »Gnadenwerk« (vgl. V 4) ist die Antwort auf das »Gnadengeschenk« (vgl. V 1) von seiten Gottes und χάρις ist der angemessene Ausdruck für dieses »Gnadengeschehen«. Im Geben – als einem auf Gott bezogenen Gnadenwerk – geschieht Hin-gabe an den Herrn.

Diese Hingabe zielt aber auch auf Paulus[92]. »Nicht zufällig«, schreibt H. Windisch[93] zu διὰ θελήματος θεοῦ, »gebraucht P. dieselbe Wendung, mit der er sonst sein Apostolat begründet...: die Organisation des Kollektenwerkes ist eine Auswirkung seines ap. Amtes«. Davon ist auszugehen; denn daß Paulus als Initiator und Organisator der Kollekte in seinen Gemeinden zu betrachten ist, ist gewiß. Doch er ist mehr als das: Die Gabe der Makedonier ist auch Selbst-hingabe an ihn als einen, der durch Gottes Willen unmittelbar dem Herrn zugeordnet ist;

---

ursprünglichen Muttergemeinde auch κοινωνία genannt wird«. Genau genommen haben wir es aber nicht mit »Bezeichnungen« für die Kollekte zu tun, sondern mit Interpretationen der Kollekte unter theologisch–christologischen und ekklesiologischen Gesichtspunkten.

[91] Die Belege für ἑαυτὸν διδόναι (1 Makk 6,44; (11,23;) 14,29; 3 Makk 2,31) bezeugen durchwegs den Einsatz der ganzen Person; eine Selbsthingabe, wie sie in einer ähnlichen Formulierung Gal 1,4 ausgedrückt ist: κυρίου Ἰησοῦ Χριστοῦ τοῦ δόντος ἑαυτὸν ὑπὲρ τῶν ἁμαρτιῶν ἡμῶν. Vgl. Bachmann, 2 Kor 313; Windisch, 2 Kor 247, der es von der Galstelle aus für möglich hält, Paulus könne schon hier auf das Vorbild Christi (vgl. V 9) angespielt haben.

[92] ἡμῖν wird durch V 6 eindeutig als auf Paulus allein bezogen erwiesen.

[93] Windisch, 2 Kor 248. Für Bachmann, 2 Kor 314, ist darin nur zu sehen: ein »nachträglicher Zusatz, durch den Pl bescheiden und zielsicher zugleich zu erkennen gibt, daß er, soweit die Kollektengabe der Mazedonier zugleich ein Erweis persönlicher Hingabe an ihn war, darin eine Fügung und einen Wink Gottes finde, die ihn darauf hinwiesen, das zu tun, was dann in 6 berichtet wird«. Das gäbe eine gute Überleitung zu V 6, wird aber dem Gewicht der Aussage von V 5 nicht gerecht. Vgl. dazu auch Wendland, 2 Kor 194.

er steht gleichsam als der δοῦλος (διὰ θελήματος θεοῦ) neben dem κύριος[94]. Mit anderen Worten: In der Formulierung von V 5 τῷ κυρίῳ καὶ ἡμῖν διὰ θελήματος θεοῦ ist der christologische Bezug des Apostelamtes angesprochen, welcher besagt, daß das Kollektenwerk insofern auf Christus, den Herrn, gerichtet ist, als es zugleich auf den Apostel bezogen ist. Das ist der Wille Gottes, daß der Weg der Vermittlung über den Apostel zu Christus verläuft. In dieser Relation zu Christus im Gegenüber zur Gemeinde ist dem Apostelamt durch Gottes Willen sein heilsgeschichtlicher Ort zugewiesen. Man wird den Gedanken der Vermittlung nicht überziehen, wenn man den Apostel – als den Stifter der διακονία εἰς τοὺς ἁγίους – auch als den Vermittler der χάρις und der κοινωνία τῆς διακονίας bezeichnet; denn die Selbsthingabe der Gemeinden Makedonias an den Herrn und seinen Apostel ist ja nicht nur »Motiv ihrer Gebefreudigkeit«[95], sondern ist das ihrem Geben selbst Zugrundeliegende, darin sich Ausdrückende: ihr Geben ist Hingabe. Ihm, dem Apostel, aber stellten die Gemeinden alles zur Verfügung; er war es, der von ihnen gebeten wurde um die χάρις und κοινωνία τῆς διακονίας. So kann H. Windisch die Kollekte zu Recht eine »Auswirkung seines ap. Amtes«[96] nennen: sie bringt jenes »Gnadengeschehen« in Gang, das »von Gott her« ermöglicht (vgl. V 1) und »in den Gemeinden Makedonias« (vgl. das ἐν) schon zutage getreten ist in dem überreichen Geben der Gemeinden (vgl. V 2), worin diese primär ihre Hingabe an den Herrn bezeugten, dann aber auch an den Apostel, den Gottes Wille als δοῦλος an die Stelle des κύριος setzte. Die Kollekte ist es aber auch, die Gemeinschaft stiftet, indem sie den Willen zur Gemeinschaft ausdrückt. Nicht erst als der, der die Kollekte nach Jerusalem schicken oder bringen wird (vgl. 1 Kor 16,4), sondern durch die Kollekte selbst erweist sich der Apostel als der Vermittler der κοινωνία zwischen seinen Gemeinden und Jerusalem.

Die Interpretation hat gezeigt, daß die Kollekte keineswegs als private Angelegenheit des Paulus zu betrachten ist, etwa weil er sich dazu in Jerusalem einmal verpflichtet hatte (vgl. Gal 2,10). Vielmehr ergibt sich aus der Argumentation in den VV 1–5, daß durch die Gabe und Hingabe der Gemeinden Makedonias seine ihm durch den Willen Gottes zugewiesene Stellung als Vermittler von χάρις und κοινωνία aufs wunderbarste bestätigt worden ist. Sollte die von Jerusalem ihm auferlegte Kollekte auch in den Augen der Jerusalemer Autoritäten (vgl. Gal 2,1–10) etwas anderes gewesen sein, für Paulus ist sie Mittel zum Beweis der κοινωνία und (darin) χάρις (vgl. V 4).

Das ermutigte ihn[97], Titus nach Korinth zu schicken, daß er auch dort das

---

[94] Vgl. Windisch, 2 Kor 248; doch geht es nicht um eine Rechtfertigung für die »etwas kühne Gleichordnung seiner Person mit Gott«.

[95] Bachmann, 2 Kor 314.

[96] Windisch, 2 Kor 248.

[97] Zu εἰς τό siehe Lietzmann, 2 Kor 133; ähnlich Windisch, 2 Kor 248 A. 1. Der Gedankensprung ist unvermittelt, doch lassen sich die Zwischengedanken leicht rekonstruieren, etwa in dem Sinne: »diese Hingabe der Makedonier gab den Anlaß« εἰς τό.

begonnene Gnadengeschehen zum Abschluß bringe (vgl. V 6). Das von Paulus erwünschte »Überfließen« (vgl. V 7) will er freilich nicht als ἐπιταγή (vgl. V 8) verstanden wissen, d. h. er kann das und will das nicht »befehlen«. Möglicherweise ist dies eine Absicherung vor dem befürchteten Mißverständnis, er wolle sich etwa schon wieder zum »Herrn des Glaubens« aufspielen (vgl. 1,24). Das bestätigt unsere bisherige Auslegung: denn näher als die Annahme, Paulus beziehe sich darin auf zurückliegende Vorwürfe oder Ereignisse, liegt der Gedanke, die vorausgehenden Verse könnten diese Auslegung begünstigen.

In der Tat hatte Paulus einen eindrucksvollen Beweis seiner apostolischen Stellung vorgelegt, wobei er – wie um sie gleichzeitig abzuschwächen und auf ihren innersten Grund zurückzuführen – die Hingabe τῷ κυρίῳ καὶ ἡμῖν durch διὰ θελήματος θεοῦ legitimierte und durch πρῶτον τῷ κυρίῳ christologisch präzisierte.

2 Kor 9,1.3ff.12f

Kap. 9 bringt keine wesentlichen neuen Gesichtspunkte. Der Versuch, das ganze Kapitel aus dem Brief herauszulösen und als eigenes Empfehlungsschreiben für die Kollekte zu verstehen, das an die verschiedenen Gemeinden der Achaia gerichtet wäre[98], hat keine allgemeine Zustimmung gefunden[99], auch nicht nach dem neuerlichen Vorstoß von W. Schmithals[100]. Schon H. Lietzmann verwarf ihn; denn es würden durch diese Theorie »mehr Schwierigkeiten aufgeworfen als gelöst«[101]. Wie in 8,4 wird die Kollekte in 9,1 als ἡ διακονία ἡ εἰς τοὺς ἁγίους bezeichnet; diese »Dienstleistung gegen die Heiligen« (von Jerusalem[102]) ist für die Korinther keiner weiteren Erläuterung bedürftig. Sie wissen um den Charakter wie um den Anlaß der Kollekte.

Eigenart und Veranlassung der Sammlung könnten freilich auf eine wie immer geartete Auflage seitens der Jerusalemer Autoritäten hinweisen; doch Paulus tut alles, um diesen Eindruck zu verhindern. Daher die Interpretation der Kollekte[103]

[98] Windisch, 2 Kor 268ff. 286ff.

[99] Bachmann, 2 Kor 327, spricht von »Fortsetzung« und »Erläuterung« des in 8,24 betonten Motivs, »die Ehre des Apostels und die eigene zu wahren«; Lietzmann, 2 Kor 137: »nochmalige eindringliche Mahnung«.

[100] Schmithals, Gnosis 18ff (²1965, 90ff).

[101] Lietzmann, 2 Kor 137; vgl. auch Bachmann, 2 Kor 335f. Vgl. jetzt auch G. Lüdemann, Paulus, der Heidenapostel, Band I: Studien zur Chronologie, Göttingen 1980, 119–121.

[102] Héring, 2 Kor 75 A. 3: »D'une collecte pour d'autres que les Jérusalémites, nous ne savons rien«.

[103] de Boor, 2 Kor 194, macht zu Recht aufmerksam auf die »Häufung von Hauptworten, die wir in ganze Einzelsätze auseinanderlegen müssen«. Wie schwierig diese Aufgabe im einzelnen ist, gibt de Wette, 2 Kor 227, zu erkennen, wenn er zu 9,13 sagt: »ἁπλ. und κοινων. an sich allgemeine Worte, sind allerdings nach dem Gedankengange in Beziehung auf Beisteuer, Hülfleistung, jedoch so *schwebend* zu fassen, daß das εἰς πάντας gleichsam

durch χάρις, κοινωνία (vgl. 8,4) und – die Freiwilligkeit nicht minder betonend – durch διακονία (8,4; 9,1.12f). Paulus leugnet mit diesen theologischen, ekklesiologischen und christologischen Explikationen nicht die in der Kollekte liegende Anerkennung der Rolle Jerusalems durch seine Gemeinden; doch wehrt er sich, von dieser Anerkennung anders zu sprechen, als indem er sie auf ihre innerste Begründung zurückführt. Sie ist nicht als rechtliche Subordination zu verstehen und ohne das Moment der Freiwilligkeit ihrer Anerkennung durch die Gemeinden undenkbar. Aus diesem Grunde kann Paulus nur paränetisch werben, jedoch den Abschluß der Kollekte nicht befehlen.

Auf die nochmalige Empfehlung seiner Gesandtschaft in den VV 3–5 braucht hier nicht eingegangen zu werden. Paulus ist darin nur bemüht, wegen seiner Belobigung der Korinther vor den Makedoniern nicht beschämt zu werden.

Dagegen werfen die abschließenden Verse noch einmal Licht auf die Bedeutsamkeit des Kollektenwerkes[104].

Zunächst wird in V 12 die διακονία, welche in der Kollekte sich erweist, als λειτουργία bestimmt, d. h. in der Hilfeleistung gegen die Heiligen von Jerusalem geschieht eine Art Gottesdienst[105]. In ihr kommt aber auch eine δοκιμή zum Ausdruck (vgl. V 13), welche die Empfänger in Jerusalem zum Lobpreis Gottes veranlaßt wegen der darin erwiesenen ὑποταγὴ τῆς ὁμολογίας εἰς τὸ εὐαγγέλιον τοῦ Χριστοῦ. In der Kollekte wird also von den Jerusalemern eine Bewährung des Gehorsams erblickt werden. Dieser Sachverhalt wird durch die stark »überladene Ausdrucksweise«[106] in den abschließenden Versen zum Kollektenwerk nicht verdeckt.

auch daneben noch Platz findet« (Hervorhebung von mir). Nun ist aber κοινωνία hier zweifellos »nicht ohne Weiteres = collatio« (Klöpper, 2 Kor 411). Die Auslegung muß also behutsam Nuancen zu erfassen suchen.

[104] Allo, La portée de la collecte pour Jérusalem dans les plans de saint Paul, spricht im Bezug auf die Kollekte von einem »grand moyen de pacification qui aplanirait pour l'avenir les chemins de l'Évangile« (a.a.O. 535) und bestimmt demgemäß die Bedeutsamkeit der Kollekte so: »Paul affirmait en acte l'unité de l'église chrétienne« (536).

Diesen m. E. völlig korrekten Bestimmungen stehen in seinem Aufsatz einige weniger glückliche gegenüber, die v. a. daher rühren, daß Allo sich von der Frage treiben läßt, warum Paulus in 2 Kor 8.9 einer »question . . . secondaire« (529) soviel Platz einräume. Seine Antwort, Paulus habe Korinth eine besonders wichtige Rolle als »capitale de la charité« (533) zugedacht, kann nicht befriedigen. Die vorgelegte Auslegung der Texte ergab andere Akzente.

[105] Vgl. Bachmann, 2 Kor 330: »in diesem Dienst vollzieht sich ein gottesdienstliches Handeln höchster Art«; ähnlich Windisch, 2 Kor 281f; Lietzmann, 2 Kor 139. Strathmann widerspricht dem (ThW IV 234); er empfiehlt, sich mit der profanen Bedeutung »Dienstleistung« zu bescheiden und »darauf zu verzichten, tiefere Bedeutungen in die Texte hineinzugeheimnissen und von ›heiligem Dienst‹ u. dgl. zu reden«.

[106] Lietzmann, 2 Kor 139, erklärt sie wohl zu Unrecht aus der Tatsache, daß diese Kollektenwerbung bei den Korinthern Paulus nicht liege. Dann hätte er sicher nicht so ausführlich geschrieben. Eher bleibt doch daran zu denken, Paulus möchte eine einseitige kirchenpolitische Deutung des Kollektenwerkes verhindern.

Man kann mit H. Windisch[107] sagen: »So verrät sich erst hier das kirchenpoliti-sche Ziel, das P. mit der Betreibung des Kollektenwerks sich gesetzt hat«; doch legt Paulus den größten Wert darauf, daß der bewährte Gehorsam sich »auf[108] das Evangelium des Christus« richtet, daher nur mittelbar auf Jerusalem als Mutterge-meinde, von welcher dies Evangelium seinen Ausgang genommen hat. Diese Relation bleibt zu beachten[109].

Nachdem diese noch einmal mit Nachdruck festgestellt ist, kann auch der unmittelbar »kirchenpolitische« Zweck der Kollekte, nämlich Ausdruck des Gemeinschaftswillens des Paulus und seiner Gemeinden zu sein[110], abschließend seine Betonung finden. H. Windisch nennt deshalb die Spende einen »Beweis für den Primat der palästinensischen Muttergemeinde und für das Solidaritätsgefühl der christlichen Kirchen«[111]. Sofern man »Primat« rechtlich versteht, verkennt man die eigentümlich paulinische Argumentation völlig[112].

κοινωνία bedeutet für ihn die in der Kollekte sich ausdrückende Gemein-schaft[113] seiner Gemeinden mit Jerusalem, welche dessen Vorrang anerkennt, ohne

[107] Windisch, 2 Kor 284. Was Windisch unter »kirchenpolitischem Ziel« versteht, erklärt er a.a.O.: »Die Jerusalemer Christen sehen also in der Kollekte, die ihnen überbracht wird, den Beweis, daß die Heidenchristen wirklich dem Ev., d. i. dem Christentum, sich unterworfen haben, sie erkennen in der sich darin aussprechenden Liebe zu den Glaubensge-nossen und zwar insbesondere zu ihnen, den Gliedern der Urgemeinde, das Zeugnis, daß das Ev., das von ihnen ausgegangen ist . . ., wirklich auch dort Wurzel gefaßt hat«. Ähnlich Allo, 2 Kor 237; Tasker, 2 Kor 129.

[108] Zur Abhängigkeit des εἰς von ὁμολογία oder ὑποταγή siehe Windisch a.a.O. 283 f. Wie Lietzmann a.a.O. deutet auch er im Sinne von »Bekehrung« zum Evangelium bzw. Christentum; doch der Zusammenhang rechtfertigt eine derartige Abschwächung der ὑποταγή keineswegs. Es geht – im Blick auf Jerusalem – um »die Bewährung des Christseins der Korinther« (Wendland, 2 Kor 224).

[109] Vgl. Wendland a.a.O.: »Erst an zweiter Stelle wird das Verbundensein der Korinther mit der Gemeinde zu Jerusalem genannt . . .«.

[110] Zu allgemein sprechen viele Ausleger von »Gemeinschaft« (z. B. Schmiedel, 2 Kor 267: »einfach: Gemeinschaft«; Godet, 2 Kor 259: »votre communion«; ähnlich Schlatter, 2 Kor 319; Bachmann, 2 Kor 335; Sickenberger, 2 Kor 132f; Wendland, 2 Kor 224: »Verbundensein«; de Boor, 2 Kor 194: »tatkräftige ›Gemeinschaft‹«) oder von »Liebesge-meinschaft« (vgl. Heinrici, 2 Kor 309; Kühl, 2 Kor 252; Gutjahr, 2 Kor 694).

[111] Windisch, 2 Kor 285; vgl. Holl, Der Kirchenbegriff des Paulus 58 ff.

[112] Vgl. Harnack, Mission und Ausbreitung [4]I 206 A. 3: »Daß ein gewisser Anspruch der jerusalemischen Gemeinde zugrunde liegt, der aus ihrer Primatstellung sich ergab, geht aus keinem Satze der Ausführungen des Paulus hervor«. Es handelt sich für Paulus bei der Kollekte um »eine Liebespflicht« (a.a.O.); das bedeutet: um einen geschuldeten Akt der Dankbarkeit und Ausdruck einer bestehenden Verbundenheit bzw. Gemeinschaft. Vgl. Tasker, 2 Kor 129, zu 2 Kor 9,13: »What Paul is saying is that the Jerusalem saints will glorify God particularly for the signs of sincere Christian fellowship shown to them by the Corinthians in making their contribution«.

[113] So schon Klöpper, 2 Kor 411, der den Sinn der Kollekte darin erblickte, »daß die Betroffenen etwas ins Werk setzen wollen, was sie in Gemeinschaft mit den Empfängern set-zen solle«. Neben Tasker, 2 Kor 129 (»fellowship which was expressed in it«) vgl. v. a. Allo, 2 Kor 237: κοινωνία = »communion«, »solidarité« – »avec les actes qui la manifestent«.

eine juristische Prävalenz auszusagen. Weder die κοινωνία der Kollekte noch der darin sich erweisende Wille zur Gemeinschaft [114] wären erzwingbar. Die Kollekte darf daher auch nicht – jedenfalls verbietet dies die paulinische Sicht der Dinge – als auferlegte »Steuer« verstanden werden; sie ist in ihrem tatsächlichen Zustandekommen, vor allem durch die in ihr verwirklichte Absicht, Gemeinschaft zu bekunden, primär Anlaß, Gott zu danken (vgl. V 12) und ihn zu preisen (vgl. V 13).

Wer bei ἁπλότητι τῆς κοινωνίας lediglich auf die »Biederkeit (Einfalt) der Mitteilung«[115] abhebt, wird schwerlich erklären können, wieso Paulus hinzufügen konnte (εἰς αὐτοὺς) καὶ εἰς πάντας[116]. Die Anfügung erklärt sich jedoch zwanglos, wenn man die Absicht des Paulus mit in Rechnung stellt, die Kollekte als Konkretion eines bestehenden Gemeinschaftverhältnisses erscheinen zu lassen. Ist es primär auch der Gemeinschaftswille der paulinischen Gemeinden gegenüber Jerusalem, der sich in der Kollekte manifestiert, soll dieser doch nicht auf das Verhältnis zu Jerusalem beschränkt erscheinen[117]: jede andere Gemeinde (die in Not geraten sollte) dürfte in ähnlicher Weise auf die Unterstützung und Hilfe der paulinischen Gemeinden rechnen; auch mit ihnen weiß man sich in Gemeinschaft[118]. Der Zusatz erklärt sich also ganz aus der Tendenz, mögliche oder tatsächlich erhobene Ansprüche Jerusalems zu relativieren, ohne das bleibende Schuldverhältnis der Missionsgemeinden zur Muttergemeinde zu verleugnen[119].

[114] Das objektiv zugrundeliegende *Schuld*verhältnis der heidenchristlichen Gemeinden zur Jerusalemer Muttergemeinde (Wendland, 2 Kor 224: dem »Ursprung der ganzen Kirche«) wird häufig übersehen, wenn nur vom »Gemeinsinn« bzw. vom »Gemeinschaftsgefühl« geredet wird: vgl. Klöpper, 2 Kor 411: »Gemeinschaft suchende, sich teilnehmend erweisende Gesinnung«; ähnlich Belser, 2 Kor 282; Sickenberger, 2 Kor 133; Prümm, Diakonia Pneumatos I 544.

[115] Heinrici, 2 Kor 309; ähnlich Plummer, 2 Kor 266: »the sincere kindness . . . of your contribution«.

[116] Vgl. Bisping, 2 Kor 117: »für die Lauterkeit, womit ihr ihnen und *(eurer Intention nach)* Allen euer Almosen gespendet habet« (Hervorhebung von mir). Nur wenig plausibler erklärt Wendland, 2 Kor 224: »Der Jerusalem geleistete Dienst aber verbindet die korinthische Gemeinde mit allen Christen schlechthin, weil sie die erste Gemeinde, der Ursprung der ganzen Kirche ist: in ihr dient man allen«. Ähnlich Kuss, 2 Kor 231: »für die Urgemeinde und in ihr für die gesamte Christenheit«; de Boor, 2 Kor 194: sie »stehen damit zugleich in der Gemeinschaft ›mit allen‹ Gemeinden«.

[117] Vgl. Tasker, 2 Kor 129: »The Corinthians' contribution is for the poor saints at Jerusalem only; but the fellowship which was expressed in it was, the apostle assumes, felt for all other Christians«. Ähnlich Héring, 2 Kor 75 A. 3: »L'auteur veut sans doute souligner que la générosité pourrait s'exercer dans d'autres cas aussi urgents«.

[118] Prümm erklärt a.a.O. wenig, wenn er meint, Paulus hebe am Gemeinschaftssinn hervor, »daß er nicht nur die unmittelbaren Almosenempfänger, sondern die Gesamtheit (der Gläubigen) zum Beziehungspunkt hat«. Seine Präzisierung, Paulus denke dabei »an die Verbundenheit, in der die Korinther sich mit den übrigen von ihm gegründeten Kirchen zum Gemeinschaftswerk der Sammlung zusammengetan haben«, ist abwegig.

[119] Der mögliche historische Hintergrund einer besonderen Hungersnot in Jerusalem tritt ganz zurück hinter diesen paulinischen κοινωνία-Gedanken. Auf die Hungersnot als

Röm 15,25–28.31

Im Vergleich mit 2 Kor 8 und 9 weist die Behandlung der Kollektenangelegenheit in Röm 15,25–28.31 neben teilweiser Übereinstimmung gewichtige Unterschiede auf:

1. Die Sammlung für Jerusalem[120] geht nach V 26 auf einen Entschluß der Gemeinden in der Makedonia und Achaia zurück, nicht auf eine Anregung des Paulus oder auf Weisung der Jerusalemer Autoritäten (vgl. Gal 2,10).

2. Was diese Gemeinden beschlossen, nennt Paulus hier auffälligerweise κοινωνίαν[121] τινὰ ποιήσασθαι.

3. Als Nutznießer der Sammlung werden »die Armen[122] unter den Heiligen in Jerusalem« genannt, nicht schlechthin Jerusalem bzw. »die Heiligen« (vgl. aber V 31 bzw. V 25).

4. Die Sammlung entspringt jedoch nicht nur freiem Entschluß, sondern auch dem Wissen um eine Dankesschuld gegen »die Heiligen«, d. h. gegen die Muttergemeinde Jerusalem (vgl. V 28a).

5. Es besteht nämlich eine κοινωνία des Gebens und Nehmens; für die geistigen Güter, an denen die Heiden durch »die Heiligen« Anteil bekamen, sind sie schuldig, mit sarkischen Gütern jenen dienstbar zu sein (vgl. V 28b)[123].

Veranlassung der Kollekte wird allenfalls leicht angespielt, wenn Paulus mit καὶ εἰς πάντας ins Prinzipielle ausweitet. Primär ist die Kollekte Zeichen und Ausdruck der Gemeinschaft; die Gläubigen in Jerusalem »seront convaincus désormais, en cas de bon succès de la collecte, que ces convertis de la gentilité professent bien, sans restrictions, la même foi qu'eux-mêmes, puisqu'ils entrent si excellemment dans l'esprit du même évangile« (Allo, 2 Kor 237).

[120] Daß die ἅγιοι (V 25) identisch sind mit den οἱ ἅγιοι τῶν ἐν Ἰερουσαλήμ (V 26) ist nicht zweifelhaft (vgl. auch V 31); dagegen fragt es sich, ob in οἱ ἅγιοι eine signifikante Selbstbezeichnung der Jerusalemer Urgemeinde zu sehen ist; so Holl, Kirchenbegriff 58 ff; vgl. auch Lietzmann, Röm 121; Althaus, Röm 134.

[121] κοινωνία als euphemistische »Umschreibung für die Sammlung« zu bezeichnen (vgl. Sanday-Headlam, Röm 412; Kühl, Röm 414; Bardenhewer, Röm 209; Barrett, Röm 278; Lietzmann, Röm 123; Michel, Röm 370 A. 4; ThW III 809) ist wenig glücklich. In κοινωνία = Gemeinschaftswerk konkretisiert sich die abstrakte κοινωνία = Gemeinschaft. κοινωνία will also nicht die Sammlung umschreiben, sondern ihren Zweck bezeichnen: sie ist Zeichen und Ausdruck von κοινωνία. Vgl. Althaus, Röm 134; weniger präzis Gutjahr, Röm 487.

[122] Auch in οἱ πτωχοί will Holl, a.a.O., eine Selbstbezeichnung der Jerusalemer Urgemeinde erkennen; doch liegt es näher, die Wendung εἰς τοὺς πτωχοὺς τῶν ἁγίων »partitivisch« zu verstehen (so B. Weiß, Röm 121 f; Michel, Röm 370); denn in dieser Näherbestimmung der Spende liegt vermutlich doch eine tendenziöse Absicht. Lietzmann, Röm 123, nennt sie deshalb »eine verhüllende Redeweise« (vgl. dagegen Althaus, Röm 134). Er weist mit Recht darauf hin, daß nach V 27 die Spende nicht dem bedürftigen Teil der Urgemeinde geschuldet wird. Paulus spricht auch sonst meist von den Heiligen (in Jerusalem), nicht von den Armen der Urgemeinde als Adressaten der Kollekte; vgl. 1 Kor 16,1 ff; 2 Kor 8,4; 9,1.

[123] Vgl. Jülicher, Röm 329: »Den Namen Geldspende oder Kollekte vermeidet Paulus, indem er dafür lieber Worte gebraucht, die den geistigen Wert der Sammlung hervorheben; eine Dienstleistung will sie sein, eine Betätigung des Gemeinschaftsbewußtseins« (vgl. auch

6. Deutlicher als in 1 und 2 Kor kündigt Paulus an, die Sammlung abschließen und sie nach Jerusalem überbringen[124] zu wollen (vgl. V 29a). 7. Diese Reise bedeutet für ihn aber ein erhebliches Risiko. Paulus fordert daher die römische Gemeinde auf, in ihren Gebeten auch dafür mitzukämpfen (vgl. V 30), daß seine διαχονία ἡ εἰς Ἱερουσαλήμ dort auch εὐπρόσδεχτος γένηται (V 31). Stärker als sonst scheint hier der wahre Charakter der Kollekte verschleiert zu sein. Nach 2 Kor 8,4 haben die Gemeinden der Makedonia »unter viel Zureden« um die Teilnahme am Kollektenwerk »gebeten«; hier geht nun eigenartigerweise von ihnen und den Gemeinden der Achaia die Initiative aus, die sonst beim Apostel selbst (vgl. 1 Kor 16,1–4; 2 Kor 8.9) bzw. bei den δοχοῦντες der Urgemeinde (vgl. Gal 2,10) liegt. Den Grund für diese Darstellung in Röm 15,26 kann man nur vermuten; er dürfte aber in der Situation des Apostels zu suchen sein. Denn es ist nicht zu übersehen, daß in den Besonderheiten der Darstellung von Röm 15,25 ff eine bestimmte Tendenz waltet.

Mit keinem Wort legt Paulus der römischen Gemeinde eine Beteiligung am Kollektenwerk nahe. Zwar hat man seit Origenes immer wieder vermutet, er wolle sie indirekt auffordern[125]; jedoch der Hinweis, daß er im Augenblick unterwegs ist (beachte: πορεύομαι) nach Jerusalem, um die ganze Angelegenheit abzuschließen[126], spricht nicht für diese Vermutung.

Wenn Paulus also einerseits den wahren Charakter der Kollekte verschleiert, überhaupt nur exkursartig auf sie zu reden kommt[127] in der Erörterung seiner

Lipsius, Röm 197f; B. Weiß, Röm 121f; Althaus, Röm 134). Jülicher dürfte damit den Sinn von χοινωνία ebenso richtig bestimmt haben wie den von λειτουργῆσαι (bzw. διαχονῶν, διαχονία VV 25.31); denn die »Dienstleistung« der Kollekte wird durch λειτουργῆσαι weder zu einer »Art Opfergabe« (Reithmayr, Röm 761) noch in »amtliche und verbindliche Sphäre« gehoben (Michel, Röm 371 A. 1).

[124] Der Sinn von σφραγίζεσθαι ist schwerlich exakt auszumachen (vgl. Lietzmann, Röm 123: »schwer verständlich«). Gedacht wird sowohl an eine »abschließende Handlung«, als auch an einen »Akt der Ablieferung« (vgl. Michel, Röm 371). αὐτοῖς wäre im ersteren Fall auf die makedonischen und achaiischen Gemeinden zu beziehen und σφραγίζεσθαι im Sinne einer Besiegelung oder Bestätigung zu verstehen (vgl. Reithmayr, Röm 761; B. Weiß, Röm 122; Althaus, Röm 134); andernfalls bezieht sich αὐτοῖς auf die Jerusalemer und σφραγίζεσθαι zielt auf ein beglaubigtes Abliefern (so de Wette, Röm 195; Tholuck, Röm 735; Bardenhewer, Röm 210). Zu weitgehend ist die Deutung Jülichers, Röm 330, »Vorlegung eines absolut sicheren und keinem Zweifel ausgesetzten Beleges für die Echtheit seiner Arbeit«.

[125] Vgl. Tholuck, Röm 735; auch Reithmayr, Röm 760; Bisping, Röm 361; Michel, Röm 370.

[126] »Von der zu verwirklichen begonnenen Absicht« handelt nach de Wette, Röm 194, das Part. Präs. διαχονῶν; dagegen hat es »durative Aktionsart« nach Michel, Röm 370 A. 3. Bezogen auf νυνὶ δὲ πορεύομαι kann es aber nur den Sinn haben: die Reise selbst geschieht »im Dienst« für die Heiligen Jerusalems (vgl. Jülicher, Röm 329; Sickenberger, Röm 297; Althaus, Röm 134); wenig naheliegend ist es, mit Michel, Röm 370, eine Verbindung mit dem Dienst am χύριος herzustellen.

[127] Vgl. Michel, Röm 368.

Reisepläne (VV 22–29), und wenn er ausdrücklich sagt, daß seine gegenwärtige Jerusalemreise der »Besiegelung der Frucht« dient, muß die Tendenz anders gerichtet sein; nicht auf Mitbeteiligung der römischen Gemeinde, sondern zunächst einmal gegen Jerusalem.

Schon in V 25 wurde bei der Begründung der Kollekte jeder Hinweis auf Jerusalem vermieden und statt dessen auf einen freien Entschluß der Gemeinden Makedonias und Achaias Bezug genommen. Wenn nun in V 26 die »Armen« unter den Heiligen Jerusalems als Empfänger genannt werden, wird auch darin eine nicht unbeabsichtigte Präzisierung zu sehen sein, die einen möglicherweise erhobenen Anspruch der οἱ ἅγιοι, bzw. Jerusalems, abzuwehren geeignet ist[128]. Zwar besteht eine Dankesschuld der ἔθνη gegen Jerusalem, aber diese ist nicht erzwingbar, sondern nur in freier Anerkennung zu leisten. Vermutlich lag in dieser verschiedenen Beurteilung bzw. Auslegung der Jerusalemer Vereinbarungen das Risiko, dessentwegen Paulus die römische Gemeinde auffordert, im Gebet mit ihm zu kämpfen, daß sein Dienst in Jerusalem sich als annehmbar erweise.

Ein ähnliches auf Unterscheidung bedachtes Denken scheint zu der ungewöhnlichen Formulierung κοινωνίαν τινὰ ποιήσασθαι geführt zu haben: man beschloß, »ein gewisses Gemeinschaftswerk zu betreiben«, während Jerusalem wohl uneingeschränkte κοινωνία erwartete[129] – und nach paulinischer Auffassung eigentlich auch erwarten durfte. Man wird diese Tendenz nicht überbetonen dürfen; sie ist zwar deutlicher als in den übrigen Texten, die von der Kollekte handeln, aber keineswegs polemisch.

Diese Verhaltenheit in der Erwähnung der Kollekte vor der römischen Gemeinde begünstigt keine Spekulationen über eine anti-jerusalemer Frontstellung bei Paulus. Begründet scheint diese Verhaltenheit sowohl in der Sache, wie in der Situation des Apostels. Schon im vorausgehenden Teil seiner Reisepläne betont er, »daß er Rom nur auf der Durchreise besuchen« und »keine kirchenpolitischen Pläne mit diesem Besuch verbinden« wolle[130]. Es besteht für Paulus kein Grund, zwischen Rom und Jerusalem eine Kluft aufzureißen, aber ebensowenig sieht er sich veranlaßt, eine intensivere Bindung herzustellen. So läßt er nur die latente

---

[128] Von der Sorge um die Armen der Urgemeinde spricht auch Gal 2,10; doch scheint dort dieselbe Tendenz einer Abwehr möglicher Mißdeutung vorzuliegen wie in Röm 15,26.

[129] Wenn Reithmayr, Röm 759, meint: »Eine Collekte ist ihm nichts als einige (τίς) ›Gemeinmachung‹ des Privatbesitzes zum Besten (εἰς) derer, welche besitzlos sind« (ähnlich Lagrange, Röm 358), verkennt er den besonderen Charakter dieser Kollekte als Konkretion der (von Jerusalem wohl eher im Sinne von Unterordnung gedachten) κοινωνία der heidenchristlichen Gemeinden mit Jerusalem.
Die Einschränkung mit τινά wird m. E. durchwegs mißdeutet. In der Gefolgschaft von A. Maier, Röm 424, und B. Weiß, Röm 589, wird τινά meist als Ausdruck der Zwanglosigkeit der Kollekte und der Unbestimmtheit des zu erzielenden Betrages verstanden; vgl. Gutjahr, Röm 487; Bardenhewer, Röm 209; jetzt auch Käsemann, Röm 381.

[130] Michel, Röm 369.

Spannung in seinem eigenen Verhältnis zu Jerusalem und seine Besorgnis über die Aufnahme seiner διακονία anklingen, verpflichtet aber die römische Gemeinde nicht zur Beteiligung an der Kollekte. Was Paulus der römischen Gemeinde gegenüber herausstellt, ist der allgemeine Grundsatz, daß die Heidenvölker in der »Schuld« der Heiligen Jerusalems stehen, und daß sie für die geistigen Güter, welche sie empfangen, Dankbarkeit zu bezeigen haben, damit jene κοινωνία des Gebens und Nehmens entstehe[131], in der Paulus die Konkretion der Gemeinschaft erblickt. Wie immer die Sorge für die Armen (vgl. Gal 2,10) von den Jerusalemer Autoritäten gedacht gewesen sein mag, für Paulus ist die Kollekte ein freies Werk seiner Gemeinden, Ausdruck ihres Willens zur Gemeinschaft[132].

Die Zurückhaltung, welche Paulus in der Kollektensache der römischen Gemeinde gegenüber übt, ist aber auch persönlich bedingt. Paulus läßt zwar keinen Zweifel, daß seine ἀποστολὴ εἰς ὑπακοὴν πίστεως ἐν πᾶσιν τοῖς ἔθνεσιν auch für Rom ihre Geltung besitzt; aber er weiß und respektiert, daß nicht er die Gemeinde gegründet hat[133]. Er ist hier an seinen eigenen Grundsatz gebunden: ἵνα μὴ ἐπ' ἀλλότριον θεμέλιον οἰκοδομῶ (15,20); deshalb kann er zwar allgemein auf die Dankesschuld gegen Jerusalem hinweisen, doch vermeidet er es, die römische Gemeinde in das Kollektenwerk der »paulinischen« Gemeinden einzubeziehen.

Als Ergebnis dürfen wir festhalten:

1. Wenn es für Paulus ein oberstes kirchenpolitisches Ziel gibt, so ist es die κοινωνία, die Gemeinschaft zwischen jenen, welche die geistigen Güter weitergeben und jenen, die sie empfangen[134].

---

[131] Man sollte nicht – wie Bisping, Röm 362 – auf die »christliche Liebe« allgemein hinweisen, die »alles gemeinsam« hat und »sich durch fortwährendes Geben und Empfangen« betätigt; denn die hier gemeinte κοινωνία bezieht sich ganz konkret auf das Verhältnis der heidenchristlichen Gemeinden zu Jerusalem. Vgl. Brunner, Röm 104: »Gegengabe der Heidengemeinden für die von Jerusalem ausgegangene Gabe des Evangeliums«.

[132] Daß Paulus der römischen Gemeinde zeigen wollte, »daß sein Missionskreis sich freiwillig der jerusalemischen Steuer unterordnet« (Michel, Röm 370), widerspricht der Tendenz des Textes. Man kann auch nicht sagen, die Gemeinden hätten, »was der Apostel selbst einst als rechtliche Verpflichtung zugestanden hat ... in einem freien Entschluß nachzuvollziehen« (Michel, Röm 371); denn wir haben uns an die paulinische Sicht der Dinge zu halten. Paulus aber tut alles, um ein rechtliches Verständnis der Kollekte als »Steuer« etc. zu verhindern. Für ihn bedeutete selbst der Beschluß der »Apostelversammlung«, »die heidenchristl. Gemeinden sollten die Muttergemeinde in Jerusalem unterstützen« (Nygren, Röm 323), nur ihre »besonderen Auftrag«, bei seinem Wirken unter den Heiden der Armen Jerusalems eingedenk zu sein« (Schaefer, Röm 409). Korrekter wäre allerdings mit Zahn, Röm 602, von der »Erfüllung einer Dankespflicht« zu reden; vgl. Schlatter, Gottes Gerechtigkeit 390: »Wer empfangen hat, soll danken«.

[133] Diese Zurückhaltung geht aber nicht ganz so weit, daß man mit Jülicher, Röm 322, sagen könnte: »eigentliches Ziel seiner Reise darf eine von anderen gegründete Gemeinde wie Rom ja nicht sein«.

[134] Vgl. neben Röm 15,27 v. a. 1 Kor 9,11; Gal 6,6; dazu Nygren, Röm 323: »Paulus nennt es κοινωνία, ›Gemeinschaft‹ ...«.

2. Ein solches Anrecht auf dankbare κοινωνία kommt vor allem Jerusalem, der Gemeinde der Heiligen zu, von der alle geistigen Güter ihren Ausgang nahmen, so daß alle Gemeinden ihre »Schuldner« sind.

3. Paulus und seine Gemeinden betrachten diesen Anspruch als gerecht und billig; Paulus betreibt deshalb auch mit großer Sorgfalt das »Gemeinschaftswerk« der Kollekte, um die Jerusalemer und ihre Autoritäten von der Bereitwilligkeit seiner Gemeinden zur κοινωνία zu überzeugen[135].

4. Die κοινωνία τις, von der Röm 15,26 spricht, d. h. diese Konkretion der Gemeinschaft im Gemeinschaftswerk der paulinischen Gemeinden, ist zugleich Anerkennung und Einschränkung dieses Anspruchs. Einschränkung, sofern auf die Freiwilligkeit des Entschlusses[136] zu ihrer Durchführung hingewiesen und damit der Kollekte das mögliche Odium einer auferlegten Steuer für Jerusalem genommen wird; Einschränkung, sofern sie mit τις bewußt als partielle Konkretion hingestellt wird – im Gegensatz zu V 27b, der in allgemeiner Form eine uneingeschränkte κοινωνία in wechselseitigem Geben und Nehmen fordert[137]; Einschränkung schließlich, sofern das Gemeinschaftswerk »den Armen« unter den Heiligen Jerusalems zukommen soll, wodurch die κοινωνία in den Bereich brüderlicher Solidarität verlegt und der Sphäre rechtlicher Ansprüche Jerusalems oder der Heiligen dort enthoben wird[138].

5. Diese Uminterpretation ist vermutlich der Grund, weshalb Paulus der Ablieferung der Kollekte mit einiger Besorgnis entgegenblickt. Er weiß nicht, ob das Gemeinschaftswerk seiner Gemeinden in Jerusalem als »Frucht« (vgl. V 28) des Willens zur κοινωνία aufgenommen wird; d. h. ob seine eigene Vorstellung von der κοινωνία in der Muttergemeinde gebilligt werden würde[139].

[135] Vgl. dazu v. a. 2 Kor 9,12 ff; de Wette, Röm 195, erklärt deshalb die »Frucht«, welche Paulus versiegeln will (V 28), zutreffend als den »Ertrag der κοινωνία«; ähnlich Jülicher, Röm 329 (»Betätigung des Gemeinschaftsbewußtseins«).

[136] Michel, Röm 370, spricht von einem »fast aufdringlichen ηὐδόκησαν γάρ«; vgl. Althaus, Röm 134.

[137] τις deutet auch Reithmayr, Röm 759, im Sinne partieller Gütergemeinschaft; doch denkt er zu stark an das Mitteilen von Besitz und zu wenig an die »Pflicht der Dankbarkeit«, welche sich in dieser »Unterstützung« ausdrückt (vgl. Nygren, Röm 323), an die κοινωνία τις als Konkretion der κοινωνία. Vgl. B. Weiß, Röm 122: »eine gewisse Betätigung der brüderlichen Gemeinschaft« (Hervorhebung von mir).

[138] Nicht eine »rechtliche Verpflichtung« (Michel, Röm 371) läßt sich erheben, wohl aber eine sittliche. Anders Dodd, Röm 232: »not only a moral obligation, but a contractual one«; doch das ist mit Sicherheit zu weitgehend. Zurückhaltender Käsemann, Röm 380: »offensichtlich mußte er dieser Verpflichtung unter allen Umständen nachkommen . . .«.

[139] Den Grund für eine mögliche Weigerung sieht Reithmayr, Röm 765, z. B. darin, daß die Kollekte »von Heidenchristen kam, und ihre Annahme eine Bestätigung der Kirchengemeinschaft in sich schloß«. Aber nicht die Kirchengemeinschaft mit den Heidenchristen an sich stand zwischen Jerusalem und Paulus auf dem Spiel – sie scheint seit Gal 2,1–14 grundsätzlich gesichert gewesen zu sein –, sondern ihr je verschiedenes Verständnis. Allenfalls könnte man mit Althaus, Röm 135, davon sprechen, daß die »Wunde, die das Apostelkonzil schließen sollte, immer noch offen« war. Es war deshalb für Paulus fraglich,

6. Die paulinische Sicht der Dinge läßt vermuten, daß es sich bei der Kollekte nach der Intention der Jerusalemer Autoritäten um eine Art von rechtlicher Anerkennung des Vorrangs Jerusalems handeln sollte. Für Paulus ist sie ein Werk der Liebe, Ausdruck der Verbundenheit seiner Gemeinden mit Jerusalem[140].

7. Damit gibt Paulus den Ansprüchen Jerusalems eine andere Qualität: eine sittliche. Die »Vorortschaft«[141] Jerusalems bedeutet eine unkündbare Verpflichtung zur κοινωνία; aber diese ist für ihn nicht erzwingbar und daher kein Rechtsanspruch; sie ist nur in Freiheit zu leisten[142].

8. Sieht man jedoch von dieser gegen das Jerusalemer Verständnis von κοινωνία gerichteten Tendenz ab, die zu den genannten Einschränkungen führte, so ist kein Zweifel möglich, daß Paulus die κοινωνία als eine uneingeschränkte Partnerschaft des Anteil-gebens und Anteil-nehmens zum Zwecke des gemeinsamen Anteil-habens versteht[143] – ein Grundsatz, der in gleicher Weise für das Verhältnis Jerusalems zu den Gemeinden[144], wie für das des Apostels zur jeweiligen – von ihm gegründeten – Gemeinde[145], wie für das Zueinander jedes Lehrers mit seinen Schülern Geltung besitzt[146].

9. Solche κοινωνία bedeutet konkret den Austausch von τὰ πνευματικά und τὰ σαρκικά (vgl. V 27b); der Artikel hindert daran, an einen partiellen Güteraustausch zu denken. Was Paulus vorschwebt, ist eine *Art* von Gütergemeinschaft[147].

ob man in Jerusalem die Kollekte als »sichtbares Zeichen . . . der Zusammengehörigkeit und Zusammenarbeit« (Sickenberger, Röm 298) annehmen, die von Paulus verfochtene »Ebenbürtigkeit« (Tholuck, Röm 735) der heidenchristlichen Gemeinden gelten lassen oder ihre förmliche Subordination fordern würde. Es geht für Paulus also darum, ob er sein sittliches Verständnis von κοινωνία durchsetzen kann gegen das rechtliche.

[140] Vgl. Käsemann, Röm 380: »Völlige Bindungslosigkeit Jerusalem gegenüber erlaubte seine Theologie nicht und konnte er sich in seiner praktischen Arbeit noch weniger leisten«.

[141] Vgl. Holl, Der Kirchenbegriff des Paulus 61.

[142] Jülicher, Röm 329, weist mit Recht darauf hin, daß Paulus »die Kollekten-Angelegenheit nicht wie eine lästige Pflicht« behandelt. Von dieser »Betätigung des Gemeinschaftsbewußtseins« (a.a.O.) seiner Gemeinden hing zuviel ab für seine ganze Heidenmission; denn nur in diesem Erweis der Echtheit ihres Willens zur Gemeinschaft für Jerusalem war der paulinische Begriff von κοινωνία zu retten. Vgl. Barth, Röm 518; Brunner, Röm 104; Käsemann, Röm 381.

[143] Bisping, Röm 362, übersieht die Tendenz des τις, wenn er einschränkt: »Für die geistlichen Güter . . . sollen sie *einen Teil* ihrer leiblichen Güter wieder zurückgeben« (Hervorhebung von mir). Schaefer, Röm 410, schränkt anders, aber ebenfalls zu Unrecht ein: »mit ihrem irdischen Besitze *Dienste* erweisen«.

Könnte man in Röm 15,27 noch ein wenig zweifeln wegen des ἐν (τοῖς σαρκικοῖς), so erhebt ein Vergleich mit 1 Kor 9,11 τὰ σαρκικὰ θερίσομεν und Gal 6,6 ἐν πᾶσιν ἀγαθοῖς unsere Deutung zur Gewißheit.

[144] Vgl. Röm 15,25 ff.

[145] Vgl. 1 Kor 9,4 ff.11.

[146] Vgl. Gal 6,6.

[147] Nur Reithmayr, Röm 759, hat diese tendenziöse Einschränkung in (κοινωνία) τις registriert und daraus geschlossen, daß an sich totale Gütergemeinschaft gefordert wäre. Diese Forderung nach Gütergemeinschaft beansprucht aber zweifellos nur prinzipielle

10. Die in Röm 15,25–28.31 zu beobachtende Tendenz richtet sich folglich einzig gegen ein mögliches Mißverständnis der Kollekte, nicht gegen den prinzipiellen Vorrang Jerusalems.

B. Die Kollekte als Ausdruck »gesamtkirchlicher« κοινωνία

Es kann im folgenden nicht meine Aufgabe sein, die gesamte Problematik der Kollektenvereinbarung von Gal 2,10 und ihrer Geschichte darzustellen. Darüber informiert in aller Ausführlichkeit D. Georgi in seiner Habilitationsschrift »Die Geschichte der Kollekte des Paulus für Jerusalem«[148]. Seine Untersuchung ist zwar von einer Reihe von Hypothesen belastet, die fast alle mit der Chronologie des Lebens und der Briefe des Paulus zusammenhängen[149]; dennoch informiert sie gründlich. Auf diese – zweifellos auch für die weitere Erhellung der geschichtlichen Dimension paulinischen Theologisierens förderlichen – Hypothesen braucht in unserem Zusammenhang nur gelegentlich eingegangen zu werden. Hier interessiert nur der Aspekt »Kollekte und Kirchenverständnis«.

Um dazu nicht bereits Gesagtes wiederholen zu müssen, verweise ich auf meine Arbeit »Ekklesia«[150]. Dort habe ich vor allem die zwischen Paulus und Jerusalem divergierenden »Kirchen«-verständnisse zu erarbeiten versucht. Die Beschränkung auf den Aspekt der inneren Beziehung von Kollekte und Kirchenverständnis, und zwar ausschließlich in paulinischer Sicht, dürfte von daher gerechtfertigt sein: es geht uns ja um das Verständnis von κοινωνία bei Paulus, einen Begriff, der im Zusammenhang mit der Kollekte mehrfach begegnet[151] und sogar für die Kollekte selbst steht[152].

Um so erstaunlicher, daß Georgi diesen Begriff in seiner Untersuchung in

Gültigkeit; Paulus verlangt zwar uneingeschränkte Partnerschaft (vgl. auch Michel, Röm 371 A. 1), doch genügt es z. B., κοινωνίαν τινὰ ποιήσασθαι, d. h. sie in konkreten Taten zu aktualisieren. Was Paulus erwartet und mit der Kollekte selber ausdrücken will, ist aber mehr als nur »Bekundung der Solidarität« (Käsemann, Röm 381), ist Anerkennung bestehender Gemeinschaftsverhältnisse durch zeichenhaftes Tun.

[148] D. Georgi, Die Geschichte der Kollekte des Paulus für Jerusalem (Theologische Forschung 38), Hamburg-Bergstedt 1965.

[149] Vgl. z. B. a.a.O. 41ff: die Teilungshypothesen als Grundlage historischer Rekonstruktionen; a.a.O. 79: die Teilung des Römerbriefs; a.a.O. 80: Ephesus und die Kollekte – ein typisches Beispiel für seine Spekulationen; v. a. aber Anlage I. zur Frage der Chronologie a.a.O. 91–96.

[150] (BU 9) Regensburg 1972, 229–250. Vgl. dazu jetzt H. Merklein, Die Ekklesia Gottes. Der Kirchenbegriff bei Paulus und in Jerusalem, in: BZ NF 23 (1979) 48–70, und K. Berger, Volksversammlung und Gemeinde Gottes, in: ZThK 73 (1976) 167–207.

[151] Vgl. Gal 2,9f; 2 Kor 8,4; 8,23; 9,13; Röm 15,26f.

[152] Röm 15,26.

keiner Weise berücksichtigt. Ich finde dafür in seiner Arbeit keine Erklärung; man wird also wohl annehmen müssen, daß er den Begriff κοινωνία zur Erhellung der Kollektenprobleme für vernachlässigenswert hielt – oder aber seine tatsächliche Bedeutung nicht erkannte. Zumindest an zwei Stellen ist jedoch an der Erörterung des Begriffs κοινωνία überhaupt nicht vorbeizukommen: Gal 2,9f und Röm 15,26 ff.

In der Besprechung von Gal 2,9 f konnte gezeigt werden, daß dem κοινωνία-Begriff für das Verständnis der Kollekte der paulinischen Gemeinden zugunsten der Urgemeinde zu Jerusalem eine Schlüsselrolle zukommt. Die Kollekte wäre demnach zu verstehen als eine Konkretion bzw. als Ausdruck und Beweis der zwischen Jerusalem und den heidenchristlichen Kirchen bestehenden »Gemeinschaft«.

Diese Interpretation wird nun freilich – was den Begriff κοινωνία selbst angeht – von H. Seesemann lebhaft bestritten: »Gegen ein Verständnis . . . von der Bedeutung ›Gemeinschaft‹ her« spreche »vor allem« 2 Kor 9,13; »aber auch die Tatsache, daß κοινωνία = ›Betätigung der Gemeinschaft‹ sonst nicht nachweisbar ist«[153].

In welch heillose Konfusion Seesemann mit dieser Behauptung gerät, beweist seine Auslegung der Kollektentexte im einzelnen.

Zu 2 Kor 8,4 z. B. sieht er sich genötigt einzugestehen: »›Teilnahme‹ oder ›Anteilhaben‹ – die jedenfalls zugrunde liegende Bedeutung – ist zu schwach, um ganz auszudrücken, was Paulus meint. Am ehesten paßt ›Gemeinschaft‹ = ›innigste Anteilnahme‹, jedoch mit religiösem Akzent«[154]. Diese Feststellung hindert ihn aber nicht, andernorts die κοινωνία von 2 Kor 8,4 als »Teilnahme, Anteilhaben« zu bestimmen[155] und letzteres auch als Resultat auszuweisen[156]. Für 2 Kor 9,13 entscheidet er sich für »Mitteilsamkeit«[157] und verwirft die von H. Windisch erörterte Alternative[158] von »(a) die vom Geber zum Empfänger fließende Gabe (Mitteilung, Kollekte, der konkrete Beweis der Gemeinschaft, vgl. Röm 15,26)« oder »(b) die (durch die Gabe bezeugte) Solidarität zwischen beiden Parteien . . ., die Gemeinschaft suchende, sich teilnehmend erweisende Gesinnung«.

Die Ableitung vom Verbum κοινωνεῖν = »Anteil geben«, also »Mitteilsamkeit«, liege »näher als die Annahme eines sonst nicht nachgewiesenen Sprachgebrauchs von κοινωνία = ›Gemeinsinn, sich teilnehmend erweisende Gesin-

---

[153] Seesemann, KOINΩNIA 29 A. 1.

[154] Seesemann a.a.O. 68. Was es mit dem »religiösen Akzent« auf sich hat, ist später zu erörtern.

[155] A.a.O. 34.

[156] A.a.O. 99.

[157] A.a.O. 26–28.

[158] Windisch, 2 Kor 284 f. Den Hinweis Windischs auf die Solidarität als »das treibende Motiv« bei dem ganzen Unternehmen hat Seesemann übergangen.

nung«»[159]. Auch inhaltlich sei diese Deutung abzulehnen:»Mitteilsamkeit ist nicht eine ›Gemeinschaft suchende Gesinnung‹. Diese Umschreibung ruht auf der Voraussetzung, daß die grundlegende Bedeutung von κοινωνία auch hier ›Gemeinschaft‹ ist. Das ist aber . . . nicht der Fall«[160]. Aus diesem Grunde lehnt Seesemann auch die zuerst von Windisch genannte Möglichkeit der Auslegung ab: κοινωνία = »der konkrete Beweis der Gemeinschaft«. Dagegen spricht ihm vor allem die »Tatsache, daß κοινωνία niemals die Bedeutung ›Gabe, Mitteilung‹ annimmt«[161].

Nun kann freilich auch Seesemann nicht leugnen, daß Paulus in Röm 15,26 mit κοινωνία »die Kollekte selbst« bezeichnet[162]; und er fragt sich, »wie κοινωνία diese Bedeutung erhalten konnte«. Zur Erklärung verweist er zurück auf 2 Kor 9,13:»der gleiche Zusammenhang hier und dort verlangt gleiche Deutung« – und das heißt:»Mitteilsamkeit«. Dabei stört es ihn seltsamerweise keineswegs, fortfahren zu müssen:»Röm 15,26 ist die Bedeutung ›Mitteilsamkeit‹ aber durch den Inhalt des Verses, besonders durch das Verbum ποιήσασθαι ausgeschlossen; dieses Verbum verlangt ein *konkretes* Objekt«[163].

Seesemann macht sich die Lösung des Problems leicht. Er sagt nur:»Meines Erachtens liegt es so, daß Paulus das Abstraktum ›Mitteilsamkeit‹ konkretisiert hat; κοινωνία ist damit = ›Kollekte‹«[164].

Trotz dieser auch nach seiner Auffassung erforderlichen Konkretion versucht er festzuhalten an der Bedeutung »Mitteilsamkeit«[165]. Er erklärt die Wendung κοινωνίαν τινά als »eine Art von Mitteilsamkeit« und sieht darin eine »Umschreibung«, die mit »Kollekte« wiederzugeben sei[166]. Ist damit aber die Bedeutung von κοινωνίαν τινὰ ποιήσασθαι richtig bestimmt? Und sind damit die gedanklichen Implikationen des Begriffs κοινωνία wirklich erfaßt? Seesemann verwickelt sich sofort in neue Widersprüche, sobald er auf das ἐκοινώνησαν in Röm 15,27 zu sprechen kommt und mit Rückverweis auf V 26 sagt:»hieß es dort: sie haben beschlossen, den Jerusalemern von ihren Gütern mitzuteilen, so heißt es hier: sie sind es schuldig zu tun, weil sie an deren Gütern Anteil gewonnen haben«[167]. Er kann also ohne weiteres vom »Mitteilen« sprechen und sogar hinzufügen:»›Mitteilen‹ und ›Teilhaben‹ entsprechen einander«; aber er zieht keine Konsequenzen für das Verständnis von κοινωνία, behauptet vielmehr – wie oben zitiert –, κοινωνία nehme niemals die Bedeutung »Mitteilung« an.

[159] Seesemann a.a.O. 27. Von »Gemeinsinn« hat Windisch allerdings auch gar nicht gesprochen.
[160] A.a.O. 27f.
[161] A.a.O. 26.
[162] Seesemann a.a.O. 28 (dort auch alle folgenden Zitate).
[163] A.a.O. 28f (Hervorhebung von mir).
[164] A.a.O. 29.
[165] A.a.O. 31 und v. a. 99 in der Zusammenstellung der Resultate.
[166] Alles a.a.O. 29.
[167] Seesemann a.a.O. 32.

154   *Die Kollekte als Ausdruck »gesamtkirchlicher« κοινωνία*

Genauso lehnt er die Bedeutung »Gemeinschaft« ab (bzw. läßt sie nur an ganz wenigen Stellen – notgedrungen – gelten) und muß doch selbst nach einer Zusammenstellung von Stellen mit κοινωνεῖν konstatieren: »An allen diesen Stellen geht die Bedeutung von κοινωνέω über ›teilhaben‹ zwar hinaus und kann vielleicht am besten mit ›verbunden sein, Gemeinschaft haben‹ wiedergegeben werden«[168]; dennoch sträubt er sich dagegen, diese Einsicht für die Interpretation von κοινωνία festzuhalten.

Diese Widersprüchlichkeiten resultieren aus der nur ungenauen Erarbeitung der inneren Struktur des mit κοινωνία Gemeinten. Seesemann selbst glaubte zwar eine einheitliche Übersetzung von κοινωνία ermöglicht zu haben[169]; aber tatsächlich kam er an der verschiedenen Wiedergabe nicht vorbei und mußte als Ergebnis wenigstens 3 Möglichkeiten der Auslegung nebeneinander stehen lassen: a) die ›Mitteilsamkeit‹, b) das ›Anteilhaben‹ und c) die ›Gemeinschaft‹. Das innere Bezugsverhältnis dieser verschiedenen Momente zu erklären, ist ihm nicht gelungen.

Wenn nun aber Seesemann – widerwillig und nicht ohne Widersprüchlichkeiten – gerade auch im Zusammenhang der Kollektentexte auf die Bedeutung »Gemeinschaft« hinzuweisen sich genötigt sah, ist zu prüfen, ob sich nicht doch von hier aus eine einheitlichere Gesamtauffassung erarbeiten läßt.

Gerade weil nun aber D. Georgi – wie erwähnt – sich auf den Begriff κοινωνία überhaupt nicht einläßt, scheint mir die wesentliche Übereinstimmung zwischen seinem Gesamtverständnis der Kollektentexte mit meinen für die Auslegung von κοινωνία bei Paulus erarbeiteten Thesen von einiger Beweiskraft.

Georgi weist schon in seinem Überblick über »Die Kollekte des Paulus für Jerusalem in der Forschung«[170] darauf hin, es habe sich »allgemein die Einsicht durchgesetzt, daß Kollekte und Kirchenverständnis aufs engste miteinander verknüpft sind«. Dabei werde gezeigt, »daß die Kollekte die heilsgeschichtliche Begründung der Gemeinde Jesu Christi wie auch *die geschichtliche Bindung der Einzelgemeinden an die Jerusalemer Gemeinde* und die Bedeutung Jerusalems als Zentrum der Gesamtgemeinde unterstreicht«.

Was letzteres betrifft, verweise ich auf die Modifikationen, die dazu nötig erscheinen und die ich andernorts dargestellt habe[171]; ersteres bedürfte wohl auch

---

[168] A.a.O. 32.
[169] Vgl. a.a.O. 19.
[170] Georgi a.a.O. 9–11, hier 10 (Hervorhebung von mir).
[171] Ekklesia 229–250, v. a. 239–250. Auf die Bedeutung des bekannten Aufsatzes von K. Holl verweist in diesem Zusammenhang auch Georgi a.a.O. Holl habe »die enge Verbindung von Kollekte und Kirchenverständnis ... ganz scharf herausgestellt« und als erster erkannt, »daß die spätjüdische, eschatologisch ausgerichtete Jerusalemideologie bei dem Kirchenbegriff der Urgemeinde und der Forderung der Kollekte eine Rolle gespielt haben muß«, Paulus aber seinerseits »ein anderes Verständnis von der Kollekte durchzusetzen« versuchte.

nach den Studien von K. Holl und D. Georgi noch einer gründlicheren Untersuchung[172]. Worauf es mir für das Verständnis der Kollekte anzukommen scheint, ist »die geschichtliche Bindung der Einzelgemeinden an die Jerusalemer Gemeinde«. Was in Frage steht, ist ja nichts anderes als die »Gemeinschaft der christlichen Gemeinden«[173], speziell jene zwischen Jerusalem und den Heidenchristen. Die geschichtliche Bindung als solche wird dabei von Paulus in keiner Weise bestritten. Strittig ist ihm jedoch deren Bedeutsamkeit: Kann Jerusalem, bzw. kann die Christengemeinde in Jerusalem mit den bei ihr geltenden Autoritäten aus ihrer heilsgeschichtlichen Rolle hoheitliche Rechte über die ganze Christenheit ableiten – und welche bzw. wie geartete? Röm 15,27 rekurriert auf diese geschichtliche Bindung zwischen den heidenchristlichen Gemeinden und Jerusalem und interpretiert die entstandene Beziehung als Schuldverhältnis: »denn wenn die Heiden an ihren geistlichen Gütern Anteil bekommen haben, sind sie schuldig, ihnen auch in den leiblichen einen Dienst zu leisten«.

Durch das κοινωνεῖν, das Partizipieren an der von Jerusalem ausgegangenen Heilsbotschaft[174] entstand – nach Auffassung des Paulus – ein Verhältnis von κοινωνία[175], das zu dankbarer Antwort verpflichtet. Aufgrund dieser Verpflichtung (vgl. Röm 15,27a) faßten die Gemeinden in Makedonia und Achaia den Beschluß, κοινωνίαν τινὰ ποιήσασθαι (15,26). Georgi schreibt dazu: »Sie wissen darum, daß sie durch die kirchengründende Predigt von der Auferstehung Jesu von den Toten einer *weltweiten Gemeinschaft mit einer bestimmten Geschichte zugeführt und eingeordnet* sind: dem Gottesvolk der neuen Schöpfung. Sie erfüllen die Verpflichtung, die daraus für sie entspringt. *Ihre Spende ist ein Erweis ihres Willens zur Partnerschaft. Sie ist ›Zeichen der Gemeinschaft‹ mit den*

---

[172] Georgi dürfte die Kollektentexte doch allzu stark mit der paulinischen Antithese zur erwähnten Jerusalemideologie befrachtet haben. Die von ihm aufgewiesene Tendenz bei Paulus wird aber wohl richtig sein, wenngleich ihre Ausprägung im einzelnen auch anders akzentuiert werden könnte.

[173] Georgi nennt a.a.O. 11 Franklins (von »methodischen Schwächen« behaftete) Monographie über die Kollekte anregend, diese »in ihrer ganzen geschichtlichen Bestimmtheit und Bewegtheit nachzuzeichnen«. Vgl. W. M. Franklin, Die Kollekte des Paulus, Diss. Heidelberg, Pennsylvania USA 1938.

[174] Mit Georgi ist unter den geistlichen Gütern, die von Jerusalem ausgingen, »vor allem die Auferstehungsbotschaft als die kirchengründende Predigt« zu verstehen. In 1 Kor 9,11 dagegen ist allgemeiner »die Predigt der Apostel« gemeint (a.a.O. 83).

[175] Statt auf dieses Verhältnis von κοινωνία hebt O. Glombitza in seinem Aufsatz zu Phil 4,10–20 »Der Dank des Apostels«, in: NT 7 (1964) 135–141, lediglich auf das Evangelium, als das Wort der Begnadigung ab: »dies Wort fordert . . . eine Antwort im Geben und Nehmen heraus, eine Antwort, mit der zugleich erwiesen wird, daß wirkliche Teilhabe am Evangelium besteht« (138). Seine Bestimmung des durch die Predigt entstehenden Gemeinschaftsverhältnisses bleibt daher ganz unzureichend: »Die Verbundenheit der Personen besteht also darin, daß sie in der Teilhabe am Evangelium zusammenstehen im verantwortlichen Antworten als Frucht der sie zusammenschließenden Predigt« (139).

156   *Die Kollekte als Ausdruck »gesamtkirchlicher« κοινωνία*

Armen unter *den Heiligen in Jerusalem«*[176]. Der Hinweis auf den Gemeindebeschluß der Makedonier und Achaier ist dabei historisch »nicht ganz richtig«[177], aber er unterstreicht eindrucksvoll den Charakter der Freiwilligkeit dieser »geschuldeten« Antwort.

Das entstandene Verhältnis der »Gemeinschaft« verlangt nach Konkretion und Beweis; und ein solches Zeichen des Willens zur Gemeinschaft haben die paulinischen Gemeinden erbracht und erbringen wollen durch ihr »Gemeinschaftswerk« der Kollekte. Darin stimme ich Georgi völlig bei. Problematisch dagegen scheinen mir seine Ausführungen über den provokatorischen Charakter der Kollekte[178]. Auf dem Hintergrund von 2 Kor 9 und Röm 9–11 sucht Georgi die Kollekte mit den grundlegenden Gedanken und Zielen des paulinischen Missionswerks zu verbinden und läßt so aus ihr eine provokatorische Demonstration für die »Umkehrung der verheissenen und erhofften Reihen- und Rangfolge der Endereignisse« werden, ein Zeichen dafür, daß das Heil nicht mehr an die Rettung und Verherrlichung Israels geknüpft, sondern umgekehrt »die Rettung der Heiden ... zur Voraussetzung der Rettung Israels geworden« war. Das habe Paulus wohl gewußt – und auch über die Reaktion der Juden sei er sich im klaren gewesen. »Die Kollekte und vor allem ihre Überbringung nach Jerusalem durch eine größere Delegation unbeschnittener Heidenchristen ... mußte bei den Juden den Gedanken an die eschatologische Völkerwallfahrt nach Jerusalem wachrufen«. »Die Verheissung der Völkerwallfahrt begann sich zu erfüllen, aber ohne und gegen die Mehrzahl der Juden«. In der Kollekte dokumentiere sich also »die völlige Verkehrung der jüdischen eschatologischen Hoffnung«.

Einen Beweis für seine Auffassung sieht Georgi in der ursprünglichen Absicht des Paulus, zum Passahfest in Jerusalem sein zu wollen (vgl. Apg 20,3), was nur als Provokation gedacht sein konnte. Die »in Röm 15,31 geäußerte Besorgnis vor den ungläubigen Juden« werde darin ihren Grund haben: »Paulus wußte, was er wagte«, wenn er die heilsgeschichtliche Rolle Jerusalems so gewaltig uminterpretierte. Hält man sich an Paulus selbst, ist von solcher »Programmatik« freilich »nichts zu spüren«[179]. Er spricht so unterkühlt von seinem Gang nach Jerusalem, »um den Heiligen zu dienen«, daß selbst Georgi zugeben muß: »An einen eschatologischen Aspekt der Sammlung und ihrer Überbringung denkt man hier nicht im geringsten«.

---

[176] Georgi a.a.O. 84; vgl. auch A. 322. Meine Hervorhebung spart die »Armen« aus, weil diese Einschränkung hier in jedem Fall tendenziös ist.
[177] Georgi a.a.O. 83. Er denkt freilich bei seiner Erklärung dieser Unrichtigkeit mehr an »das sachliche Gewicht, das den paulinischen Gemeinden zukam«, die »sich das Anliegen des Paulus zunehmend mehr zu eigen gemacht und sich auf diese Weise sowohl mit der Botschaft des Paulus wie auch mit seiner Verantwortung für das Evangelium und für die Gesamtgemeinde identifiziert« hätten.
[178] A.a.O. 84–86; dort auch alle folgenden Zitate.
[179] Und nicht nur »scheinbar«, wie Georgi a.a.O. 81 hinzufügt. Vgl. dazu Käsemann, Röm 381 f.

Die Besorgnis des Paulus richtet sich zwar *auch* auf die ungläubigen Juden – aber in Judäa überhaupt; *und* sie richtet sich darauf, ob sein Dienst gegenüber Jerusalem den dortigen Heiligen wohlgefällig sei. Eine Verbindung zwischen diesen beiden Besorgnissen ist nicht angedeutet[180], und man wird sie nicht so einfach behaupten dürfen, wie Georgi es tut[181]. Was Paulus nach dem in Röm 15,22 ff entwickelten Plan mit der Ablieferung der Kollekte in Jerusalem erstrebt, ist nichts anderes – mit Georgi zu reden – als »Rückendeckung . . . für die Arbeit im Westen«[182]. Eben dazu muß er das Kollektenwerk zu einem guten Abschluß bringen.

Verhindern könnte diesen guten Abschluß das Mißfallen der Heiligen in Jerusalem. Ihnen gegenüber ist Paulus mit seinem Kollektenverständnis ein erhebliches Risiko eingegangen; aber er mußte es eingehen, weil damit zugleich sein Kirchenverständnis auf dem Spiele stand.

Nach Georgi[183] hatte die Kollektenvereinbarung von Gal 2,10 ursprünglich neben dem wirtschaftlichen Aspekt auch einen eschatologischen gehabt, d. h. die Kollektenvereinbarung war von der Jerusalemideologie als dem Selbstverständnis der Jerusalemer Urgemeinde bestimmt; aber »als Paulus Röm 15,25 ff schrieb, spielte für ihn und für seine Gemeinden das Selbstverständnis der Jerusalemer Christen keine Rolle mehr«. Georgi führt das auf zwischenzeitliche Ereignisse zurück, »die die Perspektive verändern mußten«; d. h. vorwiegend auf die Missionserfolge des Paulus einerseits und seine zunehmende Auseinandersetzung mit Juden und Judenchristen andererseits.

Hier meine ich, wirkt noch allzu stark die Auffassung von K. Holl nach, daß die Kollekte ursprünglich als eine Auflage oder gar Steuer gedacht gewesen sei, mit welcher Jerusalem seine aus der Jerusalemideologie hergeleiteten Vorrechte über die ganze Christenheit habe durchsetzen wollen[184]. Wenn meine Auslegung von Gal 2,9 f zutrifft, mißversteht Georgi auch hier die Schlüsselrolle des κοινωνία-Begriffs. Schon damals ging es Paulus um Einheit und Gemeinschaft mit Jerusalem – und zwar bei voller Respektierung der Verschiedenartigkeit in der Ausprägung des verkündeten Evangliums und der prinzipiellen Verantwortlichkeit gegenüber

---

[180] Darum kann Georgi auch nicht auf die διακονία εἰς Ἰερουσαλήμ hinweisen, die sich von hierher »besser erklären« lasse.

[181] Wie vage seine Vermutungen sind, gibt er selbst a.a.O. 84 f zu erkennen: »Sicher hatte Paulus bei und nach der Jerusalemer Konferenz die Kollekte noch nicht mit dieser demonstrativen Absicht seiner Mission verknüpft«. »Es wäre möglich, daß bei dem letzten mazedonischen Aufenthalt diese Verbindung der Kollekte mit der Zielsetzung seiner Mission von Paulus vollgezogen worden war«.

[182] Georgi a.a.O. 81.

[183] A.a.O. 82.

[184] Holl läßt das μόνον in Gal 2,10 zu sehr von 2,6: οὐδὲν προσανέθεντο abhängen und versteht darum die Vereinbarung von V 10 als regelrechte Steuer. Obwohl Georgi a.a.O. 10 betont, daß diese These »weitgehend an Einfluß verloren« habe, bringt er sie doch im Bezug auf die Jerusalemideologie noch zu stark in Ansatz.

Juden und Heiden. Schon damals hat er jede Beeinträchtigung seiner Mission durch Jerusalemer Hoheitsansprüche zurückgewiesen. Was er freilich damals so wenig wie später bestritten hat und bestreiten konnte, war die geschichtliche Bindung seiner – wie aller – Gemeinden an Jerusalem als dem Ursprungsort der Heilsbotschaft. Die Anerkennung dieser Verdanktheit der christlichen Existenz ist von Anfang an der wesentliche Inhalt seines κοινωνία-Begriffs. Auf dieser Grundlage kam es zur Kollektenvereinbarung; sie sollte Ausdruck der geschuldeten Dankbarkeit und Beweis des Willens zu Einheit und Gemeinschaft mit Jerusalem sein.

Den leitenden Grundgedanken dazu enthält schon 1 Kor 9,11, auch 1 Thess 2,7 liegt er sachlich vor und Gal 6,6 ist er erstmals voll im Sinne von κοινωνία = Gemeinschaft durch wechselseitigen Austausch von geistlichen und fleischlichen Gütern entfaltet[185]. Sind es hier auch jeweils einzelne, denen sich die Gemeinden bzw. alle zum Glauben Gekommenen als ihren Lehrern im Glauben verdanken, so ist doch das Verhältnis zu Jerusalem, von woher letztlich alle den Glauben empfingen, von durchaus gleicher Art; die Dankesschuld ist hier lediglich eine »Verpflichtung in einem ökumenischen Maßstab«[186].

Daß es zwischen Paulus und Jerusalem von Anfang an um die »kirchliche Gemeinschaft« ging, unterstreicht auch Georgi in seiner Analyse von Gal 2,1–10: »Die Judenchristen sollten wohl dazu gebracht werden, entweder von den Heidenchristen die Unterwerfung unter Beschneidung und Gesetz zu fordern oder die kirchliche Gemeinschaft mit ihnen aufzukündigen«[187]. Weder das eine noch das andere gelang den Intriganten. Paulus und mit ihm die Antiochener[188] waren zum Handeln übergegangen, hatten ihrerseits die Jerusalemer Autoritäten zu einer Entscheidung gedrängt und erreichten ein partnerschaftliches Abkommen mit dem Ergebnis: »1) Gegenseitige Anerkennung der Selbständigkeit« und »2) Bekundung der Gemeinsamkeit durch Respektierung der Jerusalemer Gemeinde«[189]. »Die kirchliche Gemeinschaft sollte gerade durch eine gewisse Trennung gewahrt werden«, konstatiert Georgi durchaus richtig und bezeichnet die Kollekte als »die einzig sichtbare Klammer zwischen Juden- und Heidenchristenheit«[190]. Gewahrt bleibt

---

[185] Darum ist es nicht richtig, wenn Georgi a.a.O. 83 erst in Röm 15,25ff in der geschuldeten Dankbarkeit »einen Grundsatz hellenistisch-synkretistischen Pneumatikertums« auf die Kollekte angewandt und darin »den Anschein einer gewissen Entfernung der Aussagen von Röm 15,25ff gegenüber dem ursprünglichen Verständnis der Kollekte« findet. Das paulinische Kollektenverständnis war von Anfang an mit diesem Grundsatz aufs engste verbunden.

[186] Georgi a.a.O. 83.

[187] Georgi a.a.O. 16.

[188] Daß man aber das »Wir« durch »Antiochenische Gemeinde« und das »Sie« durch »Jerusalemer Gemeinde« ersetzen könne, gilt – wenn überhaupt – nur für Gal 2,9f.

[189] Georgi a.a.O. 21–30.

[190] A.a.O. 22.

damit die geschichtliche Bindung an Jerusalem und anerkannt wird »die Würde der christlichen Gemeinde in Jerusalem«[191].

In diesem Zusammenhang geht nun Georgi auf die von Holl aufgeworfenen Fragen des Jerusalemer Selbstverständnisses ein, nicht aber auf den für Paulus so gewichtigen Schlüsselbegriff der κοινωνία. Er übersetzt mit »Vertragshand zur Teilhaberschaft« und spricht mit H. Schlier von »Teilhaberhandschlag«[192], ohne die Frage nach der »Teilhabe woran« bzw. der dadurch entstandenen »Gemeinschaft« überhaupt zu stellen[193]. Diese Gemeinschaft aber sollte bei aller Eigenständigkeit und Selbstverantwortung der paulinischen und der Jerusalemer Mission gerade durch die Kollekte Ausdruck finden. Das »Gedenken« von Gal 2,10 ist zwar umfassender zu verstehen und will »von einem *ständigen* Handeln sprechen«, so daß Georgi mit Recht von einer *Haltung* spricht, »die sich *zugleich* äußert in Anerkennung, Dankbarkeit und Fürbitte und dann auch in wirtschaftlicher Hilfe«; aber »zweitrangig« wird man den wirtschaftlichen Aspekt oder besser: den Akzent der materiellen Hilfeleistung deshalb nicht nennen dürfen[194]; denn solcher Konkretion kann die geschuldete Dankbarkeit nicht entraten.

Daß Paulus faktisch nur eine Kollekte durchgeführt hat, ist kein Widerspruch gegen die Versicherung von Gal 2,10b, sich immer um dieses Gedenken bemüht zu haben. Zu Röm 15,26 habe ich zu zeigen versucht, daß κοινωνίαν τινὰ ποιήσασθαι auf eine partielle Konkretion der κοινωνία durch die Kollekte zielt[195]. Mehr hat Paulus nirgends gefordert. Von Gütergemeinschaft im strengen Sinn ist bei ihm keine Rede[196], und der Güteraustausch, den er urgiert, ist überbestimmt durch den Zeichencharakter seiner innersten Bestimmung, nämlich Dankbarkeit auszudrücken und den Willen zur Gemeinschaft. Daher genügt die gelegentliche Betätigung. Jerusalem gegenüber kommt hinzu, daß Paulus verhindern will und verhindern muß, daß aus dem Anspruch auf κοινωνία zu weitgehende Forderungen abgeleitet würden; daher bewußt die partielle Konkretion. Von dieser Tendenz ist auch die Einschränkung εἰς τοὺς πτωχοὺς τῶν ἁγίων τῶν ἐν Ἰερουσαλήμ in Röm 15,26 bestimmt, was ja zweifellos ebenfalls eine Relativierung des in οἱ ἅγιοι sich äußernden Jerusalemer Selbstverständnisses sein will[197]. Schließlich verrät auch der Hinweis auf den Beschluß der Gemeinden

---

[191] A.a.O. 23.
[192] A.a.O. 21; vgl. A. 45 mit Hinweis auf Schlier, Gal 79.
[193] Vgl. die Auslegung von Gal 2,9f.
[194] Georgi a.a.O. 29 (Hervorhebung von mir).
[195] Käsemann, Röm 381, spricht zwar auch von einer »Bekundung der Solidarität«, hält aber doch wohl ganz zu Unrecht τινά für eine Abschwächung mit dem Sinne: »Es handelt sich um keinen festgelegten Betrag«.
[196] Zur Praxis der Gütergemeinschaft in der Urgemeinde vgl. Haenchen, Apg 153ff. 188ff. 193ff; dazu Georgi a.a.O. 24 A. 59.
[197] Von daher scheint es mir doch unwahrscheinlich, in Gal 2,10 οἱ πτωχοί als eschatologisch gemeinten Ehrentitel zu verstehen. Vgl. dazu v. a. L. E. Keck, The Poor among the Saints in the New Testament, in: ZNW 56 (1965) 100–129. Er kommt zu dem Ergebnis: »it

Makedonias und Achaias dieselbe Tendenz. Von Polemik wird man nicht sprechen können, daher sollte man auch den provokatorischen Charakter der Kollekte nicht übertreiben. Die paulinische Uminterpretation der Kollekte auf dem Hintergrund seines eigenen »Kirchen«-verständnisses macht die in Röm 15,31 ausgesprochene Sorge des Apostels mehr als verständlich. Um die Selbständigkeit seiner Mission und Missionsgemeinden zu wahren, war Paulus gezwungen, der Gefahr überzogener Hoheitsansprüche Jerusalems zu begegnen, ohne die bleibende Bedeutung der ersten Christengemeinde zu schmälern. Ich habe diese Problematik an anderer Stelle so zusammengefaßt[198]:

»Was Paulus gelten läßt, ist das Jerusalemer Selbstverständnis an sich, auch die ehrenvolle Stellung der Muttergemeinde, die er einst verfolgte, ihre geistliche Autorität und ihre religiöse Vorbildlichkeit; aber was er bekämpft, sind die Folgerungen, die man in Jerusalem aus dieser Stellung zu ziehen versuchte. Für Paulus ist Jerusalem wohl die erste ἐκκλησία τοῦ θεοῦ, aber nicht die einzige, nicht die alle übrigen zusammenfassende; für ihn steht Jerusalem am Anfang, aber nicht im Mittelpunkt der ἐκκλησία τοῦ θεοῦ; diese ist in seinem Verständnis nicht eine, und nicht eigentlich eine vorgegebene, sondern eine in jeder ἐκκλησία sich darstellende, genauer noch eine in den Gemeinden und durch deren Zusammenkommen erst zustande kommende, sich konstituierende«.

An einer »Gesamtkirche« ist Paulus uninteressiert; darum kann er auch Jerusalem nur als ein geistliches Zentrum, nicht aber als die Zentrale der Christenheit gelten lassen. Mit E. Käsemann läßt sich also in der Tat »reichlich pointiert« sagen, »daß der Apostel an der Kirche, für sich selbst genommen und als religiöser Verband verstanden, nicht interessiert ist. Er ist das nur, sofern sie das Mittel dafür wird, daß Christus sich irdisch offenbart und durch seinen Geist in der Welt verleiblicht«[199].

Hinzuzufügen wäre im Sinne des Apostels: Das aber geschieht konkret in den Gemeinden; denn sie allein sind für Paulus ἐκκλησία τοῦ θεοῦ und σῶμα Χριστοῦ, endzeitliche Sammlung Gottes und Leib Christi.

Zusammenfassend läßt sich mit D. Georgi festhalten:

Paulus hofft, den Jerusalemer Christen »mit der Kollekte Brief und Siegel darauf zu geben, *daß das von ihnen begonnene Werk der Evangeliumsverkündigung* in der Heidenwelt Frucht getragen hat«[200] und daß die Heidenchri-

---

provides no evidence that ›the Poor‹ was a term of self-designation for the Jerusalem Christians« (119).

[198] Ekklesia 241. Allo, La portée de la collecte pour Jérusalem, übertreibt die in Röm 15,31 angedeutete Sorge des Apostels doch wohl unnötig, wenn er von einer »campagne hasardeuse« spricht (a.a.O. 535).

[199] E. Käsemann, Das theologische Problem des Motivs vom Leibe Christi, in: Paulinische Perspektiven, Tübingen 1969, 204.

[200] Georgi a.a.O. 86 (Hervorhebung von mir): »Schon die Höhe des überbrachten Betrags muß dafür sprechen, deutlicher aber noch die Paulus begleitende Schar von Heidenchristen«.

stengemeinden in Treue zur geschuldeten Gemeinschaft mit Jerusalem stehen[201].

Damit dürfte deutlich geworden sein, daß die Kollekte von Anfang an für Paulus nicht nur den wirtschaftlichen Aspekt materieller Hilfeleistung hatte, sondern Ausdruck dieser Haltung dankbaren Gedenkens und Zeichen des Gemeinschaftswillens sein sollte. Ja, Paulus liefert sogar eine noch tiefere Begründung und Sinndeutung der Kollekte, auf die auch Georgi mehrfach zu sprechen kommt und zusammenfassend als einen »Kreislauf« bezeichnet, »der alle mitreißt«[202]: »Gott ist durch sein Gnadenhandeln, durch die eschatologische Heilstat (das *Christus*geschehen . . .) Urheber dieses Geschehens. Einbezogen in dieses Geschehen und abhängig von seiner Bewegung sind alle Glieder am Leibe Christi, auch der Apostel. Paulus ist davon überzeugt, daß der von den Jerusalemern zuerst empfangene und weitergegebene Strom des Gnadenhandelns und der Gnadengaben Gottes in Gestalt der Kollekte und des darin bekundeten Dankes wieder zu den Jerusalemern zurückfließt, sie wieder zum Danken und erneuten Geben bewegt, so daß der Kreislauf in Gang bleibt«. Die κοινωνία, welche die christlichen Gemeinden miteinander verbindet, ist demnach eine durch Gott gestiftete, an dessen Gnadenhandeln sie alle gemeinsam teilhaben.

Jenen, die diesen Kreislauf der göttlichen Gnade[203] vermitteln, sei es Jerusalem als Ausgangsort oder die Apostel bzw. Lehrer der Gemeinden, kommt eine besondere Funktion zu innerhalb dieses Kreislaufs, der auch ihnen Anspruch auf κοινωνία[204] zukommen läßt bzw. diesen Anspruch begründet.

[201] Zur Betätigung und Bekräftigung des Gemeinschaftsverhältnisses mit Jerusalem vgl. auch Georgi a.a.O. 39 ff und v. a. 67 f.

[202] Georgi a.a.O. 86; vgl. auch 49.53.67.77.

[203] Zu weitgehend findet Käsemann, Röm 384, diesen Gedanken vom »Kreislauf des Segens«, »so gewiß Pls dieses Motiv kennt und alle Gaben als Verpflichtungen zur weitergehenden Hilfe versteht«.

[204] Es genügt daher nicht, mit Keck, The Poor among the Saints 126, von »an act of mercy« oder »a token of solidarity« zu sprechen. Es besteht in all den genannten Fällen eine »*Verpflichtung*«, sich »dankbar zu erweisen« (Borse, Der Standort des Galaterbriefes 37 – Hervorhebung von mir). Mag man mit Keck ablehnend sagen: »the obligation is moral and not contractual« (a.a.O. 129), es bleibt doch eine »obligation«.

V. KAPITEL

Zusammenfassung der Ergebnisse

Ausgangspunkt dieser Untersuchung waren die Widersprüche in der Bestimmung des neutestamentlichen Begriffs κοινωνία in der Arbeit von H. Seesemann aus dem Jahre 1933. Seine Grundthese besagte, »daß der NTliche Gebrauch des Wortes κοινωνία sich im allgemeinen nicht von dem allgemein-griechischen in klassischer wie hellenistischer Zeit unterscheidet«[1]. Darin konnte ihn auch nicht beirren, fortfahren zu müssen: »Eine Ausnahme bildet nur der Gebrauch des Paulus. Wohl lassen sich auch hier Parallelen für die Fassung ›Teilnahme, Anteilhaben‹ nachweisen – nirgends aber erscheint κοινωνία als spezifisch religiöser Begriff, wie bei Paulus«. »Wo immer man Anknüpfungen sucht – Paulus bleibt in der Prägung seines christlichen κοινωνία-Gedankens originell«[2].

Diese Feststellungen schienen mir um so bemerkenswerter, als sie sich gerade in der Ergebnisübersicht Seesemanns finden, nachdem er sich bis dahin bemüht hatte, diese originelle paulinisch-christliche Prägung des Begriffs κοινωνία zu bestreiten.

Originelles tritt schließlich auch nicht zutage, wenn er als »Resultat der Untersuchung« ausweist: »κοινωνία bedeutet bei *Paulus*«: a) die »Mitteilsamkeit«, b) das »Anteilhaben« und c) die »Gemeinschaft« im Sinn von »Einigkeit, gemeinsames Anteilhaben«[3].

Wo bleibt hier die spezifisch religiöse Prägung des paulinischen κοινωνία-Gedankens? Sie könnte allenfalls noch in den Verbindungen liegen, in denen bei Paulus κοινωνία begegnet[4], nicht aber im Begriff selbst; denn dieser hat, wenn seine Grundbedeutung lediglich »Teilhabe an etwas« sein sollte, keinerlei religiöse Qualität.

In dieser Bestimmung der Grundbedeutung aber ist sich H. Seesemann mit J. Y. Campbell einig, der kurze Zeit vor ihm einen Aufsatz veröffentlicht hatte zu

---

[1] Seesemann, KOINΩNIA 100.
[2] A.a.O. 102.
[3] A.a.O. 99. Eine mögliche Begründung für »die paulinische Verwendung von κοινωνία als religiösen Terminus« sieht Seesemann a.a.O. 103 in den Gedanken, »daß das Herrenmahl die κοινωνία τοῦ αἵματος bzw. τοῦ σώματος τοῦ Χριστοῦ herstellt, daß der Gläubige sich in der κοινωνία Χριστοῦ befindet«. Das habe es wohl Paulus »unmöglich gemacht, das Wort nebenbei als ›Teilnahme‹ usw. in profanem Sinn zu verwenden«.
[4] Offenbar meint Seesemann auch nur dies, wenn er sagt, »daß κοινωνία für Paulus ein religiöser Terminus ist« (a.a.O. 99).

»Κοινωνία and its cognates in the New Testament«[5] und darin zu dem Ergebnis gekommen war, »its primary, and only common, meaning« sei: »participation along with others in something«[6]. Auch er hatte diese Grundbedeutung aus der nichtbiblischen Literatur gewonnen[7] und im wesentlichen bei Paulus bestätigt gefunden: »κοινωνός is derived from the root κοιν –, ›common‹ and means accordingly ›one who has *something* in common with *someone* else‹«[8].

Entsprechend gelte für das Verbum: »The verb κοινωνεῖν is formed directly from κοινωνός, and in accordance with the ordinary significance of the – εω termination its primary meaning is simply ›to be a κοινωνός‹, i. e. ›to have *something* in common with *someone* else‹«. In beiden Fällen sei zu betonen: »The idea of association with that other person is derivative and secondary«[9].

Hingegen liest man zu κοινωνία überraschenderweise: »κοινωνία is primarily the abstract noun corresponding to κοινωνός and κοινωνεῖν, and its meaning therefore is ›(the) having *something* in common with *someone*‹. The ideas of participation and of association are both present«[10].

Ergänzend fährt Campbell fort: »Some abstract nouns naturally acquire a concrete denotation; others cannot well do so«; »so κοινωνία can become concrete, with the sense of ›community‹ or ›society‹, by a natural development from the abstract meaning ›association‹, but it has no concrete denotation corresponding to ›participation‹«[11].

Trotz dieser Feststellungen spielt die Konkretion »community« für Campbell in der Auslegung neutestamentlicher Texte keine Rolle. Vielmehr behauptet er, die meisten Ausleger »have gone sadly astray in the interpretation of New Testament passages because they have made the idea of association the primary one«[12].

Nun kann er zwar noch für den Gebrauch von κοινωνός im NT den Schluß

---

[5] J. Y. Campbell, Κοινωνία and its cognates in the New Testament, in: JBL 1932, 352–380; dazu Seesemann a.a.O. 2.

[6] A.a.O. 380.

[7] Er beklagt dabei, daß in der Diskussion dieser Probleme »comparatively little attention has been given to the use of the words in non-Biblical writers« (352). Seesemann ist in Teil I seiner Arbeit diesem außer-biblischen Gebrauch nachgegangen; doch hat P. J. T. Endenburg später nicht nur eine Fülle von Material, sondern auch einiges zur Korrektur der Seesemannschen Untersuchung beigetragen (s. u.).

[8] A.a.O. 353.

[9] A.a.O. 355.

[10] Campbell a.a.O. 356 (letzte Hervorhebung von mir). Kurz zuvor (353) hieß es noch: »The primary idea expressed by κοινωνός *and its cognates* is *not* that of association with another person or other persons, but that of participation in something in which others also participate« (Hervorhebung von mir).

[11] A.a.O. 356. Mit »naturally« bzw. »by a natural development« konstatiert er Fakten, ohne sie zu begründen.

[12] A.a.O. 353. Auch Seesemann bestreitet a.a.O. 99 jede Relevanz des Begriffs κοινωνία für die »Gemeinschaft« der Gläubigen.

ziehen: »does not differ from its use in the classical writers«; doch schon bezüglich
κοινωνεῖν ergeben sich Schwierigkeiten: »When we turn to consider κοινωνεῖν
in the New Testament we find what at first sight appears to be a very striking and
surprising difference«. Er muß nämlich zugeben, daß sich nur an einer von elf
Stellen ein Genitiv der Sache findet, an der man teilhat – und diese steht im
Hebräerbrief (2,14), »the Greek of which is *more classical* than that of most of the
New Testament writings«[13]. Zu acht Stellen kann er hingegen keine wirkliche
Parallele bei klassischen Autoren finden, nämlich zu all den Stellen, an denen das,
woran man teilhat, im Dativ steht[14]. »It is, in fact, exceedingly difficult to find in
writers earlier than the New Testament any certain examples of κοινωνεῖν in the
sense of ›to give a share of *something* to *someone*‹«[15]. Weil dem so ist, hält er es für
das Beste, nach dem fragwürdigen Grundsatz zu verfahren: »not to give κοινωνεῖν this sense in the New Testament if it is reasonably possible to avoid doing
so«[16]. Auf diese Weise kommt es zu einigen recht eigenwilligen Interpretations-
versuchen[17], die wohl kaum überzeugen dürften. Selbst in Gal 6,6 lasse sich nicht
entscheiden, »whether κοινωνείτω should be taken in the usual sense of ›have in
common with‹ or in the very infrequent sense of ›give a share to‹«. Bleibt als »the
only certain instance of the dative of the thing shared in the New Testament«
Röm 15,27, so daß Campbell beruhigt schließen kann: »Thus the departure from
classical usage is not nearly so striking as it at first appeared«[18].
Ähnlich verfährt er schließlich auch bezüglich κοινωνία[19]. Wieder ist er
gezwungen, zu Röm 15,26 z. B. zu sagen: »Here κοινωνία must mean ›contribution‹« und einzuräumen: »No parallel to this meaning is to be found in earlier
writers«[20]; oder zu Gal 2,9: »Thus κοινωνία here corresponds exactly to the
active sense which the verb very probably has in Gal. 6,6. No parallel to this use
has been found in earlier writers«[21] – aber eine spezifisch paulinische Verwendung
des Begriffs κοινωνία kommt dennoch nirgends in Sicht.
Noch konsequenter als Seesemann, der ständig mit dem Begriff »Gemeinschaft« spielt, ihn freilich nicht ernsthaft zur Bestimmung der paulinischen
κοινωνία-Vorstellungen heranzieht, vermeidet Campbell jede Auslegung im
Sinne einer »community« und sucht mit der Bedeutung »participation in« auszu-

[13] Alle Zitate a.a.O. 363 (Hervorhebung von mir).
[14] Vgl. Campbell a.a.O. 364ff.
[15] A.a.O. 367.
[16] A.a.O. 368.
[17] Zu Röm 12,13 heißt es z. B.: »It gives quite good sense to translate, ›making common
cause with the needs of the saints‹, it being clearly implied, of course, that this is done by
practical helpfulness, just as the Philippians helped Paul (Phil 4,14)«.
[18] Alle Zitate a.a.O. 369.
[19] A.a.O. 370–380.
[20] A.a.O. 373.
[21] A.a.O. 374. Daß er sich freilich bei der Besprechung der Stelle nicht für diese aktive
Bedeutung entscheiden wollte, wurde schon erwähnt.

kommen. Dies erstaunlicherweise auch in der Auslegung von 1 Kor 10,16–20, wo er selbst zu bedenken gibt: »It is essential to his argument that participation in the blood and the body of Christ at the Supper does create an association or fellowship between those who participate«[22]. Der innere Zusammenhang wird zwar damit angesprochen, aber von einer Erklärung sind wir weit entfernt[23].

Das gilt auch für den Artikel über κοινωνός, κοινωνέω, κοινωνία von F. Hauck im Theologischen Wörterbuch zum Neuen Testament, Band III, von 1938. Hauck referiert nicht nur[24]. Daher finden sich in seiner Darstellung auch bemerkenswerte Abweichungen von den bisher skizzierten Auffassungen.

Zu den allgemeinen Wortbedeutungen[25] heißt es bei ihm: »κοινωνός bezeichnet *Genosse, Teilhaber*. Das Wort drückt die Gemeinschaft, das Teilhaben mit jemand oder an etwas aus«. Für ihn stehen also »Gemeinschaft« und »Teilhabe« (mit jemand *bzw.* an etwas) noch unverbunden nebeneinander bzw. auch füreinander. Immerhin erkennt er deutlich die Zweiseitigkeit des Verbums κοινωνεῖν: »κοινωνέω, aus κοινωνός abgeleitet, bedeutet: 1. mit jemand Anteil haben (κοινωνός sein) an etwas, was er hat = Anteil nehmen; – 2. weit seltener: mit jemand Anteil haben (Genosse sein) an etwas, was er vorher *nicht* hatte = Anteil geben, mitteilen«. Damit sind seine Aussagen zu κοινωνία als einem Gemeinschaftsverhältnis vorbereitet: »κοινωνία, Abstraktbildung zu κοινωνός und κοινωνέω, bezeichnet die Teilhabe, Gemeinschaft, bes. im Sinn der engen Verbindung. κοινωνία drückt ein beiderseitiges Verhältnis aus«. »Wie bei κοινωνέω kann dabei entweder mehr die gewährende oder die empfangende Seite der Gemeinschaft im Vordergrund stehen, κοινωνία ist 1. Anteilhaben, 2. Anteilgeben und 3. Gemeinschaft«. Haucks Formulierungen geben zu erkennen, daß er von einem Nebeneinander der verschiedenen Begriffsinhalte ausgeht, nicht von einer einheitlichen Begriffsstruktur. Dahinter steht die an sich durchaus richtige Beobachtung, daß in der konkreten Verwendung zumeist nur das eine oder andere Moment zum Ausdruck oder doch zumindest zum Tragen kommt[26]. Bezüglich des neutestamentlichen Vorkommens bleibt nun Hauck nicht dabei stehen, wie Seesemann zu sagen, die Gruppe κοινων- komme im NT am häufigsten bei Paulus vor, »bei dem

---

[22] Zugleich erklärt Campbell a.a.O. 376, μέτοχοι »would not have been appropriate« – auch hier hänge das Argument »upon the creation of an association between those who partake«.

[23] Selbst Seesemann zeigt sich a.a.O. 4 A. 1 unzufrieden mit Campbells Ausführungen zu der Bedeutung ›Anteil geben‹: »Er erkennt sie zwar an, vermag ihre Entstehung aber nicht zu erklären«. Ähnlich a.a.O. 18 A. 1: »Auch für die Bedeutung ›Mitteilsamkeit‹ gibt Campbell keine Erklärung. Er spricht lediglich davon, daß κοινωνία auch ›contribution‹ bedeuten kann«.

[24] Allerdings vermißt man jede Auseinandersetzung mit Seesemann; Hauck zitiert vornehmlich dessen Belege.

[25] Vgl. ThW III 798.

[26] Vgl. Campbell a.a.O. 356 zu κοινωνία: »The ideas of participation and of association are both present, and the main emphasis may fall upon either of them, sometimes to the practical exclusion of the other«.

sie auch unmittelbar religiösen Inhalt gewinnt«[27]. Er präzisiert: »Paulus verwendet κοινωνία für die religiöse Gemeinschaft (Anteilschaft) des Gläubigen an Christus und den christlichen Gütern und für die Gemeinschaft der Gläubigen untereinander«[28]. Die Gemeinschaft mit Christus wird näherhin als eine »mystische Gemeinschaft mit dem Erhöhten«[29] verstanden und mit dem Abendmahl in Verbindung gebracht[30]. »Der Art des Abendmahles entsprechend« werde von Paulus »die Gemeinschaft mit der Person Christi in die Doppelaussage einer κοινωνία mit Leib und Blut Christi auseinandergelegt«[31]. Zwar könne man nicht sagen, »wie diese Vereinigung im Kultmahl zustande kommt«, aber deutlich sei »auf die Tatsache der engen Verbindung«, die entstehende »Christusgemeinschaft« abgehoben[32]. Gleichzeitig komme es aber nach Auffassung des Paulus »– ganz wie bei den Opfermahlen – auch beim Abendmahl zu einer Verbindung der Mahlgenossen untereinander«.

Daß damit das innere Bezugsverhältnis von Abendmahls- und Kirchengemeinschaft aus der Verhältnisbestimmung der paulinischen Aussagen von 1 Kor 10,16 und 17 nicht erkannt ist, geht schon daraus hervor, daß Hauck von »dem zwischeneingefügten Satz V 17«[33] spricht; später sagt er – ohne jeden Rückverweis auf diese grundlegenden Verse: »Die Christusgemeinschaft führt notwendig über in die *Christengemeinschaft*, die Gemeinschaft der Glieder untereinander«[34].

Das bedeutet: Beide Wirkungen des Abendmahls erscheinen unverbunden nebeneinandergestellt; ihre Verkettung im Begriff κοινωνία ist nicht gesehen.

Nun kennzeichnet additive Aneinanderreihung verständlicherweise einen Lexikonartikel; hier aber fällt der Mangel eines solchen Verfahrens schwer ins Gewicht; denn hier geht es um einen inneren Zusammenhang von herausragender Bedeutung. Weniger gravierend, wenngleich auch nicht ohne nachteilige Folgen, ist dieser Mangel in Haucks Darstellung der »Christengemeinschaft«. Denn genau besehen, ordnen sich hier alle κοινωνία-Aussagen bei Paulus in zwei Problemkreise ein: 1. Das Verhältnis der paulinischen Gemeinden zu Jerusalem, und 2.

---

[27] Hauck, ThW III 804,30.

[28] A.a.O. 804,30ff. Wie stark er dabei »Gemeinschaft« als »Anteilschaft« versteht, macht das folgende »*an* Christus« deutlich.

[29] Hauck, ThW III 804f in Auslegung von 1 Kor 1,9.

[30] Unpaulinisch formuliert Hauck a.a.O. 805,22ff: »Das Teilhaben an Christus, das grundsätzlich und vollständig im Glauben erlebt wird, wird in gesteigerter Form – ohne daß eine dogmatische Abgleichung erfolgt – im Sakrament verwirklicht und erlebt, 1 K 10,16ff«. Im Glauben wird für Paulus lediglich erkannt und angenommen, was auf »sakramentale« Weise von Gott durch Christus grundgelegt ist.

[31] A.a.O. 806,1ff. Er fügt hinzu: »Der erhöhte Christus ist dem Paulus mit dem irdisch-historischen, der Leib und Blut besaß, identisch«.

[32] A.a.O. 806,11ff. Soviel läßt sich jedenfalls über das Zustandekommen sagen: »Brot und Wein sind dem Paulus Träger der Gegenwart Christi« (806,4f).

[33] Beide Zitate a.a.O. 806,15ff.

[34] A.a.O. 807,37f. Was er mit »notwendig« meint, bleibt völlig unklar.

Das Verhältnis der paulinischen Gemeinden zu ihren Verkündigern, v. a. zu Paulus selbst, »ihrem« Apostel.

Zum ersten Problemkreis sagt Hauck m. E. völlig zutreffend: Die Kollekte für Jerusalem war für Paulus »tiefster Ausdruck der zwischen der judenchristlichen Urgemeinde und den heidenchristlichen Missionsgemeinden bestehenden Gemeinschaft«. Von daher erkläre sich die Interpretation durch das Wort κοινωνία, das häufig im Zusammenhang der Kollekte begegne: »So gewinnt ihm die Kollekte religiösen Sinn«[35].

Auch zum zweiten Problemkreis stellt Hauck das Wichtigste fest, wenn er sagt: »Zwischen Apostel und Gemeinde besteht ein Gegenseitigkeitsverhältnis«, und wenn er dieses Wechselseitigkeitsverhältnis durch Gal 6,6 ausgeweitet und generell auf das Verhältnis zwischen Lernenden und Lehrenden angewandt findet[36].

Verhindert also auch die additive Aneinanderreihung bei Hauck letztlich die volle Erfassung der Begriffsstruktur von κοινωνία ebenso wie die volle Erfassung der Bedeutsamkeit der mit κοινωνία ausgedrückten Sachverhalte, so bedeutet seine Darstellung doch insgesamt (und in vielen Einzelaussagen) einen erheblichen Fortschritt gegenüber Seesemann und Campbell, von früheren Arbeiten nicht zu reden, die – soweit sie spezielle Abhandlungen zu κοινωνία waren – häufig nur Illustrationen zu Apg 2,42 zum Ziel hatten[37].

Der bedeutsamste Unterschied zwischen Hauck und Seesemann liegt wohl darin, daß Hauck in κοινωνεῖν die Zweiseitigkeit von »Anteil nehmen« und

[35] Zwar konzediert Keck, The Poor among the Saints 118 A. 64: »It is clear that Paul gives the offering a religious meaning«, doch sieht er darin lediglich eine gewisse religiöse Note ins Spiel gebracht, während für κοινωνία ansonsten »a commercial and monetary meaning« anzunehmen sei. Mit dieser abwegigen Auskunft verbaut sich Keck die von Hauck gegebene Sinndeutung der Kollekte des Paulus für Jerusalem.

[36] Zitate Hauck a.a.O. 809.

[37] Vgl. Seesemann, ΚΟΙΝΩΝΙΑ 2, zu A. Carr, The ›fellowship‹ of Acts 2,42 and cognate words, in: Expositor 8, Ser. 5, 1913, 458–464; C. A. A. Scott, What happened at pentecost, in: The Spirit, ed. B. H. Streeter, 1919, 117–158, und W. S. Wood, Fellowship, in: Expositor 8, Ser. 21, 1921, 32–40.
Die ersten beiden Arbeiten könnten nicht befriedigen, »da sie weniger den Ausdruck κοινωνία untersuchen, als ähnliche Gedanken im NT zusammenstellen«. Wood schließlich behandle zwar zutreffend den Gebrauch von κοινωνία im NT, doch verstehe sich sein Aufsatz eher als eine »Korrektur der Ansichten von Scott«. Auch L. S. Thornton folgt in seiner umfangreichen Darstellung »The Common Life in the Body of Christ«, London ⁴1963 (¹1942) dem in Apg 2,42 gegebenen Stichwort κοινωνία, um dieses »Common Life which Christians share in the Church of God« (a.a.O. 5) in seiner ganzen Weite und Fülle darzustellen. Das bedingt, daß seine Aussagen zur exakteren Bestimmung von κοινωνία etc. nichts beitragen; sie bleiben zu allgemein; vgl. a.a.O. 5: »The word koinonia represents one of the leading ideas of the New Testament. It has a number of different aspects which we shall have to consider. No English word is adequate to its meaning. The word ›fellowship‹ certainly covers a good deal of the ground; but in some connexions it would be misleading«. Da Thornton eine Beschreibung, keine Untersuchung beabsichtigte, war eine verläßliche Klärung der anstehenden Probleme auch nicht zu erwarten. Beachtung verdient jedoch sein Exkurs a.a.O. 449–451, von dem noch zu reden sein wird.

»Anteil geben« klar erkannt und diese Grundstruktur auch für κοινωνία festgehalten hat.

Auf diese Weise konnte er bei κοινωνία immerhin von einem »Gegenseitigkeitsverhältnis«[38] sprechen, dessen Kern nach Paulus »ein eng verpflichtendes Verbundenheitsverhältnis«[39] darstelle. Sind dies auch eher vage Umschreibungen, so werden damit doch wichtige Elemente des paulinischen »Gemeinschafts«-begriffs angesprochen.

Seesemann hatte demgegenüber erklärt, κοινωνεῖν habe »außerordentlich selten« die aktive Bedeutung ›Anteil geben‹. »Von einigen Forschern« werde sie sogar »ganz geleugnet«[40]. Er machte darauf aufmerksam, »daß die Verba auf έω in der Regel ›ein sich Befinden in einem Zustand oder die gewohnte Ausübung einer Tätigkeit‹ bezeichnen«, und stellte fest: »Eine genaue Durchsicht aller in Frage kommenden Beispiele führt zu dem Resultat, daß κοινωνέω nie zur Bezeichnung einer einmal geschehenen oder zukünftigen Handlung verwandt wird; niemals wird damit das einmalige Anteilgeben angedeutet«; »κοινωνέω heißt nur insofern ›Anteil geben‹, als es zur ›gewohnten Tätigkeit‹ werden soll«[41].

Diesen Behauptungen gegenüber hat P. J. T. Endenburg 1937 den klaren Beweis erbracht, daß die Bedeutungen: Teilgeber, teilgeben, das Teilgeben auch in klassischer Zeit durchaus gebräuchlich waren – und zwar nicht nur im Sinne einer »gewohnten Tätigkeit«[42].

Selbst Campbell hatte zu Röm 12,13 (und Gal 6,6) einräumen müssen, »that κοινωνοῦντες here may have the sense of ›giving a share to‹, i. e. ›contributing to‹«; doch hatte er im Sinne seiner eigenen Thesen eingeschränkt: »Classical scholars have been reluctant to admit that κοινωνεῖν can ever properly have this sense; when it indubitably does have it, as it does in late writers, they have been inclined to regard this as a solecism«[43].

Zu den Belegen Campbells meint Endenburg: »De drie door Campbell besproken plaatsen hebben zonder twijfel κ-εῖν in de zin van ›deel geven‹«[44]; und er selbst vermehrt diese Belege um eine ganze Reihe weiterer.

Außerdem zeigt er, in welch vielfältigen Zusammenhängen man der alt-griechischen »zakengemeenschap« begegnet und wie mannigfaltige inhaltliche Bestim-

---

[38] ThW III 809,3.
[39] A.a.O. 808,11 f.
[40] Seesemann a.a.O. 4. Seine Zeugen: B. Weiss zu Röm 12,13 und F. Sieffert zu Gal 6,6 (beide 1899) leugnen sie allerdings nur für besagte Stellen!
[41] Seesemann a.a.O. 5. Wenn er darauf hinweist: »Sonst müßte κοινωνία doch auch das einmalige Anteilgeben bezeichnen können!«, vergißt er zumindest Röm 15,26.
[42] P. J. T. Endenburg, En Gemeenschap van zaken bij de Grieken in den klassieken tijd, Amsterdam 1937 (deutsche Zusammenfassung S. 201 ff); vgl. v. a. die Belege S. 43; 86–90 und 137.
[43] Campbell, Κοινωνία 367.
[44] Endenburg a.a.O. 88. In A. 1 notiert er eine Bemerkung von Otto Maasz, Platons Staat, Kommentar, Teil I, Sammlung lat. und griech. Schulausgaben, Verlag von Velhagen und Klasing 1934, 44: »Die eigentliche Bedeutung ›Gemeinschaft haben‹ tritt zurück ... und das Verb hat fast die Bedeutung von μεταδιδόναι«.

mungen die Begriffe κοινωνός, κοινωνεῖν, κοινωνία im klassischen Griechisch haben konnten. Zwar gibt er keine einheitliche, zugrundeliegende Begriffsstruktur an, doch lassen die von ihm genannten Bereiche: Lebens-, Ehe-, Staats-, Geschäftsgemeinschaft etc. wie seine Sammelbezeichnung »zakengemeenschap« deutlich genug erkennen, daß jeweils an Gemeinschaften gedacht ist, die durch die Beteiligung, d. h. Teilhabe mehrerer an bestimmten Gütern zustande kommt.

All dem gegenüber brachte der Aufsatz von G. Jourdan aus dem Jahre 1948 beachtenswerte Fortschritte, auch wenn er wegen seiner teilweise verschwommenen Darstellung nicht die gebührende Beachtung fand[45]. Seiner Meinung nach habe Paulus die Idee der Gemeinschaft ausgestattet »with a wealth of spiritual significance which brought his whole conception of ›sharing together‹ into agreement with his mystical views of Christian life, faith and worship«. Zu Recht verweist er in diesem Zusammenhang auf die paulinischen ἐν-Χριστῷ-Aussagen und spricht von einer »Conception of Christ-fellowship«. Freilich bleibt das Ergebnis unbefriedigend, weil diese »Christ-fellowship« und die »fellowship among Christians themselves« unverbunden nebeneinanderstehen. Es genügt nicht zu sagen, letztere würde aus ersterer »naturally and of necessity« hervorgehen[46]. Ähnliches gilt für die Aussagen bezüglich der strukturellen Elemente des Begriffs κοινωνία. Zwar ist richtig erkannt: »St. Paul's conception of Christ-fellowship was bound to include ›share-giving‹, as well as the more usual ›share-having‹ and ›share-receiving‹«[47], aber Jourdans Aussagen bleiben allzu vage, etwa wenn er schreibt: »κοινωνία possesses a quality of signification which is capable of being applied simultaneously in an internal and in an external direction, that is to say, of being used at the same time with an objective and subjective force«. »It can mean, at one and the same time, the ›having a share‹, the ›receiving a share‹ and the ›granting of a share‹«[48].

Man kann daher durchaus verstehen, daß W. G. Kümmel von Jourdans Beitrag feststellt, er habe »nichts Überzeugendes vorbringen können«[49]. Immerhin – scheint mir – tat Jourdan wichtige Schritte in die richtige Richtung.

[45] G. V. Jourdan, KOINΩNIA in I Corinthians 10,16, in: JBL 67 (1948) 111–124. Seine Schlußbemerkung ist charakteristisch für seine Mischung richtiger und dennoch vager Aussagen: »It was a word borrowed from Greek classical literature, and fundamentally it ever retained its original meaning. But that meaning had become invested with a spiritual content of such a unique enlargement and application as enabled it to reflect the transcendence of St. Paul's concepts and beliefs concerning the relationship of Christ to his faithful ones and their relationship to him«.
[46] Alle Zitate a.a.O. 113.
[47] A.a.O. 114.
[48] A.a.O. 119; bzw. 114: »›share-giving‹ is one with ›share-receiving‹«.
[49] Kümmel, im Anhang zu Lietzmann, 2 Kor 214. Zwar sagt es Kümmel nur im Bezug auf die κοινωνία τοῦ ἁγίου πνεύματος, aber sinngemäß wird man es auf den ganzen Aufsatz beziehen dürfen.

So konnte es seither scheinen, als hätte sich Seesemanns Auffassung durchgesetzt[50].

Die wahre Bedeutung des Begriffs κοινωνία – nach L. S. Thornton »one of the leading ideas of the New Testament«[51] – konnte nicht mehr zum Tragen kommen.

Es war daher die Absicht dieser Untersuchung, die Begriffsstruktur und die Begriffsinhalte von κοινωνία neu zu erarbeiten und den Stellenwert der mit κοινωνία verbundenen christologischen und ekklesiologischen Aussagen bei Paulus zu überprüfen.

Diese Beschränkung in der Aufgabenstellung auf die reine Exegese legte sich um so mehr nahe, als die religionsgeschichtliche Forschung nur wenig zur Klärung dieses so spezifisch paulinischen Begriffs κοινωνία hatte beitragen können. H. Lessig[52] informiert darüber in seiner Dissertationsschrift von 1953, in der er – im Blick auf 1 Kor 10,16 ff – zu dem Ergebnis kommt[53]: »Ob diese κοινωνία im Sinne einer Anteilhabe oder einer Mahlgemeinschaft verstanden werden muß, *entscheidet die Exegese.* Vom Judentum her[54] ist die zweite, vom Hellenismus her[55] vor allem die zweite, die erste Vorstellung jedoch nur unsicher nahegelegt«.

---

[50] Vgl. neuerdings Käsemann, Röm 381: Das Wort hat »bei Pls durchweg religiösen Klang«, »und zwar nicht bloß im Sinn der Partnerschaft, sondern der Teilgabe und Teilhabe«.

[51] Thornton, Common Life 5.

[52] H. Lessig, Die Abendmahlsprobleme im Lichte der neutestamentlichen Forschung seit 1900, Diss. Bonn 1953, 95–109.
Ihn beschäftigt der Begriff κοινωνία v. a. im Rahmen der Abendmahlsproblematik. Sein Hauptinteresse gilt dabei der religionsgeschichtlichen Fragestellung, den Analogien für κοινωνία im Abendmahlsverständnis des Paulus. Das Problem des paulinischen Sprachgebrauchs selbst wird nicht mehr als berührt.

[53] A.a.O. 108 (Hervorhebung von mir).

[54] Vgl. v. a. G. Beer, Pesachim, Gießen 1912; G. Loeschke, Zur Frage nach der Einsetzung und Herkunft der Eucharistie, in: ZWissTh 54 (19) (1912) bes. 202; ihm folgte: H. Lietzmann, Messe und Herrenmahl (AKG 8), Bonn 1926, bes. 210.228; diesem wiederum folgten K. G. Goetz, Der Ursprung des kirchlichen Abendmahls bloße Mahlgemeinschaft von Jesus und seinen Jüngern oder eine besondere Handlung und Worte von Jesus?, Basel 1929, bes. 27; R. Otto, Reich Gottes und Menschensohn, München 1934, 235–237; G. Dix, The Shape of the Liturgy, Westminster 1945, 50–70.
Zu ihrem Hinweis auf »mit religiöser Weihe bekleidete jüdische Mahlzeiten . . ., wie sie jederzeit von einer Gemeinschaft von Freunden (חבורה) begangen werden konnten, wenn sie das Bedürfnis dazu empfanden« (Lietzmann a.a.O.), bemerkte allerdings J. Jeremias, Abendmahlsworte Jesu, Göttingen ³1960, v. a. 23–25: »jeder Beleg fehlt«. Als »reines Phantasieprodukt« qualifiziert er a.a.O. 23 die These der Herkunft des Abendmahls vom »Passaqidduš«, wie sie durch W. O. E. Oesterley, The Jewish Background of the Christian Liturgy, Oxford 1925, 167–179, u. a., vertreten worden sei.

[55] Vgl. v. a. W. Heitmüller, Taufe und Abendmahl im Urchristentum, Tübingen 1911; ders., Artikel: Abendmahl, in: RGG¹; W. Bousset, Der erste Brief an die Korinther (SNT II), Göttingen 1908 (³1917) 120; R. Reitzenstein, Die hellenistischen Mysterienreligionen, Leipzig-Berlin 1927, 51; H. Greßmann, Ἡ κοινωνία τῶν δαιμονίων, in: ZNW 20 (1921) 224–230; H. Lietzmann, Messe und Herrenmahl (AKG 8), Bonn 1926; ders., An die Korinther I/II (HNT 9), Tübingen 1931 (⁴1949).

H. Lessig widerspricht damit nicht zuletzt H. Seesemann. Denn, sagt er, die Frage, ob ϰοινωνία bei Paulus »als Mahlgemeinschaft (indem man mit der Gottheit ißt) oder als Anteilhabe (indem man die Gottheit ißt)« zu verstehen sei, lasse sich durch die religionsgeschichtlich aufweisbaren Zeugnisse nicht entscheiden. »Daß beide Vorstellungen in der Religionsgeschichte bestehen, ist nicht zu bestreiten. Die Zeugnisse für die erste sind älter und zahlreicher«. Sein Resümee: H. Seesemanns Arbeit mache »besonders deutlich, daß das Verständnis dieser ϰοινωνία exegetisch aus dem Zusammenhang erhoben werden muß und die religionsgeschichtlichen Analogien erst nach weitgehender exegetischer Klärung herangezogen werden können«[56].

Das bedeutet aber: »Das Abendmahlsverständnis bestimmt sich aus dem Verständnis des Begriffes ϰοινωνία«[57] – und nicht umgekehrt!

Was die Religionsgeschichtler an Material beibrachten, betreffe lediglich »die Vorstellung von der sakralen Kommunion mit der Kultgottheit«[58]; aber dieses Material vermag – seiner Meinung nach – »eine Berührung des paulinischen Abendmahlsverständnisses mit jenen Vorstellungen nur bis zu dem Grade allgemeinster Analogien wahrscheinlich zu machen«[59]. Deutlich sei allein dies geworden: »daß die Teilnehmer an Kultmahlen ϰοινωνοί des Kultgottes werden. In welchem Sinne dies aber geschieht und inwieweit Paulus diese Vorstellung teilt« – das zu klären, sei wiederum ausschließlich »eine Frage der Exegese«[60].

Dies erkannt zu haben, ist nach H. Lessig das Verdienst von J. Weiß. Er habe zum ersten Mal präzis die Frage aufgeworfen, »ob die Vorstellung von der ›geistleiblichen Vereinigung mit den Dämonen bzw. Christus durch das Wort ϰοινωνία bezeichnet ist‹«. Er habe auch als erster die Klärung dieser Frage nicht mehr von den religionsgeschichtlichen Quellen her versucht, sondern »aus dem sonstigen Sprachgebrauch des Paulus«. Das Ergebnis ist bekannt[61]: J. Weiß fand in ϰοινωνία »sowohl ›die Gemeinschaft mit Jemand‹ als auch ›die Gemeinschaft an etwas‹ ›vermöge der Elastizität des griechischen Genitivs‹ ausgedrückt«. Auf die Unzulänglichkeiten dieser Auskunft wurde in den vorausgehenden Kapiteln mehrfach hingewiesen; aber H. Lessig hat recht: »Die Frage nach dem Verständnis von ϰοινωνία ist nun gestellt«[62].

H. Lietzmann beantwortet sie – in »Zusammenfassung der bisher erreichten Ergebnisse«[63] – dahin, daß er sagt: Für Paulus »ist Christus so wesenhaft in den

---

[56] Lessig a.a.O. 107.
[57] Lessig a.a.O. 98.
[58] A.a.O. 98.
[59] A.a.O. 100.
[60] A.a.O. 100. Vgl. dazu S. Aalen, Das Abendmahl als Opfermahl im Neuen Testament, in: NT 6 (1963) 128–152.
[61] Siehe S. 20–22.
[62] Lessig a.a.O. 100.
[63] Lessig a.a.O. 103.

Elementen, daß wir ihn durch deren Genuß uns selbst einverleiben und dadurch mit ihm eins werden können«⁶⁴. Lessig zieht daraus die Schlußfolgerung: »Lietzmann interpretiert also κοινωνία in Richtung auf eine reale Verbindung durch die Elemente«; es entsteht eine »mystische Gemeinschaft«⁶⁵. Was bei diesen Aussagen fehlt, ist vor allem das Moment der gemeinsamen Anteilhabe. Auf »diese Nuance von κοινωνία«, die V 17 ganz sicher aufnehme, hatte J. Weiß zwar hingewiesen, doch hatte er sie nicht fruchtbar zu machen gewußt. Er blieb dieser »Nuance« gegenüber merkwürdig unsicher⁶⁶.

Diese Unsicherheit in der Bestimmung der Begriffsstruktur und der Begriffsinhalte von κοινωνία bei Paulus spiegelt sich noch deutlicher bei H. v. Soden⁶⁷. Er erklärt zunächst – in völliger Übereinstimmung mit dem Ergebnis dieser Untersuchung: »κοινωνία ist die Gemeinschaft, die durch das Teilhaben an dem im Genitiv Hinzugefügten gebildet wird«; doch dann fährt er im Widerspruch dazu fort: »und bezeichnet *zunächst* diese Teilhabe selbst, nicht die Gemeinschaft mehrerer Subjekte, die durch die Teilhabe an derselben Sache verbunden sind«. »Gemeinschaft« sei deshalb »keine glückliche Wiedergabe, da dies Wort stets an eine Mehrheit von in einer Gemeinschaft verbundenen Subjekten denken läßt«. Diese Ungereimtheit erklärt sich daraus, daß H. v. Soden davon ausgeht, es sei »der ursprüngliche Sinn die Gewährung der Teilhabe, die Mitteilung«. Wenn aber der Genitiv dessen, woran man teilhat bzw. Anteil empfängt, »das Subjekt des (sich selbst) Mitteilenden oder des Mitgeteilten bezeichnet, das daher auch persönlich sein kann«, dann ist die dadurch entstehende Verbindung bzw. Gemeinschaft zu den Teilhabenden *gleich* ursprünglich. Wo aber mehrere teilhaben an ein und demselben, entsteht naturgemäß auch eine Verbindung bzw. Gemeinschaft zwischen den Teilhabern. Das erst ist dann der »Grundsinn«, von dem aus »alle Verwendungen von κοινωνία und seiner Derivate zu verstehen« sind.

Für Paulus geht das m. E. ganz eindeutig aus dem differenzierenden Sprachgebrauch von κοινωνία etc. einerseits und μετέχειν andererseits hervor. Auch dazu hat schon J. Weiß das Wichtigste gesagt, als er darauf hinwies⁶⁸: »Natürlich können die Ausdrücke promiscue gebraucht werden«⁶⁹; aber »es bleibt dabei doch

---

⁶⁴ Lietzmann, Messe und Herrenmahl 224.
⁶⁵ Lessig a.a.O. 103 mit Bezug auf Lietzmann a.a.O. 249. Offenbar hat Lessig keinen Unterschied empfunden zwischen Lietzmanns Aussage von der »mystischen« Gemeinschaft und seiner Interpretation im Sinne einer »realen« Verbindung.
⁶⁶ J. Weiß, 1 Kor 258. Einerseits betont er – m. E. völlig zutreffend –, daß V 17 diese Nuance aufnehme, andererseits ist es ihm wieder »sehr zweifelhaft«, ob Paulus, »als er V. 16 schrieb, auf diese Nuance lossteuerte«.
⁶⁷ v. Soden, Sakrament und Ethik bei Paulus 246 A. 8 (Hervorhebung von mir). Für seine Auffassung bringt v. Soden keinerlei Argumente oder Belege bei.
⁶⁸ J. Weiß, 1 Kor 258 A. 2.
⁶⁹ »Wie Xen. Hellen. VI 5,1 f.11.22«. Vgl. dazu Moulton-Milligan 350.351.405.406; Hauck, ThW III 804; Seesemann, ΚΟΙΝΩΝΙΑ 3 A. 1. 43 f.

ein Unterschied«:»die Beziehung des Einzelnen auf seine übrigen Mitanteilnehmer, welche in κοιν. ausgedrückt ist, fehlt dem μετέχειν«[70]; d. h. das Moment der entstehenden Gemeinschaft unter den gemeinsamen Teilhabern.

Dieser Unterschied wird zwar immer noch gelegentlich bestritten[71], aber aus keineswegs überzeugenden Gründen[72]. Robertson–Plummer erläutern den Unterschied am Beispiel 1 Kor 10,16f so:»›Partake‹ is μετέχειν: κοινωνεῖν is ›to have a share in‹; therefore κοινωνία is ›fellowship‹ rather than ›participation‹. . . As κοινωνεῖν is ›to give a share to‹ as well as ›to have a share in‹, communicatio is a possible rendering of κοινωνία. The difference between ›participation‹ and ›fellowship‹ or ›communion‹ is the difference between having a share and having the whole. In Holy Communion each recipient has a share of the bread and of the wine, but he has the whole of Christ: οὐ γὰρ τῷ μετέχειν μόνον καὶ μεταλαμβάνειν ἀλλὰ τῷ ἑνοῦσθαι κοινωνοῦμεν (Chrys.)«[73].

Für Paulus ergibt sich demnach als Ergebnis dieser Untersuchung:

Die Begriffe κοινωνία, κοινωνός, κοινωνεῖν sind nach dem einheitlichen Grundmuster »Gemeinschaft durch Teilhabe« auszulegen[74].

κοινωνοί sind daher Personen, die in κοινωνία, d. h. in einem Gemeinschaftsverhältnis zueinander stehen, weil sie gemeinsam Anteil haben an etwas.

Das gilt in allgemeiner Form, aber auch in sehr spezieller. In allgemeiner, wenn mehrere Personen an einer Sache gemeinsam Anteil erhalten und zu Genossen werden. So stehen z. B. nach paulinischer Auffassung diejenigen, die gemeinsam Anteil erhalten vom Tisch des Herrn bzw. der Dämonen in einem Gemeinschaftsverhältnis untereinander[75].

[70] Eine Formulierung von Holsten, die schon S. 20 zur Sprache kam. Vgl. auch Jourdan, KOINΩNIA 120.

[71] Vgl. Barrett, 1 Kor 233; Campbell, Κοινωνία 376; Mußner, Christus, das All und die Kirche 122.

[72] Campbell kann z. B. a.a.O. keinen Sinn entdecken in einer Auslegung »fellowship with the blood, and with the body, of Christ«; andererseits gibt er zu, Paulus konnte zwar wechseln zwischen κοινωνία und μετέχειν, aber: »he could not well have used μετοχή to begin with, for it is essential to his argument that participation in the blood and the body of Christ at the Supper does create an association or fellowship between those who participate«. Damit widerlegt er sich selbst und bestätigt, daß μετέχειν (μετοχή) gerade den entscheidenden Gedanken der Gemeinschaft durch Teilhabe nicht auszudrücken imstande ist.

[73] Robertson-Plummer, 1 Kor 212; vgl. Moffatt, 1 Kor 7 und 135; Jourdan, KOINΩNIA 120f; Thornton, Common Life 450.

[74] Im einzelnen kann nur der jeweilige Kontext ergeben, welche inhaltlichen Momente betont werden. Vgl. Thornton a.a.O. 450: »The precise meaning of such words as ›partake‹ and ›share‹, as well as ›fellowship‹ and ›communion‹, depends upon the context«.

[75] Daß sie dabei auch »Gemeinschaft mit den Dämonen haben, mit ihnen in Berührung kommen« (Schniewind, Abendmahlsgespräch 14) ergibt sich aus der Analogie des Herrenmahls.

Genauso diejenigen, die gemeinsam teilhaben an der Aufgabe der Verkündigung des Evangeliums oder auch gemeinsam teilhaben an dem Leiden Christi.
Eine spezielle Form des mit κοινωνία ausgedrückten Gemeinschaftsverhältnisses entsteht, wenn die Teilhabe an etwas, z. B. am Evangelium, am Glauben, an
den Heilsgütern, durch jemand vermittelt wird.

Der wichtigste Anwendungsfall ist hierfür die im Abendmahl entstehende
Gemeinschaft mit Christus durch die Teilhabe an seinem Leib und an seinem Blut.
Gemeint ist zunächst die Kommuniongemeinschaft der einzelnen mit Christus
durch dessen Selbstmitteilung. Weil es aber viele sind, die an Brot und Wein, d. h.
am Leib und am Blut Christi, *gemeinsam* Anteil erhalten, entsteht durch diese
gemeinsame Teilhabe auch *zwischen* ihnen ein Gemeinschaftsverhältnis[76]: aus der
Abendmahlsgemeinschaft durch Teilhabe *am* Leib Christi entsteht die »Kirchen«-
gemeinschaft des gemeinsamen Anteilhabens *im* Leib Christi, der Gemeinde.

Analog ist das Gemeinschaftsverhältnis der heidenchristlichen Gemeinden zu
Jerusalem bzw. ihrem Gründerapostel strukturiert: Weil von Jerusalem die
Heilsbotschaft ausging, weil es teilhaben ließ am Evangelium Jesu Christi, stehen
nach paulinischer Auffassung alle Gemeinden, die an diesen geistlichen Gütern
Anteil empfingen, mit der »Muttergemeinde« in einem Gemeinschaftsverhältnis[77]. Nicht anders die einzelnen bzw. die Gemeinden mit »ihrem« Apostel – bzw.
überhaupt den Verkündern des Evangeliums, die ihnen diese Teilhabe am Evangelium vermittelten bzw. deren Verkündigung sie ihre neue Existenz im Glauben
verdankten.

κοινωνεῖν bedeutet dann die Anerkennung solcher bestehender Gemeinschaftsverhältnisse, das Gemeinschaft-haben oder Gemeinschaft-halten durch
wechselseitiges Anteil-geben an allen, d. h. aber nur den jeweils mitteilbaren
Gütern[78].

---

[76] Es kann dann nicht genügen, wie Scott, Phlm 104, ganz allgemein zu sagen:»In the
term ›communion‹ as applied to the Lord's Supper there is something of the same ambiguity,
though in this instance the word is no doubt intended to convey the two meanings –
communion with one another and with Christ«.

[77] Käsemann, Röm 382, meint,»die Einschränkung der Sammlung auf Jerusalem als
Ursprungsort des Evangeliums« werde »der Weite der Sentenz« von Röm 15,27 »nicht
gerecht«. Holl, Kirchenbegriff 59, und Leenhardt, Röm 210f, gegen die er sich dabei
wendet, haben m. E. völlig richtig erkannt, daß die Kollekte eben doch einen »Sonderfall
ökumenischer caritas« (Käsemann) darstellt auf dem Hintergrund des entstandenen κοινω-
νία-Verhältnisses: die paulinischen Gemeinden »acquittent une dette« (Leenhardt, Röm
210). Grund ihrer Verpflichtung ist die von Jerusalem ausgegangene »Auferstehungsbotschaft als die kirchengründende Predigt«. »Ihre Spende ist ein Erweis ihres Willens zur
Partnerschaft. Sie ist ›Zeichen der Gemeinschaft‹« (Georgi, Geschichte der Kollekte 83.84),
»un signe évident de l'unité de l'Église« (Leenhardt, Röm 211).

[78] Leenhardt, Röm 210, formuliert sehr schön:»Celui qui a reçu est heureux de rendre,
sous une autre forme«;»c'est une κοινωνία, une réciprocité de services«; (vgl. auch a.a.O.
A. 7).

κοινωνία erweist sich so als ein Schlüsselbegriff für die paulinische Christologie wie für die paulinische Ekklesiologie – und für die Beziehung beider zueinander: Im sakramentalen Geschehen des Abendmahls, in dem Christus Gemeinschaft stiftet zwischen sich und denen, die Anteil empfangen an seinem Leib und an seinem Blut[79], liegt der Ursprung der »Kirche«, und zwar der »Kirche« als Gemeinschaft[80].

In solcher Gemeinschaft stehen zunächst die Glieder einer jeden einzelnen ἐκκλησία zueinander. Weil aber in jeder einzelnen von ihnen dasselbe sakramentale Geschehen sich ereignet, die Gemeinde zum Leib Christi wird, stehen sie auch zueinander im Verhältnis von κοινωνοί, von gemeinsamen Teilhabern an ein und demselben Leib Christi. Das später sich immer stärker ausprägende gesamtkirchliche Bewußtsein wird noch lange an dieser Grundstruktur der »Kirche« als Gemeinschaft von Ortskirche zu Ortskirche festhalten. Jerusalem jedoch verliert durch die geschichtlichen Ereignisse immer mehr seine ursprüngliche Rolle und Bedeutung als Mutterkirche und geistliches Zentrum[81].

Die anfänglich an der irdischen Stadt haftende Jerusalemideologie[82] wird auf das himmlische Jerusalem übertragen. Das übrige Erbe übernimmt Rom.

Was Rom im wesentlichen freilich nicht mehr übernimmt, ist gerade das an κοινωνία orientierte Grundverständnis von »Kirche« bei Paulus. Der Gemeinschaftsgedanke tritt auf der ganzen Linie zurück, das Herrschaftsmotiv setzt sich durch. Diesen Gang der Dinge soll das folgende Kapitel noch verdeutlichen.

Eine Schwierigkeit bleibt noch kurz zu erörtern: Paulus systematisiert nicht und gibt uns keine ausgewogene Lehrdarstellung; daher scheinen seine christologischen und ekklesiologischen Aussagen trotz ihrer Verklammerung in 1 Kor 10,16f nicht völlig zu kongruieren.

Entsteht nun »Kirchengemeinschaft« erst und nur durch die »Abendmahlsgemeinschaft« einer Gemeinde oder ist erstere die umgreifende, die zu letzterer drängt und sich in ihr »erfüllt«[83], zu ihrem »Höhepunkt«[84] kommt?

Es könnte so scheinen, weil geschichtlich die Rolle Jerusalems, der Apostel und der übrigen Verkünder und Diener des Evangeliums vorauszuliegen scheint, damit eben auch die »Kirchengemeinschaft« in ihrem speziellen paulinischen Verständnis.

Aber es läßt sich zeigen, daß dieser scheinbare Widerspruch nur für unser Empfinden besteht. Für Paulus sind die christologischen und die ekklesiologi-

---

[79] Zum »Abendmahl als Gemeinschaft« vgl. Sommerlath, Abendmahlsgespräch 50–52; Käsemann, Das Abendmahl im NT 79ff.

[80] Schniewind, Abendmahlsgespräch 15: »Diese κοινωνία kommt zustande durch den Vollzug des Sakramentes«.

[81] Vgl. dazu Georgi, Geschichte der Kollekte 81–84, v. a. 82.

[82] Vgl. Georgi a.a.O. 22–30 (dort weitere Literatur); ferner Kümmel, Kirchenbegriff und Geschichtsbewußtsein 16–25.

[83] Vgl. dazu Goppelt, Kirchengemeinschaft und Abendmahlsgemeinschaft 25–27.

[84] So die Texte des II. Vat. Konzils; vgl. Miss 9 II (8–10); Lit 7 I (2–5); 10 II (8–13).

schen Aussagen zwei Seiten ein und derselben Sache; die Gemeinschaft *im* Leib Christi (der Gemeinde) gäbe es nicht ohne die gemeinsame Teilhabe *am* Leib Christi beim Abendmahl.

Was sakramental »vorausliegt«, ist daher in Wahrheit dieser »Leib Christi«, in den die eingegliedert werden, die den Leib Christi (der Gemeinde) bilden. Die Verkündigung und die aus ihr erwachsenden Gemeinschaftsverhältnisse sind diesem sakramentalen Geschehen so zugeordnet[85], daß ihr scheinbares zeitliches Prae logisch-theologisch aufgehoben erscheint.

Man wird am besten mit E. Schweizer[86] eine »doppelte Sicht der Gemeinde« bei Paulus konstatieren, eine geschichtlich-ekklesiologische und eine eschatologisch-christologische.

Dieses mein Untersuchungsergebnis von 1974 gilt es im folgenden zu überprüfen an Hand von neu erschienener Literatur bzw. auch älterer, die ich seinerzeit nicht einsehen konnte. 1953 erschien in London die Abhandlung von A. R. George, Communion with God in the New Testament[87]. Sie hält sich im wesentlichen auf dem von H. Seesemann gewiesenen Weg. Ihr Generalnenner für das Begriffsfeld κοινωνία lautet: »These words refer primarily, though not invariably, to participation in something rather than to association with others: and there is often a genitive to indicate that in which one participates or shares«[88]. Eine besondere Rolle des Begriffsfelds κοινωνία für Paulus wird ausdrücklich bestritten: »We cannot say, as some have done, that κοινωνία is a key-word for Paul«. Der paulinische Sprachgebrauch sei lediglich »in a general sense religious«[89].

Ebenfalls 1953 erschien in Madrid die Studie von S. Muñoz-Iglesias, Concepto Biblico de Κοινωνία[90]. Sie gibt schon im Titel zu erkennen, daß ihr Vf. nicht nur ein Wort untersucht, sondern einen für die Bibel wichtigen Begriff erarbeiten will. Er erläutert sein Vorgehen so: »El contenido conceptual de las palabras, además del trasfondo circunstancial del medio en que se emplean, tiene siempre una prehistoria que determina semánticamente su alcance y una historia posterior en los oyentes o lectores que lo recibieron y acaso incorporaron a su vida«[91]. Von

---

[85] Vgl. dazu Kapitel VII B.

[86] Schweizer, Gemeinde und Gemeindeordnung 94; diese doppelte Sicht entspreche »ihrem doppelten Wesen als soziologische Größe . . . und als ›eschatologische‹ Größe«.

[87] Vgl. v. a. Kap. 5. The primitive Church (S. 123ff) und Kap. 7. St. Paul: κοινωνία (S. 169–195).

[88] A.a.O. 131ff, hier 133.

[89] A.a.O. 187; dieser allgemein religiöse Gebrauch verhindere bei Paulus »the secular use«.

[90] In: XIII Semaña Biblica Española. El Movimiento Ecumenistico, Madrid 1953, 195–223.

[91] A.a.O. 198f.

daher bestimmt sich sein methodischer Ansatz: Er beschäftigt sich 1. mit der »prehistoria filologica« von κοινωνία, 2. mit seiner »posible y hasta necesaria proyección del pensamiento cristiano en los contextos en que se encuentra empleado« und 3. mit der »historia de la interpretación que dió de él la primitiva Iglesia«[92]. Der spätere urchristliche Sprachgebrauch soll Licht werfen auf den neutestamentlichen. Deshalb zieht der Vf. den 3. Untersuchungsschritt vor, was methodisch fragwürdig ist und seiner eigenen Programmangabe widerspricht. Er folgt dabei im wesentlichen der Arbeit von L. Hertling, Communio und Primat[93], auf die ich an geeigneterer Stelle hinweise. Was κοινωνία im NT betrifft, übernimmt der Vf. die Grundeinteilung von H. Seesemann: 1. Comunicación de algo (»Mitteilsamkeit«) 2. Participación en algo (»Das Anteilhaben«) 3. Comunidad (»Gemeinschaft«). In einem wichtigen Punkt aber weicht er davon ab: Weil κοινωνέω »comprende la doble significación de tomar parte o dar parte«, muß auch κοινωνία »encerrar las dos significaciones de aquél, incluyendo además, por ser abstracto, la de *la unión o comunidad que resulta de la participación o comunicación de algo recíprocamente o en comun*«[94]. Diese Einsicht wird leider nur wenig fruchtbar gemacht für die weitere Untersuchung, die auch daran krankt, daß sie einerseits einer wenig hilfreichen Einteilung des Stoffes folgt[95] und andererseits nur wenig in die Texte eindringt. So kann man aufs Ganze gesehen nur sagen: mehr als angenähert hat sich Muñoz-Iglesias dem paulinischen Konzept von κοινωνία nicht.

Immerhin findet sich eine Fülle guter und weiterführender Beobachtungen. Zu 1 Kor 10,16 beispielsweise schreibt er: »Aquí tenemos el concepto fundamental de κοινωνία que persistirá en la Iglesia primitiva: íntima unión de todos creyentes, que se realiza – y por lo tanto, se significa externamente – por la comunión del Cuerpo y de la Sangre del Señor«[96].

Eher bunt und unzusammenhängend erscheint freilich das in sieben Punkten zusammengefaßte Ergebnis der Untersuchung[97]. So ist es zwar richtig, daß (1.) »κοινωνία retiene en el Nuevo Testamento la significación fundamental que tenía en griego clásico«, aber daß das NT (2.) v. a. »la doble resonancia clásica – jurídica y religiosa – del grupo κοινών« betone, ist sowenig einsichtig wie (3.) die Herleitung der sehr häufig gebrauchten Bedeutung »comunicación de algo« von

---

[92] A.a.O. 199. Von der philologischen Vorgeschichte sagt er: »está ya muy estudiata« (199), dagegen beklagt er den Mangel an Material für den 3. Untersuchungsschritt (200).
[93] In: Xenia Piana (Miscellanea Historiae Pontificiae), Rom 1943, 3–48.
[94] A.a.O. 211f.
[95] 1.) 4 Vorkommen bei Joh mit μετά, 2.) 3 Fälle mit εἰς, 3.) 8 mit Genitiv, 4.) 3 absolute Verwendungen und 5.) die Ausnahme mit πρός 2 Kor 6,14.
[96] A.a.O. 217. Vgl. Hertling, Communio und Primat 42: »La comunión eucarística era para los cristianos en la antiquedad la señal visible de la κοινωνία eclesiástica«.
[97] A.a.O. 223.

der hebräischen ḥabura oder die Behauptung (4.),»la significación más usual de participación en los bienes religiosos y de íntima asociación de los fieles entre sí o con Dios« erhalte seine Bedeutung »por la revelación del mistero del Cuerpo Místico de Cristo«. Was sich vermuten läßt, ist lediglich, daß der paulinische Gebrauch von κοινωνία im Zusammenhang mit dem Herrenmahl in der Tat seinen sonstigen Sprachgebrauch beeinflußt hat. So hängt auch die 5. Schlußfolgerung in der Luft, wonach »el concepto de κοινωνία que aparece en la vida de la Iglesia primitiva . . . afinca sus raíces en el concepto biblico de κοινωνία«. Die Aussagen der 6. und 7. Conclusio entfernen sich schließlich mehr und mehr von den biblischen Texten. Die Herausstellung des Hierarchischen z. B. (»una comunidad a la vez espiritual y jerárquica«) ist ebenso textfern wie ihre Begründung in Taufe und Teilhabe an der göttlichen Natur (»en virtud del bautísmo y por la participación de la naturaleza divina«). Hier wird etwas gewaltsam systematisiert und das »concepto biblico de κοινωνία« eingeordnet in traditionelle dogmatische Zusammenhänge. Damit wird der Boden paulinischer Theologie verlassen.

Auf dem Weg über das JohEv und die Synoptiker nähert sich P. Bläser (1960) dem von Paulus betonten Zusammenhang von »Eucharistie und Einheit der Kirche«[98]. Daher wohl die unpräzise – weil nur für Paulus geltende – Aussage: »Im neutestamentlichen Bereich wird mit Koinonia ein Zweifaches bezeichnet: einmal die Teilhabe an der eucharistischen Speise, dann aber auch die Gemeinschaft der Gläubigen untereinander«[99]. Ihr Bezugsverhältnis stellt sich nach Bläser so dar: »Diese beiden Bedeutungen stehen aber wieder nicht beziehungslos nebeneinander, sondern sind wesentlich aufeinander bezogen, und zwar ist die Grundbedeutung die der Teilhabe an der eucharistischen Speise, und erst aus dieser ergibt sich die zweite Bedeutung: der Gemeinschaft der Gläubigen untereinander«[100]. Erklärt ist damit nichts; es bleibt bei einer thetischen Behauptung. Richtig ist zwar, daß die Kirchengemeinschaft nicht durch »Zusammenschluß« zustande kommt, sondern durch »das gemeinsame Teilhaben am eucharistischen Mahl«[101], aber eine präzise Erfassung des Zusammenhangs von Abendmahl und Kirchengemeinschaft ist Bläser nicht gelungen; zum besseren Verständnis von κοινωνία bei Paulus hat er nichts beigetragen.

Einen solchen Beitrag durfte man sich eher von S. D. Currie, Koinonia in

---

[98] P. Bläser, Eucharistie und Einheit der Kirche in der Verkündigung des Neuen Testaments, in: ThGl 50 (1960) 419–432. Zu κοινωνία, »das zu den meist gebrauchten Wörtern des urchristlichen Sprachschatzes gehört«, vgl. 427ff.

[99] A.a.O. 427.

[100] A.a.O. 428. Daß Bläser mit diesen Aussagen immer schon 1 Kor 10,16.17 im Auge hat, verdeutlicht seine diesbezügliche Erklärung: »Das erste ist die Teilhabe am eucharistischen Mahl, und aus dieser ergibt sich dann die Gemeinschaft und Einheit der Glieder der Kirche untereinander« (430f). Wie das eine das andere vermittelt, wird auch nicht klarer, wenn Bläser erläutert: »weil und insofern die Gläubigen an der eucharistischen Speise teilhaben, bilden sie eine Gemeinschaft untereinander« (428).

[101] A.a.O. 428.

Christian Literature to 200 A. D., Emory University 1962, erwarten, zumal dieser schon in der Einleitung als Ziel seiner Arbeit angibt: »It attempts first of all to account for Paul's predilection for this set of words by showing that he found them peculiarly suited to the expression of certain ideas which were of central importance to ›his Gospel‹, and for which the vocabulary of the Septuagint was inadequate«[102]. Darüber hinaus verdeutlicht Currie zugleich seine Absicht, einen Fortschritt über H. Seesemanns Position hinaus anzustreben. Zwar stimmt er mit diesem überein, »that koinonia was a term of special significance for Paul«, doch hält er ihm vor: »he did not undertake to show what lay behind Paul's use of the term, suggesting merely that perhaps the explanation might be found in Paul's view of the Lord's Supper as in some sense a sacrefice«. Einen weiteren Mangel sieht er darin, daß Seesemann »declared that Paul's use of the term is distinctive and singular, but regarded as beyond the scope of his inquiry defense of this assertion by examination of all subsequent early Christian use«.

In diesen Lücken von Seesemanns Untersuchung sieht Currie den Ansatz seiner eigenen: »Thus Seesemann himself indicated the desirability of finding a rationale for Paul's use of this set of terms, an challenged the testing of his assertion that Paul's usage is unique in early Christian literature«[103]. Uns interessiert hier vor allem die erste Zielsetzung für Curries eigene Arbeit, die Grundlage des paulinischen Sprachgebrauchs[104].

Diesen als solchen darzustellen und im einzelnen noch einmal zu untersuchen, hält Currie für »not necessary«; er begnügt sich mit »some preliminary observations«. Ihn interessieren v. a. »the topics in connection with which he uses them«: Das sind 1. Gegenstände »in connection with the notion of partnership, of mutual engagement in a common enterprise«, 2. solche »in connection with the collection«; 3. findet er es »interesting to observe that, while Paul uses koinonia and koinonos in his discussion of the Lord's Supper . . . words with the stem koinondo not occur in passages where Paul treats of baptism«. Und da 4. κοινωνία sich oft erweist als »connected with other terms of religious significance for his thought« (wie z. B. gospel, grace, faith, the olive tree, the (holy) spirit, Jesus Christ, sufferings of Christ), zieht Currie zwei Schlußfolgerungen: »First, that for

---

[102] Currie, a.a.O. Preface III.

[103] A.a.O. Preface IV. Letzteres zu überprüfen, ist die eigentliche Aufgabe, die sich Currie stellt; vgl. seine Inhaltsübersicht: Von Paulus handelt Part I S. 1–58, von den »Other Christian Writers before 200 A. D.« der weit umfangreichere Part II S. 59–238. Außer W. Elerts »valuable information« (vgl. Kap. VI meiner Arbeit) gebe es dazu leider keine Vorarbeiten, und auch »Elert's use of second-century sources is far from exhaustive« (a.a.O. Anm. 3).

[104] Wir können zunächst auf Part II verzichten, denn Currie nimmt sein Ergebnis in der Einleitung vorweg. »The investigation establishes the validity of Seesemann's claim that Paul's usage is unique, but more than this, it sets forth the asthonishing variety of contexts in which early Christians found koinonia and its cognates serviceable in their efforts to ›give a reason for the hope they cherished‹« (a.a.O. Preface IV).

Paul koinonia is a term of religious significance, as Seesemann has pointed out; and second, that it is in connexion with the notion of ›in Christ‹ rather than ›with Christ‹ that Paul uses koinonia and its cognates«[105]. Aus der 1. Schlußfolgerung erkläre sich die paulinische Vorliebe für κοινωνία etc. statt μετοχή etc.[106], d. h. aber: es gibt keinen spezielleren Grund, der etwa in den Wörtern selbst liege, die »religious significance« ergebe sich jeweils aus dem Kontext. Hierin stimmt Currie voll mit Campbell überein: »The primary idea expressed by koinonos and its cognates is not that of association with another person or persons, but that of participation in something in which others also participate . . .«[107]. Das aber bedeutet: Currie teilt auch in soweit den Standpunkt Seesemanns, wenn er summiert: »Koinonia means primarily a having in common, a standing in relationship of interdependence or common concern, or social nexus«, und wenn er hinzufügt: »Any emotional overtones must be added by context or specific statement«[108]. »But it is absurd to pretend that the verb itself can ever carry any of the implications which can derive only from the context«[109]. Damit ergibt sich zunächst einmal ein enttäuschendes Ergebnis: »Thus the study of diction alone cannot fully account for Paul's predilection for this set of words, and it is evident that the words themselves are not of intrinsic religious significance«. Und Currie stellt selber die besorgte Frage: »How then may one explain the singularities of Paul's usage?«[110] Solche Singularität in Konstruktion oder Konnotation sieht er in drei Arten von Kontext gegeben: bezüglich der Kollekte für Jerusalem, in den Texten mit κοινωνία und dem Genitiv von πνεῦμα und υἱός und im Zusammen-

[105] Alle Zitate Currie a.a.O. 2–4. Seltsam sind die Stellenangaben zu 2); denn weder Röm 12,13 noch Phil 4,14 noch 2 Kor 1,7 noch Gal 6,6 haben etwas mit der paulinischen Kollekte im engeren Sinn zu tun, nicht einmal die weitere Bedeutung collection = Sammlung, Spende trifft für einige der Stellen zu. In 3) dürfte die Angabe II Corinthians 10: 16–21 wohl ein Schreibfehler sein statt I Corinthians. Unterstrichen zu werden verdient hingegen, daß Paulus auffälligerweise nicht von einer Tauf-koinonia spricht, so daß das Begriffsfeld κοινωνία in der Tat eher den In-Christus-Aussagen zuzuordnen ist, d. h. der vom Sein-in-Christus bestimmten christlichen Existenz.
[106] Wenn freilich Currie als Grund dafür angibt »the fact that koinonia is felt more appropriate for those sharings or participations which are more nearly continuous or which imply deeper commitment to or involvement in the common action« (5), dann gibt er damit eine sehr subjektive Deutung dieser paulinischen Unterscheidung.
[107] Currie a.a.O. 5f mit Campbell a.a.O. 353f gegen Jourdan a.a.O. 112, der für LXX und Josephus reklamiert »an intimate fellowship in respect of a spiritual benefit« bzw. »comradeship«.
[108] A.a.O. 7, vgl. 9: »Koinonia does not have any intrinsic implication of inward, emotional involvement. It simply specifies an action or a condition of relationship more or less continuous or extensive«.
[109] A.a.O. 9, vgl. 8: »If koinonia is preferred to metoche, it is not because of implicit emotional overtones, but because the relationship is more permanent or more extensive than that implied by metoche«.
[110] A.a.O. 9.

hang mit Aussagen über das christliche Mahl. Curries Erläuterungen[111] sind so wenig befriedigend wie sein Ergebnis: »No amount of merely linguistic analysis of the capacities of koinonia and its cognates can suffice to explain the singularities of Paul's usage in these three sets of passages. The solution must be sought elsewhere«[112].

Nach all diesen Ausführungen ist das Vertrauen nicht mehr allzu groß in Curries Mutmaßungen über »The Rationale of Paul's Use of Koinonia«. Schon der Ansatz kann nicht überzeugen: »The full explanation of Paul's use of koinonia and its cognates lies beyond their linguistic powers and proprieties. The frequency of their occurrence in connection with themes and terms basic to Paul's religious thought indicates that the rationale of his usage is to be found in some idea of cardinal importance to Paul's gospel. It is not unlikely, therefore, that this Greek-speaking Jew, now the slave of Christ, pressed koinonia and its cognates into service to represent a set of notions for the expression of which the vocabulary of the Septuagint was inadequate«[113].

Die folgenden Ausführungen über κοινωνία für ḥesed (in der LXX meist übersetzt mit ἔλεος) sind phantasievoll, helfen aber keinen Schritt weiter, zumal Currie zugeben muß, daß κοινωνία nicht einfach Äquivalent zu ḥesed sei: »What Paul needed he found in koinonia and its cognates. This does not mean – let it be repeated – that Paul offered koinonia and its cognates as literal translations of ḥesed and its derivatives: it means rather that in koinonia and its cognates Paul found a serviceable vehicle for expressing facts of relationship satisfactorily conveyed in the Hebrew by ḥesed but less than adequately represented by eleos or even agape«[114].

Dieser Ansatz (κοινωνία für ḥesed) wird von Currie im folgenden exegetisch verifiziert an Hand der drei herausragenden Textgruppen, für die er besondere Singularität im paulinischen Sprachgebrauch festgestellt hatte[115]. Versucht man die

[111] In Röm 15,26 erklärt er κοινωνίαν τινὰ ποιήσασθαι als »curious expression«. Von der Verbindung χάρις und κοινωνία in 2 Kor 8,4 meint er: »one is struck by the combination«. Hauck tadelt er wegen seiner Übersetzung κοινωνία = »Gemeinschaft« für 2 Kor 13,13; Phil 2,1 und 1 Kor 1,9; er beachte den Unterschied nicht zwischen »in Christ« und »with Christ«. 1 Kor 10,16–21 nennt er schlicht eine »crux interpretum«.
[112] A.a.O. 12f.
[113] A.a.O. 14.
[114] A.a.O. 24.
[115] Zu den Kollektentexten meint er: »Paul's use of koinonia in connection with the collection furnishes a fitting introduction to the wealth of meaning the term had for him. In the vocabulary of the New Covenant koinonia took its place alongside agape, charis and pistis as an appropriate term for representing the relationships, attitudes, and actions implied in the Hebrew term ḥesed. The love of God and the grace of the Lord Jesus Christ evoke and require from men fidelity and trust toward God, and at the same time establish and call into active expression on alliance, a koinonia among the ›saints and faithful brethren‹« (36). In die Texte mit den Genitivverbindungen von πνεῦμα und υἱός führt er ganz einfach die »Brüder« ein und spricht von »the New Covenant in Christ as it binds brother to brother« (41). Ähnliches gilt für die Texte vom Mahl wie 1 Kor 10; er nennt κοινωνία ein »vehicle for

Ergebnisse zu werten, ist man geneigt zu urteilen, daß hier nicht Paulus »is pressing it (nämlich koinonia) into service as a vehicle«, sondern Currie. Denn es scheint ihm entgangen zu sein, daß er selbst mit Entschiedenheit daran festgehalten hatte, κοινωνία habe lediglich die Bedeutung participation (Teilhabe), alles andere ergebe allenfalls der Kontext.

Zehn Jahre später erschien die Studie von P. C. Bori, KOINΩNIA, L'idea della comunione nell'ecclesiologia recente e nel Nuovo Testamento, Brescia 1972. Er beschreibt zunächst im ersten Teil die vorausgegangene Forschungsentwicklung: I. La rinascita ecclesiologica (1919–1945)[116]. H. Seesemann gilt ihm als Repräsentant dieser Epoche. Seine Untersuchung hebe sich heraus »per completezza di trattazione« und sei v. a. in ihrem neutestamentlichen Teil »divenuta il punto riferimento per tutti gli studi successivi«[117].

Unter II. Sviluppi, dibattiti, problemi aperti (1945–1970) bespricht Bori die neueren Entwicklungen und als »un documento particolarmente rappresentativo di queste nuove tendenze« die Arbeit von Currie[118]. Auch Bori kommt zu dem Urteil:»La lettura del lavoro è utile, soprattutto perché ripropone il problema che l'esegesi ha lasciato sostanzialmente intatto: in che misura l'uso neotestamentario di koinonia è assolutamente originale, privo di modelli e di parallelismi soprattutto veterotestamentari, ma anche ellenistici e giudaici?« Das bedeutet für Bori:»Di qui probabilmente la necessità di un rinnovato confronto con il N. T. per una verifica esegetica e teologica«[119].

Dieser Aufgabe unterzieht er sich im zweiten Teil seiner Studie. Dabei könnte man mit seinen Zielsetzungen einverstanden sein:»1. di esaminare *tutti i testi* riguardanti la κοινωνία (tenendo presente tutto il gruppo κοινων-); 2. di explicitare, sotto forma di un continuo *rinvio*, tutti quegli altri elementi che contribuiscono a delineare una teologia della comunione«. Auch gegen sein methodisches Vorgehen ist nichts einzuwenden, wenn er als dessen Grundlinien angibt: a)».. . dare la massima importanza al contesto letterario e teologico«; b) ».. . precedenza alle testimonianze della lingua e della cultura popolare« (nella ricerca dei parelleli extrabiblici). Bedenklich aber ist die unter c) genannte Beschränkung (die auch schon in der ersten Zielsetzung enthalten ist!):»si tratta dei testi in cui ricorre il sostantivo, ma nel corso dell'indagine confluiscono anche i

that part of meaning of ḥesed which speaks of the claims of the fraternal bond within the covenant« (42). Mit Exegese hat das ja wohl nichts mehr zu tun.

[116] Im 3. Abschnitt setzt er sich dabei auseinander mit »Contributi specifici sul tema koinonia-comunione« und nennt dabei J. A. Campbell, E. P. Groenewold, H. Seesemann und F. Hauck. Die ersten drei der Genannten stimmen seiner Meinung nach überein in ihren Schlußfolgerungen, aber auch in ihrer Polemik gegenüber der vorausgegangenen Position. Das verdeutlicht Bori v. a. an Campbell's Auseinandersetzung mit C. A. Anderson Scott (κοινωνία = partnership). Vgl. Bori a.a.O. 38–44.

[117] A.a.O. 42 f.

[118] A.a.O. 58.

[119] A.a.O. 59.

paralleli concernenti verbo e aggettivo«; die Reihenfolge der untersuchten Texte ist dabei die »in cui si presentano tradizionalmente gli scritti del Corpus neotestamentario«. Letzteres wird nicht näher begründet, ersteres erscheint Bori nötig, um gegenüber den bisherigen Untersuchungen einen weiterführenden Neuansatz zu gewinnen; daher seine »rigorosa limitazione ad un numero ristretto di testi«: »non più l'inventario, la registrazione di posizioni e tendenze, ma la discussione puntuale delle diverse opinioni esegetiche«[120].

Fassen wir die Ergebnisse seiner Untersuchung zusammen[121]: Bori ist überzeugt, daß die Versuche, κοινωνία unmittelbar aus dem AT abzuleiten, fehlschlugen[122]. Zwar sei nicht auszuschließen, daß alttestamentliche Themen beim Gebrauch von κοινωνία im NT mit aufgenommen werden, aber: »Si tratta tuttavia di *temi* che vengono evocati, più che di strette corrispondenze *verbali*«[123]. Dagegen sollten die Beziehungen zur hellenistischen Welt nicht dadurch verunklart werden, daß man im NT eine allzu enge Definition von κοινωνία im Sinne von »teilhaben« durchgängig anwendet, um so »una radicale contrapposizione con l'accezione extrabiblica« zu stabilisieren[124].

Es sei nämlich nicht zu leugnen, daß das Vokabular von Gemeinschaft (κοινωνία = comunanza, essere partecipi con altri di qualcosa) in der hellenistischen Welt nicht nur Verwendung finde, um menschliche Beziehungen zu beschreiben, es finde sich auch die Idee einer Gemeinschaft mit Gott[125].

Immerhin sei die Verwendung von κοινωνία im Bezug auf das Herrenmahl hierzu ein durchaus möglicher Vergleichspunkt[126]. Dagegen auf die alttestamentlichen »sacrifici di comunione« dürfe man nicht rekurrieren, denn die LXX gebrauche nie das Begriffsfeld κοινων- im Bezug auf Kult und Opfersprache[127].

---

[120] Zitate a.a.O. 81–84.

[121] Vgl. Bori a.a.O. 107ff: 3. L'origine di koinonia (107–113); 4. Originalità della koinonia cristiana (114–119) und Conclusioni (121–126).

[122] »... siamo convinti, che i tentativi di dimostrare una derivazione veterotestamentaria immediata di κοινωνία sono falliti« (109).

[123] Bori fährt fort: »Perciò ci pare artificiosa la soluzione di Currie che vuol vedere in κοινωνία uno strumento linguistico inventato da Paolo per esprimere rappresentante dalla sua traduzione abituale con ἔλεος, ἀγάπη, χάρις e cioè l'idea del vincolo fraterno in forza dell'alleanza. Infatti, tanto diversi sono i significati di κοινωνία nel N. T., che la loro ritraduzione con ḥesed si dimostra inadeguata« (109).

[124] Vgl. Bori a.a.O. 107f.

[125] Als Belegstellen gibt er an: Epiktet, Diss. I,9,5: κοινωνεῖν τῷ θεῷ und Philo, Vit. Mos. I,158: οὐχὶ καὶ μείζονος τῆς πρὸς τὸν πατέρα τῶν ὅλων καὶ ποιητὴν κοινωνίας ἀπέλυσε προσρήσεως τῆς αὐτῆς ἀξιωθείς (a.a.O. 108 A. 89.90).

[126] »I paralleli verbali sono effettivamente significativi, ma, coerentemente con un certo metodo lessicografico, cui abbiamo già rivolta la nostra critica, si traggono questa volta deduzioni sproporzionate a livello teologico a partire dal solo parallelismo verbale: l'eucaristia di Paolo sarebbe un pasto sacrificale« (108f).

[127] »Altro è invece riconoscere che l'istituto del pasto cultuale ... porta con sè un'idea di comunione tra Dio i commensali e di questi ultimi tra di loro, constituisce in qualche modo una analogia con la cena del Signore e può illuminarne talcuni aspetti« (110f).

Am wahrscheinlichsten sei der neutestamentliche Sprachgebrauch »dalla terminologia giuridica e dalla religiosità popolare ellenistica« beeinflußt[128]. Hier wie dort gehe es ganz konkret um den Ausdruck von Solidarität und wechselseitiger Verpflichtung, um Gemeinschaftsverhältnisse bis hin zur κοινωνία mit der Gottheit.

Die Originalität der christlichen κοινωνία besteht daher nach Bori nicht in der Tatsache, daß das Wort in seinen religiösen Bedeutungen nur im NT erscheine, vielmehr in der Tatsache des ständigen Bezugs auf die Realität der Offenbarung und der christlichen Erfahrung in ihrer Vielfalt – wie der Gegenwart Jesu, seines Leibes und Blutes, seines Leidens, seines Geistes, seines Evangeliums, seines Beispiels usw. Nicht zufällig begegne das Begriffsfeld in seiner spezifisch christlichen Füllung erst »al momento in cui la comunità apostolica viene in contatto con l'utilizzazione, assai flessibile, di questo vocabulario nel mondo ellenistico«[129]. Zur Unterscheidung verweist Bori auf folgende für den neutestamentlichen Sprachgebrauch charakteristische Züge:

a) »La comunione con Dio nel N. T. è mediata«,

b) »La dimensione visibile, ecclesiale ed operativa della comunione è nel N. T. di primaria importanza«,

c) »L'aspetto visibile non è che la manifestazione e la verifica della ›comunione con il Padre e con il Figlio suo Gesù Cristo‹«,

d) »Si tratta della comunione come rapporto che potremmo chiamare ›dialettico‹: l'unione non è affermata a scapito della distinzione tra i soggetti del rapporto e neppure la distinzione a scapito dell'unione«[130].

In seiner abschließenden Zusammenfassung stellt Bori heraus: »Già nel N. T. emerge la flessibilità di questa terminologia, la sua capacità di prestarsi a mediare i diversi contenuti della comunicazione religiosa, come partecipazione attiva o passiva (far parte o aver parte), come rapporto ›verticale‹ e come relazione ecclesiale«[131]. Das erkläre – zusammen mit der Tatsache, daß dieses Begriffsfeld schon im Hellenismus mit einer reichen Bedeutungsskala umlief – die erstaunliche Entwicklung innerhalb der Reflexion und der Erfahrung der späteren Kirche. Das Feld für weitere Forschungen sei weit[132].

[128] A.a.O. 111 f: »Il linguaggio giuridico presenta κοινωνία sullo sfondo dell'idea di una solidarietà, di una corresponsabilità, di un'axione comune o di un possesso comune in cui però l'elemento personale ha un peso notevole«. Bori verweist dazu in A. 104 auf Preisigke I,815 und seine Klassifizierung: 1. Besitzgemeinschaft, 2. Geschäftsgemeinschaft, Gesellschaftsvertrag, 3. eheliche Gemeinschaft, 4. Belege insgemein, sowie auf die Inschriftenbelege bei Groenewold 40 ff.205 ff.

[129] A.a.O. 115.

[130] Bori a.a.O. 116–118. »Analogamente potremmo dire: l'essere comune dei cristiani nel Cristo nell'unica Chiesa di Dio non esclude la responsabilità propria di ciascuno« (119).

[131] A.a.O. 121.

[132] Vgl. dazu – und zum Ganzen – die Besprechung des Buches von Bori durch Goeffrey Wainwright, in: ThLZ 99 (1974) 765–767: »In seinem Schlußwort (S. 121–126) skizziert der Vf. ein Programm, das noch auszuführen wäre«. »Der Umfang dieses Buches ist leider zu

Bori nennt seine Untersuchung selbst eine »rapida inchiesta, troppo schematica forse per chi cercasse una documentazione esaustiva«[133]. In der Tat gerät die Untersuchung der Einzeltexte zu kurz; auch erweist sich die rigorose Begrenzung auf κοινωνία als Substantiv als unbefriedigend, und die Behandlung in der Reihenfolge des neutestamentlichen Vorkommens läßt kein paulinisches Konzept bei der Verwendung des von Paulus (wohl in Korinth) aus der hellenistischen Welt übernommenen Begriffsfeldes erkennen. Dennoch ist Boris Untersuchung ein echter Neuansatz, der den seit Seesemann nicht mehr in Frage gestellten Konsens als brüchig und vordergründig erweist.

Genau besehen sind es die beiden methodischen Leitsätze a) und b), die seinen Neuansatz tragen: die – im Gegensatz zur lexikographischen Methode seiner Vorgänger – konsequente Einbeziehung des literarischen und theologischen Kontexts aller untersuchten Koinonia-Stellen[134] und das entschiedene Festhalten an der im hellenistischen Bereich beobachtbaren Vielfalt von Gemeinschaftsverhältnissen, die mit dem Begriffsfeld Koinonia bezeichnet werden, bis hin zur Gemeinschaft mit Gott[135]. Auf dem von Bori gewiesenen Weg mußte die weitere Untersuchung voranschreiten.

Einen solchen Fortschritt bedeutet die Studie von M. McDermott, The Biblical Doctrine of ΚΟΙΝΩΝΙΑ von 1975[136].

Wie der Titel anzeigt, geht es ihm nicht nur um ein biblisches[137] Wort, sondern einen Begriff, der eine Lehre impliziert. Deshalb übt er auch Kritik an H. Seesemann: »Unfortunately he did not find the underlying unity in the word's usage«[138]. Auf dem richtigen Weg dagegen scheint ihm C. Bori, dem er attestiert: »He correctly postulated a unity of meaning and proceded to uncover the various aspects of its significance«[139]. Methodisch folgt McDermott den von Bori formulierten Leitsätzen, doch vermeidet er dessen Selbstbeschränkung auf das Substan-

---

gering, um alle diese Themen genügend zu behandeln. Es bleibt also an mancher Stelle oberflächlich« (766).

[133] A.a.O. 114.

[134] Er hält sich an die Maxime von J. Barr, The Semantics of Biblical Language, Oxford 1961 (italienisch Bologna 1968): »Il veicolo linguistico dell'affermatione teologica è normalmente la frase e un complesso letterario ancora più vasto e non la parola o i meccanismi morfologici e sintattici« (269, tr. it. 371).

[135] Bori läßt offen, ob der neutestamentliche Ansatz mehr auf der religiösen Ebene oder auf der rechtlich-soziologischen zu suchen ist; vgl. 111f.115.

[136] In: BZ NF 19 (1975) 64–77 und 219–233.

[137] »The full theological import of κοινωνία will only be revealed in the Pauline letters« (65). »All other κοινωνία passages from the New Testament with the exception of the Johannine corpus are at best but weak reproductions of Paul's thought« (233).

[138] A.a.O. 64. Die bleibenden Verdienste Seesemanns werden dabei keineswegs geleugnet. McDermott betont, Seesemanns Untersuchung sei »the most authoritative work« geblieben (64) und auf seinen, Haucks und Campbells philologischen Analysen könne man nur aufbauen (ebd.).

[139] A.a.O. 65.

τιν κοινωνία; denn er ist mit Recht der Meinung:»All three forms of the κοινων-root help to clarify each other«[140]. Dessen Grundbedeutung findet McDermott im griechischen Sprachgebrauch:»Its basic meaning, ›the common element which affects all or is shared in by all‹, was expanded by the Greek creative genius to all types of Common enterprise, legal, social, civic, sexual, and religious«[141]. Eine vermittelnde Rolle könnte nach McDermott Philo und Josephus zukommen. Beide verwenden das Begriffsfeld κοινωνία[142], und:»Both interpreted the community possession of goods as practiced by the Essenes as the highest realization of the Greek κοινωνία ideal«[143]. Jedenfalls kann Paulus zurückgreifen auf ein Begriffsfeld, das schon im Griechischen für die verschiedenartigsten Gemeinschaftsverhältnisse Verwendung fand.»Κοινωνία was one of the terms that he adopted from the world about him and then adapted to Christianity«[144]. Deshalb ist nach McDermott auch bei Paulus von folgenden Grundbedeutungen auszugehen:»The basic meaning of the verb κοινωνέω is ›to share or participate in, to have or do in common with‹. From the verb derives the noun κοινωνία meaning fundamentally ›common share or participation in‹, then ›association‹, ›community‹, and, most generally, almost any type of common relation among people or things. Finally there is the noun κοινωνός meaning ›partner, companion, participator‹«[145]. Allerdings ist der paulinische Sprachgebrauch durch drei Besonderheiten gekennzeichnet:»a) a genitive of the person participated in; b) the disproportionate emphasis on the dynamic meaning ›to make a participator in, to give a share in‹; and c) a dative of thing participated in«[146]. In einer den Textanalysen vorgreifenden Zusammenfassung führt McDermott dazu im einzelnen aus: a) »Christians share in Jesus Christ through the call of faith (I Cor. 1:9) and the reception of the Eucharist (I Cor. 10:16). This κοινωνία in Jesus Christ indicates that the ultimate basis of Christian union, indeed Christian salvation, is not the sharing of a thing, but a relationship with the divine person«[147]. Damit nennt er die beiden Stellen, die in der Tat wohl die entscheidenden sind für das Verständnis der paulinischen Konzeption von κοινωνία. Die besondere theologische Vorstellung findet offenbar Ausdruck in der auffälligen sprachlichen Verwendung von κοινω-

[140] A.a.O. 65.
[141] A.a.O. 67.
[142] Philo auch für das Gemeinschaftsverhältnis zwischen Gott und Mensch:»The hellenistic terminology also made its way into his understanding of the sacrifice, in which priests and God became κοινωνοί (Spec. Leg. I, 131.221)« (McDermott a.a.O. 68).
[143] A.a.O. 69.
[144] Ebd. Im Alten Testament werde die Übernahme der griechischen Koinonia-Idee vermieden, doch biete es »abundant material that prepared for a later synthesis« (65). Der entscheidende Unterschied zur paulinischen Konzeption sei nur, daß »Yahwe is excluded from the community« (66).
[145] A.a.O. 65.
[146] A.a.O. 69.
[147] A.a.O. 70. »The participation in Christ implies a participation in His Spirit, the κοινωνία τοῦ ἁγίου πνεύματος (II Cor. 13:13)« (71).

νία mit dem Genitiv der Person. b) Ermöglicht sieht McDermott diese durch die »dynamische Bedeutung« von κοινωνέω[148], aber auch von κοινωνία[149] im Sinne von Anteil nehmen bzw. haben, aber auch Anteil geben, Anteil nehmen lassen.

Daher ist κοινωνία an manchen Stellen »not just a given state, but also a state of community which must be actively realized by contributions from the participants on behalf of the others«[150]. Dieser Doppelaspekt von gegebenem und zu realisierendem, zu verifizierendem Gemeinschaftsverhältnis ist – und hierin stimme ich McDermott völlig zu – das für den paulinischen Sprachgebrauch signifikanteste Charakteristikum.

Wenn es darüberhinaus richtig sein sollte, »that Paul's κοινωνία took on its dynamic meaning from its relation to the verb κοινωνέω, and mere fundamentally from the profundity of the Christian mystery with which Paul was dealing«[151], dann würde das bedeuten, daß Paulus grundlegend bestimmt ist vom theologischen Gemeinschaftsgedanken und daß er dafür im Begriffsfeld κοινωνία das geeignete Ausdrucksmittel gefunden hat, für das »Anteil haben« und »Anteil geben« gleichermaßen konstitutiv ist. c) Nicht zu Unrecht spricht McDermott daher von »St. Paul's creative sense of language«, um den ungewöhnlichen Dativ der Sache zu erklären, an der man nach Paulus »Anteil nehmen« kann und nicht nur »Anteil hat«[152]. McDermotts Schlußfolgerung dürfte kaum zu widerlegen sein: »There seems to be no way of avoiding the conclusion that both dynamic and static connotations are contained in the word – otherwise μεταδιδόναι and the dative or κοινωνέω and the genitive would have been sufficient to express Paul's thought in the traditional categories«[153].

Diese Grundposition sucht McDermott im 2. Teil seiner Studie an den biblischen Texten zu verifizieren und kommt dabei zu folgendem Ergebnis: »The Pauline doctrine ... provides a splendid exemple of Paul's originality«. »He twists grammatical constructions, invents a new form of the stem, and creates two new meanings that are accepted into the Greek language: communion and collection«[154].

Kritisch wird man anmerken müssen: Dies sind Beschreibungen, keine Erklärungen. Deshalb kann es auch nicht befriedigen, wenn McDermott in seinen Schlußbemerkungen fortfährt: »›Community, participation, contribution, collection, communion‹, these are some possible ways of translating κοινωνία. With

---

[148] Z. B. Gal 6,6; Röm 12,13; Phil 4,15.16.
[149] Z. B. 2 Kor 8,4; 9,13; Phil 1,5; aber auch Röm 15,26.
[150] A.a.O. 72.
[151] A.a.O. 73. Vgl. auch seine Ausführungen zu »The Community of Sufferings« (Phil 3,10) ebd. 75.
[152] A.a.O. 74. »There is need to distinguish the new usage from the more usual static ›participate in‹ which is followed by the genitive« (ebd.).
[153] A.a.O. 74 f. Röm 12,13 und Phil 4,14 auf der einen und Röm 15,26 auf der anderen Seite liefern den Beweis für die dynamischen und statischen Konnotationen von κοινωνέω.
[154] A.a.O. 232.

such finesse and creative intuition does Paul employ the word that it is often impossible to limit it to a single clear-cut meaning. There is a fullness of significance in almost every occur(r)ence of this word«. Der Vorwurf, den er Seesemann macht, »the underlying unity in the word's usage« nicht gefunden zu haben, fällt auf ihn zurück: die einheitliche Struktur des Begriffsfeldes κοινωνία ist nicht aufgewiesen, der Hinweis auf »the depth of the reality that κοινωνία attempts to describe«, nämlich »the union in love of God and man trough Jesus Christ«[155], vermag diesen sprachlichen Aufweis nicht zu ersetzen. Es ist zwar richtig: »This all-embracing, expansive union finds its expression in material as well as spiritual matters«[156], aber es müßte eben auch gezeigt werden, wieso das Begriffsfeld κοινωνία in der Lage ist, dafür als Medium zu dienen.

Während McDermott überzeugt ist, »it would be possible to indicate at great length the relation to the Pauline theme of the Church, the Body of Christ«[157], stellt S. Brown 1976 skeptisch die Frage: »Koinonia as the Basis of New Testament Ecclesiology?«[158]

In dieser Form ist freilich schon die Frage falsch gestellt; denn was für Paulus zu erheben ist, gilt nicht auch schon für das ganze NT. Brown scheint sich auch ganz dezidiert gegen die spezielle Position von J. Hamer zu wenden, die ich bisher nicht einsehen konnte, die Brown aber so beschreibt: »The permanent form of the unity of the Church is communion«[159]. Gegenüber solcher Gleichstellung von Ecclesia = communio bzw. ἐκκλησία = κοινωνία stellt Brown zu Recht fest: »A direct identification between koinōnia and ecclēsia is impossible«. »We never find the two words related to each other in any way«, d. h. allerdings für Brown zu Unrecht, κοινωνία »tells us nothing of the New Testament understanding of the Church«. Nur eines läßt er einschränkend gelten: »it is certainly attributed to Christians and may thus have at least an indirect bearing on ecclesiology«. Bei solcher ekklesiologisch relevanter Verwendung sei allerdings zu bedenken, daß sie sich nur aus dem Kontext ergebe. Hierin teilt Brown völlig die Auffassung von H. Seesemann: »The reason for this is clear: the koinōn-word-group does not, of itself, signify anything specifically Christian, or even anything specifically religious«. Für das Begriffsfeld κοινωνία sei ausschließlich auszugehen von der Grundbedeutung »share in«[160]. Andererseits setzt sich Brown von Seesemann ab, der ihm darin zu weit geht, daß er überhaupt bestreitet, κοινωνία habe etwas mit dem paulinischen Kirchenverständnis zu tun[161]. Demgegenüber gibt Brown zu bedenken:

---

[155] A.a.O. 232f.   [156] A.a.O. 233.   [157] A.a.O. 77.
[158] S. Brown, Koinonia as the Basis of New Testament Ecclesiology?, in: One in Christ 12 (1976) 157–167.
[159] A.a.O. 157.
[160] Alle Zitate a.a.O. 159. Die Wortgruppe kann also zwar »express religious relationship«, hat aber selber keine »religious connotations« (160).
[161] Seesemann, KOINΩNIA 99.

1. »The Christian's sharing in Christ is related both to the present unity of the Church and to the future consumation in the eschaton«.

2. »The ecclesiological significance of koinōn- when used in relationship to the collection should not be ignored«.

3. »The passage in 1 John is of obvious ecclesiological relevance, although the use of koinōnia in this passage to express the ›horizontal‹ relationship existing among Christians is quite unusual in the New Testament«[162].

Über die Widersprüchlichkeit zwischen diesen Feststellungen und den zuvor aufgestellten Behauptungen scheint sich Brown keine Gedanken gemacht zu haben. Was aber für 1 Joh nicht zu leugnen ist, sollte auch für Paulus nicht bestritten werden[163], zumal dann nicht, wenn Brown selbst die Verwendung von κοινωνία im Zusammenhang mit der Kollekte als ekklesiologisch relevant registriert und zwischen der »Teilhabe an Christus« und der »Einheit der Kirche« einen Zusammenhang erkennt, den er nur nicht zu erklären vermag. Insofern hat Brown recht, wenn er meint: »It would be going too far to claim that koinōnia is *the* basis for New Testament ecclesiology«[164], aber das hat ja auch allenfalls J. Hamer behauptet. Ein Schlüsselwort *paulinischer* Ekklesiologie bleibt es deshalb allemal.

Eine ähnliche – wenn auch gegensätzliche – Neuaufnahme älterer Positionen stellt der Beitrag von J. P. Sampley dar über die »Societas Christi« von 1977[165]. Aus der zunächst durchaus richtigen Feststellung: »Koinonia expresses partnership, mutuality, reciprocity« folgert er – ganz im Sinne seiner rechtlich orientierten Studie –, dies seien »all aspects of societas«[166] und definiert societas als »a binding, reciprocal partnership between one person and one or more second people with regard to a particular action, thing or person«[167]. Damit ist der paulinische Koinoniagedanke gründlich verdorben, für den die gemeinsame Teilhabe vieler an einem sie auch untereinander verbindenden religiösen Gut grundlegend ist; die so entstehenden Gemeinschaftsverhältnisse lassen sich nicht ohne weiteres in rechtliche Kategorien einfangen.

Auf diese Sprachprobleme hat neuerdings F. Hahn wieder deutlich hingewiesen in seinem Aufsatz zur »Einheit der Kirche und Kirchengemeinschaft in neutestamentlicher Sicht« von 1979[168]: »Der deutsche Begriff ›Gemeinschaft‹ geht von der Vorstellung der Zusammengehörigkeit aus, wobei im konkreten Fall nach

---

[162] Brown a.a.O. 165.

[163] Κοινωνία »is used by Paul in an exclusively ›vertical‹ sense« (165).

[164] A.a.O. 165.

[165] J. P. Sampley, Societas Christi: Roman Law and Paul's Conception of the Christian Community, in: God's Christ and His People. Studies in Honour of N. A. Dahl, Oslo-Bergen-Tromsö 1977, 158–174.

[166] A.a.O. 162.

[167] A.a.O. 169. Vgl. dazu die älteren Arbeiten von C. A. A. Scott und E. v. Dobschütz.

[168] In: F. Hahn, K. Kertelge, R. Schnackenburg, Einheit der Kirche. Grundlegung im Neuen Testament (QD 84), Freiburg-Basel-Wien 1979, 9–51.

den Voraussetzungen und Bedingungen der Zusammengehörigkeit gefragt wird«.
»Der primäre Aspekt ist in jedem Falle die menschliche Zusammengehörigkeit,
ganz gleich, ob sie vorgegeben ist oder aus freier Entscheidung konstituiert
wurde«. »Genau umgekehrt liegt es bei der griechischen Begrifflichkeit des Neuen
Testamentes. Hier ist nicht die menschliche Zusammengehörigkeit und Verbundenheit der primäre Gesichtspunkt, sondern die Vorstellung des ›Teilhabens
an . . .‹«. »Um den Unterschied auf einen kurzen Nenner zu bringen: Das
deutsche Wort der Gemeinschaft entspricht weitgehend dem lateinischen Begriff
societas, während das griechische Wort κοινωνία vor allem mit dem lateinischen
Begriff participatio, zum Teil auch mit communio bedeutungsgleich ist«[169]. Diese
Unterscheidung kann man fürs erste gelten lassen; auch kann man Hahn nur
zustimmen, wenn er fortfährt: »Es läßt sich leicht nachweisen, daß der Begriff
societas für die Beschreibung dessen, was Kirchengemeinschaft ist, nicht aus-
reicht, auch nicht der der societas perfecta«[170].

Bemerkenswert – und meiner Meinung nach wiederum völlig zutreffend – ist
die bei Hahn folgende, die Gegenposition betreffende Auseinandersetzung mit
H. Seesemann: »Umgekehrt wird man gegen Seesemann festhalten müssen, daß
die Vorstellung der ›Gemeinschaft‹, und zwar der durch participatio begründeten
›Gemeinschaft‹ für das Neue Testament eine größere Bedeutung hat, als er
voraussetzt. Die gemeinschaftsstiftende Funktion der participatio muß bei dem
κοινωνία-Begriff ebenso beachtet werden wie die Auffassung von einer durch
participatio und communio bereits begründeten ›Gemeinschaft‹. Der neutestamentliche κοινωνία-Begriff umfaßt beide Komponenten, sowohl die Partizipa-
tion an einer gemeinschaftsstiftenden Wirklichkeit als auch die Kommunikation
untereinander. Die Urchristenheit hat damit Möglichkeiten des griechischen
Wortverständnisses aufgegriffen und ausgewertet, die durch das hebräische Äquivalent חבר (חָבֵר, חֲבוּרָה) nicht vorgegeben waren, welches einseitig die ›Genossenschaft‹, den ›Verband‹ kennzeichnet«[171]. Bemerkenswert scheint mir diese Auffas-

[169] A.a.O. 13 f.
[170] A.a.O. 14. Hahn unterläßt hier den Hinweis, daß es sich um die Beschreibung des
paulinischen Verständnisses von Kirchengemeinschaft handelt. Er differenziert auch darin
zuwenig, daß er a.a.O. 15 f auch die außerpaulinischen Stellen im NT einbezieht, mit
besonderem Gewicht Apg 2,42. Hier und in 1 Joh 1,1 ff wäre aber noch am ehesten mit dem
Begriff societas zu operieren. Hahn verunklart seine Position auch darin, daß er bei der
kurzen Darstellung der Verwendung von κοινωνία als erstes feststellt: »κοινωνία bezeichnet im Neuen Testament die Gemeinschaft der Christen, aber nicht einfach nur im Sinne
eines gemeinsamen Bezugs auf den erhöhten Herrn, sondern im Sinne einer Zusammengehörigkeit und Einheit, die das Leben der Glaubenden total erfaßt«. Hier werden – ganz
gegen seine zuvor erkennbare Tendenz – die Gewichte verlagert; denn die Teilhabe an bzw.
Gemeinschaft mit Christus ist das – zumindest für Paulus – Primäre und Grundlegende.
[171] A.a.O. 14 f. Unpräzis ist die Formulierung »durch participatio und communio«; denn
die communio ist es ja, die durch participatio entsteht. Auch sollte Hahn nicht von der
»Urchristenheit« sprechen, denn es steht zu vermuten, daß für die Ausprägung des
spezifischen κοινωνία-Begriffs im NT niemand anderer als Paulus in Frage kommt. Das
schließt einen vorpaulinischen Gebrauch des Wortes κοινωνία nicht aus.

sung, weil sie den bislang – zumindest in Deutschland – nicht mehr in Frage gestellten Konsens bezüglich der Ergebnisse der Untersuchung von H. Seesemann aus dem Jahre 1933 zumindest prinzipiell überwindet[172]. F. Hahn lieferte in seinem Aufsatz zwar keine Beweise, er verifiziert seine Auffassung nicht an den Texten, aber er weist – wie mir scheint – eindeutig in die richtige Richtung. Die Struktur des Begriffsfeldes κοινωνία ist noch nicht klar bestimmt[173], aber ihre verschiedenen Elemente sind aufgezeigt.

Im selben Band dokumentiert auch R. Schnackenburg, daß H. Seesemanns Auffassung, κοινωνία trage nichts aus für die paulinische Ekklesiologie, nicht länger haltbar ist. Schon der Titel seines Beitrags »Die Einheit der Kirche unter dem Koinonia-Gedanken«[174] gibt klar zu erkennen, daß Schnackenburg einen eminent wichtigen Zusammenhang gegeben sieht. Er formuliert denn auch als Ziel seines Beitrags: »klarer zu sehen, welchen Beitrag Begriff und Gedanke der Koinonia für die Frage nach der Einheit der Kirche leisten«[175].

Was den paulinischen Sprachgebrauch betrifft, hält sich Schnackenburg im wesentlichen an McDermott; auch sachlich folgt er ihm weitgehend. Stärker als dieser fragt er jedoch nach dem einheitlichen Grundgedanken bei der paulinischen Verwendung des Begriffsfeldes Koinonia: »Was hat Paulus veranlaßt, diese wenigstens seltenen syntaktischen Verwendungen zu wählen bzw. dem Verbum eine Färbung zu geben, die es sonst kaum hat?«[176] Schnackenburg gibt selbst folgende Antwort: »Man kann von vornherein vermuten, daß ihn die Besonderheit und Eigentümlichkeit der ›Christusgemeinschaft‹, die uns gewährt wird und uns zugleich verpflichtet, auch zu besonderen sprachlichen Ausdrucksformen geführt hat; aber das wollen wir an einzelnen Texten noch näherhin prüfen«.

---

[172] Nur daß die Bedeutung »Teilhabe an . . .« den paulinischen κοινωνία-Begriff grundlegend bestimmt (und für die Auslegung der von ihm avisierten Gemeinschaftsverhältnisse festzuhalten ist), stehe »seit den grundlegenden Untersuchungen von H. Seesemann für die Exegese fest« (13 f).

[173] Die Kürze und das Überblickhafte des Aufsatzes verhindern zumeist die notwendigen Differenzierungen und lassen viele Aussagen als unscharf erscheinen; etwa »daß die Anteilhabe an Leib und Blut Christi im Herrenmahl die Zugehörigkeit zum σῶμα Χριστοῦ *impliziert*« (16), oder »daß beim neutestamentlichen Gebrauch des Wortes κοινωνία ›Kirchengemeinschaft‹ und ›Christusgemeinschaft‹ *unlösbar zusammengehören*« (16), oder »daß hierbei Funktion und Verständnis des Herrenmahls eine *weitreichende Bedeutung* haben, ja, *geradezu eine Schlüsselstellung* einnehmen, weil jene unlösbare Zusammengehörigkeit von Kirchengemeinschaft und Christusgemeinschaft an diesem Punkt besonders deutlich in Erscheinung tritt, aber auch auf dem Spiele steht« (16 f). Wie eins das andere vermittelt, d. h. daß und wie die Teilhabe *am* Leib Christi die Gemeinschaft der Vielen *im* Leib Christi erzeugt, das müßte vor allem aufgewiesen werden – und dabei der Schlüsselcharakter der Begriffsstruktur von κοινωνία.

[174] In: F. Hahn, K. Kertelge, R. Schnackenburg, Einheit der Kirche 54–93.

[175] A.a.O. 54.

[176] A.a.O. 57. Was für das Verbum gilt, gilt dann auch vom Nomen. Daher konnte Bori zu keinem überzeugenden Ergebnis kommen, weil er das Verbum weitgehend ausklammerte.

Die Basis für diese Prüfung ist freilich allzu schmal. Schnackenburg beschränkt sich auf drei – wenngleich besonders gewichtige – Stellen bei Paulus, um »in diesen Gedankenkreis des Apostels tiefer einzudringen«[177]. Bezüglich des ersten kommt er zu dem Ergebnis: »1 Kor 1,9 zeigt also, daß die Teilhabe an Jesus Christus und seinem Reichtum, die Hineinnahme in seine Gemeinschaft, die mit Gott verbindet, in einen umfassenden theologischen Zusammenhang zu stellen ist. Die christliche Koinonia wird gnadenhaft durch Gottes Selbstmitteilung in Jesus Christus begründet und in der Gemeinschaft aller Glaubenden, in der Gemeinde Gottes verwirklicht«[178].

Bei dieser Fülle von Konnotationen, die Schnackenburg hier zur Texterhellung einbringt, muß es überraschen, daß er zur Übersetzung von κοινωνία »die häufige, aber blasse und dem Genitiv nicht gerecht werdende Übersetzung ›Gemeinschaft‹« vermeidet und sich für »Teilhabe an« entscheidet[179].

Dieselbe Zwiespältigkeit im Sprachgebrauch findet sich im Zusammenhang mit dem Text 1 Kor 10,16f, den Schnackenburg als zweiten paulinischen Text behandelt. Auch in der Feier des Herrenmahls gehe es »nicht bloß um irgendwelche ›Gemeinschaft‹, sondern um ein wirkliches ›Anteilhaben‹«[180].

Diese m. E. falsche Alternative verhindert die Klärung der paulinischen Gedankengänge. Schnackenburg hält sie auch in Wahrheit nicht durch, sondern spricht seinerseits z. B. von einer durch die Eucharistie vermittelten »Gemeinschaft mit Christus, dem Herrn«, von »Eucharistiegemeinschaft« usw.[181]. Weil aber die Vermittlung von Herrenmahls- und Kirchengemeinschaft nicht über den κοινωνία-Begriff gesucht wird, spricht Schnackenburg gegenüber 1 Kor 10,16 von einer »Ausweitung des Koinonia-Gedankens in V. 17 von der Gemeinschaft mit Christus zur Gemeinschaft der Christen untereinander«, nennt dies aber dennoch »für das ekklesiale Denken des Apostels äußerst bezeichnend«[182]. Aber nicht die Ausweitung des Koinonia-Gedankens ist das für Paulus Typische, sondern die Verklammerung der Ekklesiologie mit der Christologie und der Soteriologie: die Gemeinschaft der Gemeinde im bzw. als Leib Christi durch die Teilhabe der Vielen am Leib Christi.

Demgegenüber bleibt Schnackenburgs Erklärung des Zusammenhangs seltsam blaß und vage, wenn er resümiert, »daß der im eucharistischen Brot empfangene Leib Christi, der Leib des gekreuzigten und auferweckten Herrn, zum *Bindeglied* für den ekklesialen Leib Christi *wird*, auf ihn *hinwirkt* und sich in ihm darstellt«[183].

[177] A.a.O. 61–72. Von den drei Besonderheiten des paulinischen Sprachgebrauchs, wie sie McDermott herausstellt, kommt dabei nur die erste in den Blick.

[178] A.a.O. 63.

[179] A.a.O. 61.

[180] A.a.O. 64 A. 16.

[181] A.a.O. 65; vgl. 67.

[182] A.a.O. 66.

[183] A.a.O. 66. Zur weiteren Verunklarung trägt bei, daß Schnackenburg anschließend

Auch zum 3. Beispiel, zu 2 Kor 13,13, liefert Schnackenburg eher Umschreibungen des Sachverhalts. Er faßt zusammen: »Damit schließt sich der Kreis des paulinischen Koinonia-Gedankens. Die Christusgemeinschaft wird für Paulus durch die Teilhabe am Geist Christi realisiert«. Die Bedeutung »vom Heiligen Geist gewährte Gemeinschaft« wird ausdrücklich verworfen zugunsten von »Anteilhabe am Heiligen Geist«[184], gleichwohl wird die Rede von der Christusgemeinschaft beibehalten. So bleiben bei Schnackenburg die zwei Dimensionen unverbunden, auch wenn er selbst ausdrücklich feststellt, daß sie »nicht unverbunden nebeneinander stehen«: »die Verbindung der Glaubenden mit Jesus Christus und durch ihn mit Gott, sodann die Verbindung der Glaubenden untereinander«[185].

Ist demnach auch sein eigener Lösungsbeitrag letztlich unbefriedigend, weist Schnackenburg doch insgesamt in die gleiche – wie mir scheint, richtige – Richtung wie F. Hahn. Das gilt nicht zuletzt für seine zusammenfassende Formulierung: »Das Neue Testament . . . konfrontiert uns mit der von Gott gewollten, von ihm in seinem Sohn Jesus Christus eröffneten Koinonia, von der wir uns entfernt haben, und es zeigt uns die Grundlagen der Einheit, auf denen wir neu aufbauen müssen«. Man kann nur unterstreichen, »daß uns diese Koinonia von Gott her vorgegeben und aufgegeben ist. Wir können sie nicht von uns aus schaffen, aber sie verpflichtet uns«. Und: »Diese Koinonia hat immer eine ekklesiale Dimension«[186].

Die Beschreibung dieser ekklesialen Dimension gerät Schnackenburg freilich zu einer Systematisierung paulinischer bzw. neutestamentlicher Gedanken, die sich von den Koinoniatexten eher entfernt[187].

Die dritte in dem genannten Sammelband enthaltene Studie von K. Kertelge ist dem speziellen Thema »Abendmahlsgemeinschaft und Kirchengemeinschaft im Neuen Testament und in der Alten Kirche« gewidmet[188].

Er fordert mit Recht »eine erneute Besinnung auf den wesentlichen Zusammenhang von Eucharistie und Kirche und ihren immanenten Gemeinschaftscharakter«[189]. Letzteren zu bestimmen, begegne aber der »Verstehensschwierigkeit, die besonders mit dem Begriff ›Gemeinschaft‹ gegeben ist«. Denn: »Sosehr das Neue Testament den ›Gemeinschaftscharakter des Abendmahls und der Kirche kennt

---

»das Verhältnis von Taufe und Eucharistie ins Blickfeld« rückt. Denn wie immer die Taufe und ihr Verhältnis zur Eucharistie bei Paulus zu bestimmen sind: von einer Tauf-Koinonia spricht er nicht. (Hervorhebungen von mir)

[184] Alle Zitate a.a.O. 68.
[185] A.a.O. 71. Da genügt es nicht zu betonen, »wie eng beides, die personale ›Teilhabe‹ an Christus und die Gemeinschaft untereinander, zusammengehören«, sehe man in 1 Kor 10,16f.
[186] Alle Zitate a.a.O. 90.
[187] A.a.O. 90–93.
[188] In: F. Hahn, K. Kertelge, R. Schnackenburg, Einheit der Kirche 94–132.
[189] A.a.O. 94.

und betont, so wenig wird mit unserem heutigen mehr oder weniger unbestimmten Begriff ›Gemeinschaft‹ auch schon die Wirklichkeit angemessen beschrieben, die im Neuen Testament sehr präzise als κοινωνία angegeben wird«[190]. Von solcher Präzision kann freilich keine Rede sein, wie die anhaltenden Bemühungen um das Verständnis des Begriffsfeldes κοινωνία v. a. bei Paulus deutlich zu erkennen geben. So benutzt denn auch Kertelge keineswegs einen präzisen Koinonia-Begriff, sondern er umschreibt mit »Vereinigung«, »Verbundenheit«, und spricht von »Gemeinschaftsverhältnis«[191], ohne die Elemente »Gemeinschaft« und »Teilhabe« mehr als forensisch miteinander zu verbinden. Es bleibt daher in der Bestimmung des Herrenmahls »als erhaltender Grund und Ur-Sache der Kirchengemeinschaft«[192] bei der üblichen Näherbestimmung der »Gemeinschaft, die im eucharistischen Mahl zustande kommt«, als der »Gemeinschaft mit Christus«, wobei verdeutlichend gesagt wird, κοινωνία bezeichne »hier nicht von vornherein die Gemeinschaft derer, die miteinander das eucharistische Mahl halten, sondern ihre Teilhabe am Blute und am Leibe Christi«[193]. Wenn es sich aber um Teilhabe handelt, was rechtfertigt dann die gleichzeitige Rede von Gemeinschaft? Für Kertelge handelt es sich um eine »Teilhabe-Gemeinschaft«[194], aber diese ist ausschließlich auf Christus bezogen, nicht auf die Mahlteilnehmer. Wie unverbunden letztlich die beiden Themen Abendmahl und Einheit der Kirche bei Kertelge bleiben, verdeutlicht seine Aussage über den paulinischen Übergang von 1 Kor 10,16 zu 17: »Von der Koinonia, die Christus selbst im eucharistischen Mahl gewährt, leitet er zur *Einheit* der ›Vielen‹ über, die an diesem Mahl teilnehmen«[195]. Kertelge übernimmt die durch P. Neuzeit eingeführte Unterscheidung bezüglich des paulinischen σῶμα-Begriffs in 1 Kor 10,16.17, wonach Paulus »den in V. 16 enthaltenen Leib-Christi-Begriff ekklesiologisch *wendet*«; das entwertet die folgende – m. E. völlig richtige – Feststellung: »so verdrängt er damit nicht den Koinonia-Gedanken in V. 16, sondern verdeutlicht in besonderer

---

[190] A.a.O. 94f.

[191] Vgl. a.a.O. 99.

[192] A.a.O. 98–104.

[193] Zwar weist Kertelge a.a.O. 99 auch darauf hin, mit dem Begriff der Koinonia werde sowohl Teil-habe als auch Teil-gabe ausgedrückt, wobei jeweils mehr der eine oder andere Sinngehalt betont sein könne, aber eine präzise Erfassung der Struktur des Begriffsfeldes κοινωνία ist das noch nicht. (In A. 7 nennt Kertelge irrtümlich J. Behm statt F. Hauck als Gewährsmann.)

[194] A.a.O. 100: »Durch solche Teilhabe entsteht Gemeinschaft im Sinne einer innigen Verbundenheit«; aber sie entsteht für ihn nur mit dem, woran man teilhat, nicht unter denen, die gemeinsam an etwas teilhaben.

[195] A.a.O. 101. Zwar kann Kertelge sagen: »Die Vorstellung liegt nahe, daß die Teilnahme am eucharistischen Mahl die Einheit der Teilnehmenden als der *einen* Kirche *bewirkt*« (102), aber diese Aussage wird sogleich auf ihre Konsequenzen im Verhältnis und Verhalten der Christen hin umgedeutet: »Im Herrenmahl werden die Teilnehmenden nicht nur mit Christus verbunden, sondern auch in ein neues Verhältnis zueinander gebracht« (104).

Weise den hierin schon implizierten ekklesialen Charakter des Herrenmahls«[196]. Ekklesiologie ist bei Paulus ein Implikat der Christologie. Diesen entscheidenden – durch κοινωνία vermittelten – Sachverhalt hat Kertelge nicht radikal genug erfaßt[197].

Die letzte eindringlichere Studie zu κοινωνία im NT erschien 1979 in Rom und stammt von G. Panikulam[198]. Sein Interesse ist, »to study the concept of fellowship in the NT«. Dabei will er die rein philologische Fragestellung in den Werken der meisten seiner Vorgänger überwinden: »Using these works as a basis we are trying in this study to find the theological implications of the NT koinōnia«. Was er zu finden hofft, ist nicht weniger als »guidelines to a new Ecclesiology, resulting from an enriched Christology«[199].

Damit ist eine vielversprechende Position bezogen, in der fast alle neueren exegetischen Bestrebungen aufgenommen sind: die philologischen, die theologischen und speziell die ekklesiologischen[200]. Daß eine nur philologische Untersuchung nicht zum Ziel führen kann, beweist ihm der paulinische Sprachgebrauch von κοινωνία. »Paul uses the term in rich religious contexts and only in such contexts«[201]. »Paul employs the term for the religious fellowship of the believer in Christ and Christian blessings and for the mutual fellowship of the believers«. Zwei Punkte fallen s. M. nach bei Paulus besonders auf: »1. the primary stress in Pauline koinōnia is on a Christocentric life; 2. Paul never uses koinōnia for the individual sharing of someone in Christ. It is always used for someone's sharing in

---

[196] A.a.O. 103 f (Hervorhebung von mir).

[197] Das ist festzuhalten für Kertelges Ausführungen im 2. Teil über »Kirchengemeinschaft und Abendmahlsgemeinschaft in der Alten Kirche« (111–125), wo er nachdrücklich hervorhebt, dieser im NT »besonders von Paulus betonte Gemeinschaftscharakter des eucharistischen Mahles« sei »festgehalten und weiterentwickelt« worden. Darauf ist in Kap. VI zurückzukommen.

[198] G. Panikulam, Koinōnia in the New Testament. A Dynamic Expression of Christian Life (AnBib 85), Rom 1979.

[199] Alle Zitate im »Foreword«. Was die philologischen Aspekte betrifft, verweist er v. a. auf Campbell und Seesemann. Letzterem macht er den Vorwurf, daß er zwar »Gemeinschaft« als dritte Möglichkeit zur Wiedergabe von κοινωνία aufführt, sie aber aus tendenziösen Gründen herunterspielt: »Although the third category is mentioned, no important Pauline text is brought under it« (2). »The tendency of Seesemann to reduce to a minimum the communitarian sense of koinōnia is clear when he writes ›Nowhere in the writings of Paul does the word koinōnia suggest community in the sense of a society or association‹« (3).

[200] Als nachteilig wird sich erweisen, daß Panikulam wie Bori sich lediglich auf die Vorkommen des Nomens beschränkt; die semantische Aufgabe konnte so nicht voll erfüllt werden.

[201] Er kann dabei a.a.O. 5 auf Seesemann, a.a.O. 67, und Jourdan, a.a.O. 112, verweisen. Letzterer bescheinigt Paulus, dem Begriffsfeld κοινωνία »a spiritual quality, distinctive of varying degrees of power and intensity« gegeben zu haben.

Christ with others. This leads to the conclusion that koinōnia in Paul has a strict communitarian sense«[202].

Im Vorgriff auf diese – vor allem bei Paulus gewonnenen – Eindrücke nennt Panikulam die »New Testament Koinōnia – a Newness«[203]. Und speziell für Paulus konstatiert er: »St. Paul reduces the whole christian vocation to a koinōnia«[204]. Der angeführte Beleg 1 Kor 1,9 ist für Panikulam der Zentraltext, dem sich alle übrigen Koinonia-Texte einordnen, von dem her sie interpretiert werden können: Die Berufung durch Gott zur »Gemeinschaft mit seinem Sohn« »expects a response of fellowship with the Son on the part of the called. This enables us to see the other occur(r)ences of koinōnia in a new light. They could be taken as different modes of responding to the call to koinōnia«[205]. Nicht zu Unrecht verweist Panikulam auf die spannungsreiche Situation in Korinth und auf die besondere Stellung der Koinonia-Texte im 1. Korintherbrief: »Because the disunity and chaos in the community, Paul had to initiate an ecclesiology and ultimately to reveal the mystery of the Body of Christ. The foundation for his plea for order and love is the koinōnia with Christ to which the Corinthians were called«. »The first use of the term koinōnia is at the end of the introduction which is a section on thanksgiving. The second use falls almost at the centre of the second major division«[206]. Dieser zweite zentrale Anwendungsfall (1 Kor 10,16) zeigt sich einerseits als »a concrete mode of attaining the fellowship with the Son«[207] und andererseits »in strict conformity with the other NT occurrences of koinōnia, inasmuch as koinōnia with the person of Christ remains the basis of a koinōnia with the brethren«[208]. Was er mit »Basis« meint, erläutert Panikulam an Hand des Übergangs von 1 Kor 10,16 zu 17: »It is here and not earlier that Paul proceeds from a vertical koinōnia to its horizontal implications. The sharing of the one bread is producing a true horizontal effect: making the partakers of the one bread to a true body, the community«[209]. In diesem für das paulinische Koinonia-

---

[202] Ebd. Die 2. Beobachtung wurde auch von Currie hervorgehoben. Sie erklärt, warum bei Paulus die Taufe als individuelles Geschehen nicht mit dem Begriffsfeld κοινωνία in Verbindung gebracht wird.

[203] A.a.O. 4: »One is brought to think so, not because the synonym for koinōnia is altogether absent in the OT, nor because the term is infrequent in the Hellenistic world. But the restrictions the term met with in the OT world and the excess of significance it received in the Greek mythology did disfigure the real sense of koinōnia«.

[204] A.a.O. 1.

[205] A.a.O. 16: So wird 1 Kor 1,9 »a good starting point in analysing the Pauline occurrences of koinōnia«.

[206] A.a.O. 8. »Thus although the term koinōnia does not occur often in the epistle, it serves as a central theme to the point that Allo call it the ›idée maîtresse de tout l'Epître‹« (S. 9, mit Bezug auf E. B. Allo, Première épître aux Corinthiens, Paris 1934,5).

[207] A.a.O. 17.

[208] A.a.O. 24.

[209] A.a.O. 25. »He connects the thoughts in V. 16 and 17 with a causal hoti« (ebd.). Panikulam wendet sich ausdrücklich gegen K. Maly, Mündige Gemeinde (SBM 2), Stutt-

Verständnis so entscheidenden Text bleibt es also auch bei Panikulam bei einer aus der »Teilhabe an« Leib (und Blut) Christi deduzierten bzw. durch sie produzierten »Gemeinschaft« unter den Teilhabern[210]. Hier zeigt sich am nachteiligsten, daß Panikulam nur das Nomen κοινωνία und nicht das ganze Begriffsfeld untersucht hat; dessen strukturelle Elemente fügen sich für ihn nicht in ein einheitliches Gesamtkonzept. Im übrigen sind seine Ausführungen samt und sonders bedenkenswert.

So scheint mir z. B. der Sinn von κοινωνία im Zusammenhang der Kollektentexte im wesentlichen richtig erfaßt, wenn er resümiert: »1. Using a rich theological terminology, Paul gives to the collection project a greater theological significance. Material collection was for him an expression of the christian life of the community in its different implications«. »2. Koinōnia here in the passage had an ecumenical purpose to serve (wie er später präzisiert: »the unity of the body of Christ«). It was considered as an instrument of unity between the Jewish Christian and the Hellenistic Christian Communities«. »The indebtness to material sharing is seen as the result of sharing the spiritual possessions which in the context means the Gospel of Christ«. »3. Koinōnia in the collection for the saints in Jerusalem becomes a concrete mode of responding to the call to koinōnia with the Son« (1 Kor 1,9)[211].

Erstaunlich, aber auch inkonsequent dagegen ist Panikulams Auslegung der Texte, die von einer κοινωνία (τοῦ ἁγίου) πνεύματος handeln (2 Kor 13,13; Phil 2,1); denn die Frage, ob es sich hierbei um einen gen. subj. oder gen. obj. handelt, beantwortet er schließlich mit einem »sowohl – als auch«: »From the general perspective of the doctrine of the Spirit in St. Paul, any inclusion of the koinōnia tou Pneumatos hagiou into a subjective genitive or into an objective genitive exclusively is a wrong interpretation. The Spirit is a gift received and lived. It has then the character of both the fellowship imparted and the fellowship received and lived«[212]. Der Rekurs auf die gesamte paulinische Auffassung vom Hl. Geist läßt diesen für Panikulam erscheinen als »Lifegiving Principle of Koinōnia«: »It is the Spirit that binds the Christians with Christ and among themselves«[213]. Es ist also wiederum nicht der paulinische Sprachgebrauch von κοινωνία, der ihn zu dieser Auslegung führt, sondern die allgemeine Geistlehre des Paulus ist es, die ihn sagen

gart 1967, 125 ff, der mir jedoch durchaus Richtiges gespürt zu haben scheint, wenn er gleichzeitig die Aspekte von »Anteilgabe des Herrn« und »Anteilhabe am Herrn« im Koinonia-Begriff von 1 Kor 10,16 enthalten findet (137). Panikulam: »Whether from V. 16 alone such a conclusion follows is doubtful« (24). Immerhin wird diese Möglichkeit nicht apodiktisch ausgeschlossen.

[210] Vgl. die Zusammenfassung a.a.O. 29: »The participation in the Body and Blood of Christ produces a new effect: a fellowship among the participants in Christ«.

[211] A.a.O. 57. Im einzelnen wäre einiges präziser zu fassen; das hoffe ich, in meiner eigenen Darstellung gezeigt zu haben.

[212] A.a.O. 70.

[213] A.a.O. 72.

läßt:»It is in the Spirit that we became partakers of Christ and became a fellowship among ourselves«[214]. M. a. W.: Es bleibt bei dem Nebeneinander von Teilhabe an Christus und Gemeinschaft untereinander – durch den Geist.

Darum kann Panikulams Untersuchung letztlich nicht völlig befriedigen, so richtig sie im Ansatz und in ihrer Gesamttendenz ist. Seine »General Conclusion to the Pauline Koinōnia« würde ich fast durchwegs unterstreichen:»Call to koinōnia with the Son awaits response through koinōnia from our part«.»Pauline koinōnia is first and foremost Christocentric«.»Every occurrence of koinōnia which is a response to the call to koinōnia assumes an ecclesial dimension and hence becomes communitarian«.»Seen from these different angles Pauline koinōnia presents a rich theology with special applications to Christology and Ecclesiology«[215].

Auch die zusammenfassenden Ausführungen über »The Originality of the New Testament koinōnia« setzen die Akzente richtig:»It is not a random coming together of men because they share a common interest; it is coming together of those whom God has called into koinōnia with Himself through His Son and in him with one another«[216].»God's initiative to koinōnia awaits man's response in koinōnia. Paul presents this reciprocity of man in terms of responding with the koinōnia (the different occurrences of koinōnia as response to the call to the fellowship with the Son)«.»The response to the divine initiative is effected in man through the working of the Spirit«[217].

Ich würde nicht zögern, Panikulams Schlußfrage – zumindest für Paulus – eindeutig zu bejahen:»Seen in this light koinōnia expresses the real sense of Christian life. And as such could it not be interpreted as the quintessence of the new covenant community of the New Testament?«[218] Nur ist die semantische Aufgabe, die dieses Ergebnis absichern müßte, durch Panikulam letztlich nicht gelöst, die Einheit der theologischen Gedanken des Paulus ist in der sprachlichen Verwendung des Begriffsfeldes κοινωνία nicht zwingend aufgewiesen.

Auf die Bedeutung der Semantik hat jüngst A. di Marco in seiner Abhandlung »Koinonia – Communio: Flp 2,1« (1980) nachdrücklich hingewiesen[219].

Da ist einmal zu beachten,»che nelle varie lingue non esistono termini linguistici perfettamente corrispondenti, ma in ogni lingua ogni termine ha un proprio campo semantico, che non coincide con il campo semantico del termine che si vuol tradurre«[220]. Die verschiedenen Möglichkeiten, ein Wort zu überset-

[214] A.a.O. 78.
[215] A.a.O. 108.
[216] A.a.O. 140.
[217] A.a.O. 141. [218] A.a.O. 142.
[219] A. di Marco, KOINONIA – COMMUNIO: Flp 2,1, in: Laurentianum 3 (1980) 376–403.
[220] A.a.O. 377 mit Hinweis u. a. auf J. F. A. Sawyer, Semantics in Biblical Research, London 1972, 28–59; K. Berger, Exegese des Neuen Testaments (UTB 658), Heidelberg 1977, 137–159, und S. Ullmann, Semantics, Oxford 1970, 238–253.

zen, führen zu weiteren Spannungen, weil sich mit jedem Wort verschiedene begriffliche Vorstellungen verbinden.»Bisognerebbe chiarire in che senso ›la koinonia‹ è un fatto linguistico, anche se lo è il termine κοινωνία, e anche se contenuto e forma linguistica sono inseparabili«[221]. Deshalb beruft man sich häufig »al significato ›fondamentale‹ per es. di κοινωνέω e derivati, a quel che la parola significa ›vi vocis‹, indipendentemente dagli usi concreti nei singoli contesti«[222]. Aber damit wird nach di Marco das Problem nicht gelöst: »Κοινωνία finisce col diventare una semplice relazione, una scolarita ›Beziehung‹«[223]. Dieses Ergebnis wäre in der Tat zu dürftig. Da es aber ausgesprochen schwierig sei, für κοινωνία im NT eine präzise allgemeine Begriffsbestimmung zu liefern – z. B. »Teilhabe« oder »Gemeinschaft«[224] –, liege die Versuchung nahe, unseren heutigen Sprachgebrauch einzutragen. Deshalb di Marco's Empfehlung:»Perciò ci sembra opportuna la esortazione a non trasformare koinonia in un ›concetto teologico‹, mentre è uno strumento linguistico flessibile, che assume varie colorazioni secondo il contesto«[225]. In jedem Falle gehe es zu weit, von κοινωνία zu behaupten, es sei die Basis der gesamten Ekklesiologie des NT, ja es sei auch übertrieben, in κοινωνία einen Ausdruck für das zentrale christliche Geheimnis finden zu wollen, nämlich »l'unione nell'amore fra Dio e l'uomo attraverso Christo«[226]. So müsse man Grundforderungen der Semantik erfüllen: den Begriff κοινωνία nicht isoliert untersuchen, sondern in Verbindung mit »altri temi e termini collaterali«[227], und klarer unterscheiden »fra il livello lessicale e quello dei contenuti teologici«[228]. Am Beispiel von Phil 2,1 versucht er sodann seine Auffassung zu demonstrieren.

1. Feststellung: »La ›κοινωνία πνεύματος‹, che si suppone esservi nei Filippesi, non è qui definita, come non è definita la παράκλησις e l'agape«.»S. Paolo cioè non ci dice qui (né altrove) cosa sia ›la‹ koinonia«.

2. Feststellung: »Il genitivo πνεύματος potrebbe essere soggettivo (koinonia

---

[221] A.a.O. 378f.

[222] A.a.O. 379. Aus diesem Grunde werde Bori von McDermott, Biblical Doctrine 64f, gelobt, weil er eine Einheit des Sinnes für κοινωνία postuliert. McDermott selbst spricht von »basic meaning« (a.a.O. 65). Vgl. di Marco's A. 17 a.a.O.

[223] A.a.O. 380.»Il linguaggio non consiste – (non si esaurice) – infatti nel significato delle parole, ma delle frasi e della logica« (ebd.).

[224] Vgl. a.a.O. 380 (und A. 22).»Non sombrerebbe allora troppo puntiglioso riconoscere che tra ›partecipazione‹ e ›associazione‹ ci sia qualcosa in comune, per cui ›partecipazione‹ e ›associazione‹ possono, almeno in parte, coincidere«.

[225] A.a.O. 381f.»Nel caso nostro è la simpatia per la ›comunione‹ che ci pare si rifletta sul termine koinonia« (382).

[226] A.a.O. 383; vgl. 382ff: gegen McDermott, Biblical Doctrine 232. Einschränkend fügt di Marco hinzu:»Non che κοινωνία non dica niente della chiesa in Paolo, e che sia quindi da lui usata solo in senso ›verticale‹ (gegen Seesemann und Brown); ma certo per Paolo stesso ›carità‹, ›edificazione‹, per es. sembrano non meno significativi di koinonia«.

[227] A.a.O. 383.

[228] A.a.O. 384.

dei fedeli prodotta dallo Spirito), oppure oggettivo (koinonia che ha per oggetto lo spirito, comunicazione – partecipazione allo spirito)«[229].

3. Feststellung:»Né ci pare che quel che sappiamo altrove di koinonia, del termine e del concetto, giustifichi tale distinzione e tanto meno una opposizione fra i due significati e quindi una opposizione fra un significato ›ecclesiale‹ e uno non ecclesiale di koinonia«.

Vielmehr müsse man fragen,»se non sono significati coerenti, convergenti e conviventi, anzi, nel caso, l'uno non includa l'altro: si tratta sempre, secondo il testo, insieme di ›comunione dei fratelli‹ e ›comunione dello Spirito‹«[230]. Jene, die – wie ich selber – »includono entrambi i significati nello spiegare la κοινωνία πνεύματος di Flp 2,1«[231], könnten sich auf die Beobachtung der»pluralità di senso anche del linguaggio biblico«[232] berufen.

4. Feststellung:»Possiamo tradurre κοινωνία con vari vocaboli: ›comunione, partecipazione, comunicazione, etc. . . .‹ (lo stesso vale, più o meno, per le altre lingue). Con ciò però noi abbiamo scelto non solo dei vocaboli, ma dei concetti, che per noi sono distinti o addirittura diversi e opposti«. Demgegenüber müsse man darauf hinweisen:»è la distinzione dei vocaboli delle nostre lingue che ci porta alla distinzione dei concetti anche nel termine originario, che probabilmente sembra includerli«[233].

Diese zunächst formalen Feststellungen werden von di Marco im folgenden durch eine Kontextanalyse auch vom Inhalt der Verse her erhärtet:»Poiché c'è comunanza nel medesimo Spirito, siate uniti in un solo Spirito: la κοινωνία che è dono di Dio, dev'essere r(e)alizzata anche dagli uomini«[234].

---

[229] A.a.O. 389:»Nel primo caso farebbe riferimento alla ›comunità‹ e si avrebbe un significato più ›ecclesiale‹: Paolo farebbe appello alla ›comunione – comunità‹ tra i fedeli, che è ›dello Spirito‹, che è spirituale, si potrebbe dire, che deriva dallo spirito, che è nello spirito, che c'è perché c'è lo spirito«.»Nel secondo senso di ›partecipazione‹, il significato sarebbe ›partecipazione dello spirito‹: poiché partecipiamo allo stesso spirito, perché ci è stato comunicato lo stesso spirito«.»Una tale distinzione, o distinzioni simili, sono possibili« (389f).

[230] A.a.O. 390. Den Grund sieht di Marco darin,»che il genitivo τοῦ πνεύματος potrebbe essere soggettivo e oggettivo insieme« (391; vgl. A. 63).

[231] A.a.O. 392; vgl. A. 69.

[232] A.a.O. 391. S. 393 A. 70 zitiert er Jourdan, a.a.O. 119, der im Bezug auf κοινωνία bei Paulus von einer»intentional combination of senses« spricht.

[233] A.a.O. 393.

[234] A.a.O. 400. Auf letzterem liegt zweifellos in Phil 2,1 der Akzent. Deshalb ist es zwar richtig, wenn di Marco konstatiert:»S. Paolo non ci dà una definizione di koinonia; potremmo dire che non ci dice ›cos'è‹. Ci dice però come opera, come si attua, come può esistere« (400f). Aber daraus sollte er nicht die mißverständliche Folgerung ziehen:»Se la ›comunione‹ di cui oggi parliamo è la koinonia di Flp 2,1, Paolo, come allora ai suoi cristiani di Filippi, anche a noi dice che essa è un dono nello Spirito, che dobbiamo rivivere: realizzare quello che siamo« (401); denn die heutige Rede von der Kirche als»Gemeinschaft« fragt nicht so sehr nach den geforderten Auswirkungen der Gemeinschaft, zu der wir von Gott durch Christus berufen sind (vgl. 1 Kor 1,9), sondern nach ihren Fundamenten. Phil 2,1 ist nur ein Aspekt der Antwort, die wir bei Paulus finden.

Was di Marco für den speziellen (Test-)Fall von Phil 2,1 erarbeitet hat, ist ganz allgemein auf den paulinischen Sprachgebrauch von κοινωνία etc. anwendbar und bedeutet weithin eine Bestätigung der von mir vorgetragenen Auffassungen.

Er stimmt auch darin mit mir überein, daß der paulinische Gemeinschafts-Begriff in der nachneutestamentlichen Zeit eine Schlüsselrolle für das frühe Kirchenverständnis spielte: »Koinonia – comunio diventò un testo chiave per descrivere l'autocoscienza della chiesa«. Auch später sei dieses Bewußtsein von der Kirche als Gemeinschaft nie ganz verlorengegangen. V. a. zwei Komplexe seien im Zentrum des Interesses gestanden – und dies gelte auch für heute: »a) la ›koinonia liturgica‹: da 1 Cor 10,14–22 sino alla ›comunione eucaristica‹ dei nostri giorni; b) la ›communio sanctorum‹ del credo con tutta la sua pluriforme ›recezione‹: segno di una coscienza ecclesiale non sopprimibile«[235]. Was schließlich die Bedeutung des Koinonia-Communio-Gedankens für die heutigen Kirchen betrifft, identifiziert sich di Marco mit meiner eigenen Darstellung[236].

Von einer »Wiederentdeckung der Koinonia-Struktur des christlichen Glaubens« in der Gegenwart spricht jetzt auch K. Kertelge in einem neuen Beitrag zum Thema Koinonia von 1981[237]. Auf die Kirche bezogen heißt das: »Die Kirche ist *Gemeinschaft* der Glaubenden«[238]. Um diese Aussage gegen Mißverständnisse abzusichern[239], erinnert er an den neutestamentlichen, v. a. paulinischen Sprachgebrauch: »Koinonia bedeutet im Neuen Testament nicht schlechthin Gemeinschaft, sondern Gemeinschaft, die durch Teilhabe an einem vorgegebenen Gut entsteht und besteht«[240].

Für diesen Sprachgebrauch beruft sich Kertelge allerdings zu Unrecht auf H. Seesemann und F. Hauck; allein F. Hahn hatte sich bislang einer solchen Begriffsbestimmung angenähert[241]. Deshalb erstaunt es, wenn Kertelge jetzt im

[235] Vgl. das ganze Resümee a.a.O. 402(f): »Nel Concilio Vaticano II la concezione della ›Communio‹ ha svolto un ruolo determinante, anche se non sempre uniforme e non priva forse di qualche equivoco. C'è nel Concilio una certa tensione quando si parla di ›Communio‹ nel rapporto Chiesa locale – Eucaristia – Chiesa universale«.
»La situazione nelle chiese della riforma sembra meno chiara che nel cattolicesimo e nell'ortodossia: ... nelle chiese luterane, nell'attuale protestantesimo, si era perduto il concetto di comunione«. Vgl. mein Kap. VII.

[236] Vgl. v. a. A. 101 und 102. Was mich aufs Ganze gesehen von di Marco unterscheidet, ist die Feststellung einer einheitlichen Struktur des Begriffsfeldes κοινωνία bei Paulus, die für die Auslegung auch dort relevant bleibt, wo nur Einzelelemente (»Anteil-haben«, »Anteil-nehmen«, »Anteil-geben«, etc.) betont werden oder wo absoluter Gebrauch vorliegt (»Gemeinschaft« z. B.).

[237] K. Kertelge, Kerygma und Koinonia. Zur theologischen Bestimmung der Kirche des Urchristentums, in: Kontinuität und Einheit (FS Franz Mußner), Freiburg-Basel-Wien 1981, 327–339.

[238] A.a.O. 335.

[239] Solche könnten aus »dem abgeschliffenen Gemeinschaftsbegriff des deutschen Sprachgebrauchs« resultieren (336).

[240] A.a.O. 336.

[241] Zu Kertelge a.a.O. 336 A. 24.

Gegensatz zu seinen Ausführungen von 1979 diese Begriffsbestimmung als gesichert übernimmt und präzisierend fortfährt:»Koinonia umfaßt danach zwei wesentliche Begriffselemente, das der Teilhabe an etwas oder jemandem und das der daraus entstehenden personalen Beziehung sowohl zu dem Teilgebenden als auch zu den Mit-Teilhabenden«[242].

Wie zögernd er freilich mit dieser Begriffsbestimmung umgeht, zeigen die angeführten Beispiele 1 Kor 1,9; 2 Kor 13,13 (und sogar 1 Joh 1,3), wo er sofort wieder zur Auslegung »Teilhabe an« zurückkehrt, und die eher tastenden Erklärungen zu 1 Kor 10,16.17: die Teilhabe an Jesus Christus eröffne »einen Raum der Gemeinschaft mit den Glaubenden als Mit-Teilhabenden«; oder:»Die ›Teilhabe am Leib Christi‹ (irrtümlich: 1 Kor 10,15 statt 10,16), die in der Eucharistie gewährt wird, findet ihren entsprechenden Ausdruck in der Gemeinschaft der Glaubenden, die in Christus zu dem ›einen Leib‹ verbunden werden, der die Kirche ist«. Im Kontrast dazu kann er freilich auch ganz präzise vom Herrn als dem Gastgeber des eucharistischen Mahles sagen:»Er gewährt Gemeinschaft mit sich und begründet dadurch Gemeinschaft der Tischgenossen untereinander«; oder:»Die Teilhabe an Jesus Christus begründet die Gemeinschaft der Glaubenden als seine Kirche«[243].

Fehlt diesen knappen Ausführungen auch der ausgeführte exegetische Nachweis und die Konsequenz in der Durchführung, zeigen sie doch mit aller Deutlichkeit die ekklesiologische Relevanz des paulinischen Begriffsfeldes κοινωνία[244].

Weniger zum Sprachgebrauch des Paulus selbst als vielmehr zu dessen Herkunft und zu dessen inhaltlicher Bestimmtheit liefert H.-J. Klauck einen Beitrag in seiner Münchner Habilitationsschrift über »Herrenmahl und hellenistischer Kult«[245].

»Die LXX verwendet κοινων- nie für das Verhältnis von Mensch und Gott, sie

---

[242] A.a.O. 336.

[243] Zitate a.a.O. 337, vgl. aber 336–338.

[244] »Im Lichte der neutestamentlichen Abendmahlstexte zeigt sich die Grundstruktur der Kirche Jesu Christi als *eucharistische Gemeinschaft*, als Gemeinschaft, die von der bleibenden Gegenwart ihres Herrn lebt (und an sein Gebot gebunden ist)« (337, Klammer von mir). Und die brüderliche Gemeinschaft der Christen war nicht nur in der Urkirche, sondern muß immer »eine Teil-*habe*- und Teil-*gabe*-Gemeinschaft« (338).

[245] H.-J. Klauck, Herrenmahl und hellenistischer Kult. Eine religionsgeschichtliche Untersuchung zum ersten Korintherbrief (NTA NF 15), Münster 1982. Die sprachliche Seite des Problems wird etwas zu großzügig behandelt. So heißt es zu 1 Kor 10,16:»Was den Sinn des Verses angeht, braucht man zwischen Anteilhaben/Anteilgeben und Gemeinschaft, zwischen Sache und Person keine Gegensätze aufzubauen. Es kommt eine personale Gemeinschaft mit Christus zustande, dem gekreuzigten und erhöhten, der *vertreten ist* durch sein Blut als Zeichen seiner Lebenshingabe und durch seinen Leib in einem noch näher zu bestimmenden Sinn, beide *repräsentiert* durch Becher und Brot, an denen die Gemeinde unmittelbar partizipiert« (261, Hervorhebungen von mir; vgl. auch 264 die Äußerungen zu μετέχειν/κοινωνεῖν).

braucht es vor allem nicht für die Gemeinschaft mit Gott beim Opfermahl. Wenn Philo diese Zurückhaltung aufgibt und κοινων- in die Opfermahlsprache aufnimmt[246], zeigt er sich von der hellenistischen Religiosität beeinflußt. Plutarch gebraucht das Wort, um das ideale Ziel des festlichen Gemeinschaftsmahls oder des Opfermahls anzugeben[247]. Es umschreibt die Teilnahme an den Mysterien und die Gemeinschaft mit der Mysteriengottheit. In den Einladungsschreiben zum Fest des Zeus Panamaros und im Sarapishymnus bildet die Koinonia der Feiernden mit dem Gott beim Mahl das Ziel des Opfers«[248] [249].

Aufgrund dieses Befundes wagt er folgende Hypothese: »Κοινωνία stammt aus der griechischen sakralen Mahlterminologie, es wurde in der hellenistischen Gemeinde auf das Herrenmahl angewandt, der paulinische Umgang mit dem Wort nimmt hier seinen Ausgang«[250].

Darauf weisen in der Tat alle Indizien[251]. Ich halte nur mit M. McDermott dafür zu sagen: »Be that as it may, Paul's mastery of the κοινων- stem is clearly his own«[252]. Mag Paulus auch das Begriffsfeld κοινωνία z. B. in Korinth vorgefunden und aufgenommen haben, die spezielle Füllung, die ekklesiologische Verwendung des Begriffs ist sein Proprium. Darum halte ich es auch für mehr als zweifelhaft, ob schon vor ihm κοινωνία in die Traditionsformel, die hinter 1 Kor 10,16 steht, zur Interpretation des ἐστίν der Synoptiker eingefügt wurde[253]. Auch der Gesamtkontext 1 Kor 10,14–22 mit seinem so nuancierten, bewußten Wechsel zwischen κοινωνία/κοινωνοί scheint mir für paulinisches Spezifikum zu sprechen. Warum der Wechsel zu κοινωνοί? Klauck antwortet ganz zutreffend, daß Paulus damit »einerseits den Gedanken an die eucharistische κοινωνία von V. 16 wachhält, andererseits auf die heidnischen κοινωνοὶ τῶν δαιμονίων in V. 20 vorausweist«. Hauptgrund: »Paulus denkt von der eucharistischen Koino-

---

[246] Vgl. Belege a.a.O. 260 A. 119: Spec. Leg. I,221; I,131 (von den Priestern): ἐπεὶ κοινωνοὶ τῶν κατ᾿ εὐχαριστίαν ἀπονεμομένων γίνονται θεῷ.

[247] Vgl. Belege a.a.O. A. 120: Mehrfach in Quaest. Conv. 2,10,1 f; vgl. 1,1,5; 1,2,5; 8,6,5.

[248] Vgl. Belege a.a.O. A. 122: Vgl. noch LSCS 20,5 f; LSCG 177,7.81.87.

[249] Zitate a.a.O. 260.

[250] A.a.O. 261. In A. 124 verweist Klauck auf McDermott, Biblical Doctrine 232: »The word itself may have been in use in the pre-Pauline Corinthian community, perhaps to designate the union attained by the reception of the Eucharist«. Dieser bezieht sich seinerseits auf Bori, a.a.O. 111–112.

[251] Vgl. dazu die entsprechenden Ausführungen bei Panikulam, a.a.O. 8 ff.17 ff und passim. Auffällig ist in der Tat, daß der Begriff erstmals in 1 Kor auftaucht, hier an zentralen Stellen, zwar sparsam verwendet wird und doch theologisch so gewichtig erscheint.

[252] McDermott a.a.O. 232.

[253] Hierin mißdeutet Klauck meine Ausführungen S. 22–27 und 38–40. Daß Paulus mit κοινωνία die Tradition interpretiert, dürfte ja auch der Grund dafür sein, daß der Begriff in 1 Kor 11,23 ff, im eigentlichen Traditionstext, nicht auftaucht.

nia auf die jüdisch-heidnische hin, er stellt eine möglichst große Nähe her, um so entschiedener die Ausschließlichkeit fordern zu können«[254].

Es spricht viel dafür, daß der paulinische κοινωνία-Begriff von dieser eucharistischen Koinonia her konzipiert ist.

Exkurs zu 2 Kor 6,14

τίς κοινωνία φωτὶ πρὸς σκότος;
»welche Gemeinschaft verbindet das Licht mit der Finsternis?«

Die Art der Verwendung von κοινωνία an dieser Stelle fällt völlig aus dem Rahmen des bei Paulus festzustellenden Sprachgebrauchs. Das könnte und dürfte ein starkes Indiz dafür sein, daß sowohl die Wendung als solche, wie der dazugehörige Abschnitt 2 Kor 6,14 – 7,1, in dem sie sich findet, von unpaulinischer Herkunft sind[255]. Eine solche wird ja seit langem auch aus anderen Gründen erwogen:

1. Der Abschnitt unterbricht ganz empfindlich den Zusammenhang. Er enthält
2. eine Reihe von Wörtern, die Paulus sonst nicht gebraucht; 3. Zitationsformeln, die so bei ihm nicht mehr vorkommen; und 4. Vorstellungen, die als unpaulinisch gelten müssen[256].

Zu diesen zählt auch κοινωνία φωτὶ πρὸς σκότος. Schon gegen die synonyme Zusammenstellung[257] mit μετοχή erheben sich Bedenken[258], und ganz ungewöhnlich ist die Konstruktion mit dem Dativ φωτί[259] und dem folgenden πρός[260]. Vor

---

[254] A.a.O. 265.

[255] Über die Frage, von wem dieses Stück eingefügt ist, ob vielleicht von Paulus selbst oder einer späteren Hand, ist damit nicht entschieden.

[256] Vgl. zum Ganzen Heinrici, 2 Kor 236–239; und v. a. Schmiedel, 2 Kor 252–256, der ausführlich dem μολυσμὸς σαρκός nachgeht, einer Wendung, die »sicher unpaulinisch« sei (253); ferner Windisch, 2 Kor 18 f.211 f.

[257] Vgl. Heinrici, 2 Kor 241: In solcher Häufung »ohne Beispiel« bei Paulus.

[258] μετοχή ist wie συμφώνησις und συγκατάθεσις Hapaxlegomenon bei Paulus. Aus 1 Kor 10,17.21 ergab sich jedoch für das Verbum μετέχειν ein deutlicher Unterschied in der Verwendung gegenüber κοινωνία. Umschreibt dieses ein »Gemeinschaftsverhältnis durch gemeinsame Teilhabe an etwas«, so bezeichnet jenes lediglich den konkreten Akt des Anteilbekommens bzw. Teil-habens. Dagegen meint Plummer, 2 Kor 207: ». . . we need not look to any important difference of meaning, as that μετοχή implies that each partner has a share, e. g. of the profits, whereas every member of a society enjoys the whole of what is κοινόν . . .«; vgl. de Wette, 2 Kor 214: μετ. = κοιν.

[259] κοινωνία φωτός steht nicht im Text: gegen Belser, 2 Kor 209.

[260] Windisch, 2 Kor 214, verweist auf Sir 13,2 und meint: »möglicherweise ein Semitismus«. Plummer a.a.O.: »late Greek«.

allem aber deckt sich der ausgedrückte Gedanke in keiner Weise mit dem Grundmuster, das sich bei Paulus für κοινωνία ergibt, dem »Gemeinschaftsverhältnis durch gemeinsame Teilhabe an etwas«[261].

Wie immer deshalb der Text 2 Kor 6,14 – 7,1 entstanden und in den 2 Kor gekommen sein mag[262], es empfiehlt sich, ihn für das Verständnis von κοινωνία bei Paulus unberücksichtigt zu lassen, auch wenn er von nicht wenigen als echt verteidigt wird[263].

---

[261] Godet, 2 Kor 213: »La tournure κοινωνία πρός, qui marque une relation d'association *personnelle*, est fréquente chez les classiques«. Doch gerade um eine solche handelt es sich in 2 Kor 6,14 nicht.

[262] Vgl. dazu Windisch, 2 Kor 212.

[263] Vgl. Schaefer, 2 Kor 453–55; Belser, 2 Kor 207f; Bachmann, 2 Kor 8.291–94; Allo, 2 Kor 185; de Boor, 2 Kor 157f.

VI. KAPITEL

Das Fortwirken des paulinischen κοινωνία-Verständnisses in der Geschichte der frühen Kirche

Der Relation Abendmahlsgemeinschaft – Kirchengemeinschaft in der Geschichte der Kirche hat W. Elert 1954 eine Studie gewidmet[1], über die im folgenden wegen ihrer Wichtigkeit ausführlich referiert werden soll. Er beschränkt seine Untersuchung vom 4. Jahrhundert ab auf den Osten; denn: *»In der Kirche des Westens gewinnt von da ab das Herrschaftsmotiv die Oberhand über das Gemeinschaftsmotiv, und auch im Verständnis des Eucharistiesakraments tritt der ›Gemeinschaftscharakter‹ in den Hintergrund.* Die inneren Voraussetzungen der Relation Abendmahlsgemeinschaft – Kirchengemeinschaft weichen damit, obwohl die Praxis großenteils die gleiche bleibt, so weit von einander ab, daß man vom vierten Jahrhundert ab für den Westen eine besondere Untersuchung anstellen müßte«.

Aber auch für die Zeit vorher hätten sich für seine Arbeit erhebliche Schwierigkeiten ergeben, gesteht Elert. Aus der zu Rate gezogenen Literatur gehe nämlich nicht hervor, »welche Tatbestände eigentlich mit dem in den Quellen oft genug vorkommenden Ausdruck Kirchengemeinschaft (communio ecclesiae oder ecclesiastica) gedeckt werden, noch ob und wie dieser Begriff mit dem Abendmahlsverständnis und mit der Abendmahlspraxis wesentlich zusammenhängt«.

Er nimmt darum »das Ferngespräch mit den alten Quellen selbst«[2] auf und verfolgt zunächst die Entstehung der Credo-Formel »Sanctorum Communio«[3].

[1] W. Elert, Abendmahl und Kirchengemeinschaft in der alten Kirche hauptsächlich des Ostens, Berlin 1954.
[2] Alle Zitate aus dem Vorwort (Hervorhebung von mir).
[3] A.a.O. 5–16. Vgl. auch die Exkurse: I. Communio im altkirchlichen Sprachgebrauch 166–169; II. Zur Herkunft der Formel Sanctorum Communio 170–177; und III. Koinonia und ta Hagia 178–181.
In Exkurs I geht Elert dem lateinischen Sprachgebrauch nach, um sein früheres Ergebnis zu unterbauen. Ergebnis: »Die lateinische Credo-Formel . . . (ist) . . . mehrdeutig«. »Ihre ursprüngliche Bedeutung ist vollkommen unsicher« (169). Demgegenüber wird in Exkurs II die Herkunft aus dem Osten an den Zeugnissen des Niketa von Remesiana (um 400 in Serbien) und des Hieronymus (um 375 in Syrien) aufgewiesen. Bei ersterem finde sich die – schon als bekannt vorausgesetzte – Aussage, »daß die communio sanctorum ausschließlich *in* der einen katholischen Kirche als der congregatio sanctorum zu erhalten sei« (171). Er unterscheide also genau, gebe aber keine Definition von communio. Das Zeugnis des Hieronymus schließlich sei überhaupt »das älteste bis jetzt nachweisbare Zeugnis für das Vorkommen der Formel sanctorum communio«, »sicher im Osten entstanden« und »eine Übersetzung aus dem Griechischen« (174f).

Mit deren Auslegung fallen bereits wichtige Vorentscheidungen für den gesamten Problemkreis. Elert schreibt: »Bis zur letzten Jahrhundertwende herrschte die Meinung, die Formel sei . . . zuerst bei Faustus von Reji (um 450) bezeugt und daher auch in Gallien, wenn nicht entstanden, so doch zuerst rezipiert. War sie Rufin († 410) noch unbekannt, so konnte man annehmen, daß sie unter dem überragenden Einfluß Augustins († 430) theologische Bedeutung erhalten habe und demgemäß auch der Aufnahme in das Credo für wert gehalten wurde«. »Als Apposition zu sancta ecclesia im Credo erschien sie als Interpretation des ecclesia-Begriffes, so wie er zwischen Augustin und dem Donatismus kontrovers war, und sie schien daher irgendwie den Ertrag der großen Auseinandersetzung zu konservieren«. Demnach wäre »die Kirche eine communio von sancti, also von Personen«[4].

Nun ist aber die Formel selbst wesentlich älter: »Sie findet sich bereits in den Akten der Synode zu Nîmes (Nemausus) im Jahre 396 und wahrscheinlich ungefähr gleichzeitig in der Erklärung des Apostolikums eines Bischofs Niketa von Remesiana« (in Serbien). Dies stütze die Annahme, daß die Formel »im Osten ihren Ursprung hat« (und nicht in Gallien[5]) und demgemäß auch »nach dem griechischen Wortlaut zu interpretieren« sei. Elert benennt als weitere Zeugnisse ein kaiserliches, gegen die Apollinarianer gerichtetes Reskript vom Jahre 388 und v. a. »ein unter dem Namen des Hieronymus überliefertes Bekenntnis, das mutmaßlich mit dem identisch ist, das ihm während seines Aufenthalts in der Wüste von Chalkis (Syrien) in den Jahren zwischen 374 und 379 abverlangt wurde«; »daß es im Osten entstanden ist, steht außer Zweifel«. Es enthält die Formel »in folgendem Zusammenhang: credo remissionem peccatorum in sancta ecclesia catholica, sanctorum communionem, carnis resurrectionem ad vitam aeternam«[6].

»Im griechischen Urtext hat die Formel dann gelautet τῶν ἁγίων κοινωνίαν«[7].

---

[4] In Exkurs III findet Elert in Did 9,5: »Gebt das Heilige nicht den Hunden« den gleichen Bezug auf die eucharistischen Elemente wie in der »Formel, die in den späteren östlichen Liturgien der Distribution vorangeht: τὰ ἅγια τοῖς ἁγίοις« (180). Τὰ ἅγια sei in beiden Fällen Dual, bezogen auf die empfangenen Gaben.
[4] Zitate a.a.O. 9f. Die Credo-Formel ist dann nur der »Prototyp anderer ähnlicher Formeln, die in vielen Spielarten im ganzen Mittelalter bis hin zu Luther gebraucht werden: congregatio sanctorum (Gregor I.) oder fidelium (Thomas) oder praedestinatorum (Wiclif); collectio catholicorum (Nikolaus I.) oder fidelium (Richard v. Middleton); multitudo fidelium (Hugo v. St. Victor); communio fidelium (Duns Scotus) oder sanctorum (Wessel); res-publica fidelium (Roger Baco); consortium sanctorum (Wilhelm v. Auvergne); universitas christianorum (Hugo) oder fidelium (Duns) oder praedestinatorum (Wiclif); in besonders reicher Auswahl bei Ockam: multitudo christianorum oder populi christiani, communitas fidelium, congregatio fidelium oder christianorum, communitas toto christianorum u. a. Im einzelnen ist das Verständnis dieser Formeln so verschieden wie die zugehörigen Kirchenbegriffe überhaupt«.
[5] So auch Althaus, Communio sanctorum 8.
[6] Alle Zitate a.a.O. 12.
[7] A.a.O. 12.

Aus der Stellung zum vorhergehenden Glied der Credo-Formel ergibt sich aber, daß die communio-Aussage (im Akkusativ)»nicht Apposition« zur ecclesia-Aussage (im Ablativ) sein kann, also nicht »als Attribut der Kirche und nicht als Erläuterung des Kirchenbegriffs« aufgefaßt werden darf; sie ist »ein selbständiges Bekenntnisglied« und steht in einer Linie mit remissio und resurrectio. »Was bedeutet dann aber die Formel . . ., wenn nicht die Kirche damit gemeint ist?«

Geht man von der ursprünglich griechischen Form aus, legt sich die Vermutung nahe, daß τῶν ἁγίων »nicht Genitiv von οἱ ἅγιοι, sondern von τὰ ἅγια« ist; denn im Griechischen »bildet die Verbindung von koinonia mit dem Genitiv von Personen eine seltene Ausnahme, die Verbindung mit sächlichen Genitiven dagegen die Regel«.

Dann ist der Bezug auf die eucharistischen Gaben evident[8]. Dies beweist der urchristliche Ruf vor deren Austeilung: τὰ ἅγια τοῖς ἁγίοις. Ergebnis: »Τὰ ἅγια ist nicht Plural, sondern Dual und bedeutet die konsekrierten Elemente, dementsprechend koinonia die Abendmahlskoinonia und die ganze Formel das Abendmahlssakrament«[9]. Auch übersetzt in sanctorum communio wird nicht auf »Sakramente in der Mehrzahl« angespielt; sancta meint auch hier »die konsekrierten Elemente und das Ganze ebenfalls nur das Abendmahlssakrament«[10].

Mit dieser Übersetzung beginnt freilich zugleich die Geschichte eines neuen Verständnisses der Formel: »Nachdem einmal die Präzision des griechischen Wortlauts durch die Ambiguität des lateinischen[11] ersetzt war, bot sich auch Raum für eine personalistische Deutung, aus der sich schließlich eine rein soziologische entwickeln konnte. Am Ende wurde das Verständnis der communio als einer zwischenmenschlichen, durch menschliche Wechselbeziehung konstituierten ›Gemeinschaft‹ auch auf das Abendmahl übertragen und damit das genaue Gegenteil des Ursinnes der Formel τῶν ἁγίων κοινωνία erreicht«[12].

An dieser Stelle weist W. Elert auf zwei Punkte hin, die eine kritische Weiterführung seiner Position ermöglichen:

1. »Auch bei personalistischem Verständnis kann sie (d. h. die Formel) natürlich mittelbar auch mit den Sakramenten in Zusammenhang gebracht werden«, sofern »die Mitgliedschaft der sancti in der Kirche durch die Sakramente hergestellt und erhalten wird«[13]. Und 2. »Auch der Osten kennt noch mehr als ein

---

[8] Anders J. Mühlsteiger, Sanctorum Communio, in: ZKTh 92 (1970) 113–132: »Recht der Teilhabe an den Heilsgütern« (114.132), abgeleitet von der Taufe.
[9] Alle Zitate a.a.O. 13.
[10] A.a.O. 13 f. Für dieses auch im Westen noch gelegentlich zu findende Verständnis gibt Elert a.a.O. 14 Belege.
[11] Im Lateinischen gibt es »zu viele scheinbare oder wirkliche Synonyma zu communio« (Elert a.a.O. 13).
[12] A.a.O. 16.
[13] A.a.O. 15. Dazu Althaus, Communio sanctorum 9: »Der Anteil an den Sakramenten ist die Bedingung für die Gemeinschaft der Heiligen«. Darum müsse man auch »fragen, ob

andres Verständnis der koinonia, auch er bedient sich . . . dieses Wortes im Sinne der Kirchengemeinschaft, aber das sakramentale Verständnis der Abendmahls-koinonia bleibt davon ganz unberührt«[14].

Ist nämlich, wie ich von Paulus her zu zeigen versucht habe, κοινωνία = »Gemeinschaft durch gemeinsame Teilhabe«, dann ergibt sich für die auf den ersten Blick divergierenden Akzentuierungen in der Auslegung der Formel eine einheitliche Interpretationsmöglichkeit; denn dann bezieht sich die Formel weder ausschließlich auf »Kirchengemeinschaft« einerseits noch ausschließlich auf »Abendmahlsgemeinschaft« andererseits, sondern auf deren innere Zuordnung im Sinne des Paulus und meint die durch die gemeinsame Teilhabe an den eucharistischen Gaben von Leib und Blut Christi gestiftete (»Kirchen«-)Gemein-schaft[15] der Gläubigen, ihr Leib-Christi-Sein.

Wie sehr in der Sanctorum-communio-Formel paulinische Auffassungen nach-wirken, erläutert Elert in zwei weiteren Kapiteln.

Zunächst unterstreicht er die Richtigkeit der Seesemannschen Auffassung, wonach κοινωνία »Teilnahme, Anteilhaben« bedeute[16]. Insofern sei kein Unter-schied zu metalepsis, metoché, μεταλαμβάνειν, μετέχειν, μέρος ἔχειν. Elert übersieht dabei freilich, daß alle diese Ausdrücke bei Paulus keineswegs »Wech-selbegriffe« oder »Ersatzausdrücke« für κοινωνία, κοινωνεῖν sind. Entweder kennt er sie gar nicht (wie μετάλημψις, μεταλαμβάνειν, μέρος ἔχειν, auch μετοχή in 2 Kor 6,14 dürfte unpaulinisch sein) oder aber sie vermögen nur einen Teilaspekt dessen auszudrücken, was die Begriffe κοινωνία, κοινωνεῖν beinhal-

die Formel nicht schon bei ihrem ersten Erscheinen im Symbol mehrdeutig gemeint war, sowohl persönlich wie sächlich«; (er verweist dazu in A. 13 auf F. Kattenbusch, Das apostolische Symbol II, 1900, 938). Vgl. auch Sasse, Kirche und Herrenmahl 37.

[14] Elert a.a.O. 16.

[15] Was Elert zu kurz kommen läßt, ist gerade dieses in κοινωνία liegende Moment der Gemeinschaft, die durch die empfangenen Gaben entsteht. Die Übersetzer im Westen, wo diese τὰ ἅγια-Formel »so gut wie unbekannt« geblieben sei, haben dann der Credo-Formel nicht einfach »von Anfang an einen anderen Sinn« beigelegt, »als sie in ihrem Ursprungs-gebiet hatte« (181); sie haben nur κοινωνία (communio) akzentuiert und τῶν ἁγίων in seiner Doppeldeutigkeit übernommen als die durch Teilhabe an dem Heiligen entstehende Ge-meinschaft der Heiligen.

Zu τὰ ἅγια = Elemente in der Kirchenordnung des Hippolyt siehe C. Andresen, Die Kirchen der alten Christenheit, Stuttgart–Berlin–Köln–Mainz 1971, 236. Zum Ganzen vgl. auch J. R. Geiselmann, Die theologische Anthropologie Johann Adam Möhlers, Freiburg i. Brg. 1955, 56–106. Er registriert als Ergebnis seiner begriffsgeschichtlichen Untersuchung der Formel κοινωνία τῶν ἁγίων »eine dreifache, miteinander zusammenhängende Bedeu-tung«: 1. »Empfang des Sakramentes, insbesondere der Eucharistie;« 2. ist dann »Teilnah-me am Sakrament der Eucharistie gleichbedeutend mit Teilnahme an der Gemeinschaft der Kirche« bzw. 3. Zugehörigkeit zu »einer bestimmten kirchlichen Gemeinschaft, einem Glaubensbekenntnis« (zitiert nach Saier, Communio 53). In 1. ist die Angabe »insbeson-dere« sinnstörend, weil kein anderes Sakrament in Frage kommt als die Eucharistie; aber ansonsten bestätigt Geiselmann unser Ergebnis, auch wenn er die inneren Zusammenhänge der drei Bedeutungen nicht erklärt.

[16] Elert a.a.O. 17 A. 1.

ten: nämlich den konkreten Aspekt des Anteil-erhaltens (wie μετέχειν). Den Nachweis hoffe ich in der Auslegung von 1 Kor 10,16 ff erbracht zu haben.

Richtig bleibt dagegen Elerts weitere Feststellung, daß das »Kommunizieren« *zunächst einmal* »vom einzelnen Teilnehmer ohne Seitenblick auf Mitkommunizierende ausgesagt wird« und daß darum auch κοινωνία *zunächst einmal* als »Anteil haben an Leib und Blut Christi« zu verstehen sei[17]. Daß damit aber noch nicht alles gesagt ist, gibt Elert selbst zu erkennen, wenn er konstatiert: »Im vierten Jahrhundert heißt . . . das ganze Sakrament (wie communio im Westen) auch kurzweg ἡ κοινωνία«, und fortfährt: »Gleichzeitig bezeichnet koinonia freilich auch die kirchenrechtliche ›Gemeinschaft‹, deren sich die Bischöfe gegenseitig versichern und deren Umfang und Kriterien durch Synodalbeschlüsse festgelegt werden. Die Zusammenhänge lassen oft nicht sicher erkennen, welche von beiden Bedeutungen gemeint ist«[18].

Diese Ambivalenz hätte Elert warnen müssen, sich so eindeutig und ausschließlich H. Seesemanns Auffassung anzuschließen und nur zu sagen: »Koinonia ist metalepsis, participatio an den Mysterien«[19].

Gewiß ist »koinonia als Partizipieren . . . beim Abendmahl . . . ein individueller Vorgang«; aber daß sich die später zu belegende[20] Zuordnung dieser Interpretation zu einem Heilsverständnis, »in dessen Mittelpunkt das persönliche Verhältnis des Christen zu Christus überhaupt steht«, »durchaus auf der paulinischen Linie hält«, wird man im Blick auf den grundlegenden Text von 1 Kor 10,16.17 nicht behaupten dürfen.

Elert sagt selbst: »Indessen, damit wird nun doch der ›Gemeinschaftscharakter‹ des Abendmahls keineswegs geleugnet oder auch nur vergleichgültigt. *Es fragt sich nur, worin er besteht und wie er sich zu dem Koinoniabegriff von 1. Kor. 10,16 verhält*«[21]. Das sind in der Tat die entscheidenden Fragen.

Elert sucht nun diesen ›Gemeinschaftscharakter‹ des Abendmahls zunächst vom Begriff der Synaxis (d. h. von συνάγεσθαι, συνέρχεσθαι) her zu erklären; aber dies ist zumindest für Paulus ein Irrweg[22]. Paulus ist ebenso »weit davon

---

[17] Elert a.a.O. 18 f.

[18] A.a.O. 20.

[19] A.a.O. 22. In A. 2 verwundert er sich, »daß sich die Teilnehmer an dem Frankfurter Abendmahlsgespräch von 1947 darüber noch nicht einig werden konnten« (vgl. dazu J. Schniewind und E. Sommerlath, Abendmahlsgespräch, hg. v. E. Schlink, Berlin 1952, 14).
Die »These, daß koinonia ›Teilhabe‹ heißt«, sei damals – m. E. völlig zu Recht – lediglich als »weitverbreitet« bezeichnet worden.

[20] Elert verweist a.a.O. 21.23 v. a. auf Isidor v. Pelusium.

[21] Elert a.a.O. 24 (Hervorhebung von mir). Sasse, Kirche und Herrenmahl 37, sieht durchaus richtig: »Das ganze Verständnis der Kirche hängt davon ab, ob man diese Koinonia richtig versteht«.

[22] Vgl. dazu Elert a.a.O. 33. Hier gibt er zu: das, was Paulus »über das Zusammenkommen der Korinther ausführt, sagen wir also über ihre Synaxis, dient nicht der Erläuterung der koinonia«.

entfernt, den Gemeinschaftscharakter des Abendmahls nur aus dem Zusammenkommen der Teilnehmer abzuleiten«, wie später in seiner Gefolgschaft Ignatius
und Irenäus, von dem Elert dieses feststellt[23]. Und auch wenn diese beiden »die
klare Gedankenverbindung, die bei Paulus zwischen 1. Kor. 10,16 und 17
besteht«, nicht konsequent festgehalten haben, so besteht doch zwischen ihnen
und Paulus kein wesentlicher sachlicher Unterschied in dieser Frage, sondern
lediglich einer, der Terminologie und Argumentation betrifft. Näher steht dem
Paulus freilich in jedem Fall Chrysostomus mit seiner Auslegung der κοινωνία.
Von ihm sagt Elert, daß er sich »am sorgfältigsten . . . mit der Gedankenverbindung zwischen 1. Kor. 10,16 und 17 beschäftigt« habe. Auf die Frage, »weshalb
Paulus V. 16 nicht μετοχή, sondern κοινωνία sage«, antworte er: »Das Kommunizieren (κοινωνεῖν) . . . besagt hier nicht nur Anteilhaben (μετέχειν und
μεταλαμβάνειν), sondern Vereinigtwerden (ἑνοῦσθαι). Denn wie der Leib mit
Christo vereinigt ist, so werden auch wir mit ihm durch dieses Brot vereint«[24].
»Weil ein Brot, so sind wir viele Ein Leib . . . Wir sind jener Leib selbst. Denn was
ist das Brot? Leib Christi. Was aber werden wir die Anteilhabenden? Leib Christi«[25].

Elert hat recht: »Treffender kann der Zusammenhang von 1. Kor. 10,16 und 17
nicht interpretiert werden. Das Verständnis der koinonia als eines Anteilhabens,
das zunächst individuell zu vollziehen ist, bleibt gewahrt, aber gerade durch die
Art der Individuation wird aus den vielen ein Ganzes. Die Partizipierenden
bilden, indem sie von demselben Brot essen, zusammen den Leib Christi«. »Der
›Gemeinschaftscharakter‹ des Abendmahls besteht darin, daß Christus sich die
Teilnehmer einverleibt«[26].

Damit gibt Elert Antwort auf die erste von ihm gestellte Frage, nämlich worin
der Gemeinschaftscharakter des Abendmahls bestehe. Offen bleibt, welche Rolle
in diesem Zusammenhang der Koinoniabegriff spielt. Hierzu kommt Elert über
Annäherungen nicht hinaus, weil er sich mit H. Seesemann zu einseitig auf
koinonia = metalepsis = Teilhabe festgelegt hat.

Er meint deshalb, »das Gefühl für den ›Gemeinschaftscharakter‹ des Abendmahls hat in der alten Kirche nie gefehlt, aber es hat in der Theologie erst

---

[23] A.a.O. 27.
[24] Elert a.a.O. 27. In A. 2 bringt Elert irrigerweise die paulinische Auffassung von der
κοινωνία als einem Gemeinschaftsverhältnis, das sich in wechselseitigem Geben und
Nehmen äußert (vgl. Phil 4,14), in Verbindung mit dem von Luther – mit Recht –
abgelehnten Verständnis von Gemeinschaft = »mit jemand zu schaffen haben«. Chrysostomus scheint mir hier Paulus besser verstanden zu haben als Elert.
[25] Elert a.a.O. 32.
[26] A.a.O. 28; vgl. dazu Sasse, Kirche und Herrenmahl 41 f. L. Hertling, Communio und
Primat, in: Xenia Piana (Miscellanea Historiae Pontificiae), Rom 1943, 1–48, nennt die
sakramentale Kommunion zutreffend »die Wirkursache der Eingliederung in die Gemeinschaft« (10).

allmählich seinen begrifflichen Ausdruck gefunden«[27]. Erst bei Johannes von Damaskus sei diese Entwicklung »in einer abschließenden Definition zusammengefaßt«: »Koinonia sagt man und sie ist es in Wahrheit, weil wir durch sie mit Christo (Dativ) kommunizieren und an seinem Fleisch und seiner Gottheit Anteil haben, durch sie aber auch (untereinander) kommunizieren und einander vereinigt werden. Denn da wir von Einem Brot empfangen, wir alle, werden wir Ein Leib Christi und Ein Blut und untereinander Glieder und heißen σύσσωμοι Christi«[28]. »Die Begründung mit dem paulinischen Satz 1. Kor. 10,17« zeige, daß die Koordinierung des Kommunizierens mit Christus und der Teilnehmer untereinander »nicht als äußerliches Nebeneinander gedacht ist«. Elert sieht den Satz aber lediglich einmünden »in den Strom der paulinischen Gedanken über den Leib Christi« und räumt ein: »Vielleicht ist er auch die Quelle des ganzen Stromes«[29].

Elert übersieht, daß Johannes von Damaskus mit seiner Definition von κοινωνία nichts anderes als 1 Kor 10,16 auslegt (bevor er mit der Begründung aus 1 Kor 10,17 fortfährt): Durch die gemeinsame Teilhabe am Brot (und Wein) treten wir in wirkliche Gemeinschaft mit Christus; denn wir empfangen real Anteil sowohl an seinem Fleisch wie an seiner Gottheit; durch die gemeinsame Teilhabe entsteht aber zugleich ein Gemeinschaftsverhältnis unter den Kommunizierenden. δι᾽ αὐτῆς bezieht sich im Satz des Johannes von Damaskus auf die κοινωνία. Das darf man aber nicht – wie Elert – auf das Essen beziehen: »Wir essen von Einem Brot und werden _dadurch_, durch dieses Essen, Ein Leib«[30]. Vom Essen ist nämlich nicht eigentlich die Rede, obwohl es selbstverständlich vorausgesetzt ist. Gemeint ist vielmehr – und darin liegt die Bedeutung des κοινωνία-Verständnisses bei Paulus wie in der Folgezeit: Die im Brot (und Wein) gewährte Teilhabe am Leib (und Blut) Christi begründet _zugleich_ ein Gemeinschaftsverhältnis mit Christus und untereinander[31].

[27] Elert a.a.O. 31.
[28] De fide orth. IV, 13, PG 94,1153a κοινωνία δὲ λέγεταί τε καὶ ἔστιν ἀληθῶς διὰ τὸ κοινωνεῖν ἡμᾶς δἰ αὐτῆς τῷ Χριστῷ καὶ μετέχειν αὐτοῦ τῆς σαρκός τε καὶ τῆς θεότητος· κοινωνεῖν τε καὶ ἐνοῦσθαι ἀλλήλους δι αὐτῆς κτλ.
[29] Elert a.a.O. 31. Vgl. Delling, Abendmahlsgeschehen 325: »Vielleicht ist die Bezeichnung der Gemeinde als Leib Christi von den Aussagen über das Abendmahl her beeinflußt; zumindest erfährt sie hier ihre tiefste Begründung«. Mit A. E. J. Rawlinson, The Christian Eucharist, London 1930, spricht sich auch Sasse, Kirche und Herrenmahl 42f, dafür aus, daß diese Auffassung von der Gemeinschaft einer Gemeinde (= der Kirche) als des Leibes Christi zuerst bei Paulus ausgebildet worden und »aus dem Herrenmahl erwachsen« sei. Vgl. dazu auch L. Quellette, L'Église, Corps du Christ, Origine de l'Expression chez Saint Paul, in: L'Église dans la Bible (Studia 13), Desclée de Brouwer 1962, 85–93, v. a. 90ff.
[30] Elert a.a.O. 32.
[31] Vgl. dazu Althaus, Communio sanctorum 1–4: »Die Kirche als Gemeinschaft im Neuen Testament«; Sasse, Kirche und Herrenmahl 33–43: »Den eigentümlichen Tatbestand dieser innerhalb der Kirche bestehenden ›Gemeinschaft‹ bezeichnet ein später Zusatz zum abendländischen Taufbekenntnis als sanctorum communio«. Dieser sei keine Umschreibung für »Kirche« – wie Luther es verstand –, »sondern es wird damit jener eigentümliche

Elert hat diesen Zusammenhang von Abendmahls- und Kirchengemeinschaft bei Paulus nicht klar genug erkannt und daher auch nicht entschlossen genug festgehalten. Was ihn behinderte, war die unzureichende Entfaltung der Begriffsinhalte von κοινωνία. Zum Handschlag der κοινωνία (Gal 2,9) erklärt er deshalb: »Der Begriff der koinonia hat hier eine andre Bedeutung als in der paulinischen Aussage über das Abendmahl 1. Kor. 10,16«[32], nämlich die Bedeutung: »mit jemand Gemeinschaft haben«. Damit trennt Elert, was in Wahrheit zusammengehört und sogar begrifflich, nicht nur sachlich, zusammengebunden ist: Abendmahls- und Kirchengemeinschaft.

Das ist um so merkwürdiger, als Elert ja gerade von der inneren Zuordnung von Abendmahl und Kirchengemeinschaft ausgeht und selbst erklärt: »Die gemeinsame Abendmahlsfeier ist in jeder Lokalgemeinde das grundlegende Kriterium ihrer Kirchengemeinschaft«. Er weiß auch um die fundamentale Bedeutung von 1 Kor 10,16.17 für eben diesen Zusammenhang; sieht ihn auch richtig, wenn er feststellt: »Die Koinonia von 1. Kor. 10,16 f. schließt die koinonia der Christen untereinander nicht aus sondern ein«[33], oder wenn er interpretiert: »Koinonia heißt niemals Genossenschaft und bezeichnet deshalb auch niemals die Kirche als Körperschaft, auch nicht eine einzelne Gemeinde . . ., sondern eine innerhalb der Kirche bestehende und durch sie vermittelte Relation der Glieder und Teile untereinander oder eine Relation zwischen den Gliedern und Teilen mit dem Ganzen der Kirche«[34]. Aber es gelingt Elert keine zwingende Erklärung der Zusammenhänge. Mit »Kirche« bringt er statt dessen einen Begriff ins Spiel, der die Sache nur noch mehr verwirrt. Denn es ist doch zu fragen: Wird nun die »Relation der Glieder und Teile untereinander« von der »Kirche« vermittelt oder vom Abendmahl? Ist nicht »Kirche« selbst die durch das Abendmahl vermittelte »Relation der Glieder und Teile untereinander« bzw. »mit dem Ganzen«? Letzteres dürfte Elert allerdings – um paulinisch zu bleiben – nicht ohne weiteres wieder »Kirche« nennen; denn das Ganze, zu dem das Abendmahl die Relation der einzelnen Glieder vermittelt, ist der »Leib Christi« – und der ist bei Paulus eine konkret auf Gemeinden bezogene bzw. in Gemeinden sich konkretisierende

---

Tatbestand *innerhalb* der Kirche bezeichnet, den das Neue Testament meint, wenn es von der Koinonia redet, welche die Glieder der Kirche mit ihrem Haupt und untereinander verbindet« (a.a.O. 37; Hervorhebung von mir).

[32] Elert a.a.O. 55. Seine Begründung: dort sei κοινωνία von κοινωνεῖν τινός abzuleiten und bedeute metalepsis, anteilhaben an etwas – hier meine es die κοινωνία πρός (εἰς, μετά) τινά, wie 1 Joh 1,3.6.7, und das zugehörige Verbum sei κοινωνεῖν mit dem Dativ der Person.

Elert kombiniert öfters in ähnlicher Weise Paulus mit Johannes, was die richtige Erfassung des paulinischen Koinoniabegriffs unnötig erschwert oder – wie im vorliegenden Fall – ganz verhindert.

[33] Elert a.a.O. 57.

[34] A.a.O. 56.

Größe[35], die erst durch die Abwandlungen des Epheserbriefes[36] auf die »Gesamtkirche« anwendbar wird. Auch Elert macht in der Gefolgschaft R. Sohms[37] diese Unterscheidung »Ortsgemeinde« und »Gesamtkirche«, wonach in jeder Versammlung von Gläubigen »die‹ ecclesia Gottes oder Christi in unteilbarer Ganzheit gegenwärtig« sei, hält aber auch daran nicht entschieden genug fest. Zwar sagt er: »Ecclesia Christi ist Leib Christi und daher so unteilbar wie dieser. Wo er ist, da ist er ganz, folglich auch immer ganze ecclesia«; trotzdem spielt er mit den Begriffen »Gemeinde« *und* »Kirche« und sagt z. B.: »Die Einheit der Kirche ist der koinonia objektiv vorgegeben«, auch wenn diese Aussage von Paulus her nur auf die Lokalgemeinden beziehbar ist[38].

In den Lokalgemeinden, meint nun Elert, sei auch die koinonia »am unmittelbarsten erlebt«[39] worden. Das deutet auf subjektives »Gemeinschaftserlebnis«, wo es um die objektiv in der Teilhabe an Leib und Blut Christi gestiftete kirchliche Gemeinschaft derer geht, die miteinander Abendmahl feiern, weist aber zugleich auf den bleibenden Unterschied zwischen Abendmahls- und Kirchengemeinschaft hin: was in jener grundgelegt wird, muß diese realisieren und im Gemeinschaftsleben zur Auswirkung kommen lassen.

Insofern gilt der Satz von Elert nicht nur für Korinth, sondern für jede Gemeinde: »Soweit sie Leib Christi ist, ist sie Einheit, aber als ecclesia muß sie es erst noch werden«[40].

Um diese Einheit muß also gerungen werden; und Paulus selbst beweist in seinen Auseinandersetzungen mit Korinth oder den galatischen Gemeinden, daß solches Ringen nicht ohne Polemik, nicht ohne härteste Auseinandersetzung vonstatten geht. Paulus konnte dabei die Kriterien weithin noch selbst setzen, die spätere Kirchengeschichte aber zeigt, wie mühsam sich dieses Ringen um die

---

[35] Vgl. Andresen, Die Kirchen der alten Christenheit 216f, der noch im Bezug auf das altkatholische Bußinstitut feststellt: »Nach wie vor ist die *Gemeinde* Repräsentation des ›Leibes Christi‹« (Hervorhebung von mir).

[36] Vgl. Eph 1,22f, aber auch 1,4; 2,7.20–22; 4,4–6.

[37] Sohm, Kirchenrecht I, 19ff. Vgl. Althaus, Communio sanctorum 1: »Die Kirche im Sinne des Neuen Testamentes ist Gemeinde, Gemeinschaft«.

[38] v. Harnack, Mission und Ausbreitung I 447, läßt offen, ob diese »merkwürdige Überzeugung« (: »jede Gemeinde ist in sich abgeschlossen und ein Ganzes, ist ein Abbild der gesamten Kirche Gottes«) »allein durch Paulus« entstanden sei; »aber sie liegt ganz deutlich im apostolischen und nachapostolischen Zeitalter vor« (a.a.O. A. 1). Für die nachapostolische Zeit vgl. R. Padberg, Geordnete Liebe. Amt, Pneuma und kirchliche Einheit bei Ignatius von Antiochien, in: Unio Christianorum, Paderborn 1962, 201–217: »Der Schwerpunkt des ignatianischen Kirchenbildes ruht fraglos auf der Einzelgemeinde« (215). Allerdings meint Padberg, Ignatius sehe »die konkrete Darstellung der Kirche« *nicht nur* »in der Ortskirche«; »er weiß vielmehr sehr deutlich von der Gesamtkirche zu sprechen« (216). Die ostkirchliche Theologie bestreitet dies lebhaft; vgl. Padberg a.a.O. 215f.

[39] Alle Zitate bei Elert a.a.O. 56.

[40] A.a.O. 42.

Kriterien der kirchlichen Einheit gestaltete. Paulus war selbst noch ein ganz entscheidender Einheit stiftender Faktor für seine Gemeinden; doch schon mit seinem Tod trat eine völlig neue Situation ein. Wer sollte nun entscheiden, welche Gemeinde in Treue zu den apostolischen Überlieferungen stand und welche nicht? Der Epheserbrief gibt eine erste Antwort: die »Kirche«. Diese Konzeption, deren Konturen allerdings weit mehr theoretisch als praktisch abgesteckt erscheinen, erlaubt von nun an zu prüfen, »ob die ecclesien in der Mehrzahl jede für sich die Kriterien der ecclesia in der Einzahl aufweisen«[41]. Da die Probleme aber, ob sie nun solche der Praxis oder der Lehre waren, nach konkreter Lösung verlangten, versteht man die wachsende Bedeutung der kirchlichen Organisation und speziell der Leitungsämter – etwa die Rolle des Bischofs bei Ignatius[42].

Aber auch Bischöfe traten immer häufiger zueinander in Dissens. Wer konnte die wahre Lehre verbürgen? »Die Frage nach den Kriterien der kirchlichen Einheit, das heißt praktisch nach den Kriterien der Kirchengemeinschaft, ihren Grenzen, ihrer Betätigung« stellte sich immer dringlicher und konnte »nicht mehr von jeder Lokalgemeinde für sich . . . entschieden werden«[43].

Auf diesem Weg kam es zur »Ausbildung der drei Normen . . ., die für die nachfolgende Dogmenbildung maßgeblich wurden: des Episkopats, des Kanons der neutestamentlichen Schriften und der ›Glaubensregel‹ (regula fidei). In diesen Normen glaubt die alte Kirche die Stimme der Apostel zu hören. Die gleichen Normen sind auch für die Abgrenzung der Kirchengemeinschaft wirksam geworden«. »Daß sie insgesamt gehalten hätten, was sie versprachen, kann man nicht behaupten, denn sie haben weitere Spaltungen keineswegs verhindert«[44].

Nun gab es in der Tat Spaltungen von Anfang an und sie werden auch wohl nie zu verhindern sein. Schon Paulus wußte häufig genug »die Bruderschaft der Lokalgemeinde von innen her bedroht« (aber auch von außen) und verband daher früh Abendmahlspraxis und Kirchenzucht[45]. Wo schwere Verfehlungen gegen die Abendmahlsfeier selbst oder gegen die durch sie grundgelegte kirchliche Gemeinschaft vorlagen, bedurften beide des Schutzes: falsche Auffassungen mußten korrigiert oder bekämpft, grobe Sünder von der Feier des Abendmahls selbst oder ganz von der kirchlichen Gemeinschaft ausgeschlossen werden. Mit Elert kann man sagen: »Die Abendmahlsfeier ist ›geschlossene Kommunion‹ nicht nur, weil allen Ungetauften, sondern unter Umständen auch Getauften die Teilnahme verwehrt ist«. Diese »Säuberung der Gemeinden«, die für Paulus noch eine

---

[41] Elert a.a.O. 43.
[42] Vgl. dazu Padberg a.a.O. 211–214.
[43] Elert a.a.O. 47.
[44] Elert a.a.O. 48. Vgl. Andresen, Die Kirchen der alten Christenheit 148; er zitiert Irenäus, Adv. haer. 4,33,8 und erläutert daran »das Dreieck der altkatholischen Normen, an dem die apostolische Sukzession des Episkopats der Scheitelpunkt ist, der den andern Koordinaten (Lehr- und Schriftkanon) das Maß setzt«.
[45] Elert a.a.O. 71. Dazu R. Bohren, Das Problem der Kirchenzucht im Neuen Testament, Zürich 1952, v. a. 45–48.

gelegentlich notwendige Maßnahme war, wurde später »begreiflicherweise als kontinuierliche Aufgabe aufgefaßt«[46].
»Der vollständige und endgültige Ausschluß[47] blieb jedoch nicht das einzige Säuberungsmittel.

Er wurde zum Sonderfall einer Kirchenzuchtordnung, deren leitende Idee die *Buße*, und in der die Möglichkeit der Absolution, schließlich auch der vollen Aussöhnung mit der Kirche (reconciliatio, pax) vorgesehen ist«[48].

Dieser Entwicklung der frühen Bußpraxis braucht hier nicht näher nachgegangen zu werden; denn uns interessiert mit Elert die Frage: »Wie verhält sich nun das Bußverfahren zur Abendmahlspraxis?«

»Daß die Exkommunikation praktisch den Ausschluß vom Abendmahl und daß die Rekonziliation praktisch die Wiederzulassung in sich begreift, ist sicher«. Doch »die jüdischem Vorbild folgende Formel Anathema kann, wenn sie auf die Person angewendet wird, nur vollständige Ausstoßung meinen«[49]. »Die communio (koinonia), von der in diesen Fällen exkommuniziert wird, ist die Kirchengemeinschaft überhaupt«. »Bei anderen Ausschlußbestimmungen ist aber mit communio oder koinonia sicher nur das Abendmahl gemeint. Zuweilen ist auf den ersten Blick zweifelhaft, ob das eine oder das andre«[50].

Je nach Schwere der Verfehlung werden demnach völliger Ausschluß aus der Kirchen- oder zeitweiliger Ausschluß aus der Abendmahlsgemeinschaft als Strafe verhängt. »Die Gemeinde kann den unbußfertigen Sünder . . . nicht um seinetwillen am Abendmahl teilnehmen lassen. Sie kann es aber auch nicht um ihrer selbst willen«. »Hinter dem Ernst, mit dem die Teilnahme überwacht wird, steht das paulinische Verständnis des Abendmahls mit Einschluß seines ›Gemeinschaftscharakters‹. Die koinonia der Christen untereinander ist ihrem Wesen nach koinonia am Leib Christi«. Würde man mit einem schweren Sünder in Gemeinschaft bleiben, »würde eine koinonia am Leib Christi simuliert, die gar nicht vorhanden ist«[51].

Daß die gleiche Auffassung auch und gerade »Häretikern« gegenüber zum Tragen kommen mußte, ist selbstverständlich. Die Frage konnte immer nur sein: Wer ist Häretiker? »Die Kirchensprache unterscheidet seit alter Zeit Häresie und Schisma. Häresie ist Irrlehre, Heterodoxie, Widerspruch gegen die orthodoxe Kirchenlehre«. (»Schisma ist Abspaltung aus einem andern Grunde, zum Beispiel wegen Abweichung in der kirchlichen Ordnung oder wegen eines Kompetenzkonfliktes, jedoch ohne dogmatische Divergenz«.) Das bedeutet: »Der Begriff der

---

[46] Elert a.a.O. 72. Er spricht bei Paulus im Blick auf 1 Kor 5,3–5.13 von einem einmaligen Vorgang. Die heftigen Auseinandersetzungen des Gal und 2 Kor lassen aber doch vermuten, daß solche Maßnahmen häufiger nötig waren.
[47] Dazu Bohren a.a.O. 102–107; vgl. auch Hertling, Communio und Primat 15–21.
[48] Elert a.a.O. 73. Vgl. Andresen a.a.O. 92ff: »Das Exkommunikationsverfahren des 2. Jhs. . . . hatte mit der Buße die Wiedergewinnung des gefallenen Bruders im Auge« (93).
[49] Elert a.a.O. 80.
[50] Elert a.a.O. 81.
[51] Alle Zitate Elert a.a.O. 86f.

Häresie . . . setzt ein Verständnis der Kirche voraus, bei dem die orthodoxe Lehre als wesentliches Kriterium der Kirche, die dogmatische Ketzerei dagegen als Apostasie, als schlimmste aller Sünden, aufgefaßt wird«[52]. Während vom groben Sünder gilt: er »kann ausgeschlossen werden, vielleicht muß er es«[53], bedarf es beim Häretiker, »genau genommen, gar keines besonderen Aktes, um ihn außerhalb der Gemeinde zu stellen«. »Der Häretiker, der dem Bekenntnis der Gemeinde widerspricht, vollzieht ipso facto die Trennung von ihr«. »Heterodoxie hebt die Kirchengemeinschaft auf und selbstverständlich erst recht die Abendmahlsgemeinschaft«[54].

Nun geht zwar aus vielen Zeugnissen hervor, »*daß* Häretiker von Gottesdienst und Eucharistie ausgeschlossen sind, jedoch nicht, durch welche Mittel sie daran gehindert werden«. Erst »seitdem der Häretiker durch ein förmliches Verfahren exkommuniziert wird – so Marcion schon vor der Mitte des zweiten Jahrhunderts in Rom – trägt er die gleichen Folgen wie der ausgeschlossene grobe Sünder, und damit ist ihm auch die Abendmahlskoinonia eo ipso versagt«[55].

Übereinstimmung herrschte von Anfang an über den Grundsatz, wie ihn später Johannes von Damaskus formulierte: »Wir müssen mit aller Kraft daran festhalten, das Abendmahl weder von Häretikern zu empfangen noch ihnen zu reichen«[56]. Dagegen blieb die Festlegung von »orthodox« und »häretisch« zu allen Zeiten ein schwer zu lösendes Problem[57].

Für unseren Zusammenhang ergibt sich als wichtigstes Ergebnis: »Die Teilnahme am Abendmahl bringt in jedem Fall die Aufnahme (d. h. die Wiederaufnahme

---

[52] Elert a.a.O. 89. Daß hier das Exkommunikationsverfahren »den Sieg ungewollt in die Hand der Majorität« legt, hebt Andresen a.a.O. 95 hervor. Dies ist zu bedenken, wenn man wie Goppelt, Kirche und Häresie nach Paulus 55, davon spricht, daß »die katholische Kirche« . . . »am Ende des 2. Jahrhunderts gegenüber den von ihr verworfenen Häretikern tatsächlich die Kirche gegenüber der Unkirche« war. Das entscheidende Kriterium, ob in einer Kirche »das apostolische Wort so festgehalten« wird, »daß das Evangelium lebendig bleibt«, ist nicht ohne weiteres durch Mehrheitsverhältnisse als erfüllt erwiesen. Goppelt bezeichnet a.a.O. sehr deutlich die Gefahr, die sich schon im 2. Jahrhundert zeigte, als »der von den ersten Anfängen an vorhandene eschatologisch-dynamische Gegensatz zwischen der Kirche und der Unkirche der Häresie zu einem organisatorisch-gesetzlichen gewordenen« war. Vgl. zu diesem Problem v. a. W. Bauer, Rechtgläubigkeit und Ketzerei im ältesten Christentum (BHTh 10), Tübingen 1934, 2. durchgesehene Auflage mit einem Nachtrag hg. v. G. Strecker, Tübingen 1964.
[53] Elert a.a.O. 94.
[54] Elert a.a.O. 94.
[55] Elert a.a.O. 95. Zum Verfahren gegen Marcion vgl. Andresen a.a.O. 98: »Leider lassen die Quellen im Dunkeln, unter welchen Formen sich seine Exkommunikation oder auch Sezession im Jahre 144 ereignete. Ähnlich steht es um Valentin . . .«.
[56] Elert a.a.O. 102.
[57] Vgl. Andresen a.a.O. 100: »Ohnmacht des Frühkatholizismus, sich wesensfremder Lehren und ›Häresien‹ zu erwehren«; »Unfähigkeit, solche häretischen Gruppen . . . zu integrieren«.

eines Häretikers) in die Kirchengemeinschaft zum Abschluß. Ohne diese bleibt sie unter allen Umständen versagt«[58]. Was nun freilich die »gesamtkirchliche Wirkung« eines solchen Ausschlusses angeht, sind die Standpunkte zwischen W. Elert einerseits und E. Hatch[59] bzw. H. v. Campenhausen[60] andererseits kontrovers. Elert begründet seine Auffassung von der räumlichen Unbegrenztheit u. a. damit, daß man in jeder Versammlung einer Lokalgemeinde »die ecclesia Gottes in ungeteilter Ganzheit gegenwärtig« wußte und daß auch »der Leib Christi, in dem wir eingetauft werden (1. Kor. 12,5)«»nicht eine lokale Korporation« sei. Er hält es deshalb für »eine müßige Frage, ob der in einer Lokalgemeinde erfolgte Ausschluß nur für diese Gültigkeit gehabt habe«[61]. Allenfalls könne man für das zweite Jahrhundert konstatieren, »daß in dem Verhältnis der Lokalgemeinden untereinander seit der Urzeit eine Veränderung eingetreten ist«.

Die Gründe, die er für diese Veränderung angibt, sprechen aber zum größten Teil gegen ihn. Er nennt drei: 1. Die Lage; sie »ist unübersichtlich geworden; wer mit wem Gemeinschaft halten kann, ist nur von Fall zu Fall festzustellen«. 2.»Die Verfestigung der Raumgrenzen zwischen den Lokalgemeinden zu verfassungsmäßig-hierarchischen Grenzen, wie sie bereits im 1. Klemensbrief sichtbar ist und vollends in der Bischofskirche des Ignatius«. 3. Die zunehmende »Formalisierung des Ausschlußverfahrens, das schließlich zum Bestandteil der kanonischen Bußdisziplin wird«[62].

»Unübersichtlich gewordene Lage« impliziert, daß sie früher übersichtlich war. In der Tat kämpft Paulus in der Regel – wo er nicht Erfahrungen verallgemeinert – gegen Mißstände und Widersacher in bestimmten Gemeinden. Wenn er also den Ausschluß des Unzuchtsünders verlangt (vgl. 1 Kor 5,3–5.13) oder die Bestrafung des ἀδικήσας (vgl. 2 Kor 7,12), so werden solche Maßnahmen nur von und in einer bestimmten Gemeinde getroffen. Mit der Möglichkeit, daß ein derart Ausgechlossener, Exkommunizierter, sich einer anderen Gemeinde anschließen könne, wird anfangs überhaupt nicht gerechnet. Dafür war die Lage noch zu übersichtlich; ein solcher hätte vermutlich nirgends Aufnahme finden können.

Das 2. Argument entwertet Elert selbst, wenn er zur Bischofskirche bei Ignatius hinzufügt:»Hier ist der Bischof für seine ecclesia ungefähr alles, aber auch nur für sie«[63]. Dieses »nur für sie« beweist an einem wichtigen Punkt die

---

[58] Elert a.a.O. 97.
[59] E. Hatch, Die Gesellschaftsverfassung der christlichen Kirchen im Altertum, 8 Vorlesungen. Vom Verfasser autorisierte Übersetzung der zweiten durchgesehenen Auflage (Oxford 1882), besorgt und mit Exkursen versehen von A. v. Harnack, Gießen 1883, v. a. 174f.
[60] H. v. Campenhausen, Kirchliches Amt und geistliche Vollmacht in den ersten drei Jahrhunderten, Tübingen ²1963, 156.
[61] Alle Zitate Elert a.a.O. 103 (Die Angabe 1. Kor. 12,5 sollte wohl heißen 12,13).
[62] Alle Zitate Elert a.a.O. 104f.
[63] Elert a.a.O. 104.

Kontinuität zu dem, was sich bei Paulus über Rolle und Bedeutung der Einzelgemeinden findet. Denn daß in ihnen »die ecclesia Gottes in ungeteilter Ganzheit
gegenwärtig« geglaubt wurde, darf man ja nicht so verstehen, daß die Kirche selbst
schon als übergreifende Größe im Sinne der »Gesamtkirche« gesehen worden
wäre, die sich in den »Einzelgemeinden« nur »darstellte«[64]. Dasselbe gilt für die
Leib-Christi-Aussagen bei Paulus. Auch sie sind konkret von Gemeinden gemacht, die als Verleiblichung des erhöhten Herrn erscheinen, wobei die konkreten Glieder dieses Leibes vom Geist (des Erhöhten) durchströmt werden. Die
(kosmische) Ausweitung der paulinischen Leib-Christi-Aussagen ist erst im
Epheserbrief nachweisbar[65].

Schließlich beweist gerade auch die Tendenz zur »Formalisierung des Ausschlußverfahrens« die Notwendigkeit, den Ausschluß eines Sünders oder Häretikers »mitteilbar« zu machen, damit ein Exkommunizierter eben auch in anderen
Gemeinden als solcher behandelt werden könne[66].

Gegen Elert spricht schließlich auch »der 5. Kanon der allgemeinen Synode von
Nizäa, der anordnet, daß die in einer Gemeinde erfolgte Ausschließung auch in
allen andern wirksam sein soll«[67]. Diese Bestimmung wird ja nur verständlich,
wenn durch die vorher geübt Praxis Probleme entstanden sind. Im übrigen wird in
dieser Bestimmung des 5. Kanons von Nizäa auch die Rolle und Bedeutung der
einzelnen Gemeinden für solche Ausschlüsse zweifelsfrei sichergestellt[68]. Daß
dann im Verlauf der Entwicklung der kirchlichen Verfassung Ausschlüsse nicht
nur von »Kirche« zu »Kirche« mitgeteilt, sondern schließlich auf Synoden
gemeinsam beschlossen und damit für immer größere Regionen verbindlich
wurden, und daß in Fortentwicklung des Kirchenbegriffs des Eph bald von
»Kirche« im Sinne der »Gesamtkirche« gesprochen und so z. B. erstmals »die

---

[64] Vgl. dazu meine Arbeit »Ekklesia« 250–255.
[65] Vgl. dazu meine Arbeit »Ekklesia« 259–265. Andresen, Die Kirchen der alten Christenheit 29–35, bestimmt »eine Fülle ekklesiologischer Aussagen in den Quellen des
Frühkatholizismus«, die diese nachpaulinischen Auffassungen spiegeln, als »transzendenta-
le Ekklesiologie« (29). Am eindrucksvollsten habe Ignatius von Antiochien um 110 n. Chr.
in diesem Sinn »die Beziehung zwischen empirischer Gemeinde und der überirdischen
Gesamtkirche zu entfalten versucht«. Eine irdische »Gesamtkirche« kennt auch diese Zeit
noch nicht. Vielmehr gilt mit Andresen: »Katholizität eignet ausschließlich der himmlischen
Kirche. Sie ist der Einzelgemeinde nur dann zuzusprechen, wenn sie repräsentativ im Abbild
jene darstellt. Ist aber dies der Fall, dann trägt Ignatios keine Bedenken, der um den Bischof
und das Presbyterium versammelten Einzelgemeinde die Vollgültigkeit gesamtkirchlicher
Repräsentation zuzusprechen« (30). Vgl. v. Harnack, Mission und Ausbreitung I 451: »Niemals ist die absolute Unterordnung unter die Lokalgemeinde peremptorischer verlangt und die Lokalgemeinde rhetori-
scher gefeiert worden als in diesen so frühen ignatianischen Schreiben«.
[66] Vgl. Andresen a.a.O. 189–191.
[67] Elert a.a.O. 105.
[68] Vgl. Andresen a.a.O. 62.177: »Grundsätzlich fielen Lehrzuchtverfahren in die Rechts-
hoheit der örtlichen Gemeindeversammlung«.

Anhänger des Montanus ›*aus der Kirche* ausgestoßen und von der koinonia ausgeschlossen‹« wurden[69], das alles wird man nicht bestreiten wollen; aber es bedeutet doch eine völlige Verkennung dieser Entwicklung, wenn Elert meint: »Damit ist der Weg beschritten, der die Lokalgemeinde aus der *Umzäunung*, in die sie durch die gegenseitige Abgrenzung bischöflicher Zuständigkeiten *zunächst* geraten ist, wieder herausführt«[70]. Von »Gemeinverbindlichkeit« lokaler Exkommunikationsbeschlüsse war in der »Urzeit« – im Gegensatz zur Auffassung Elerts – eben nicht die Rede; sie ist erst das Ergebnis einer Entwicklung, die die Ortskirche mit ihrer bischöflichen Verfassung nicht auflöst, sie aber immer stärker in die Gemeinschaft aller »Kirchen«, und d. h. später »der Kirche«, hineinbindet.

Diese Kirche entwickelt in der Folgezeit zur Sicherung der kirchlichen Gemeinschaft »besondere Legitimationsmethoden«: »Vor Gewährung der koinonoia wird jedenfalls in Zweifelsfällen die Vorlage schriftlicher Ausweise verlangt«[71] (Empfehlungsbriefe, Gemeinschaftsbriefe, Friedensbriefe).

Solcher Ausweis besagt: »Der Inhaber steht in der Heimatgemeinde in voller Kirchengemeinschaft, ist weder exkommuniziert noch im Stande des Büßers. Er kann also unbedenklich zum Abendmahl zugelassen werden«. Daß er durch die Vorlage seines Ausweises – wie Elert fortfährt[72] – gleichzeitig »zur Aufsicht an den Bischof der neuen Gemeinde gewiesen« wird und nicht mehr »beliebig bei irgend einem andern kommunizieren« durfte, unterstreicht aufs neue, wie sehr Kirchen- und Abendmahlskoinonia damals noch im ursprünglichen Sinn mit konkreten Gemeinden (= »Kirchen«) verbunden gedacht wurden.

Daß die bisherigen Korrekturen an den Auffassungen Elerts nicht unbegründet waren, beweist er selbst mit seinen Ausführungen über die »Gemeinschaft von Kirche zu Kirche«[73]. Er muß zugeben, daß sich »der urchristliche Sprachgebrauch ohne Unterbrechung erhalten« hat, »der für die Lokalgemeinde den gleichen Ausdruck ecclesia verwendet wie für die Gesamtkirche«; ja auch »nachdem sich im Verlauf des zweiten Jahrhunderts der Einzelepiskopat durchgesetzt hat, bezeichnet ecclesia in der Regel die je einem Bischof zugeordnete ›Kirche‹«[74]. Und bezüglich der Feststellung der koinonia (»bei ihrer Gewährung wie bei ihrer Versagung«) macht Elert selbst deutlich: »Partner . . . sind die korporativ geschlossenen und das heißt seit der zweiten Hälfte des zweiten Jahrhunderts die bischöflich vertretenen ›Kirchen‹«. Diese Repräsentation der »Kirchen« durch die Bischöfe ging so weit, daß Elert feststellen kann: »Die Kirchen teilen im Guten

---

[69] Elert a.a.O. 105 (Hervorhebung von Elert).
[70] Elert a.a.O. 105 (Hervorhebung von mir).
[71] Elert a.a.O. 108; vgl. dazu Andresen a.a.O. 41–50. 189f. 196f.
[72] Elert a.a.O. 111.
[73] A.a.O. 113–121; vgl. Andresen a.a.O. 182–204.
[74] A.a.O. 113. Andresen verweist a.a.O. 137 auf den Kernsatz bei Cyprian (ep. 33,1), »daß die Kirche auf den Bischöfen errichtet« sei (vgl. a.a.O. 141).

wie im Bösen das Schicksal ihrer Bischöfe. Sie treten mit diesen in die Gemeinschaft ein und werden mit ihnen ausgeschlossen«[75]. (Das erinnert an die κοινωνία-Auffassung bei Paulus, um die er z. B. mit den Korinthern im 2 Kor erheblich zu kämpfen hatte: Die Gemeinden stehen zu »ihrem« Apostel, durch den sie zum Glauben kamen, in einem soteriologisch-eschatologisch zu verstehenden Gemeinschaftsverhältnis, das sie nur um den Preis der Selbstaufgabe aufkündigen können[76].)

Zunächst also »scheinen die Partner der Gemeinschaft zwischen den Kirchen überhaupt nur die Bischöfe, die Kirchengemeinschaft streng genommen Bischofsgemeinschaft zu sein«. »Im zweiten Jahrhundert stehen die einzelnen Bischofskirchen rechtlich selbständig nebeneinander, sie haben trotz Gleichheit der Verfassung ihre Eigentümlichkeiten« und ihre relative Eigenständigkeit, wie man hinzufügen darf[77].

»Das Bild ändert sich durch das Aufkommen von Synoden und durch die Ausbildung der Metropolitanverfassung. Dadurch entsteht die Möglichkeit, daß Bischöfe abgesetzt werden und daß auf diese Weise die Gemeinschaft zwischen den Kirchen auch ohne den Bischof, ja im Gegensatz zu ihm erhalten wird«[78]. Aber immer noch behalten auch die »Provinzialkirchen« bei aller Großräumigkeit der kirchlichen Organisation ihre Eigenständigkeit, haben ihren Primas, später ihre Obermetropoliten bzw. Patriarchen[79].

Die Synode von Nizäa 325 »faßt zum ersten Mal gemeinsame Beschlüsse für die Gesamtkirche«, und »den gleichen Anspruch haben ... auch die nachfolgenden ›ökumenischen‹ Synoden erhoben«[80]. Damit war eine Einrichtung geschaffen, die – bei allen verbleibenden Schwierigkeiten – die Einheit der Gesamtkirche wahren helfen konnte.

Daß dennoch die Spaltungen nicht aufhörten, daß die nun erforderlichen Mehrheitsbeschlüsse die »Bildung von Sonderkirchen« sogar begünstigen mußten, kann man beklagen, ist aber nach Lage der Dinge keineswegs verwunderlich. Elert hat nämlich unstreitig recht: »Es gibt ... in der alten Kirche keinen Zeitpunkt, wo die Frage nach der Kirchengemeinschaft, nach ihren Bedingungen und nach ihren Grenzen nicht aktuell gewesen wäre«[81].

---

[75] Elert a.a.O. 114.

[76] Vgl. meine Arbeit »Ekklesia« 287–290.

[77] Andresen spricht a.a.O. 188 von einem »Nebeneinander autonomer Bischofsgemeinden«.

[78] Elert a.a.O. 115; Andresen a.a.O. 196: »Respektieren ... auch die altkatholischen ›canones‹ die episkopale Autonomie bzw. die Rechtsautorität der Bischofgemeinden, so kennt man doch gelegentlich die Notwendigkeit ihrer Mißachtung, wo durch einen häretischen oder schismatischen Bischof die Rechtgläubigkeit gefährdet ist«.

[79] Zutreffend nennt Andresen a.a.O. 191 »die bischöfliche Regionalsynode das altkatholische Grundmodell gesamtkirchlichen Handelns«.

[80] Elert a.a.O. 116.

[81] Elert a.a.O. 117.

»Über einen Trennungsgrund hat jedoch in der alten Kirche niemals und nirgends, auch nicht zwischen Ost und West, eine Meinungsverschiedenheit bestanden: durch Heterodoxie wird ipso facto die Kirchengemeinschaft aufgehoben«[82] und kann »nur durch Gewinnung der Homodoxie wiederhergestellt werden«[83].

»Was die bischöfliche Verfassung für die Einheit der Kirche allein noch nicht leistet, das leistet erst das Dogma. Es ist Homodoxie in der Orthodoxie«. Dem Bischof fällt dabei die Aufgabe zu, die Lehre der Kirche »nach innen und außen« zu vertreten. D. h.: »Aus diesem Grunde steht er in beständiger Abwehr der Häresie. Er wird aber auch, sobald die Lehrbildung aus einem andern Grunde in Bewegung gerät, von Amts wegen in die dogmatische Dialektik hineingezogen«. »Damit wird freilich die Homodoxie immer aufs neue in Frage gestellt«[84]. Sie wird »zu einer unablässig zu lösenden Aufgabe. Sie kann nur gemeinschaftlich gelöst werden, denn Homodoxie ist immer Prädikat einer Mehrzahl«[85].

Von allen Kriterien der kirchlichen Einheit und Gemeinschaft – Episkopat, Kanon, regula fidei – erwies sich letzteres als dauerhaftestes; sie überlebte in der Form des Apostolikums selbst die Wirren der Reformation. Und »das Nicäno-Konstantinopolitanum hat im Osten die gleiche Konstanz bewiesen wie das Apostolikum im Westen, es bildet sogar bis heute eine Brücke zum Westen«[86].

In Ergänzung eines Satzes von Elert könnte man versuchen, die drei Kriterien einander so zuzuordnen:

»Obwohl die Synoden, welche die Lehrentscheidungen treffen, aus Bischöfen bestehen (denen schon sehr früh die Sorge um »ihre« einzelnen »Kirchen« anvertraut ist), gewinnt doch seit dem vierten Jahrhundert die (aus dem Kanon der neutestamentlichen Schriften gewonnene) orthodoxe Lehre, nachdem sie einmal formuliert ist, ein Eigengewicht, das es gestattet, nunmehr umgekehrt die Bischöfe an ihr zu messen und Bischöfe und Patriarchen, welche die Prüfung nicht bestehen, zu exkommunizieren«[87].

In diesem Zusammenhang kommt Elert noch einmal auf die Bedeutung der »Gemeinschaftsbriefe« zu sprechen. Denn dadurch, daß die einzelnen Bischöfe solche Briefe austauschten, bezeugten sie und wollten sie bezeugen, daß sie in kirchlicher Gemeinschaft standen. Solcher Briefwechsel gehörte geradezu »zu den wesentlichen Kennzeichen der koinonia«[88]. Und man darf nach Elert annehmen,

[82] Elert a.a.O. 118.   [83] Elert a.a.O. 119.

[84] Alle Zitate Elert a.a.O. 119.

[85] Elert a.a.O. 120. Zumindest im Osten habe man deshalb in Synodalschreiben diese »gemeinsame Übereinstimmung und Autorität« herausgehoben (Andresen a.a.O. 188, mit Hinweis auf Cyprian, ep. 72,2); dagegen höre man »nichts davon, daß solche Briefe aus Rom das Ergebnis synodaler Beratung gewesen seien«.

[86] Elert a.a.O. 51.

[87] Vgl. Elert a.a.O. 51.

[88] Elert a.a.O. 123. Vgl. Andresen a.a.O. 182ff: »Die Ökumenizität der Bischofskirchen«. Er nennt »als wichtigstes Kommunikationsmittel« »das Bischofsschreiben an den bischöflichen Kollegen« (183).

daß schon im dritten Jahrhundert »der Austausch von ›Gemeinschaftsbriefen‹ zwischen den Bischöfen nach ihrem Amtsantritt üblich« war[89]. Auf diesem Wege tauschen sie also nicht nur wichtige Informationen aus, sie legen mit ihren Briefen vielmehr Bekenntnis ab voreinander. In Streitfällen konnte daher z. B. schon entscheidend sein, ob jemand und mit wem jemand durch Briefwechsel in Gemeinschaft stand.

Daß freilich auch dieser Grundsatz: »Die Tatsache des brieflichen Verkehrs beweist die Kirchengemeinschaft«[90] nur sehr bedingt anwendbar war, zeigt die weitere Entwicklung. Der Briefwechsel konnte schließlich auch Uneinigkeit zur Folge haben, dogmatische oder praktische Streitigkeiten hervorrufen und zur Aufkündigung der Gemeinschaft Anlaß geben. Der »Synodalbrief« z. B., gedacht als »Gemeinschaftsdokument« für den Bereich einer Synode, wurde später »geradezu ein wichtiges Kampfmittel in den dogmatischen Streitigkeiten«[91]. Auch die »Briefe nach überall« (= Enzykliken, Rundschreiben) »appellieren gewissermaßen an die Einheit der Kirche oder setzen sie voraus, bezeugen aber . . . keineswegs immer die Einigkeit«. Jedes solches Rundschreiben erhebt zwar den »Anspruch auf Katholizität«[92], doch stehen oft mehrere »Ansprüche auf Katholizität gegeneinander« und »die allgemeine Enzyklika« wird bisweilen zum »Dokument der zerbrochenen Einigkeit«[93].

»In dieser Situation übernehmen die Gemeinschaftsbriefe eine neue Funktion. Sie bezeugen nach wie vor die Homophonie, Homodoxie, aber nur noch in einem Umfang, der durch das Auftreten der Heterodoxie begrenzt ist. Häretiker kann und muß man bekämpfen . . ., aber man kann keine Gemeinschaftsbriefe mit ihnen wechseln. Man kann ihnen höchstens die ἀκοινωνησία, die Aufhebung der Gemeinschaft, mitteilen«. »Wo aber noch wahre Glaubenseinigkeit vorhanden ist, da verlangt sie angesichts der aufgebrochenen Spaltung noch mehr als sonst nach Bezeugung der Gemeinschaft«[94]. Doch »sobald die Gemeinschaftsbriefe . . . auf einen bestimmten Kreis begrenzt werden, ist auch die Kirchenspaltung da«. »Ursache der Spaltung« ist dabei immer eine »dogmatische Diastase«. »Das entspricht der konstitutiven Bedeutung, die das Dogma für die Kirchengemeinschaft überhaupt hat«. »Besteht keine Homophonie im Bekenntnis, so ist die Einheit der Kirche und damit auch die Kirchengemeinschaft zum mindesten in Frage gestellt«. Ob freilich deren Aufhebung »tatsächlich vollzogen wird, ist auch

---

[89] Andresen erwähnt diese »wechselseitige Anzeige und Anerkennung von Bischofswahlen« a.a.O. 184.
[90] Elert a.a.O. 124; vgl. dazu auch Hertling, Communio und Primat 11–15.
[91] Elert a.a.O. 125.
[92] Elert a.a.O. 125.
[93] Elert a.a.O. 125f.
[94] Elert a.a.O. 126. Andresen spricht a.a.O. 46 von »Bekundungen übergemeindlicher Einheit des Christentums«, deren Zweck es sei, »zumindest in einem regionalen Bereich die übergemeindliche Gemeinschaft als gottesdienstliche Kommunikation sichtbar« zu machen (48).

dann noch die Frage«[95]. Und das Problem, ob mit einem häretischen Bischof immer auch »seine« Kirche exkommuniziert werden muß, wird allmählich dahin entschieden, daß man »mit einem häretischen Bischof . . . niemals Gemeinschaft haben« kann, »wohl aber mit einer orthodoxen Gemeinde auch ohne, ja gegen ihren (häretischen) Bischof«[96]. Dahinter steht die Auffassung: »Die hierarchische Einheit des Episkopates und die Orthodoxie sind beide Kriterien der Einheit der Kirche. Wenn sie aber kollidieren, so hat die Orthodoxie den unbedingten Vorrang«[97].

Was damit an Grundsätzlichem für die Kirchengemeinschaft erarbeitet wurde und zum Ergebnis hat: »Kommunizieren kann man nur bei Einigkeit im Bekenntnis«[98], das hat seine Bedeutung naturgemäß auch für die »Abendmahlsgemeinschaft zwischen den Kirchen«, die »Communicatio in sacris«[99]. Elert greift dabei auf seine frühere Aussage zurück: »Die Lokalgemeinde erlebt ihre Gemeinschaft am ursprünglichsten und vollständigsten im gemeinsamen Gottesdienst. Sie vollendet sich hier in der Feier der Eucharistie«[100]. Häretiker und Sünder bleiben deshalb ausgeschlossen, Fremde müssen sich ausweisen. Das gilt in der alten Kirche ganz besonders für reisende Kleriker, deren Reisen ohnehin mehr geduldet als gewünscht werden. Denn: »Sie bleiben an den Ort gebunden, an dem sie ordiniert, und ordiniert dürfen sie nur in der Provinz werden, wo sie getauft sind«[101].

Diese strenge Auffassung bezeugt noch einmal in aller Deutlichkeit die ursprüngliche Rolle und Bedeutung der lokalen Gemeinden, vor allem aber die örtliche Bindung und Begrenzung »amtlicher« Tätigkeiten. Gelten diese auch nicht absolut, so daß bei wachsender Kommunikation zwischen den Kirchen auch die Freizügigkeit hinsichtlich der Kommunion und der Zelebration wachsen, so bleibt diese örtliche Bindung und Begrenzung vor allem der amtlichen Tätigkeiten doch auch später wirksam.

Elert kennzeichnet den Sachverhalt so: »Wenn der Laie mit einer fremden Gemeinde kommuniziert, so ist das gewissermaßen seine Privatangelegenheit. Der Kleriker dagegen bleibt, auch wenn er am fremden Ort ist, Mitglied des Klerus seiner Parochie, er wird dort im ›Katalog‹ oder ›Kanon‹, dem Verzeichnis der dortigen Kleriker, weiter geführt, er ist insofern nicht nur Privatperson. Daß er trotzdem seine liturgische Funktion auch am fremden Ort ausüben darf, beweist die communicatio in sacris zwischen den *Kirchen*«[102].

---

[95] Alle Zitate Elert a.a.O. 128.
[96] Elert a.a.O. 129f.
[97] Elert a.a.O. 129.
[98] Elert a.a.O. 141.
[99] Elert a.a.O. 131–141.
[100] Elert a.a.O. 131.
[101] Elert a.a.O. 132.
[102] Elert a.a.O. 134.

Elert hat damit freilich die Zusammenhänge nur beschrieben, nicht begründet; darauf wird zurückzukommen sein.

Richtig ist in jedem Fall die Feststellung des Grundsatzes, der hinter der skizzierten Auffassung steht: »Entweder besteht zwischen zwei Kirchen oder, was praktisch auf das gleiche hinausläuft, zwischen ihren Bischöfen Kirchengemeinschaft – dann können die Laien der einen auch in der andern kommunizieren[103], Bischöfe und Priester der einen auch in der andern zelebrieren; oder sie besteht nicht, dann weder das eine noch das andre«. »Es gibt nur vollständige Kirchengemeinschaft oder gar keine«[104].

Zusammenfassend formuliert Elert: »Die Gewährung des Kommunionrechtes der Laien wie des Zelebrationsrechtes der Kleriker in andern Kirchen sind Vollzug der communicatio in sacris. Diese besteht nur bei voller Kirchengemeinschaft, die wieder durch die Homodoxie, die Einheit im Bekenntnis, bedingt ist. Innerhalb dieser Grenzen umspannt die Kirchengemeinschaft einschließlich der Abendmahlsgemeinschaft die Gesamtkirche. Alle Einzelglieder einer Lokalgemeinde partizipieren auch an der Gemeinschaft der Gesamtkirche, aber sie müssen zu diesem Zweck auch Glieder einer bestimmten Parochie sein«. Die Begründung fehlt auch hierzu; Elert trifft zunächst nur eine historische Feststellung. Und er weist auf ein Problem hin, das die weitere Entwicklung beschäftigen mußte: »Tatsächlich wird über die Gemeinschaft zwischen den Kirchen (Parochial-, Provinzialkirchen, Patriarchaten) korporativ entschieden«. Wie werden sich »Glieder einer Kirche verhalten, die mit der durch die autoritativen Organe getroffenen Entscheidung nicht übereinstimmen«[105]? Geschichtlich im Vordergrund stand zunächst also die Gemeinschaft von Kirche zu Kirche, auch und gerade als Gemeinschaft vom Abendmahl her, so daß die Zulassung zur Abendmahlsgemeinschaft signifikanter Ausdruck der bestehenden Kirchengemeinschaft blieb.

»Mit der vollzogenen Spaltung hört automatisch auch die Abendmahlsgemeinschaft auf«[106]; »denn da bei jedem Schisma beide Seiten einander das ›Zerschneiden‹ des Leibes Christi‹ vorzuwerfen pflegen, wäre die gegenseitige Gewährung oder Ausübung der Abendmahlskoinonia ein Widerspruch in sich selbst«[107]. Darum ist klar: »Mit der Aufhebung der communicatio in sacris fängt das Schisma an, durch ihre Wiederherstellung wird es beendet«[108].

---

[103] Vgl. dazu Andresen a.a.O. 197: »Die gegenseitige Wahlanzeige der Bischöfe und das Institut der sog. litterae communicatoriae für Laien beim Gemeindewechsel hingen eng zusammen«. »Mit beidem . . . tauscht der altkatholische Episkopat eine Art brüderlichen Handschlags ökumenischer Verbundenheit und Verpflichtung aus«.

[104] Elert a.a.O. 136.

[105] Alle Zitate Elert a.a.O. 136.

[106] Elert a.a.O. 137.

[107] Elert a.a.O. 138.

[108] Elert a.a.O. 138.

»Bischöfe und Kleriker, die mit Häretikern und Schismatikern kommunizieren, werden selbst exkommuniziert. Sie haben die communicatio in sacris bestätigt, wo die Gemeinschaft von Kirche zu Kirche in Frage gestellt war«, und damit gegen das fundamentale Prinzip verstoßen: »Kommunizieren kann man nur bei Einigkeit im Bekenntnis«[109].

»Der Grundsatz, daß unzulässige Abendmahlskoinonia die Integrität der Kirchengemeinschaft verletzt, ist überall der gleiche«. »Die moderne Theorie, daß jemand in einer Kirche andern Bekenntnisses ›gastweise‹ zur Kommunion zugelassen werden oder daß man wechselseitig ›gastweise‹ kommunizieren könne, wo keine volle Kirchengemeinschaft besteht, ist in der alten Kirche unbekannt, ja undenkbar«[110]. In einer solchen Situation konnte man in den Kirchen damals nicht miteinander kommunizieren, »weil für sie die kirchliche Einigkeit nicht der Zweck der Abendmahlsfeier, sondern ihre unerläßliche Bedingung« war. »Die Abendmahlskoinonia ist metalepsis am Leibe Christi, über welche die Menschen nicht frei verfügen können«. »Deshalb sind die Teilnehmer verpflichtet, alle vorhandenen Zwistigkeiten vorher auszuräumen«, sonst »können sie auch nicht miteinander kommunizieren«[111]. Das gilt für persönliche Zwistigkeiten genauso wie für Lehrstreitigkeiten; für diese aber vor allem; denn: »Durch die Teilnahme am Abendmahl einer Kirche bezeugt der Christ, daß das Bekenntnis dieser Kirche auch sein Bekenntnis ist«[112].

Den vielen Spaltungen in der alten Kirche stehen ebenso zahlreiche »Unionsvorgänge« gegenüber; »denn auch die alte Kirche hat unter den Spaltungen wirklich gelitten. Daß der bequemste Weg, sie zu beseitigen, die Vertilgung der jeweils schwächeren Partei ist, hat sie erst gelernt, seitdem sich ihr die christianisierte Staatspolizei für diesen Zweck zur Verfügung stellte. Aber auch dann noch hat es nicht an Versuchen gefehlt, mit anderen Mitteln zerrissene Bänder wieder zu verknüpfen, konfessionelle Divergenzen auszugleichen, über Schismen hinwegzukommen«[113], d. h. die »Einigung im Bekenntnis«[114] wieder herbeizuführen. Daß dies oft schwierig war, hing auch damit zusammen, daß natürlich »auch kirchenfürstliche Eifersucht, Herrschsucht, renitenter Eigensinn, politischer Opportunismus dabei wirksam waren«[115].

Nicht selten sind die Unionsversuche daran gescheitert, daß es bisweilen mehr

[109] Elert a.a.O. 141.
[110] Elert a.a.O. 143. Vgl. dazu v. Krause, Kirchengemeinschaft 39: Es erscheint »schlechterdings unvorstellbar«, »daß in einer apostolischen Gemeinde mit solchen Christen Abendmahlsgemeinschaft geübt worden wäre, mit denen man sich in der Lehre und im Glauben nicht eins wußte«.
[111] Alle Zitate Elert a.a.O. 148.
[112] Elert a.a.O. 150.
[113] Elert a.a.O. 151.
[114] Elert a.a.O. 152.
[115] Elert a.a.O. 151. Zur »Bewährung der altkatholischen Bischofskirchen« vgl. Andresen, Die Kirchen der alten Christenheit 284–307.

um die Verächtlichmachung der Gegner und Abwerbung ihrer Anhänger ging, oft genug auch um gewaltsame Einigung durch Unterwerfung, vor allem dann, wenn kaiserliches Vorgehen solches ermöglichte oder gar selbst herbeizuführen suchte. »Zwischen dem Einstopfen der Hostie und der Anwendung polizeilicher Repressalien besteht da nur ein Gradunterschied«, meint Elert, sieht darin aber bei aller Entstellung den alten Grundsatz gewahrt, daß, »wo gemeinsam kommuniziert wird«, »auch Einigkeit im Bekenntnis« angenommen werden könne. Allerdings: »Jener Erfahrungssatz wird hier zur kirchenpolitischen Simulation. Die gemeinsame Kommunion soll eine Einigung vortäuschen, die gar nicht vorhanden ist«[116].

Besonders verhängnisvoll erwies sich in diesem Zusammenhang die Parole Augustins: Cogite intrare. »Ketzer muß man zum Eintritt in die Kirche zwingen«[117]. Von hier aus war der Weg nicht allzu weit bis zu dem nicht weniger verhängnisvollen Grundsatz: »Wer die Macht hat, hat auch die Wahrheit«[118].

Diese gewaltsamen Unionsversuche »sind der traurigste Beitrag zum Thema Abendmahl und Kirchengemeinschaft«; »aber man darf sie . . . nicht der ganzen alten Kirche zur Last legen. Sie stehen vielmehr sowohl zu ihrem theologischen Verständnis der Koinonia des Leibes Christi wie auch zu ihrer allgemeinen Abendmahlspraxis in unversöhnlichem Gegensatz. Aus diesem Grunde sind sie tatsächlich auch alle gescheitert«[119].

Diese Art von Unionsversuchen wollte nicht mehr wahrhaben, daß die an der Abendmahlsgemeinschaft orientierte und durch sie konstituierte Kirchengemeinschaft »seit den Tagen der Apostel Gegenstand der Sorge und des Eifers, theologischen Nachdenkens und unablässiger Bemühung gewesen war«[120] und immer sein muß.

Zusammenfassung:

Die Ausführungen W. Elerts bestätigen aus dem Verlauf der frühen Kirchengeschichte die aus den paulinischen Briefen zu gewinnenden ekklesiologischen Grundprinzipien, wie ich sie im Vorausgehenden und in meiner Arbeit »Ekklesia« aufzuzeigen versucht habe.

Um nur die wichtigsten zu nennen: Paulus kennt noch keine Gesamt-»kirche«. Auch sein eigener Apostolat ist kein gesamtkirchlicher, sondern begrenzt – innerhalb der prinzipiellen ἀποστολὴ εἰς τὰ ἔθνη – durch den Kanon »seiner«, d. h. der von ihm gegründeten Gemeinden. Nur in ihnen hat er volle Autorität. Zwischen ihm als Verkündiger und den Gemeinden, die durch ihn zum Glauben kamen, entstand jenes Gemeinschaftsverhältnis der κοινωνία, das von eschatologisch-soteriologischer Bedeutung und daher nur um den Preis der Selbstaufgabe

---

[116] Elert a.a.O. 159.
[117] Elert a.a.O. 160.
[118] Elert a.a.O. 163.
[119] Elert a.a.O. 165.
[120] Elert a.a.O. 163.

zu kündigen war. Paulus war – wie später der Bischof bei Ignatius – für »seine« Gemeinden alles; aber eben *nur* für seine Gemeinden. Wollte er in eine andere, nicht von ihm gegründete Gemeinde – wie z. B. Rom –, mußte er sehr darauf bedacht sein, nicht fremden Kanon zu verletzen[121], d. h. nicht in anderes »Hoheitsgebiet« einzudringen, wenn man so will.

Auch seine Mitarbeiter in der Verkündigung des Evangeliums und diejenigen, die in den Gemeinden bestimmte Dienste leisteten, sollten sich nach Auffassung des Paulus an diesen Kanon der Gemeinden gebunden wissen, für die sie Zuständigkeit besaßen. Man wird diese Auffassung auch noch in der späteren Zeit am Werk sehen dürfen, z. B. noch im Bezug auf reisende Kleriker; sie konnten zwar auswärts gastweise zur Kommunion und Zelebration zugelassen werden, blieben aber immer an jene Gemeinden gebunden, für die sie ordiniert waren.

Diese starke Bindung der Gläubigen, v. a. aber der späteren Kleriker, an eine Ortskirche wird man als paulinisches Erbe bezeichnen dürfen. Gleiches gilt für die ganz ungewöhnliche Bindung der Ortskirchen an »ihren« Bischof. Beide blieben bis ins vierte Jahrhundert hinein geradezu auf Gedeih und Verderb miteinander verbunden, bis schließlich zum Einheitsfaktor »Episkopat« die Kriterien »Kanon« und »regula fidei« als entscheidende Korrektive und Regulative hinzukamen, die es erst ermöglichten, einen häretischen Bischof zu exkommunizieren, ohne zugleich die Gemeinde mit ihm dieser Strafe zu unterwerfen[122].

Elert hat mit aller Klarheit deutlich gemacht, daß die »Kirchengemeinschaft« jahrhundertelang als »Gemeinschaft von Kirche zu Kirche«, ja lange Zeit als »Gemeinschaft von Bischof zu Bischof« verstanden wurde und erst allmählich, im Zuge der Entfaltung der gesamtkirchlichen hierarchischen Organisation, Ausschlüsse aus »*der* Kirche« möglich wurden. Ursprünglich lag die Kompetenz zur Aufkündigung der χοινωνία – wie zu ihrer Aufnahme – einzig und allein bei den jeweiligen Gemeinden. Dabei bediente man sich verschiedener Formen brieflicher Legitimation, um die Unversehrtheit der Kirchen- und Abendmahlsgemeinschaft zu sichern. U. a. sollten »Gemeinschaftsbriefe« beim Amtsantritt von Bischöfen helfen, sich der Gemeinschaft (χοινωνία) mit ihm zu vergewissern.

Dieses Verständnis der »Kirchengemeinschaft« als »Gemeinschaft von Kirchen zu Kirchen« wurde erst durch die großkirchliche Entwicklung[123] verändert, die

---

[121] Vgl. 2 Kor 10,16.
[122] Noch Cyprian (ep. 66,8 ad Florentium) kann einfach sagen: »Sollten etliche nicht mit dem Bischof Gemeinschaft haben, so sind sie nicht Glieder der Kirche« (zitiert nach Andresen a.a.O. 255).
[123] Zu diesem »Ausbau der gesamtkirchlichen Organisation« vgl. Andresen a.a.O. 303–307: »Im Interesse der zwischengemeindlichen Beziehungen war es einfach eine Notwendigkeit, ... einheitliche, zumindest für die Provinzkirchen geltende Regeln aufzustellen. Das forderte aber zugleich die Initiative der Bischöfe in den Provinzhauptstädten wie Karthago, Rom und Alexandrien heraus, die ihnen eine Hegemonialstellung gegenüber den örtlichen Gemeindebischöfen eintragen mußte, welche ihnen auf die Dauer sowieso nicht vorzuenthalten war. Es ist daher nur eine postume Kodifizierung einer bereits vorkonstantinischen

immer großräumigere Organisationsstrukturen benötigte und immer stärker zur hierarchischen »Aufhauptung« drängte: in Metropoliten, Patriarchen – und schließlich Päpsten. Im Ringen um das sich Einpendeln der Kriterien Episkopat – Kanon – regula fidei war diese Entwicklung unausweichlich. So kam es, daß schließlich der Papst als oberste, nicht mehr hinterfragbare jurisdiktionelle Instanz allen übrigen Bischöfen vorgeordnet[124] und die »Einheit der einen Kirche« immer stärker betont und auch im Credo verankert wurde[125]. Die Unterordnung auch das Papstes unter Kanon und regula fidei wurde dabei prinzipiell so wenig preisgegeben wie die relative Autonomie der Ortskirchen.

Dieses paulinische Erbe lebt – freilich in verschiedensten Formen – noch in fast allen kirchlichen Ordnungen unserer Tage weiter. Was freilich aufgrund des jahrhundertelangen Kampfes um die verschiedenen Auslegungen der »Kirchengemeinschaft« verlorenging, sind die Auffassungen, die Paulus mit dieser relativen Autonomie der Ortskirchen verbunden hat: daß nämlich jede »Kirche« eine »Kirche Gottes« ist und als solche eine Konkretion des »Leibes Christi«, erfüllt vom Geist und ausgestattet mit all den nötigen Charismen, die er vermittelt.

Für Paulus ist das schlechthin konstitutive Moment der »Kirchengemeinschaft«: die »Gemeinschaft«, die bei der Feier des Herrenmahls unter denen entsteht, die Anteil erhalten an Leib und Blut Christi, wodurch sie selbst »Leib

Entwicklung gewesen, wenn das ökumenische Konzil von Nikaia 325 n. Chr. das sog. Metropolitansystem legalisierte (can. 4–6). Mit ihm wurde natürlich jene Rechtsautonomie und Selbständigkeit der gemeindlichen Bischofssitze, wie sie Cyprian noch so leidenschaftlich verfochten hatte, eingeschränkt« (303).

Ähnlich spricht v. Harnack, Mission und Ausbreitung I 452f, von »Aufstieg der rechtlichen Verfassungsentwicklung von der festorganisierten Einzelkirche zur Provinzialkirche, von der Provinzialkirche zum größeren Kirchenbunde, der auf Synoden, die viele Provinzen umfassen, sich verwirklichte, zuletzt zu der allgemeinen Kirche . . .«.

[124] Erste Versuche der römischen Bischöfe, überregionale bzw. gesamtkirchliche Machtansprüche zu erheben, werden »als Störung der bischöflichen Eintracht empfunden« (Andresen a.a.O. 198) und z. B. noch von Cyprian (ep. 72,3) als »Einmischung« zurückgewiesen (Andresen a.a.O. 182). »Im Rahmen der altkatholischen Ekklesiologie mit ihrem Grundprinzip apostolischer Sukzession des Bischofsamtes war prinzipiell kein Platz für das gesamtkirchliche Amt eines Oberhirten« (a.a.O. 183). Dessen Notwendigkeit ergab sich erst im Laufe der Entwicklung. Sie brachte auch »die Wendung ins Juridische in enger Verbindung mit dem römischen Rechtsdenken« (a.a.O. 195). Zum Primat Roms vgl. auch v. Harnack a.a.O. 487–489 und Hertling, Communio und Primat 24–48.

[125] Dazu findet sich bei Elert nur eine Bemerkung a.a.O. 45 A. 1: »Der Textus receptus des Apostolikums kennt bekanntlich das (zuweilen eingeschmuggelte) Wort una vor sancta ecclesia nicht«.

Andresen benennt a.a.O. 149 als ältesten Beleg für die »ekklesiologisch motivierte Erweiterung des Bekenntnisses« den »Brief der Apostel« (epistula Apostolorum); meint aber: »Vielleicht noch ursprünglicher ist die dritte Tauffrage bei Hippolyt: ›Glaubst Du an den Heiligen Geist in der Heiligen Kirche?‹« (In A. 63 Weiterführendes zu diesem Problem).

Christi« werden. W. Elert zitiert für diesen Tatbestand zu Recht das Wort
Luthers, daß das Abendmahl »des Herrn Abendmahl ist und heißt, nicht der
Christen Abendmahl« (WA 23,271,8)[126]; denn in der Tat ist »hier nicht etwa der
Blick auf horizontal sich zusammenfindende Menschen konstitutiv«, »vielmehr
werden die Menschen in der Koinonia erst zusammengeführt von einer übergeordneten Autorität objektiver Art, also vertikal«[127]. D. h. »Kirche« entsteht zwar
nach Paulus durch die Versammlung von Menschen, die zusammenkommen, »um
Kirche zu sein«[128]; aber das, was diesen Versammlungen erst ihre Würde und ihre
wahre Bedeutung gibt, ist das Handeln Gottes an ihr durch den erhöhten
Christus. »Kirche« lebt aus der Gegenwärtigkeit des Erhöhten, an dessen Leib
und Blut das Abendmahl Anteil gewährt, und zwar so, daß es alle die Empfangenden zur Gemeinschaft seines Leibes zusammenschließt. Kirchliche Gemeinschaft
wird demnach nicht von Menschen gebildet, sondern vom Herrn gestiftet. Mit
anderen Worten: Abendmahls- und Kirchengemeinschaft sind für Paulus untrennbar aufeinander bezogene Wirklichkeiten: Die Kirchengemeinschaft wird
von der Abendmahlsgemeinschaft her begründet und hat in dieser auch ihr immer
neues Ziel. »Kirche« realisiert sich primär in und als Abendmahlsgemeinschaft.

Die Bedeutung der Annahme des Glaubens und der Taufe für die sog. »Kir-
chengliedschaft« ist bei Paulus noch nicht voll reflektiert, wenngleich 1 Kor 12,13
das Hineingetauftwerden in den einen Leib (Christi) deutlich genug ausspricht[129].
Das wird damit zusammenhängen, daß Paulus von der »Kirche« nicht statisch und
abstrakt denkt, weil sie ihm nicht primär Organisation und Heilsanstalt ist,
sondern konkretes, lebendiges Ereignis. Im Vordergrund steht darum für ihn
immer die κοινωνία; sei es die κοινωνία mit dem Erhöhten selbst oder die
zwischen den Gläubigen entstandene bzw. zwischen den Gemeinden bestehende.

Bezüglich der Entstehung der »Kirchengemeinschaft« läßt nun aber schon
Paulus erkennen, daß es zu ihrem vollen Verständnis geschichtliche Faktoren
einzubeziehen gilt: z. B. den Apostel selbst, bzw. alle Verkünder des Evangeliums, deren Verkündigung sich die gläubig gewordenen Gemeinden verdanken;
oder die Dienste, die in den Gemeinden geleistet werden und die freiwillige

---

[126] Elert a.a.O. 38.
[127] E. Käsemann, Das Abendmahl im Neuen Testament, in: Abendmahlsgemeinschaft?
(BEvTh 3) München 1937,77.
[128] Vgl. 1 Kor 11,18–20.
[129] »Die Taufkoinonia steht selbstverständlich mit der Abendmahlskoinonia im Zusammenhang«. Auch sie beruht darauf, »daß die Getauften ›in den Leib Christi eingetauft‹ sind.
Der Leib Christi ist der Taufkoinonia wie der Abendmahlskoinonia vorausgegeben«.
»Ohne die Taufe kann man kein Glied des Leibes Christi sein und folglich auch nicht am
Abendmahl teilnehmen« (Elert a.a.O. 67). Aber letzteres steht im Zentrum; die Taufe ist
darauf hingeordnet. Sie gilt als »Bedingung der Teilnahme an der Eucharistie« (a.a.O. 69).
Bezeichnenderweise spricht Paulus freilich nicht – wie Elert – von einer »Taufkoinonia«.

Unterordnung verlangen; aber auch die Rolle Jerusalems, der Muttergemeinde aller christlichen Kirchen[130].

Sind auch grundsätzlich alle von der κοινωνία mit dem Erhöhten bestimmt, also κοινωνοί, d. h. gemeinsame Teilhaber an den Heilsgütern (des Evangeliums und des Glaubens) und Glieder des Leibes Christi, so sind sie es doch nicht ohne die menschliche Vermittlung durch die Verkünder des Evangeliums. Das begründet deren Rolle und Bedeutung im Verhältnis zu den Gemeinden und führt zu einer nicht zu übersehenden Stufung des Anspruchs auf κοινωνία.

Jerusalem wird zwar seine ursprüngliche Vorrangstellung an Rom abgeben; aber es muß festgehalten werden, daß Paulus selbst der Jerusalemer Gemeinde eine Art Ehrenprimat mit besonderem Anspruch auf κοινωνία zubilligte; sein Kollektenwerk ist ohne das zugrundeliegende und von Paulus anerkannte Schuldverhältnis nicht zu verstehen, das ihn nötigt, der Dankbarkeit und dem Gemeinschaftswillen seiner Gemeinden Ausdruck zu verleihen.

Einen ähnlichen, sogar sehr weitgehenden Anspruch auf κοινωνία erhebt er auch selbst als Apostel gegenüber den von ihm gegründeten Gemeinden bzw. den durch ihn zum Glauben Gekommenen; und auch seinen Mitarbeitern bzw. denen, die in den Gemeinden Dienste verrichten, billigt er einen analogen Anspruch auf κοινωνία zu.

Die in der Abendmahlsgemeinschaft gründende und in ihr zum Höhepunkt kommende Kirchengemeinschaft entbehrt also von Anfang an nicht der geschichtlichen Strukturen; deren wichtigste sind: die anfängliche Sonderstellung Jerusalems, die sich ankündigende Sonderstellung der Metropolen, davon unberührt die Bedeutung der Einzelgemeinden bzw. Ortskirchen, die Rolle des Apostels, seiner Mitarbeiter und Nachfolger.

Wie sich diese Strukturen in der frühen Kirche entfalteten und wieviel dabei an paulinischen Auffassungen sich durchhielt, dürfte das Referat über die Arbeit W. Elerts verdeutlicht haben.

---

[130] Elert nennt a.a.O. 57ff als weitere Faktoren: Opferfreudigkeit, Bruderliebe und das Bekenntnis des wahren Glaubens; doch dieses sind Kriterien für das Bestehen kirchlicher Gemeinschaft (entprechend ihrem Leib-Christi-Sein), nicht aber für deren Entstehen.

VII. KAPITEL

Κοινωνία in heutigen Kirchenverständnissen

A. Im römisch-katholischen Bereich

In den Aussagen des II. Vat. Konzils[1] spielt der Begriff »communio« (= κοινωνία) in den verschiedensten Zusammenhängen eine gewichtige Rolle. Darüber informiert Oskar Saier in seiner Dissertationsschrift »›Communio‹ in der Lehre des Zweiten Vatikanischen Konzils«[2].

Saiers »rechtsbegriffliche Untersuchung« zeigt jedoch überaus deutlich, welche Schwierigkeiten die Konzilsväter damals mit der »Mehrschichtigkeit des Begriffes ›communio‹«[3] hatten und welche nun die Kirchenrechtler haben mit der »Lokalisierung‹ des Begriffes ›communio‹« zur Feststellung seiner »Auswirkungen im rechtlichen Bereich«[4].

Der Umgang mit diesem an sich keineswegs neuen, aber doch neu in die Diskussion eingebrachten ekklesiologischen Begriff erweist sich als problemreich. Unzureichend erfaßt scheint mir in den Konzilstexten – nach Saiers Darstellung zu urteilen – der innere Zusammenhang von Abendmahls- und Kirchengemeinschaft. Dagegen dürfte in der äußeren Beschreibung der Gemeinschaftsstruktur der Kirche tatsächlich ein Stück paulinisch-frühchristlicher Ekklesiologie zurückgewonnen sein. Das betrifft vor allem »Die Teilkirchen als Fundament der Gemeinschaft der Kirche«[5] und – damit aufs engste zusammenhängend – die Rolle des Bischofsamtes[6]; ferner »Die Gesamtkirche als Verwirklichung der Communio

---

[1] Für die Zeit vor dem II. Vat. Konzil vgl. H. Fries, Die Eucharistie und die Einheit der Kirche, in: Pro mundi vita, München 1960, 165–180, v. a. 175 ff; P. Bläser, Eucharistie und Einheit der Kirche in der Verkündigung, in: Theologie und Glaube 50 (1960) 419–432; E. Stakemeier, Die Eucharistie, die Einheit der Kirche und die Wiedervereinigung der Getrennten, in: Theologie und Glaube 50 (1960) 241–262; ferner: H. de Lubac, Katholizismus als Gemeinschaft, Einsiedeln-Köln 1943, 44–73.79–99, und K. Adam, Das Wesen des Katholizismus, Düsseldorf ³1926, 43–57.112–177.
Dazu von protestantischer Seite F. Viering, Christus und die Kirche in römisch-katholischer Sicht, Ekklesiologische Probleme zwischen dem ersten und zweiten vatikanischen Konzil, Göttingen 1962, und C. Cordes, Der Gemeinschaftsbegriff im deutschen Katholizismus und Protestantismus der Gegenwart, Leipzig 1931, v. a. 5–24.41–51.61–69.

[2] O. Saier, ›Communio‹ in der Lehre des Zweiten Vatikanischen Konzils. Eine rechtsbegriffliche Untersuchung (MThS. K Band 32), München 1973.

[3] Saier a.a.O. 8.

[4] Saier a.a.O. 25.

[5] Saier a.a.O. 142–160.

[6] Saier a.a.O. 151–159.

Ecclesiarum«[7] und hier v. a. »Das Zusammenwirken der Teilkirchen als Ausfluß der Communio Episcoporum«[8].

Einschränkend wird man freilich sogleich hinzufügen müssen, daß das II. Vat. Konzil verständlicherweise »für die Beschreibung der Kirche von der Gesamtkirche als Ansatzpunkt ausgeht«[9], wodurch paulinisch verstehbare Aussagen in einen Kontext eingebracht werden, in dem sie nicht nur integriert, sondern eben dadurch auch wesentlich verändert und um ihre eigenständige Bedeutung gebracht werden.

Wenn z. B. das Konzil[10] von der fundamentalen Feststellung ausgeht, »die eine und einzige katholische Kirche besteht in und aus Teilkirchen«[11], was Saier als »Grundgesetz der Gemeinschaft der Gläubigen«[12] bezeichnet, so deckt sich das mit der kirchlichen Entwicklung der ersten Jahrhunderte und entspricht auch dem fundamentalsten Grundsatz der paulinischen Ekklesiologie – und doch hat dieser Satz aus dem gesamtkirchlichen Kontext des II. Vat. Konzils heraus einen anderen Sinn.

Daß der neutestamentliche Ansatz nicht gewahrt wurde, macht Saier deutlich, wenn er sagt: »Im Anschluß an das neutestamentliche Verständnis von ›ἐκκλησία‹ wird die Gesamtkirche *im Ansatz* von der Ortskirche her beschrieben«[13]. »Was Kirche ist, verwirklicht sich zunächst in dem Zusammenkommen der Gläubigen zur Feier der Eucharistie[14] . . ., so daß die Eucharistiefeier in gewissem Sinne eine sakramentale Struktur der Ortsgemeinde offenbart«[15]. »Von der Ortsgemeinde selber wird das Höchste gesagt, *was schließlich von der Gesamtkirche gesagt werden kann,* nämlich, daß in ihr Christus selbst, sein Evangelium, seine Liebe und die Einheit der Glaubenden gegeben ist«[16].

Diese Formulierungen lassen die Ansätze und den geschichtlichen Entstehungsprozeß des späteren, für das II. Vat. Konzil aber maßgeblichen Selbstver-

---

[7] Saier a.a.O. 160–181.

[8] Saier a.a.O. 169–180.

[9] Saier a.a.O. 161; vgl. auch 144 A. 22, wo Saier auf K. Mörsdorf, Die Autonomie der Ortskirche, in: AfkKR 138 (1969) 388–405, hier 392 A. 18, verweist.

[10] Zitierung immer nach Saier.

[11] Vgl. Eccl. 23 I (7s); dazu Mörsdorf, Die Autonomie der Ortskirche 392.398 (v. a. auch A. 18 und 19); ferner W. Aymans, Das synodale Element in der Kirchenverfassung (MThS. K Band 30), München 1970, 320–322, ders., Die Communio Ecclesiarum als Gestaltgesetz der einen Kirche, in: AfkKR 139 (1970) 69–90, v. a. 79–85. H. Schauf, Zur Textgeschichte des 3. Kapitels von »Lumen Gentium«, in: MThZ 22 (1971) 95–118, v. a. 95 f.117 f.

[12] Saier a.a.O. 142.

[13] A.a.O. 145 (Hervorhebung von mir).

[14] Aber nicht durch das Zusammenkommen an sich, sondern durch das (Kirchen-)Gemeinschaft stiftende Herrenmahl.

[15] Was diese Folgerung bedeuten soll, erführe man gerne genauer; denn was bedeutet, daß die *Ortsgemeinde* »in gewissem Sinne eine sakramentale Struktur« hat?

[16] Hier zitiert Saier a.a.O. 145 K. Rahner, Das neue Bild der Kirche, in: Schriften zur Theologie VIII, 335 (Hervorhebung von mir).

ständnisses der (einen) Gesamtkirche klar erkennen. Doch werden diese Ansätze in den Konzilstexten selbst begreiflicherweise nicht mit letzter Konsequenz festgehalten. Die zwischenzeitliche Entwicklung der Gesamtkirche mußte eine solche völlige Neuorientierung an den Anfängen verhindern. Aber im Blick auf die ökumenische Zukunft der Kirche bleibt dennoch zu fragen, ob sich diese noch entschlossenere Neuorientierung an den Anfängen auf die Dauer verhindern läßt.

Dann müßten aber auch »Ursprung und ekklesiologische Bedeutung der Teilkirchen«[17] zureichender bestimmt werden als dies in den Dokumenten des II. Vat. Konzils geschehen ist. Sucht man nämlich Ursprung und Bedeutung der Teilkirchen von vornherein mit der »Katholizität«[18] und damit aus der »Einheit des einen Gottesvolks« zu begründen, das sich lediglich in verschiedenen soziologischen und kulturellen Ausprägungen teilkirchlich darstelle, behauptet man nur, was man beweisen müßte, daß nämlich schon am Anfang die Gesamtkirche als vorgegebene und alle Teilkirchen zusammenschließende Größe gesehen worden sei.

Zumindest für Paulus habe ich dies mit guten Gründen als nicht zutreffend zu erweisen gesucht[19]. Für ihn gibt es nur Gemeinden, die jedoch in Gemeinschaft miteinander stehen (und zu Jerusalem als der Muttergemeinde). »Kirche« und »Volk Gottes« sind dabei bei Paulus keine Synonyma; »Kirchen« sind ihm die konkreten Gemeinden. Darum kommt diesen auch solche Bedeutung zu: Sie bilden die Grundstruktur der späteren Gesamtkirche, und sie verlieren auch durch diese keineswegs ihre relative Autonomie: noch die Gesamtkirche besteht »in« und aus Teilkirchen«.

Mit Recht ist immer wieder betont worden, die Bedeutung der Teilkirchen liege in ihrer Darstellung des Ganzen; d. h. Teilkirchen sind nicht nur »Verwaltungsbezirk(e)«[20] der Gesamtkirche, sondern wahrhaft »Kirchen«. So formuliert auch das II. Vat. Konzil, daß in den Teilkirchen die »eine, heilige, katholische und apostolische Kirche Christi wahrhaft wirkt und gegenwärtig ist«[21], denkt aber wiederum von der Gesamtkirche her, die in den Teilkirchen lediglich repräsentiert werde[22].

Ist es aber geschichtlich umgekehrt so, daß die Einheit der Kirchen in der »einen« Kirche Ergebnis eines Geschichts- und eines Reflexionsprozesses ist, dann muß man auch die Konklusion umdrehen: Die Gesamtkirche ist dann als ganze nichts anderes, als was die Teilkirchen ihrem Wesen nach auch sind: nämlich »Kirche Gottes« und »Leib Christi«. Dann läßt sich auch die Aussage

[17] Saier a.a.O. 142–147.
[18] Saier a.a.O. 143.
[19] Vgl. meine Arbeit »Ekklesia« 229–255.
[20] Vgl. Saier a.a.O. 146.
[21] Vgl. Ep. 11 I (4s).
[22] So auch Fries, Eucharistie und Einheit 165: »Die zur Eucharistiefeier Versammelten sind . . . die Gemeinde, die ἐκκλησία hier und jetzt, in der die Kirche insgesamt und als ganze konkret und gegenwärtig ist«.

Saiers recht verstehen, »daß die Teilkirchen die notwendige Basis und den Inhalt der Gesamtkirche ausmachen«[23]: die Teilkirchen sind nicht nur Basis, sondern Inhalt der Gesamtkirche, und diese *besteht in* Teilkirchen. Von daher begreift sich die Funktion und die Bedeutung des Ortsbischofs, wie sie das II. Vat. Konzil neu zur Geltung gebracht hat: Nur dort ist von »rechtmäßigen Ortsgemeinschaften der Gläubigen«[24] zu reden, wo diese »in Verbundenheit mit ihren Hirten stehen«[25]. »Die zur Eucharistiefeier versammelten Gläubigen sind nur dann Symbol der Liebe und der Einheit des ganzen mystischen Leibes, wenn ihnen der Bischof seine nur ihm eigenen Dienste gewährt und leistet«[26]. Diese Auffassung läßt sich bis zu Ignatius zurückverfolgen, sie entspricht im wesentlichen aber auch dem entwickelten κοινωνία-Verhältnis, wie es nach Auffassung des Paulus zwischen ihm als Apostel und »seinen« Gemeinden bestand[27].

Saiers Feststellungen haben darum höchstes Gewicht: »Mit der Festlegung, daß den Bischöfen in den Teilkirchen von selbst jede ordentliche, eigenständige und unmittelbare Gewalt zusteht, die zur Ausübung ihrer Hirtenaufgabe erforderlich ist, sind die ursprünglichen Bischofsrechte voll und ganz wiederhergestellt«. »Für den Diözesanbischof streitet jetzt die Vermutung, daß er alle Gewalt besitzt, die zur Ausübung seines Hirtendienstes erforderlich ist; hierin ist eine grundsätzliche Umkehrung in dem Verhältnis von Papst und Bischof bezüglich der Vollmachtsgewährung zu sehen«[28].

Aus dieser »Stellung des Hauptes« einer Orts- bzw. Teilkirche, »ergeben sich vielfache rechtliche Wirkungen«[29]: »Für die . . . Frage nach der Struktur der Teilkirche sind zwei Konsequenzen von vordringlicher Bedeutung: 1. die Einheit der Teilkirche, 2. die Repräsentation der Gesamtkirche«.

Zum einen ist also der Diözesanbischof »Prinzip und Fundament der Einheit seiner Teilkirche, weil er . . . für seine Herde in ursprünglicher[30] und vollkomme-

---

[23] Saier a.a.O. 147.

[24] Vgl. Eccl. 26 I (4).

[25] Saier a.a.O. 146; vgl. Eccl. 26 I (5).

[26] Die Hinzufügungen »ganz« und »mystisch« (a.a.O. 146) bedürften der Korrekturen, weil ersteres wieder irreführend die Ganzheit des Leibes nur der Gesamtkirche als Prädikat zubilligt, letzteres die paulinische Aussage vom Leib Christi unnötig verfremdet.

[27] Damit soll freilich nicht behauptet werden, der Stand der Entwicklung bei Ignatius sei ganz aus paulinischer Tradition zu begreifen. Vgl. dazu Padberg, Geordnete Liebe v. a. 213 (»Ignatius in der Linie des Paulus«) und R. Bultmann, Ignatius und Paulus, in: Studia Paulina in honorem J. de Zwaan, Haarlem 1953, 37–51, v. a. 47.

[28] Saier a.a.O. 154f. Das »Konzessionssystem« der »Vollmachtsgewährung« sei durch ein »Reservationssystem« abgelöst, das lediglich »die Gewalt des Papstes, sich selbst oder einer anderen Autorität Fälle vorzubehalten, immer unangetastet« lasse.

[29] Saier a.a.O. 155. Daß diese Wirkungen den Kanonisten erhebliche Schwierigkeiten bereiten, gibt Saier zu erkennen, wenn er a.a.O. sagt: »Aus der Tatsache, daß der Bischof Haupt seiner Teilkirche ist, lassen sich mannigfache kanonistische *und das Kanonistische übersteigende* Ableitungen machen« (Hervorhebung von mir).

[30] Saier erklärt a.a.O. 156 A. 99: »d. h. nicht aus einer anderen Weihestufe, oder einem anderen Kirchenamt abgeleitet«.

ner Weise der sichtbare Stellvertreter Christi ist«[31]; zum andern bewirkt »die durch den Bischof vermittelte Repräsentation Christi . . ., daß in einem Teil des Volkes Gottes die Kirche gegenwärtig und wirksam ist«[32].

Das Konzil kommt hier paulinischer Ekklesiologie sehr nahe, wenn es beispielsweise sagt, die Kirche Christi »ist wahrhaft in allen rechtmäßigen Ortsgemeinschaften der Gläubigen anwesend, die in der Verbundenheit mit ihren Hirten im Neuen Testament auch selbst Kirchen heißen. Sie sind nämlich *je an ihrem Ort* . . . *das von Gott gerufene neue Volk*«[33].

Die damit gegebene »Abgrenzung der Teilkirche« als eines relativ autonomen Bezirks bedeutet für die Auswirkung des Bischofsamtes »nach außen«: »Hirte . . . sind die Bischöfe je für ihre Teilkirche, nicht für andere Teilkirchen. Das hat zur Folge, daß die Oberhirtengewalt des Bischofs an der Grenze seiner Diözese endet«[34]. Umgekehrt repräsentiert jeder Bischof als Hirte und Haupt seine Ortskirche: ». . . singuli Episcopi suam Ecclesiam . . . repraesentant«, sie stellen »je ihre Kirche . . . dar«[35].

Damit sieht Saier m. E. ganz zu Recht »die tiefste Wurzel der communio Ecclesiarum«[36]; doch in seiner Besprechung der Gesamtkirche »als Verwirklichung der Communio Ecclesiarum«[37] verläßt er sogleich wieder diesen geschichtlichen Boden und behauptet, daß es »Teilkirchen in vollem Sinne ohne die Gesamtkirche nicht geben kann«[38].

Das stimmt natürlich, wenn man »Ortskirchen« immer schon als »Teilkirchen« definiert. Sind sie aber nach paulinischem Verständnis in vollem Sinn ἐκκλησίαι, dann kann man nicht von vornherein die Beziehung zur Gesamtkirche von »Gliedschaft« und »Darstellung der Gesamtkirche« her bestimmen. Wenn es geschichtlich erweisbares Faktum ist, daß die »Gemeinschaft der Kirche« in den ersten Jahrhunderten als »Gemeinschaft von Kirchen zu Kirchen« und »von Bischof zu Bischof« verstanden wurde[39], dann ist es eine ungerechtfertigte Behauptung zu sagen: »Von der Gemeinschaft der katholischen Kirche könnte man dann nicht reden; die Teilkirchen wären nicht in eine Gemeinschaft integriert«[40].

---

[31] Saier a.a.O. 156.
[32] Saier a.a.O. 158. Hier wird sachgemäß – aber vermutlich nicht mit voller Absicht – zwischen Kirche und Volk Gottes unterschieden, während Saier ansonsten durchaus im Sinne der späteren Tradition beide identifiziert.
[33] Vgl. Eccl. 26 I (3–7) (Hervorhebung von mir).
[34] Saier a.a.O. 159.
[35] Saier a.a.O. 159 mit Bezug auf Eccl. 23 I (8s).
[36] Saier a.a.O. 159.
[37] Saier a.a.O. 160–180.
[38] Saier a.a.O. 160.
[39] Vgl. Kapitel VI.
[40] Saier a.a.O. 160. Gemeint ist, wenn die Teilkirchen »eine solche Autonomie besäßen, daß sie nebeneinander, ohne gegenseitige rechtliche Verbindung, existieren oder daß sie lediglich zu einer Konföderation zusammengeschlossen wären«.

Der Kirchenrechtler muß wohl immer sogleich nach den rechtlichen Verbindungen fragen; daher ist »Gemeinschaft« für ihn ein nahezu unbrauchbarer, weil rechtlich schwer fixierbarer Begriff. Bedenkt man aber, wie Paulus sein Verhältnis zu Jerusalem einerseits, das zu seinen Gemeinden andererseits immer wieder mit dem Begriff der χοινωνία zu erfassen sucht, gleichzeitig aber gerade mit diesem Begriff der »Gemeinschaft« alle rechtlichen Sachverhalte entweder ganz auszuschalten oder doch möglichst zurückzudrängen sucht, gewinnt der Begriff erst jene eigentliche Bedeutsamkeit, die ihm zumindest in den ersten christlichen Jahrhunderten auch verblieben ist. Die Communio Ecclesiarum mußte immer neu gesucht, gegen Zerstörung geschützt und vor der Auflösung bewahrt werden. Ja nicht einmal die allmählich entwickelten Kriterien von Episkopat, Kanon und regula fidei konnten Spaltungen verhindern und die Einheit garantieren. Von einer Sicherung der Einheit durch das Kirchenrecht war man ohnehin weit entfernt[41].

Was wir demnach als geschichtlichen Ausgangspunkt festhalten müssen, ist die ursprüngliche Communio Ecclesiarum, die »Gemeinschaft von (Orts-)Kirchen zu (Orts-)Kirchen«. Die Gesamt-»kirche« ist dann in der Tat nichts anderes als deren »Verwirklichung«; also nicht nur »Konföderation«[42], nicht lediglich Zusammenschluß der Teile zu einem Ganzen, nicht eine rein soziologische Notwendigkeit, so sehr all dies bei der Ausprägung der geschichtlichen Gestalt der Gesamtkirche seine Rolle gespielt hat. Ihrem Wesen nach ist sie mehr: nämlich Darstellung und (später immer mehr) Garant der Einheit und Rechtmäßigkeit der Communio Ecclesiarum. Entsprechend gestaltete sich die Rolle des Papstes, als der letzten hierarchischen »Aufhauptung« dieser Communio Ecclesiarum und als ihr Repräsentant. Immer aber blieb er auch als solcher Ortsbischof von Rom; d. h. auch als Haupt der Gesamtkirche blieb er ein Glied der Communio Episcoporum.

Wenn daher das II. Vat. Konzil sagt, daß die katholische Kirche vom Papst »*und* von den Bischöfen in Gemeinschaft mit ihm geleitet werde«[43], überwindet es

---

[41] Vgl. dazu A. v. Harnack, Die Mission und Ausbreitung des Christentums in den ersten drei Jahrhunderten I, Leipzig ⁴1924, 489–500: Exkurs IV: »Jus ecclesiasticum«. Eine Untersuchung über den Ursprung des Begriffs; ferner ders., Entstehung und Entwickelung der Kirchenverfassung und des Kirchenrechts in den zwei ersten Jahrhunderten, Leipzig 1910, und R. Sohm, Wesen und Ursprung des Katholizismus, Leipzig und Berlin ²1912.

[42] v. Harnack spricht zwar a.a.O. 486 f von »Konföderation«, was den irreführenden Gedanken an ein frei eingegangenes Bündnis nahelegt; aber die Aufreihung jener Elemente, die in der frühen Kirche die innere Einheit der christlichen Gemeinden hervortreten ließen, ist davon unberührt: 1. Interkommunion; 2. brüderliche Aufnahme der Zugereisten und Wandernden; 3. Anzeige des Wechsels von Amtspersonen; 4. Beschickung der Synoden über den Kreis der eigenen Provinz hinaus; 5. Gemeinsame Feier des Osterfestes (mit Ausnahme Kleinasiens); 6. Sendung von Unterstützungen in Notfällen.

[43] Vgl. Eccl. 8 II (19)s (Hervorhebung von mir). Vgl. dazu Mörsdorf, Die Autonomie der Ortskirche 398: »Papst und Bischofskollegium sind Träger höchster Gewalt in der Kirche, so daß die dem Papst zugesprochene Funktion für die Einheit der Kirche auch für das Bischofskollegium zutrifft«.

nicht nur die Engführung der Aussagen des I. Vat. Konzils über das Papsttum, sondern trägt voll der Grundstruktur der Kirche als Communio Ecclesiarum und Communio Episcoporum Rechnung. »Die Leitung der katholischen Kirche kommt demnach dem Papst und den Bischöfen zu, die jedoch nicht getrennt nebeneinander stehen, sondern durch das hier ›Gemeinschaft‹ genannte Band miteinander verbunden sind«[44].

Auf die Modalitäten im Verständnis dieser Gemeinschaft und in der Ausübung dieser gemeinsamen Leitung der Gesamtkirche braucht hier nicht eingegangen zu werden. Wichtig ist ja zunächst vor allem die Frage nach Sinn und Zweck dieser Grundstruktur. Darauf antwortet Saier mit K. Mörsdorf, der »Zweck des Bischofskollegiums« sei darin zu sehen, »daß es die vielen Teilkirchen in die eine Kirche integrieren soll«[45]. Diese Aussage halte ich für höchst bemerkenswert. Saier erläutert sie mit einem Konzilstext: »Insofern dieses Kollegium aus vielen zusammengesetzt ist, stellt es die Vielfalt und Universalität des Gottesvolkes, insofern es unter einem Haupte versammelt ist, die Einheit der Herde Christi dar«[46]. Diese »Integrationsfunktion« des Bischofskollegiums ist deshalb eine so bedeutsame Wiederentdeckung[47], weil damit von der abstrakten Vorstellung der »Kirche als Heilsanstalt« Abstand genommen und die personale Kategorie der »Kirche als Gemeinschaft« zurückgewonnen ist, die für Paulus und die frühe Kirche bestimmend war. Man könnte deshalb auch Saier vorbehaltlos zustimmen, wenn er als Ergebnis seiner Erörterungen über »Teilkirchen und Gesamtkirche« festhält: »Die vielen Teilkirchen bilden die Gemeinschaft der Gesamtkirche, weil ihre sichtbaren Hirten Glieder der Gemeinschaft der Bischöfe sind«[48]. Aber für ihn (und das Konzil) bedeutet dieser Satz auf der Folie »Gesamtkirche – Teilkirchen« immer noch etwas anderes als für den an den Ursprüngen interessierten Historiker, der von der Zuordnung »Ortskirchen – Gesamtkirche« auszugehen hat, weil das Verständnis der Gesamtkirche – sowohl geschichtlich wie sachlich – nur auf dem Weg über die Communio Ecclesiarum und die Communio Episcoporum zu gewinnen ist. Was zunächst von jeder einzelnen (Orts-)Kirche gilt, gilt dann auch für die Gesamtkirche: Das Prinzip ihrer Einheit ist »der menschgewor-

---

[44] Saier a.a.O. 164.
[45] Saier a.a.O. 167; A. 159: K. Mörsdorf, Primat und Kollegialität nach dem Konzil, in: Über das bischöfliche Amt, Veröffentlichungen der Kath. Akademie der Erzdiözese Freiburg Nr. 4, hg. v. H. Gehrig, Karlsruhe 1966, 39–48, hier 45; ders., Über die Zuordnung des Kollegialitätsprinzips zu dem Prinzip der Einheit von Haupt und Leib in der hierarchischen Struktur der Kirchenverfassung, in: Wahrheit und Verkündigung, 1435–1445, hier 1441.
[46] Saier a.a.O. 167; vgl. Eccl. 22 II (31–33).
[47] Erstmals hatte diese Funktion des Gesamtepiskopats bei Cyprian ihren deutlichsten Niederschlag gefunden. Vgl. auch Saier a.a.O. 170 A. 166; dazu Andresen, Die Kirchen der alten Christenheit 137 ff.149 ff.179 ff: »Die ›Einheit der katholischen Kirche‹ wird durch den ›einen Episkopat‹ garantiert« (152).
[48] Saier a.a.O. 169.

dene Sohn Gottes« selbst, der »den Gläubigen als seinen Brüdern seinen Geist mitteilte und sie zu seinem Leibe machte«[49].

Im Gegensatz zum Epheserbrief, der diese Leibaussagen erstmals auf die Gesamtkirche anwendet und diese damit den Ortskirchen vorordnet, gelten bei Paulus sowohl die Kirchen- wie die Leib-Christi-Aussagen nur von den konkreten Gemeinden. Die Mißachtung dieses paulinischen Ansatzes der Ekklesiologie – der doch für die theologische Begründung der Ortskirchen, der Rolle der Ortsbischöfe, der communio ecclesiastica bzw. ecclesiarum von so überragender Bedeutung gewesen und lange Zeit geblieben ist – führte zu einem schwerwiegenden Mangel: Gerade die entscheidende Grundlegung jeglicher Kirchengemeinschaft in der ortskirchlichen Abendmahlsgemeinschaft wurde so auf dem II. Vat. Konzil nur ganz vage erfaßt. Saier registriert in seinem 1. Kapitel ohnehin einen sehr vielfältigen und teilweise auch unpräzisen Sprachgebrauch der Konzilstexte bezüglich communio[50].

Die theologisch bedeutsamsten Stellen bezögen sich auf »von Gott stammende Beziehungsverhältnisse«.»Sie betreffen das zwischen Gott und Menschen und das zwischen bestimmten Menschen bestehende Verhältnis«[51]. »Nur zweimal, und zwar in der Liturgiekonstitution«, diene communio »zur Kennzeichnung des Empfanges der Eucharistie«; »beide Male wird ›Communio‹ groß geschrieben und im Singular verwendet und dadurch in technisch eindeutiger Weise gebraucht«. Lediglich das Ökumenismusdekret spreche einmal von der »communio eucharistica«[52] und verstehe darunter »nicht allein den Empfang der Eucharistie, sondern auch die aus der Eucharistiefeier sich ergebende Gemeinschaft der an ihr Teilnehmenden«[53].

Diesen spärlichen Zeugnissen über den Zusammenhang Abendmahls- und Kirchengemeinschaft steht eine Fülle solcher gegenüber, die nur von der Kirchengemeinschaft handeln:»Das wichtigste Anwendungsfeld für den Terminus ›communio‹ stellt die Kirche mit ihren Gliedern und Gemeinschaften dar. Meistens soll ›communio‹ in den Konzilstexten über bestimmte Beziehungen, Verhältnisse und

---

[49] Saier a.a.O. 161.

[50] Saier a.a.O. 1: »Die Vielzahl der Worte und die Häufigkeit ihres Gebrauchs läßt von vornherein erwarten, daß in den Dokumenten des Konzils ›communio‹ und die inhalts- und stammverwandten Worte nicht univok gebraucht werden«. Er zählt in den 16 Konzilsdokumenten und in der Nota explicativa 111mal »communio«, 62mal »communicare«, 192mal »communitas« und 142mal »societas«.

[51] Saier a.a.O. 3. Auf die bei Paulus so nicht begegnende Aussage einer »Gemeinschaft mit Gott« oder »Gemeinschaft zwischen Gott und Mensch« muß hingewiesen werden; Gott ist für Paulus zwar 1 Kor 1,9 der Berufende – aber zur »Gemeinschaft mit seinem Sohne Jesus Christus, unserem Herrn«.

[52] Vgl. Oec. 22 II (12).

[53] Zitate Saier a.a.O. 6. Daß dies gerade im Ökumenismusdekret geschieht, sollte nicht Zufall sein; vgl. Kap. VI, wonach im Osten der »Gemeinschaftscharakter« der Abendmahlsfeier lange erhalten blieb, während er im Westen durch das »Herrschaftsmotiv« überdeckt und fast verdrängt wurde.

Zuordnungen innerhalb des Volkes Gottes eine Aussage machen«[54]. So erscheint zwar die Kirche als »eine Gemeinschaft« und Christus als »Quelle und Zentrum der ›communio ecclesiastica‹«[55], dennoch geht es dabei meist nur »um die sichtbare Gemeinschaft der Kirche«[56], »oft um das wechselseitige Verhältnis der Teilkirchen oder um ihren Bezug zur Gesamtkirche«[57] oder überhaupt um bestimmte Verhältnisse »der Zuordnung bzw. der Unterordnung zwischen Personen oder Personengruppen im Volke Gottes«[58]; und schließlich ist »das wichtigste Anwendungsgebiet für ›communio hierarchica‹ . . . das Thema der Gemeinschaft der Bischöfe«[59] (untereinander und mit dem Papst).

Dieser Überblick zeigt, daß die Begründung der Kirchengemeinschaft aus dem Abendmahl nahezu keine Rolle spielt. Für das II. Vat. Konzil stand – wenn es Saier richtig darstellt – die »Gemeinschaft mit Gott« im Zentrum; und dieser »Ruf Gottes zur Gemeinschaft verwirklicht sich vorzüglich in dem neuen Gottesvolk«. »Der Weg zur Gemeinschaft mit Gott führt über die Angleichung und Einheit mit Christus«. Und: »Die Verbundenheit mit Christus hat die Verbundenheit der Glaubenden untereinander zur Folge«[60].

Bei diesen äußerst vagen Aussagen gelingt es kaum, eine sachliche Verbindung zu 1 Kor 10,16.17 herzustellen, wo in eindeutigster Weise die Abendmahlskoinonia als Quellort der Kirchengemeinschaft ausgesagt wird. Dazu heißt es bei Saier lediglich – und es fällt schwer, dies noch für die Auffassungen des Konzils zu halten: »Der Punkt, an dem sich die Gemeinschaft zwischen Gott und dem Menschen am meisten verdichtet und am deutlichsten hervortritt, ist die Feier und der Empfang der Eucharistie«[61]; oder: »Durch die Verankerung der Christen in Gott, die naturgemäß unsichtbarer Art ist, wird die sichtbare Verbundenheit unter ihnen bewirkt. Diese ›Gemeinschaft mit der allerheiligsten Dreifaltigkeit‹ äußert sich in den liturgischen Feiern, *vor allem* bei der Feier der Eucharistie«[62]. Wenn Saier weiterhin sagt: »In der Konstitution über die Kirche wird als Wirkung der Eucharistie die Gemeinschaft unter den Mitfeiernden der Gemeinschaft mit Gott an die Seite gestellt, so daß beide Beziehungen als im Sakrament begründet *erscheinen* und die eine zugleich mit der anderen vorhanden ist«[63], möchte man

---

[54] Saier a.a.O. 6.
[55] Saier a.a.O. 8 mit Verweis auf Oec. 20 I (7s).
[56] Saier a.a.O. 9.
[57] Saier a.a.O. 10.
[58] Saier a.a.O. 11.
[59] Saier a.a.O. 12.
[60] Alle Zitate Saier a.a.O. 26.
[61] A.a.O. 27.
[62] Saier a.a.O. 27f (Hervorhebung von mir). Die Einzigartigkeit der Bedeutung der Abendmahlsgemeinschaft für die Kirchengemeinschaft wird trotz dieses »vor allem« oder gerade durch dieses in unzulässiger Weise relativiert.
[63] Saier a.a.O. 28 (Hervorhebung von mir) mit Hinweis auf Eccl. 7 II (14).

wiederum annehmen, den Konzilsvätern sei der fundamentale Text 1 Kor 10,16.17 unbekannt gewesen.

So verwundert man sich auch nicht über Saiers Feststellung: »Bemerkenswert ist, daß an mehreren Stellen beide Aussagereihen (d. h. communio = »Gemeinschaft zwischen Gott und Menschen« und communio = »Gemeinschaft der mit Gott Verbundenen untereinander«) miteinander verbunden und zueinander in Beziehung gesetzt werden«[64].

Nachdem der elementare Zusammenhang beider Aussagereihen in 1 Kor 10,16.17 nirgends deutlich erkannt ist, diese Aussagereihen gleichwohl nicht »unverbunden nebeneinander stehen« können, geht man zur Erklärung ihres Zusammenhangs den Umweg über »›Communio mit Gott‹ und ›communio der Gläubigen‹ vereinigende Begriffe«[65]: nämlich »Volk Gottes«, »Leib Christi« und »Communio Ecclesiae«.

Dabei ist die Reihenfolge bedeutsam; denn da das II. Vat. Konzil konsequent von der Priorität der »Gesamtkirche« ausgeht, mußte es einen Begriff voranstellen, der zweifelsfrei die Gesamtkirche ins Auge faßt, wenngleich zu bestreiten ist, daß auch Paulus z. B. ihn synonym für (Gesamt-)»Kirche« gebraucht. Für ihn sind »Volk Gottes« und »Kirche(n)« durchaus verschiedene Dinge[66]. Man sollte deshalb nicht vorschnell Sinngleichheit feststellen, wo Differenzierungen notwendig wären. Das gilt auch, wenn Saier etwa meint: »Volk« stehe hier »als analoger Begriff an Stelle des abstrakteren ›Gemeinschaft‹«[67]. Wenn nämlich der Begriff der κοινωνία wie der der ἐκκλησία prinzipiell auf Gemeinden bezogen ist und konkret auf die in der Abendmahlsgemeinschaft gründende Kirchengemeinschaft abhebt, ist es nicht ohne weiteres erlaubt zu sagen: »Das Volk Gottes ist in seiner Verfassung als Gemeinschaft bewirktes und bewirkendes Zeichen der Verbundenheit der Gläubigen mit Gott und ihrer Gemeinschaft untereinander; es besitzt sakramentalen Charakter«[68].

Es besitzt diesen gerade *wegen* »seiner Verfassung als Gemeinschaft«, die im Abendmahl unter denen entsteht, die den Leib Christi empfangen und dadurch zur Gemeinschaft des »Leibes Christi« werden, d. h. aber von der Ortskirche her. Wie weit hier das Konzil noch immer von Paulus entfernt ist, gibt Saier zu erkennen, wenn er sagt: »Seit den Zeiten des Apostels Paulus griff die Kirche zu der *Bildaussage* vom Leibe Christi, um die auf Grund der unsichtbaren Gnadengaben Gottes bestehende innige Verbindung der Gläubigen darzustellen. Bei dem Apostel Paulus ist die Konzeption vom Leibe Christi die reifste Frucht neutestamentlichen Kirchendenkens und bringt das Neue und Einzigartige des Volkes Gottes trefflich zum Ausdruck«[69]. Abgesehen davon, daß sich bei Paulus diese

---

[64] Saier a.a.O. 30.
[65] Saier a.a.O. 30–36.
[66] Vgl. meine Arbeit »Ekklesia« 358.
[67] Saier a.a.O. 31.
[68] Saier a.a.O. 32.
[69] Saier a.a.O. 33 (Hervorhebung von mir).

Interpretation des Begriffs »Volk Gottes« durch den des »Leibes Christi« *so* gerade nicht findet, ist es seltsam, wie diese »reifste Frucht neutestamentlichen Kirchendenkens« noch immer im Sinne einer bloßen »Bildaussage« mißverstanden werden kann, wobei überdies nicht Christus, sondern Gott (bzw. seine Gnadengaben) als Vermittler der Verbindung unter den Gläubigen erscheint. Vielleicht wird von solchen Mißverständnissen aus deutlich, warum zu einer Zeit, als Pius XII. seine Enzyklika »Mystici Corporis« herausbrachte (29. 6. 1943), *gleichzeitig* ein E. Buonaiuti noch mit der Exkommunikation belegt war, weil er den Zusammenhang Abendmahls- und Kirchengemeinschaft vom paulinischen Leib-Christi-Verständnis her neu zum Verstehen bringen wollte[70]. Bei dieser Sachlage ist es nicht verwunderlich, daß schließlich die Bedeutung der »Communio Ecclesiae« auf dem II. Vat. Konzil auch nicht annähernd von ihrer Gewichtigkeit bei Paulus her erfaßt wurde. Nach Saier gehört communio zwar auch »zu den Begriffen, welche die Gemeinschaft mit Gott und die Gemeinschaft der Gläubigen zusammenfassen«, aber es wird in einen Topf geworfen mit »Populus Dei«, »Corpus Christi«, »communitas«, »congregatio«, die alle »den Gedanken der Gemeinschaft hervorheben«[71].

Die von P. Neuenzeit[72] übernommene Aussage, daß κοινωνία »in der paulinischen Theologie ... von der σῶμα-Ekklesiologie des Apostels her geprägt ist« und daß »κοινωνία als Bezeichnung der Gemeinschaft und Einheit der Gläubigen in der Kirche ... aus der lebendigen Teilhabe an Christus«[73] erwächst, werden nirgends relevant. Daran ändert auch die Tatsache nichts, daß Saier in diesem Zusammenhang 1 Kor 10,16f zitiert und sagt: »Die Teilhabe an Leib und Blut Christi *bewirkt* die Gemeinschaft der Gläubigen«[74]. Das Konzil zieht daraus keine Konsequenzen[75].

Damit dürfte deutlich geworden sein, daß die paulinische Ekklesiologie mit dem für sie so bedeutsamen Begriff κοινωνία auf dem II. Vat. Konzil zwar insofern eine bedeutende Rolle spielte, als sie in der Beschreibung der Kirche als Gemeinschaft ihren deutlichen Niederschlag fand; dagegen blieb sie nahezu unberücksichtigt bei der Begründung der Kirchengemeinschaft aus der Abend-

---

[70] Vgl. die Einleitung von Ernst Benz zu Ernesto Buonaiuti, Die exkommunizierte Kirche, Zürich 1966; dazu O. Schroeder, Aufbruch und Mißverständnis, Zur Geschichte der reformkatholischen Bewegung, Graz–Wien–Köln 1969, 195–235.

[71] Saier a.a.O, 35. Zu dieser unpräzisen Redeweise bezüglich »Gemeinschaft« vgl. Cordes, Gemeinschaftsbegriff 45f: »in einem Sinne gebraucht, der nach heutigem wissenschaftlichen Sprachgebrauch bei weitester Fassung dieses Begriffes nicht zulässig wäre«.

[72] P. Neuenzeit, Art. Koinonia, in: LThK VI 368.

[73] Neuenzeit a.a.O. 369.

[74] Saier a.a.O. 35 (Hervorhebung von mir).

[75] Einen Vorwurf wird man den Konzilsvätern daraus nicht machen dürfen; sie haben sich der vom paulinischen Koinonia-Verständnis herkommenden »eucharistischen Ekklesiologie« ohnehin erstaunlich weit geöffnet. Wie wenig die Exegese hier vorgearbeitet hatte, zeigte der Überblick in Kap. V.

mahlsgemeinschaft der »Kirchen«, deren Gemeinschaft untereinander sich als »Communio Ecclesiarum« (bzw. »Communio Episcoporum«) in der einen »Gesamtkirche« verwirklichte. Immerhin wurde dieser erhebliche Mangel von nicht wenigen Konzilsvätern gesehen und beklagt. Darauf macht G. Philips aufmerksam: »Zahlreiche Väter wollten die innere Verbindung der Kirche mit der Eucharistie als ihrem *Ursprung* und *Zentrum* deutlicher zum Ausdruck gebracht sehen«[76].

Nun fehlt es an sich nicht an deutlichen Aussagen; sie werden nur um ihr ganzes Gewicht gebracht durch ihre Einordnung in den beschriebenen andersgerichteten Kontext.

In der Konstitution über die Kirche heißt es z. B.: »... durch das Sakrament des eucharistischen Brotes wird die Einheit der Gläubigen, die einen Leib in Christus bilden, dargestellt und verwirklicht«[77]. Saier interpretiert dies, indem er verdeutlichend sagt: »Christus machte dieses Sakrament sowohl zur *Quelle des Entstehens der Kirche* als auch zu ihrer *deutlichsten Manifestation*. Die Eucharistie *gebiert die Kirche und erhält sie in ihrer Einheit*«[78].

Präziser kann man den Ursprung der Kirchengemeinschaft in der Abendmahlsgemeinschaft eigentlich nicht bestimmen. Allerdings denkt Saier – wie das Konzil – bei der Rede von der »Kirche« verständlicherweise wieder an die Gesamtkirche. Damit ist der paulinische Ansatz bei der Abendmahlsfeier der Ortsgemeinde preisgegeben, und es treten Abstraktionen im Bezug auf »Kirche und Sakramente«[79] und kirchenrechtliche Konstruktionen[80] an die Stelle der geforderten Konkretionen im Sinne von (Orts-)Kirche als Gemeinschaft.

Was sich darüber findet, spiegelt sich in seiner Unzulänglichkeit deutlich in Saiers Referat.

»Die gemeinschaftsstiftende Funktion«[81] wird vorwiegend in der »Bildung des

---

[76] LThK XII, Vat II/1, 142 (Hervorhebung von mir).

[77] Vgl. Eccl. 3 I (13–15); ähnlich Eccl. 11 I (12–15) (Saier a.a.O. 94 A. 294).

[78] Saier a.a.O. 94 (Hervorhebung von mir).

[79] Vgl. dazu Saiers Bestimmung der »Stellung der Eucharistie innerhalb der Sakramente« (a.a.O. 84–86): »Nimmt die communio in der Taufe ihren Anfang, kommt sie in der Eucharistie zur Vollendung« (85). Von dieser Zuordnung her versteht man die Konzilsaussagen über die Eucharistie als »Mitte und Höhepunkt der Sakramente« (86) bzw. »Quelle und Höhepunkt aller Evangelisation« (86); dennoch verdecken diese Aussagen, daß die Taufe »nur ein Anfang und Ausgangspunkt« ist (Oec. 22 II (8s) – Saier 84) und »Kirche« als Gemeinschaft, ja »Kirche« als Ursakrament, in der Feier des Herrenmahls gründen (weshalb Paulus auch nicht von einer Taufkoinonia spricht, sondern von der in der Abendmahlsgemeinschaft einer Ortsgemeinde gründenden Kirchengemeinschaft).

[80] Vgl. Saier a.a.O. 88–94 zur »Repräsentation der Kirche als hierarchischer Gemeinschaft«: »Die Eucharistiefeier stellt die hierarchisch erbaute Gemeinschaft der Teilkirche in deutlichster Weise dar und repräsentiert zugleich die Gesamtkirche als hierarchisch strukturierte Gemeinschaft« (90).

[81] Vgl. Saier a.a.O. 86–88.

Gemeinschaftsbewußtseins« gesehen bzw. in der »Bedeutung der Eucharistie für das Gemeinschaftsleben der Kirche«[82]. Den Grund solcher Schwerpunktverlagerung erkennt man sofort, wenn Saier schreibt, das II. Vaticanum »stellte vor allem die bei Paulus und den Vätern vorhandene Sicht der Eucharistie heraus, nach welcher der wirkliche und der mystische Leib Christi in engem Zusammenhang und wechselseitiger Verbindung stehen«[83]. Weil die innere Einheit von 1 Kor 10,16.17, d. h. von Leib Christi und Gemeinde, Abendmahl und Kirche, nicht festgehalten ist, andererseits der enge »Zusammenhang« – der lange Zeit nahezu in Vergessenheit geraten war[84] – betont werden sollte, verlagert sich der paulinische Indikativ in einen Hortativ, die paulinische Wesensaussage in eine Funktionsbestimmung. Saier irrt daher, wenn er glaubt, daß das II. Vat. Konzil »die Eucharistielehre für das Verständnis der Kirche . . . fruchtbar gemacht« habe[85]. Diese Aufgabe bleibt weiterhin gestellt[86]. Ihre Lösung wird erst möglich, wo man mit A. Grillmeier aus Konzilstexten *folgert*, »daß in der Eingliederung in die Einheit des mystischen Leibes die *Erstwirkung* der Eucharistie und die *vermittelnde Ursache* aller übrigen Wirkun-

---

[82] Saier a.a.O. 88; daher »gemeinschaftsstiftende Funktion«. Vgl. Fries, Eucharistie und Einheit 165: »Die Gemeinsamkeit eines Tuns . . . schafft Gemeinschaft und Einheit«. Dieser Akzent ist noch bedenklicher, auch wenn Fries hinzufügt, bei der Eucharistiefeier werde diese Einheit »nicht nur und nicht so sehr durch die Feiernden, durch die Gemeinsamkeit ihres subjektiven Tuns bewirkt, sondern durch das Gefeierte«, nämlich die Eucharistie. Von Paulus her läßt sich überhaupt nur letzteres aussagen. Das Halten der Gemeinschaft liegt für ihn in der Konsequenz dieser Stiftung.

[83] Saier a.a.O. 89. Die Differenzierung von wirklichem und mystischem Leib Christi erweist hier ihre ganze Bedenklichkeit. Korrekter hier Fries a.a.O. 168: »Der eucharistische ›Leib‹ des Herrn, mit dem man durch den Genuß des Brotes Gemeinschaft (κοινωνία) hat, und der ›Leib‹, den die Mahlteilnehmer als Gemeinschaft selbst darstellen . . .«. Ungenau ist nur die Fortsetzung: ». . . werden in engste Beziehung gebracht«.

[84] Kurz vorher heißt es bei Saier a.a.O. 88: »Daß dieses Sakrament auch die Gläubigen miteinander verbindet, steht mindestens in der Frühzeit der Kirche bis zur Frühscholastik und in der Neuzeit spätestens vom Erscheinen der Enzykliken ›Mystici Corporis‹ vom 29. 6. 1943 und ›Mediator Dei‹ vom 20. 11. 1947 an im Vordergrund des kirchlichen Bewußtseins«.

[85] Saier a.a.O. 89.

[86] Auch der Exegese bleibt diese Aufgabe gestellt! Wenn z. B. F. Mußner, Interkommunion im Lichte des 1. Korintherbriefes, in: Das Evangelium auf dem Weg zum Menschen, hg. v. O. Knoch u. a., Frankfurt 1973, 55–62, die Frage stellt: Worin gründet nach dem 1. Korintherbrief die KOINΩNIA der Kirche?, und darauf antwortet: »in dem einen Taufpneuma« (56), dürfte dieser Ansatz wesentlich mehr von Dogmatik und Kirchenrecht bestimmt sein als von Paulus, bei dem es gerade auffällt, daß er von einer Taufkoinonia nicht spricht. Entsprechend ist bei Mußner der für Paulus fundamentale Zusammenhang von *Abendmahl* und Kirchengemeinschaft völlig verkannt. Nur so kann er fragen: Welche Funktion hat nach dem 1. Korintherbrief die Eucharistie und ihre Feier *in* der KOINΩNIA der Kirche?, und dann lediglich von einer »Intensivierung« der Christusgemeinschaft sprechen (59).

gen zu sehen ist«; daß demnach »die Kirche in erster Linie *Kommunioneinheit*« ist »und damit . . . Gottesdienstgemeinschaft«[87], eine von Gott her im Leib Christi »zur Einheit vollendete Gemeinschaft«[88]; oder mit H. Fries zu reden: Nur »wenn die Kirche Eucharistie feiert, am Leib des Herrn teilnimmt, verwirklicht sie sich selbst« (als Leib Christi)[89]; denn: »Der ›*Leib der Kirche*‹ gründet im ›eucharistischen Leib‹ und wird von ihm bewirkt, am Leben erhalten und immer neu aktualisiert«[90].

B. Im Bereich der Kirchen der Reformation

Schwieriger als im katholischen Bereich, wo die Aussagen des II. Vat. Konzils als repräsentativ gelten können, ist die Beschreibung der Rolle des paulinischen κοινωνία-Verständnisses in der Selbstdarstellung der Kirchen und kirchlichen Gemeinschaften reformatorischer Provenienz. Eine solche Zusammenstellung müßte wegen der Komplexität und des Umfangs des Darzustellenden den Rahmen dieser Untersuchung erheblich übersteigen. Es können und sollen daher nur einige wesentliche Aspekte angesprochen werden, die geeignet sind, den gegenwärtigen Problemhorizont zu verdeutlichen.

Global formuliert H. Graß den Gegensatz der reformatorischen zur katholischen Abendmahlsauffassung so: »Das Abendmahl wurde wieder Mahlfeier der Gemeinde«[91]. Die Kommunion und damit der Gemeinschaftscharakter des

[87] LThK XII, Vat. II/1, 186 (Hervorhebung von mir).

[88] Saier a.a.O. 95; vgl. Fries a.a.O. 168–170: »Die Einheit der Kirche wächst nicht von unten, sie ist in Christus gegeben« (169).

[89] Fries a.a.O. 170. Daß dies nur von konkreten Gemeinden gesagt werden kann, ist eigentlich selbstverständlich.

[90] Fries a.a.O. 169. Quellette, L'Église, Corps du Christ 85, macht auf die nicht geringe Überraschung aufmerksam, die H. de Lubac mit seiner Feststellung (Corpus Mysticum, Paris 1941, 18–19) ausgelöst habe, »que l'expression Corpus Mysticum servit à désigner, non pas l'Église, mais l'Eucharistie jusqu'au milieu du XIIe siècle«. Dabei hätte, wie Quellette zu Recht betont, diese Überraschung so groß nicht sein dürfen, da doch schon bei Paulus »deux réalités distinctes, l'Eucharistie et l'Église, sont désignées par la même formule«, nämlich »le corps du Christ«.
Von hier aus wäre neu zu bedenken, was Padberg, Geordnete Liebe 215, – allerdings nur im Blick auf die orthodoxe Theologie – über »die sogenannte ›eucharistische Ekklesiologie‹« andeutet: ». . . ebenso, wie die Eucharistie nicht ein Teil des Leibes Christi, sondern der ganze Christus ist, genauso ist die Kirche, die sich in der Eucharistie ›realisiert‹, nicht ein Teil oder ein Glied des Ganzen, sondern Gottes ganze und unteilbare Kirche, die *ist* und überall in Erscheinung tritt« (Zitat aus A. Schmemann, Der Begriff des Primates in der orthodoxen Ekklesiologie, in: Der Primat des Petrus in der orthodoxen Kirche, Zürich 1961, 128f).

[91] RGG ³I 29f. In dieser »Verwerfung des Meßopfers« seien sich »alle reformatorischen Richtungen einig«: Mit der Messe aber fiel »das Priestertum, die Winkelmessen und das Meßstipendienwesen, der isolierte Hostienkult« (29).

Abendmahls sollten demnach durch die Reformation eine neue Wertung erfahren[92]. Zumindest Luther selbst habe das Abendmahl in seinem Sermon von 1519 (WA 2,742) in diesem Sinn »als Sakrament der Gemeinschaft und der wechselseitigen Liebe zwischen Christus und den Gläubigen verstanden«[93].

Daß diese Auffassung gleichwohl nicht voll und nicht überall zum Tragen kommen konnte, lag vor allem an den nicht zur Ruhe kommenden Auseinandersetzungen über die theologische Deutung des Abendmahls selbst und in deren Gefolge an den verschiedenartigen Ausprägungen der Abendmahlspraxis in den Kirchen der Reformation[94]. Darum gilt mit E. Sommerlath[95] auch nur für Kirchen, für die das Abendmahl »wirklich Leib und Blut des Herrn« ist, daß es »zugleich als Sakrament der Gemeinschaft« sich erweist. Denn nur für sie gilt Sommerlaths Erläuterung:»Die den Leib Christi essen[96], werden selbst ein Leib, der Leib Christi, der Kirche«. Für sie ist daher das Abendmahl »kirchenkonstitutiv«.

Diese Aussagen sind fraglos an Paulus orientiert und geben dessen Abendmahlsauffassung auch im wesentlichen wieder. Dies gilt auch noch von den Aussagen W. Krecks über die reformierten Kirchen, die »bei der Bemühung um eine Neufassung« der Abendmahlslehre u. a. darauf »den Finger legen« müßten, daß »nicht der Glaube des Empfängers oder das Bekenntnis der Gemeinde« das Abendmahl konstituiert, »sondern die Stiftung und Zusage des Herrn, der sich dem Sünder schenkt«[97]. Weil aber bei dieser Aussage davon ausgegangen wird, »daß die besondere Weise, in der sich Christus hier schenkt, nicht auf eine andere Gabe oder einen anderen Geber schließen läßt als sonst in der Verkündigung«[98],

---

[92] Graß konstatiert a.a.O. 26f für die katholische Kirche einen »Wandel in der Abendmahlsfrömmigkeit«, wie er im Gefolge der »Ausbildung der Transsubstantiationslehre« eingetreten sei: »Die Verselbständigung des Opfers gegenüber der Kommunion, seine besonders geschätzte satisfaktorische Bedeutung, die Scheu vor dem mündlichen Empfang von Leib und Blut und äußere Umstände führten zu einem Nachlassen der Kommunionhäufigkeit. Gleichsam als Ersatz bildete sich der Hostienkult«. Vgl. dazu G. Kretschmar, RGG ³I 42,2b.

[93] Graß a.a.O. 30. Vgl. dazu P. Althaus, Communio Sanctorum, I. Luther, München 1929, 23–94; H. Gollwitzer, Luthers Abendmahlslehre, in: Abendmahlsgemeinschaft?, München 1937, 94–121.

[94] Vgl. dazu W. Kreck, RGG ³I 37–39, und Kretschmar a.a.O. 42f, 2c.d. W. Jannasch gibt als einen weiteren Grund an: »Luthers Ablehnung jedes Zwanges zur Teilnahme am Abendmahl« (RGG ³I 44).

[95] RGG ³I 36. Vgl. dagegen für die reformierten Kirchen W. Niesel, Vom heiligen Abendmahl Jesu Christi, in: Abendmahlsgemeinschaft?, München 1937, 36–59: Das Abendmahl »eine sinnbildliche Handlung« (49); Abendmahlstexte »symbolisch zu verstehen« (37).

[96] Vom »Essen« des Leibes Christi zu sprechen, ist freilich nicht präzis paulinisch; für Paulus vermittelt das Essen die Gemeinschaft mit Christus durch Teilhabe an seinem Leib (und Blut).

[97] RGG ³I 39. Der paulinische Gedanke an die Gemeinde ist verschwunden.

[98] A.a.O. 38.

also »kein verfügbares ›Etwas‹ an Stelle oder neben dem im Wort sich uns schenkenden Herrn«[99] angenommen werden darf, ist der paulinische Sakramentenrealismus preisgegeben.

Für Paulus bedeutet nun einmal das Essen im Abendmahl reale Teilhabe am Leib Christi – damit eine andere Weise der Christusbegegnung als im Wort –, und diese gemeinsame Teilhabe aller am Leib Christi konstituiert die Kirche als den »Leib Christi«[100].

Da für unseren Zusammenhang nur das Fortwirken der paulinischen κοινωνία-Auffassung in heutigen Kirchenverständnissen von Interesse ist, nicht aber alle Umformungen seiner Ekklesiologie und seines Abendmahlsverständnisses überhaupt[101], legt sich im folgenden eine Beschränkung nahe auf Stellungnahmen, die den konstitutiven Zusammenhang von Abendmahls- und Kirchengemeinschaft im Sinne des Paulus festhalten.

Dazu gehören die »Arbeiten des Oekumenischen Ausschusses der Vereinigten Evangelisch-Lutherischen Kirche Deutschlands zur Frage der Kirchen- und Abendmahlsgemeinschaft«[102]. Auffällig ist sogleich die Umstellung Kirchen- und Abendmahlsgemeinschaft[103], wie sie auch L. Goppelt und W. von Krause im Titel ihrer Referate vornehmen – im Gegensatz etwa zu W. Elert, Abendmahl und Kirchengemeinschaft in der alten Kirche[104]. Darin treffen sich diese Theologen offensichtlich mit den Vätern des II. Vat. Konzils, denen auch mehr an den Bedingungen der Kirchengemeinschaft als an der exakten Bestimmung des Zusammenhangs von Abendmahl und Kirchengemeinschaft gelegen war.

Goppelt geht zunächst der »Wechselbeziehung zwischen Kirchen-gemeinschaft und Abendmahls-gemeinschaft« nach und kommt dabei zu folgenden

---

[99] A.a.O. 39.

[100] Vgl. dazu Käsemann, Das Abendmahl im Neuen Testament v. a. 79—81; Schniewind, Abendmahlsgespräch 15; Sommerlath, Stand der Abendmahlsfrage 50–52.

[101] Vgl. zu diesem Gespräch innerhalb der Kirchen der Reformation den Berichtband »Abendmahlsgemeinschaft?« (BEvTh 3), München 1937; ferner den von E. Schlink herausgegebenen Bericht über ein Abendmahlsgespräch evangelischer Professoren in Frankfurt am Main am 30. 9. und 1. 10. 1947: »Abendmahlsgespräch«, Berlin 1952; den Sammelband schwedischer Theologen »Ein Buch von der Kirche«, Berlin 1950, und den unter dem Titel »Gegenwart Christi« erschienenen »Beitrag zum Abendmahlsgespräch in der Evangelischen Kirche in Deutschland«, Göttingen ²1960, hg. von P. Jacobs, E. Kinder und F. Viering.
Dazu die Arbeit des Katholiken H. Schütte, Wiederentdeckung der Kirche in evangelischer Theologie, in: Theologie und Glaube 50 (1960) 339–358 (dort weitere Literaturangaben).

[102] Erschienen unter dem Titel »Koinonia«, Berlin 1957.

[103] So auch H. Sasse, Kirche und Herrenmahl, Ein Beitrag zum Verständnis des Altarsakraments (Bekennende Kirche 59/60, 1938, 5–79); doch im 2. Abschnitt seiner Darstellung geht er von der richtigen Zuordnung aus und sagt: »Das Abendmahl ist für die Kirche lebensnotwendig; denn in der Feier dieses Sakraments *wird die Kirche* immer wieder *zu dem,* was sie nach Gottes Willen sein soll« (a.a.O. 14, Hervorhebung von mir).

[104] In: Koinonia 57–78.

Feststellungen[105]: »Abendmahlsgemeinschaft ist die Verbundenheit der Kommunizierenden zur Gliedschaft am Leibe Christi, die durch ihr Teilhaben an Christus dem Haupte hergestellt wird«[106]. »Die Abendmahlsgemeinschaft ist also ihrem Wesen nach identisch mit der Kirchengemeinschaft; sie deckt sich jedoch nicht mit ihr«[107]. Letztere ist ihm »die stetige Verbundenheit aller Glieder des Leibes Christi untereinander« und diese wird »nicht nur durch das Mahl, sondern auch durch die Taufe und durch das Wort geschaffen«; d. h.: »Die Kirchengemeinschaft ist schon vor der Abendmahlsgemeinschaft da«[108].

Goppelt resümiert daher: »Die Abendmahlsgemeinschaft kommt von der Kirchengemeinschaft her und führt zur Kirchengemeinschaft hin. Darüber hinaus ist die Versammlung um den Tisch des Herrn die jeweilige zeitlich-räumliche Aktualisierung und Realisierung der Kirchengemeinschaft, die unmittelbarste Darstellung der Kirche in der Zeit«[109]. Aus diesen Indikativen folgen seiner Meinung nach zwei Imperative: »a) Die Abendmahlsgemeinschaft verpflichtet zur Kirchengemeinschaft« und »b) Gleichzeitig gilt umgekehrt: Die Kirchengemeinschaft verpflichtet zur Abendmahlsgemeinschaft und ist zugleich die Voraussetzung für eine rechte Abendmahlsgemeinschaft«[110].

Im weiteren Verlauf seiner Darstellung bespricht Goppelt »die Bedingtheit der Kirchen- und Abendmahlsgemeinschaft durch die Lehre«, näherhin das Verhältnis von Kirche – Sakrament – Wort, schließlich »die Grenzen« der Kirchen- und Abendmahlsgemeinschaft im Falle »unbußfertiger, offenkundiger Sünde« und im Hinblick auf »die Irrlehre«. Bezüglich dieser Grenzziehungen gibt es keinen grundlegenden Dissens, wohl aber bezüglich der Verhältnisbestimmung von Kirche – Sakrament – Wort. Goppelt meint: »Die Kirche wird nicht nur . . . durch das Sakrament, sondern auch, *ja zuerst* durch das Wort konstituiert«[111].

---

[105] Goppelt, Kirchengemeinschaft und Abendmahlsgemeinschaft nach dem Neuen Testament, in: Koinonia 24–33.

[106] A.a.O. 25. Ähnlich Käsemann, Das Abendmahl im Neuen Testament 79f; Nygren, Corpus Christi 26. Die Hinzufügung »dem Haupte« ist allerdings Eintrag aus dem Epheserbrief.

[107] Goppelt a.a.O. 25. Vgl. auch H. Gollwitzer, RGG ³I 51: »Da die Gemeinschaft der Kirche sich am sichtbarsten im Abendmahl darstellt, ist Kirchengemeinschaft mit Abendmahlsgemeinschaft identisch«.

[108] Goppelt a.a.O. 25. v. Krause, Was sagt uns das Neue Testament zur Frage der Kirchen- und Abendmahlsgemeinschaft, in: Koinonia 34–41, attestiert: »Die Tatsache, daß ein Brot unter viele gebrochen wird, *korrespondiert* der Tatsache, daß die vielen ein Leib *sind*. Sie sind es nicht erst durch das Mahl, sie sind es schon, wenn sie sich anschicken, das Mahl zu halten« (36).

[109] Goppelt a.a.O. 26. Von »Versammlung um den Tisch des Herrn« zu sprechen, ist unpräzis und könnte leicht allerlei Mißverständnisse nähren.

[110] Goppelt a.a.O. 26.27.

[111] Goppelt a.a.O. 27 (Hervorhebung von mir). Ähnlich H. Olsson, Sichtbarkeit und Verborgenheit der Kirche nach Luther, in: Ein Buch von der Kirche, Berlin 1950, 338–360, v. a. 345f. Gegen solche Überbetonung des Worts vgl. auch Sommerlath, Stand der Abendmahlsfrage 31–34.

Goppelt systematisiert damit zweifellos im Sinne der Reformation, die Frage ist nur, ob auch im Sinne des Paulus. Mit E. Schweizer ist demgegenüber festzuhalten: »In der Feier des Herrenmahles konstituiert sich die Gemeinde als der *eine* Leib Christi«[112]; d. h. *nur von der Herrenmahlfeier her*, in der alle teilhaben an dem einen Brot, das Gemeinschaft gewährt mit Christus durch Teilhabe an seinem Leib, läßt sich die Gemeinde als »Leib Christi« deuten und als »Gemeinschaft« verstehen[113]. Wenn Schweizer hinzufügt: »Natürlich ist die Gemeinde auch außerhalb der Herrenmahlfeier der Leib Christi«, so scheint er Goppelt und v. Krause recht zu geben, daß dieser Leib Christi »nicht nur durch das Mahl, sondern auch durch die Taufe und durch das Wort geschaffen« wird; doch Schweizer fährt fort: »aber Paulus braucht den Ausdruck im Zusammenhang mit der Gottesdienstgemeinde, weil er nur dort konkret in Erscheinung tritt«[114]. Letzteres besagt, daß der Zusammenhang Taufe – Leib Christi (1 Kor 12,13) anders zu sehen ist als der Zusammenhang Abendmahl – Leib Christi[115]. Taufe und Geistmitteilung sind nach 1 Kor 12,13 individuelle Vorgänge, die den einzelnen (ἡμεῖς πάντες) durch Vermittlung des Geistes in den ὁ Χριστός genannten Leib (vgl. VV 12b.13) einfügen (εἰς ἓν σῶμα ἐβαπτίσθημεν). Dieser Leib ist vorgegeben und umschreibt die Wirklichkeit des erhöhten Herrn, des Χριστός. Dessen »zeitlich-räumliche Aktualisierung und Realisierung« – mit Goppelt zu reden – ereignet sich in der Herrenmahl feiernden Gemeinde. Hier wird der Leib Christi konkret[116]; hier stellt er sich geschichtlich dar. Die Abendmahlsgemeinschaft ist

[112] RGG ³I 11. Vgl. Sasse, Kirche und Herrenmahl 33–43, v. a. 41 f: »Indem die Gläubigen mit ihm (d. h. dem Leib Christi) gespeist werden, werden sie, die Kirche, zum Leib Christi« (42).

[113] Vgl. Sasse a.a.O. 33: »In der Feier des ›Brotbrechens‹ . . . ist die werdende Kirche zum Bewußtsein ihrer selbst erwacht«. Dabei ist diese »Anschauung von der Gemeinschaft der Kirche als des Leibes Christi« zweifellos zuerst bei Paulus ausgebildet worden (42) und »aus dem Herrenmahl erwachsen« (43).

[114] Ebd.

[115] Eine seltsame Vermischung paulinischer Aussagen findet sich in bezug auf 1 Kor 12,12.13 bei Delling, Abendmahlsgeschehen 333: »In der Realisierung des ›einen Leibes‹ (V. 12) im Abendmahlsgeschehen wird der Heilige Geist wirksam (vgl. V. 13a ›zu einem Leibe‹). Während Paulus in 1. Kor. 10,17 die Einheit der Gemeinde zurückführt auf die Teilhabe an dem einen Brot, . . ., begründet er sie in 12,13 in einer gedrängten Aussage in der Teilhabe an dem einen Becher (ἐποτίσθημεν)«. Hinsichtlich ἐποτίσθημεν wird zwar gelegentlich eine Anspielung auf das Abendmahl vermutet, aber für die VV 12b.13a ist ein solcher Bezug ausgeschlossen. Hier ist eindeutig von der Taufe εἰς ἓν σῶμα die Rede, wobei dieser »Leib« aber nicht durch die Taufe »konstituiert« (Delling a.a.O.) wird, sondern als Leib des erhöhten Christus vorgegeben erscheint. Unerfindlich, wie Delling sagen kann: »Für das Taufgeschehen wird in den Aussagen des Paulus keine entsprechende unmittelbare Beziehung auf den Erhöhten sichtbar« (335). Im übrigen sind seine Ausführungen zur Taufe bei Paulus (334f) durchaus geeignet, den Unterschied in den paulinischen Leib(-Christi-)Aussagen hinsichtlich Taufe und Abendmahl zu verdeutlichen.

[116] Vgl. Bonhoeffer, Sanctorum Communio 92 und 145: »Christus als Gemeinde existierend«.

darum für Paulus allein der Ursprungsort für die Gemeinschaft einer christlichen Gemeinde. Nun spricht Paulus in diesem Zusammenhang zwar von κοινωνία (vgl. 1 Kor 10,16f), aber nicht von ἐκκλησία. Man muß also noch differenzieren. Ἐκκλησίαι heißen die Gemeinden bei Paulus, und die Vermutung spricht dafür, daß er hiermit einen zwar aus alttestamentlicher Tradition stammenden, aber hellenistisch gefüllten Begriff aufnimmt zur Bezeichnung der Gemeinden bzw. der Gemeindeversammlungen[117]. Deren Wesen freilich wird erst sichtbar, wenn sie im Sinne des Paulus als ἐκκλησίαι τοῦ θεοῦ (ἐν Χριστῷ Ἰησοῦ), d. h. als endzeitliche »Sammlungen Gottes« begriffen werden bzw. als σῶμα Χριστοῦ, d. h. als »Verleiblichungen des ὁ Χριστός«.

Von den Gemeinden spricht Paulus demnach auf zwei Ebenen: einer historischen und einer theologisch-christologischen. E. Schweizer nimmt daher ganz mit Recht eine »doppelte Sicht der Gemeinde« an; das entspreche »ihrem doppelten Wesen als soziologische Größe, die in der Geschichte drinstehend durch Zeit und Raum bestimmt ist, und als ›eschatologische‹ Größe, die in ihrer Verbundenheit mit dem Erhöhten aus Zeit und Raum entnommen in der ›Präsenz‹ der Heilsereignissse lebt«[118]. Auch wenn man die in ἐκκλησίαι τοῦ θεοῦ liegende – bei Schweizer fehlende – eschatologische Beziehung der Gemeinden auf Gott hinzunimmt, bleibt die wechselseitige Zuordnung dieser Bestimmungen einer ἐκκλησία noch zu verdeutlichen.

Was durch die apostolische Verkündigung entsteht, sind in jedem Fall die ἐκκλησίαι als konkrete Gemeindeversammlungen bzw. »Kirchen«. Deren Wesensbestimmungen als eschatologische »Sammlungen Gottes« (bzw. »Bau Gottes«) und als »Leib Christi« sind nun aber keinesfalls etwas Hinzukommendes. Was eine »Kirche« zur ἐκκλησία (bzw. οἰκοδομὴ) τοῦ θεοῦ und zum σῶμα Χριστοῦ macht, ist ihre immer schon vorgegebene Sinnbestimmung von Gott bzw. Christus her. Ich habe das in meiner Arbeit »Ekklesia« auf den Nenner zu bringen versucht: »Die Gemeinde wird, was sie ist, durch das, was an ihr und in ihr geschieht«[119]. »An ihr« durch die Verkündigung des Apostels als eines συνεργὸς θεοῦ und »in ihr« durch das Zusammenkommen zur Feier des Herrenmahls.

Es scheint mir daher ein verfänglicher Irrtum von L. Goppelt wie von H. Gollwitzer zu sein, Kirchengemeinschaft und Abendmahlsgemeinschaft als »iden-

---

[117] L. Rost, Die Vorstufen von Kirche und Synagoge im Alten Testament, Eine wortgeschichtliche Untersuchung (1938), Darmstadt ²1967, plädiert für einen ausschließlich alttestamentlichen Ursprung des neutestamentlichen Begriffs ἐκκλησία. Der paulinische Sprachgebrauch scheint mir damit jedoch nicht voll erfaßt zu sein. Er hat zwar in der alttestamentlichen Tradition seine vermutbaren Wurzeln und in der Jerusalemer Urgemeinde seinen wahrscheinlichen christlichen Ursprung, doch sind die hellenistischen Komponenten in der paulinischen Verwendung von ἐκκλησία (ἐκκλησίαι) nicht zu übersehen. Vgl. dazu meine Arbeit »Ekklesia« 232–239.

[118] Schweizer, Gemeinde und Gemeindeordnung 94.

[119] Ekklesia 361.

tisch« zu bezeichnen, wobei sie ohnehin hinzufügen müssen, daß diese sich gleichwohl nicht decken. Es handelt sich vielmehr um eine »doppelte Sicht der Gemeinde«, wie Schweizer zutreffend feststellt. Insofern ist jede Gemeinde zunächst einmal »apostolische«, weil sich der apostolischen Verkündigung verdankende, »Kirche (Gottes)«; als solche wird sie von der Feier des Herrenmahls her als »Gemeinschaft« bestimmt, näherhin als »Gemeinschaft der Glieder am Leib des Χριστός«.

Ergibt sich aus dieser zeitlichen Priorität von Verkündigung und »Kirche« nun aber auch die von Goppelt (bzw. der Reformation) behauptete sachliche Priorität des Wortes gegenüber dem Sakrament? Das wäre doch nur der Fall, wenn man davon absehen könnte, daß das kirchengründende Wort des Apostels immer nur Auslegung des göttlichen Heilswillens und seines Heilswerkes in Christus ist, also ein Verdeutlichen dessen, was immer schon vorausliegt und im Glauben an das Wort der Verkündigung nur angenommen werden kann. Erst die »Kirche«, die sich in ihrer Versammlung als »Kirche Gottes« und im Herrenmahl als »Leib Christi« erfährt, wird, was sie immer schon ist. Diese von Gott her eröffnete (sakramentale) Wirklichkeit ist demnach immer das Vorgegebene, das im Wort ausgelegt und im Glauben angenommen wird[120]. Insofern kann dann auch nur die Beziehung Abendmahl – Kirchengemeinschaft als paulinisch gelten, auch wenn bei historischer Betrachtung die Existenz der »Kirchen« vorauszuliegen scheint. Von »Kirche« ist eben erst zu sprechen, wenn sie vom Abendmahl her ihre Wesensbestimmungen ergriffen hat[121].

E. Schweizer expliziert richtig, was »die Gemeinde zur Gemeinde« (d. h. jede Kirche zur Kirche) werden läßt: »Was sie wirklich als Gemeinde von der Welt abhebt, ist das, was die jetzt Glaubenden mit ihrem jetzt lebenden Herrn zusammenbindet: ihr Leib-Christi-sein«[122]. Die Abendmahlsgemeinschaft ist so tatsächlich – freilich anders als Goppelt es meinte – »die unmittelbarste Darstellung der Kirche in der Zeit.«

Kirchengemeinschaft steht damit unter dem Imperativ: zu verwirklichen, was im Abendmahl grundgelegt ist. Wie mühsam diese Verwirklichung, die Sicherung der wahren Kirchengemeinschaft gewesen ist, machte W. Elert in seiner Studie

---

[120] Vgl. Niesel, Vom heiligen Abendmahl Jesu Christi 58: »Das Abendmahl wirkt auf den Glauben ein, nicht dagegen hat der Glaube einen Einfluß auf das Sakrament«. Ähnlich Sasse, Kirche und Herrenmahl 52.

[121] Vgl. Sasse a.a.O. 37: »Das also macht das Wesen der kirchlichen Gemeinschaft aus, daß sie durch das Sakrament, durch die im Sakrament geschehende Liebestat Gottes begründet wird«. Vgl. dazu H. Odeberg, Der neuzeitliche Individualismus und der Kirchengedanke im Neuen Testament, in: Ein Buch von der Kirche, Berlin 1950, 73–84 v. a. 73–78.

[122] Schweizer, Gemeinde und Gemeindeordnung 82. Daß diese Aussage vom Leib Christi »primär lokal bestimmt ist«, hält Schweizer a.a.O. 85 fest.

von 1954 deutlich[123]; er erläutert sie auf knappem Raum auch in dem Sammelband »Koinonia« von 1957[124].

Kehren wir zurück zu der Frage, wie in den Kirchen der Reformation, soweit sie überhaupt an der für Paulus konstitutiven Bedeutung des Abendmahls für die Kirchengemeinschaft festhalten, deren Verhältnis gesehen wird. Einen bemerkenswerten Beitrag zu dieser Frage lieferte H. Doebert in seinem Aufsatz »Herrenmahl und Kirchenordnung« von 1948[125]. Er weist zunächst auf »zwei sehr wesentliche, die Entwicklung der Kirchenordnung unheilvoll beeinflussende Schwerpunktverschiebungen« innerhalb der Orthodoxie gegenüber Luther hin: »Aus der Lehre von der verborgenen Kirche wurde eine solche von der unsichtbaren Kirche. Zweitens: die Kirche wurde nicht mehr vom Objektiven, von Wort und Sakrament her begriffen (CA VII), sondern vom Subjektiven, vom Menschen, ja, vom Individuum her«[126]. Ergebnis: »Kirche und Kirchenordnung waren nun vollständig auseinandergerissen. Die Kirche hatte keine Ordnung mehr, sondern nur noch eine irgendwie geartete Verfassung, eine ›äußere Ordnung‹«[127]. Dieser »Verfall der Kirche, sowohl der lutherischen wie der refomierten«, den Doebert skizziert, hatte zur Folge: »Der Gottesdienst wurde aufgelöst. Das Amt wurde aufgelöst, die Gemeinde wurde aufgelöst«. Warum?

Die Antwort laute mit Paulus: »Wenn ihr nun zusammenkommt, so hält man da nicht des Herrn Abendmahl« (1 Kor 11,20)[128]. D. h. aber: jede Neuordnung der Kirchengemeinschaft hat von der Rückbesinnung auf das Abendmahl auszugehen. Denn: »Wo das Abendmahl nicht recht gefeiert wird, da hört die Gemeinde auf, eine Gemeinde zu sein«. »Das Abendmahl ist der Ort der Verleiblichung Christi in der Gemeinde«. »Dort wird sie σῶμα Χριστοῦ«. Darum ist für Paulus »kein Zweifel: Die Gemeinde steht und fällt mit der Altargemeinschaft«. »Nicht nur die Elemente, sondern auch die Gemeinde ist sakramental, sie ist der Ort der Realpräsenz ebenso wie Brot und Wein«. »Wo dieses Brot genossen und die Gemeinde versammelt ist, da erkennt man die leibhaftige Gegenwart des Herrn. Eine symbolische Deutung ist uns verwehrt«[129].

Dagegen: »Wo das Abendmahl nicht mehr in der Mitte der Gemeinde ist, da

---

[123] Vgl. Kapitel VI.

[124] Koinonia 57–78.

[125] H. Doebert, Herrenmahl und Kirchenordnung, in: EvTh 8 (1948/49) 481–501.

[126] Doebert a.a.O. 481.

[127] Doebert a.a.O. 482.

[128] Doebert a.a.O. 485. Die heutige »Abendmahlsnot« in den Kirchen der Reformation beklagt auch Sasse, Kirche und Herrenmahl 66. »Eine Kirche, die sich nicht immer wieder um das Abendmahl sammelt, muß verweltlichen« (a.a.O. 67). Asmussen, Abendmahlsgemeinschaft? 34, spricht von einer »Verödung der Abendmahlstische«.

[129] Alle Zitate Doebert a.a.O. 486. Was Kirche als »Ursakrament« bedeutet und was Saier, Communio 226, nur vorsichtig umschreibt, wenn er sagt, »daß die Eucharistiefeier in gewissem Sinne eine sakramentale Struktur der Ortsgemeinde offenbart«, wäre von hier aus neu zu bedenken.

hört die Kirche auf, Leib Christi zu sein, und verliert sich in einem die Gemeinde
auflösenden Individualismus«[130].
Wie Doebert nun im einzelnen die Kirchenordnung, d. h. die Strukturen der
Kirchengemeinschaft »von der Gemeinde als dem Christusleib«, d. h. aus der
Leibstruktur der Abendmahlsgemeinschaft, ableitet, braucht hier nicht verfolgt
zu werden; uns interessiert das Grundsätzliche; z. B. noch das Problem Einzelgemeinde und Gesamtkirche.

Doebert entfaltet die These, »daß eine jede Abendmahlsgemeinschaft im Voll-
sinn Kirche ist«, und fügt hinzu: Jede Gemeinde (= Kirche) »hat darum ihre
Eigenart, ihre Eigenständigkeit und darum auch durchaus ihre eigene Ordnung«.
Gleichwohl gerät damit die »Gesamtkirche« nicht aus dem Blick, weil ja »alle
Gemeinden durch den einen Herrn miteinander verbunden« sind. »Eine Taufe
und ein Herrenmahl ist es, das ihnen gegeben ist. Sein Wort wird in ihnen
gepredigt. Sie alle stehen in einem Bekenntnis. In diesen Gemeinsamkeiten, nicht
in einem juristischen Akt steht die Gesamtkirche. Bricht eine Ortsgemeinde aus
dieser Gemeinschaft aus, dann hört sie auf, Gemeinde und Kirche zu sein, weil sie
damit offenbart, daß sie ein abweichendes Bekenntnis habe«. Andererseits können die Gemeinden »sich nicht zusammenschließen, wie etwa Genossenschaften
sich zu einem Zweckverband zur Wahrung ihrer Interessen zusammenschließen«;
denn: »sie sind bereits zusammengeschlossen«. »Darum kann eine Gemeinde die
andere besuchen, kann eine Gemeinde der anderen raten und helfen – und soll es
auch tun«, und »darum können, dürfen und sollen die Gemeinden auch eine
gemeinsame Leitung[131] herausstellen«, aber auch »mitreden in der Diskussion
über das Bekenntnis«.

Die entscheidende Frage des gemeinsamen Bekenntnisses sei aber gegenwärtig,
meint Doebert, eben diese »Frage nach dem Abendmahl und nach der Kirchenordnung«. »Wenn Klarheit über das Abendmahl herrscht, kann von ihm aus die
Kirchenordnung entwickelt werden«[132].

Konsequenter ist m. E. kaum Ernst zu machen mit der κοινωνία, wie sie nach
paulinischer Auffassung durch das Herrenmahl entsteht[133]. Doebert schließt
präzis im Sinne des Paulus mit dem Satz: »Nur dort bezeugt die Kirche den
Christus praesens, wo ihr aus dem Herrenmahl die rechte Ordnung als gliedhafte
Gestalt des Christusleibes gegeben worden ist«[134].

[130] Doebert a.a.O. 487. Vgl. Sasse a.a.O. 70: »ohne das Abendmahl gibt es keine Kirche«.
[131] Vgl. Kapitel VI: die sich entwickelnden Synodalstrukturen in der frühen Kirche.
[132] Alle Zitate Doebert a.a.O. 500.
[133] »Die Gemeinde ist wirklich nur Gemeinde in der κοινωνία am Herrenmahlsaltar«,
meint Doebert a.a.O. 486. Korrekter müßte es freilich heißen: »von dieser κοινωνία her«,
»aufgrund dieser κοινωνία« bzw. »durch sie«; denn die Kirchengemeinschaft ist mit der
Abendmahlsgemeinschaft eben nicht identisch.
[134] Doebert a.a.O. 500f (vgl. 1 Kor 12,12–28). Daß Doebert hier sich wesentlich in der
Begründung der kirchlichen Ordnung von all denen unterscheidet, die Amt und Ordnung in
den Gemeinden einseitig und unpaulinisch vom Geist herleiten, sei vermerkt; vgl. z. B.

Nicht immer werden die Zusammenhänge so klar zur Darstellung gebracht. Was z. B. W. v. Krause meint, wenn er sagt, das Abendmahl sei im Neuen Testament als »*integrierender* Bestandteil der pneumatischen Wirklichkeit, die die Gemeinde konstituiert, bestimmt«[135], ist ziemlich rätselhaft. Vermutlich will auch er dessen einzigartige Rolle für das, was nach Paulus »Kirche« bzw. »Kirchengemeinschaft« ist, hervorheben. Nur deshalb kann er zuvor vom Abendmahl sagen: »Es ist und vermittelt κοινωνία nicht nur des Einzelnen mit Christus und dann dadurch sekundär und indirekt auch mit den anderen Empfängern der sakramentalen Gaben, sondern gerade *primär* Christi mit der *Gemeinde* und der *Gemeinde* mit Christus«[136].

Diese Formulierungen können die Verlegenheit kaum verbergen, die sich immer einstellt, wo der Zusammenhang von 1 Kor 10,16 und 17 nicht präzis erfaßt wird. Ein Beispiel dafür ist auch G. Delling[137], der zu V 16 expliziert: »Die zweigliedrige Aussage – über Leib und Blut – . . . besagt, daß der Essende und Trinkende Anteil empfängt an dem Gekreuzigten, der der erhöhte Herr ist, als dem in Brot und Wein Gegenwärtigen«. Daraus »*ergibt sich* für Paulus der Gedanke des einen Leibes der Gemeinde«, meint Delling: »weil wir alle an dem einen Brot – in dem Christus sich uns gibt – teilhaben, deswegen sind wir ein Leib«[138]. Weil auch Delling in V 16 die Schlüsselfunktion des Begriffes κοινωνία = »Gemeinschaft durch gemeinsame Teilhabe« verkennt[139], bleiben die zwei Aussagen, die man keinesfalls wie v. Krause mit »primär – sekundär« einander adäquat zuordnen kann, auch bei ihm nahezu unverbunden: der eine Gedanke »ergibt sich« aus dem anderen.

Diese – durchaus repräsentativen – Beispiele verdeutlichen, wieviel an der

E. Schweizer, Gemeinde und Gemeindeordnung, Zürich ²1962, 80–94, v. a. 89ff: »Ordnung, die sich dem Geschehen des Geistes hinterher anpaßt« (92f); ferner H. v. Campenhausen, Kirchliches Amt und geistliche Vollmacht, Tübingen ²1963, 32–58.59–81: für Paulus wird der Geist »zum organisierenden Prinzip der christlichen Gemeinde« (62).

[135] In: Koinonia 36. »Der etwas ungeschickte Ausdruck« wolle entschuldigt sein, meint er selbst.

[136] A.a.O. 35. Die Entgegensetzung primär – sekundär ist dabei höchst unglücklich.

[137] Delling, Das Abendmahlsgeschehen nach Paulus 318–335. In das heutige Abendmahlsgespräch will Delling nicht unmittelbar eingreifen, doch weil dieses »wieder auf die Exegese der neutestamentlichen Texte zurückverwiesen« hat, untersucht er »die literarisch ältesten Äußerungen über das Abendmahlsverständnis innerhalb der Urchristenheit überhaupt«, die des Paulus (318).

[138] Delling a.a.O. 324 (Hervorhebung von mir). Vgl. dagegen Käsemann, Das Abendmahl im Neuen Testament 80: »Ein und dasselbe Brot bewirkt gerade als Anteil eines und desselben Christusleibes, daß wir viele essend eine Einheit, die Einheit des Christusleibes der Kirche werden«.

[139] Er erklärt ausdrücklich zu V 16: »Das Verständnis des Wortes κοινωνία als ›Anteilhabe an‹ – nicht ›Gemeinschaft mit‹ – gibt der Aussage ihren präzisen Sinn«. Dafür sieht er irrtümlich in der Verwendung von μετέχειν V 17 eine Bestätigung. Vgl. dagegen Schniewind, Abendmahlsgespräch 14f: »Diese κοινωνία kommt zustande durch den Vollzug des Sakramentes« (15).

richtigen Bestimmung des paulinischen κοινωνία-Begriffs für sein Verständnis des Abendmahls wie für seine Bestimmung der Kirche bzw. der Kirchengemeinschaft hängt, welche Konsequenzen sich daraus ergeben für die Kirchenordnung, für Gestalt und Bedeutung der Einzelgemeinde, ihr Verhältnis zur »Gesamtkirche«, für Ämter- und Sakramentsverständnis.

Was nun die heutige Situation der Kirchen betrifft, glaubt H. Gollwitzer – und er spricht für viele – »eine unaufhaltsame Relativierung der Konfessionsgrenzen« beobachten zu können[140]. Noch die Reformation habe zwar den altkirchlichen Grundsatz übernommen, daß die Tatsache, wo einer kommuniziere oder zum Kommunizieren zugelassen werde, anzeige, zu welcher Kirchengemeinschaft er gehöre; aber bei der entsprechenden Exkommunikationspraxis, übertragen »auf das Verhältnis der streitenden evangelischen Gruppen untereinander«, habe doch »deren innere Verwandtschaft . . . die Frage nach der Berechtigung dieser Praxis nie ganz zur Ruhe kommen« lassen. Nicht zuletzt durch »die ökumenische Bewegung ist sie heute stark in Fluß gekommen«[141]. Immer mehr sei man heute der Meinung, »die Differenzen der Abendmahlslehre verdecken die größere Übereinstimmung«. Man pflichte darum E. Schlink bei, der Lehrkonsensus sei »nicht als Bedingung zu fordern, sondern als Frucht der Abendmahlsgemeinschaft zu erhoffen«[142].

Wo Ernst gemacht wird mit der paulinischen Auffassung, daß nicht die Kirchengemeinschaft konstitutiv ist für die Abendmahlsgemeinschaft, sondern umgekehrt, wo also jede Kirche bereit ist, von »des Herrn Abendmahl«[143] her sich selbst, das eigene Selbstverständnis und die eigenen Ordnungen zu prüfen, sollte dieser Grundsatz in der Tat sachgemäß sein. Was dementsprechend heute gefordert ist, darauf hat P. Althaus schon 1929 hingewiesen: »Sich auf das Wesen der Gemeinschaft innerhalb der einen Kirche Christi zu besinnen«[144]. Diese Aufgabe ist deshalb so schwierig, weil die paulinische Grundbestimmung der Kirchenge-

---

[140] RGG ³I 52.

[141] Gollwitzer a.a.O. 52. Vgl. dazu Asmussen, Abendmahlsgemeinschaft? 17: »Die Geschichte der Abendmahlstrennung beginnt mit dem Selbstverständnis der Konfessionskirchen, die wahre Kirche Jesu Christi zu sein und endet mit dem Selbstverständnis der Konfessionskirchen, eine mögliche Form der Kirche Jesu Christi neben verschiedenen gleichberechtigten, also auch möglichen Formen zu sein. Das ursprüngliche Selbstverständnis fordert die Abendmahlstrennung. Mit dem späteren ist sie nicht vereinbar«.

[142] Gollwitzer a.a.O. 53. Vgl. Asmussen a.a.O. 34: »Der normale Weg der Überwindung der Abendmahlstrennung ist die Sammlung und der Aufbau der Abendmahlsgemeinde«.

[143] Vgl. E. Schlink, Lord's Supper or Church's Supper (The Student World 1950, Nr. 1); ferner: K. Barth, Die Kirche und die Kirchen, in: Theologische Existenz heute 27 (1935) 4–24; G. Aulén, Die Einheit der Kirche, in: Ein Buch von der Kirche, Berlin 1950, 466–488.

[144] P. Althaus, Communio sanctorum, Die Gemeinde im lutherischen Kirchengedanken, München 1929, 26.

Das Verdienst von Althaus, »in der gegenwärtigen Theologie auf den Gemeinschaftscharakter des Abendmahles besonderes Gewicht gelegt« zu haben, stellt Sommerlath, Stand der Abendmahlsfrage 50, heraus.

meinschaft von der Abendmahlsgemeinschaft her den heutigen Kirchen nicht mehr vertraut ist. Althaus stellt z. B. für die lutherischen Kirchen fest: »Luthers Gedanke der Kirche als Gemeinschaft ist ... im Luthertum nicht lebendig geblieben und in seine Lehrentwicklung nicht eingegangen«[145]. Er verweist in diesem Zusammenhang auf K.

Holl, der seine Darstellung von Luthers »Bild einer Kirche, die wirklich Gemeinschaft ist« und seine Schilderung Luthers »als Erneuerer des christlichen Gemeinschaftsgedankens« mit der Klage beschließt: »Diese ganze Gedankenwelt ist dem heutigen Protestantismus tatsächlich verloren gegangen«[146].

Im Bereich der katholischen Kirchen-Dogmatik sah Althaus seinerzeit erfreuliche biblische Ansätze: »Der echte, warme Ton der neutestamentlichen κοινωνία geht durch manches dieser Zeugnisse«[147]; dennoch meinte er, könne man »ihrer nicht ganz froh« werden: sie blieben »erbauliche Rhetorik«[148] und für das Lehrstück Kirche »unfruchtbar«[149]. Daß sich demgegenüber in den Texten des II. Vat. Konzils ein deutlicher Einfluß paulinischer κοινωνία-Gedanken auf die Beschreibung der Kirchengemeinschaft als Communio Ecclesiarum bzw. Communio Episcoporum erheben läßt, wurde in Teil A dieses Kapitels betont; gleichzeitig mußte aber deren Überlagerung durch ein zentralistisches Kirchenverständnis und die unzureichende Rückführung der Kirchen- auf die Abendmahlsgemeinschaft als verbliebene Mängel beklagt werden.

Mit anderen Worten: Die Aufgabe der Besinnung auf »das Wesen der Gemeinschaft innerhalb der einen Kirche Christi« bleibt nach wie vor gestellt[150].

---

[145] Althaus a.a.O. 23.

[146] K. Holl, Luther als Erneuerer des christlichen Gemeinschaftsgedankens, in: Deutsch-Evangelisch 1917, 241–246; hier 245 (zitiert bei Althaus a.a.O. 25f). Vgl. auch C. Cordes, Der Gemeinschaftsbegriff im deutschen Katholizismus und Protestantismus der Gegenwart, Leipzig 1931, v. a. 25 (–27) bzw. 25–40.51–60. Der von Althaus a.a.O. 21 zitierte Vorwurf von Scheeben-Atzberger, Dogmatik IV, 3, S. 882, dürfte daher doch wohl zu Recht bestehen: »Die Reformatoren ließen den Glaubensartikel von der Gemeinschaft der Heiligen zwar bestehen, entleerten denselben jedoch fast ganz seines Inhalts, indem sie viele Voraussetzungen jener Gemeinschaft sowie die meisten Formen ihrer Betätigung verwarfen«. Vgl. dazu E. Kohlmeyer, Die Bedeutung der Kirche für Luther, in: ZKG XLVII, N. F. X, 481 A. 3 (zitiert bei Althaus a.a.O. 95); ferner Cordes a.a.O. 51.

[147] Althaus a.a.O. 21; er nennt K. Adam, Wesen des Katholizismus 136; R. Guardini, Vom Sinn der Kirche, 1923, 74ff; A. Stommer, Kirche und Gemeinschaft, 1927.

[148] Althaus a.a.O. 22.

[149] Althaus a.a.O. 19.

[150] Für den Bereich der evangelischen Theologie in Deutschland bekennt E. Kinder, Der evangelische Glaube und die Kirche, Berlin 1958, 13f: »Wir stehen noch bei den ekklesiologischen Prolegomena und haben noch zu viel in Bezug auf die Grundlagen zu erarbeiten und zu klären«.

C. Im Bereich der orthodoxen Kirche

In der orthodoxen Kirche des Ostens scheint es, als seien die paulinischen Koinonia-Vorstellungen wirksamer geblieben als in der römisch-katholischen Kirche des Westens. Vor allem der elementare Zusammenhang von Eucharistie und Kirche scheint entschiedener bewahrt:»Die orthodoxe Kirche basiert im Grunde auf der eucharistischen Ekklesiologie«[151], d. h.»sie gründet auf dem Gedanken, daß in der Eucharistie die Kirche wirklich zur Kirche Gottes wird«[152]. Aber der Schein trügt – wenigstens teilweise. Auch in der Ostkirche standen diese paulinischen Grundgedanken nicht immer im Zentrum. J. Zizioulas, ein profunder Kenner der orthodoxen Theologie, sieht diese noch heute»in einem Übergangsstadium vom scholastischen zum patristischen Verständnis des Mysteriums der Eucharistie« und meint, daß letzteres »gerade erst an Boden gewinnt«[153].

Auch in der Ostkirche war es im Mittelalter zur»Behandlung der Ekklesiologie als eigenständigem Thema« gekommen und zu einer Verselbständigung der Traktate»De Ecclesia« und»De Sacramentis«»mit der Klassifizierung der Eucharistie als einem Sakrament unter anderen«, weil man der Überzeugung war, »daß es die Kirche ist, die Sakramente einschließlich der Eucharistie schafft und nicht umgekehrt«[154]. Im Vordergrund stand daher auch im Osten die Frage nach dem, was in der Eucharistie mit den Elementen von Brot und Wein geschieht, die Frage nach der Realpräsenz, ferner die Probleme um Opfercharakter und Gültigkeit der Eucharistie, den Bedingungen für Abendmahls- und Kirchengemeinschaft usw.

Die entscheidenden Anstöße für die Erneuerung der orthodoxen Ekklesiologie kamen nach Darstellung von J. Zizioulas aus dem Westen[155]. Orthodoxe Theolo-

---

[151] P. Gregorios (Verghese), Notwendigkeit und Zeichen der Communio zwischen den Ortskirchen, in: Una Sancta 32 (1967) 130–134, hier 133.

[152] J. Meyendorff, Zum Eucharistieverständnis der orthodoxen Kirche, in: Concilium 3 (1967) 291–294, hier 293.

[153] J. Zizioulas, Die Eucharistie in der neuzeitlichen orthodoxen Theologie, in: Die Anrufung des Heiligen Geistes im Abendmahl (Beiheft zur Ökumen. Rundschau 31), Frankfurt/Main 1977, 163–179, hier 179. Sein Hauptwerk liegt nur in griechischer Sprache vor:»Die Einheit der Kirche in der Eucharistie und im Bischof während der ersten drei Jahrhunderte«, Athen 1965. Vgl. auch J. Zizioulas, J. M. R. Tillard, J.-J. von Allmen, L'Eucharistie (Églises en Dialogue Nr. 12), 1970, und J. Zizioulas, Abendmahlsgemeinschaft und Katholizität der Kirche, in: Katholizität und Apostolizität, hg. v. R. Groscurth, in: Beiheft zu KuD 2 (1971) 31–50; ferner ders., Die pneumatologische Dimension der Kirche, in: IKZ 2 (1973) 133–147; ders., La continuité avec les origines apostoliques dans la conscience théologique des Églises orthodoxes, in: Istina 19 (1974) 65–94.

[154] A.a.O. 164–166; letzteres ein Zitat aus P. Trembelas, Dogmatik der Orthodoxen Katholischen Kirche, III, 1961 (griechisch), 31 ff.

[155] Er nennt O. Casel, G. Dix und vor allem W. Elert.

gen hätten diese »Entdeckung und Betonung der ekklesiologischen Dimension der Eucharistie« um so bereitwilliger aufgenommen,»weil sie in ihr Züge der patristischen Denkweise und Tradition erkannten, in denen die Ortskirche weitgehend wurzelt«[156].»Durch diese Hervorhebung der ekklesiologischen Aspekte hat die moderne orthodoxe Theologie die Eucharistie aus ihrer klassisch-mittelalterlichen Fixierung in den dogmatischen Lehrbüchern gelöst«.»Die Betonung des Gemeinschaftsaspekts der Eucharistie führte weiter zum Aufkommen der (später so genannten) eucharistischen Ekklesiologie, mit N. Afanasiev[157] als Hauptvertreter«.»Aufgrund der Betonung ihres Gemeinschaftscharakters und ihrer ekklesiologischen Bedeutung ist die Eucharistie jetzt mit der Kirche identisch, oder – um es noch genauer zu sagen – sie ist der Ausdruck der Kirche in ihrer ganzen Fülle«[158].

Diese Eigendarstellung eines orthodoxen Theologen vom Verlauf der Entwicklung und ihrem – hier knapp skizzierten – Ergebnis darf als repräsentativ gelten. R. Slenczka z. B. bestätigt in seiner Abhandlung über »Ostkirche und Ökumene«, wie sehr in der früheren orthodoxen Schuldogmatik die Kirchengemeinschaft, d. h. die Kirche in ihrer irdischen Gestalt und in ihrer Organisation, dominierend im Vordergrund gestanden habe,»nicht aber in ihrem Wesen als Leib Christi«[159]. Erst »Neue Tendenzen in der ostkirchlichen Ekklesiologie« – für die er v. a. G. Florovsky und V. Losskij als Vertreter benennt – hätten durch die Aufnahme der Ergebnisse der historisch-kritischen Exegese einen Wandel herbeigeführt, dessen Ziel sei,»die Lehre von der Kirche von der Christologie und damit auch von der Soteriologie her zu beleuchten und zu verstehen«[160].»In der konsequenten Durchführung dieses christologischen Ansatzes« ergab sich schließlich als neues Kirchenverständnis: Die Glieder der Kirche bilden nicht nur menschlich eine Gemeinschaft,»sondern vor allem sind sie alle eins – in Christo,

---

[156] A.a.O. 172. Sollte es statt »Ortskirche« »Ostkirche« heißen? Das kann hier auf sich beruhen, denn die »ekklesiologische Dimension der Eucharistie« wird natürlich auch in der Ostkirche in der Ortskirche erfahren.

[157] N. Afanasieff, Trapeza Gospodnja, 1952; ferner ders., La doctrine de la Primauté à la lumière de l'ecclésiologie, in: Istina 4 (1957) 401–420; ders., L'Église qui préside dans l'amour, in: La Primauté de Pierre dans l'Église Orthodoxe, hg. v. N. Afanasieff, N. Koulomzine u. a., 1960, 9–64.

[158] Alle Zitate a.a.O. 173. Zizioulas bezieht hier selber einen unklaren Standpunkt. Einerseits gibt er die Meinung einiger Theologen wieder,»daß die Eucharistie die Kirche als Kirche konstituiere«, andererseits sieht er selbst einen solchen konstitutiven Zusammenhang nicht gegeben und interpretiert seine eigene (fragwürdige) Identitätsaussage dahingehend, daß er die »Eucharistie eher als den Ausdruck der Erfüllung von der Natur und dem Sinn der Kirche« verstanden wissen will: sie sei »umfassender Ausdruck des Mysteriums der Kirche« (173); »das gesamte sakramentale Leben fließt in der Eucharistie zusammen und erlangt durch sie Erfüllung« (174).

[159] R. Slenczka, Ostkirche und Ökumene. Die Einheit der Kirche als dogmatisches Problem in der neueren ostkirchlichen Theologie, Göttingen 1962, vgl. 35–41, hier 41.

[160] Vgl. a.a.O. 104ff.119ff, hier 121.

und allein diese Vereinigung (union) mit Christus macht die wahrhafte Gemeinschaft zwischen den Menschen möglich – *in ihm*«. »Das Zentrum der Einheit (unité) *ist der Herr*. Und die Kraft, die diese Einheit bewirkt und ordnet, *ist der Heilige Geist*«[161].

Nicht schon das sich Versammeln von Menschen schafft Kirche, sondern erst »die Gegenwart Christi in der Gemeinde macht sie zum Leibe Christi«[162]. Deshalb ist es nicht korrekt, wenn der Metropolit Maximos von Sardes von einer Identität von »sich in der Versammlung treffen« oder »zusammenkommen« oder »Herrenmahl« (d. h. »die göttliche Eucharistie«) mit »Kirche (Gottes)« spricht[163]. Hierin folgt er zu sehr dem fragwürdigen Identitätsbegriff von J. Zizioulas, dessen Hauptwerk von 1965 ihm Grundlage seiner eigenen Ausführungen ist. Das wird auch aus folgender Äußerung deutlich: »Wie Joannis Zizioulas völlig richtig feststellt, hat die göttliche Eucharistie, die so sehr mit der Einheit der Kirche verknüpft war, daß sie mit ihr einfach gleichgesetzt wurde, sehr bald das Fundament gebildet, auf dem sich die katholische Kirche der ersten drei Jahrhunderte aufgebaut und entwickelt hat«[164].

Unstreitig aber hat er recht, wenn er sagt: »Die ganze Ekklesiologie der Urkirche bleibt vorzüglich da, wo es um die Einheit der Kirche in ihrem letzten Sinn geht, unverständlich, wenn man sie nicht zur göttlichen Eucharistie *in Bezug* setzt«, und wenn er dabei auf 1 Kor 10,16.17 als dem entscheidenden Grundtext verweist: »In diesen bedeutungsschweren Sätzen steht die Vorstellung, daß ›viele‹ einen ›einzigen Leib bilden‹, der mit dem eucharistischen Brot in eins gesetzt wird, im Vordergrund«[165]. Das innere Bezugsverhältnis der Aussagen von 1 Kor 10,16.17 ist damit freilich nur unzureichend erfaßt.

Anders bei A. Kallis: Ihm zufolge ist die Feier der Eucharistie der Entstehungsort der Kirche, »denn in der Eucharistie ist Christus mitten in der Gemeinde, die durch seine Gegenwart Kirche, sein Leib, *wird*«. Deshalb geht auch »der im Hinblick auf die Kirche *konstituierende* Charakter der Eucharistie« verloren, wenn sie einfach unter die 7 Sakramente gezählt wird[166].

Ergo: Die Eucharistiefeier konstituiert Kirche; die Gegenwart Christi in der Eucharistie macht die Gemeinde zum Leib Christi.

[161] Slenczka spricht a.a.O. 123 zu Recht von einem »Rückgriff auf die Paulinische Theologie«, v. a. bei G. Florovsky (A. 68). Vgl. G. Florovsky, Le corps du Christ vivant. Une interprétation orthodoxe de l'Église, in: La Sainte Église Universelle, Genf 1948, 9–57; ders., Worship and Every Day Life, in: Studia Liturgica 4 (1963) 266–272.

[162] Meyendorff, Eucharistieverständnis 293.

[163] Metropolit Maximos von Sardes, Das ökumenische Patriarchat in der orthodoxen Kirche, Freiburg–Basel–Wien 1980, 28.

[164] A.a.O. 29.

[165] A.a.O. 29.30 (Hervorhebung von mir).

[166] A. Kallis, Orthodoxie. Was ist das? (Orthodoxe Perspektiven Band 1), Mainz 1979, 72 (Hervorhebungen von mir); vgl. auch ders., Philanthropia. Das Prinzip der Liebe in der orthodoxen Kirche und Theologie, in: Philoxenia (hg. v. A. Kallis), Münster 1980, 143–157.

Was in der prinzipiell richtigen Aussage von A. Kallis fehlt, ist der Hinweis auf den zwischen Abendmahls- und Kirchengemeinschaft vermittelnden paulinischen Koinonia-Begriff. G. Saphiris hat dessen sachliche Bedeutung erkannt und auch die sprachliche Grundlage zumindest angesprochen mit seinem Hinweis auf die – in der neueren orthodoxen Theologie wieder häufiger zitierte Auslegung des Joh. Chrysostomus zu 1 Kor 10,16.17, wonach Paulus bewußt κοινωνία gewählt habe statt μετοχή, um über den Gedanken der Teilhabe hinaus den der Gemeinschaft und der Vereinigung auszudrücken[167]. Paulus liege »viel daran zu bezeugen, daß die Gläubigen einerseits eingegliedert werden in den Leib Christi, andererseits auch unter sich zu einem Leib vereinigt werden«[168]. Weniger hilfreich dürfte es sein, wenn G. Saphiris die Eigenart des paulinischen Koinonia-Begriffs dahingehend näher bestimmt, daß er sagt: »Die Koinonia mit Christus ist eine Gemeinschaft, die man als *dynamische Kommunikation* bezeichnen könnte«[169]; richtig hingegen ist, daß Paulus mit κοινωνία beides auszudrükken vermag: »Vereinigung mit Christus und mit den Brüdern«[170]. D. Papandreou macht sich diese Ausführungen von G. Saphiris voll zu eigen. Auch er handelt von der »Eucharistie als Koinonia-Gemeinschaft«[171] und stützt sich auf Joh. Chrysostomus. Über Saphiris hinaus geht sein Hinweis auf das zur Begriffsbestimmung von κοινωνία unverzichtbare Element »Teilhabe«: »Unsere Teilhabe am Tisch des Herrn schließt somit, in Jesus Christus, untrennbar die Gemeinschaft mit Gott und mit unseren Mitmenschen ein«[172]. Die reale Teilhabe am Brot, das da ist Leib Christi, ist konstitutiv dafür, daß in der Eucharistiefeier »das Bild von der Kirche als dem Leib Christi nicht nur gegeben, sondern auch verwirklicht und manifestiert« ist[173]. D. Papandreou nennt darum die Eucharistie »eine Angelegenheit der Erkenntnis durch Erfahrung, durch Koinonia, durch Teilhabe und Teilnahme, nicht eine Angelegenheit des Verstandes«[174]. Die leicht mißzuverstehende Rede vom »Bild von der Kirche als dem Leib Christi« wird von

---

[167] PG 61,200.

[168] G. Saphiris, Die Eucharistie als Sacrificium und Commemoratio, in: E. Chr. Suttner (Hrsg.), Eucharistie. Zeichen der Einheit, Regensburg 1970, 67–74, hier 73; vgl. dort auch K. Gamber, Die Eucharistiefeier in der Kirche der ersten Jahrhunderte, 13–21.

[169] A.a.O. 67 (Hervorhebung von mir).

[170] A.a.O. 68. Auch darin wird man ihm zustimmen müssen, daß diese »gemeinsame Eucharistielehre der Schwesterkirchen« eine »tragende Basis der Gemeinsamkeit« ist (73), die Hoffnung gibt für die »Verbrüderung untereinander« »mittels der Eucharistie« (74).

[171] D. Papandreou, Eucharistie, in: R. Erni, D. Papandreou, Eucharistiegemeinschaft. Der Standpunkt der Orthodoxie, Freiburg (Schweiz) 1974, 68–96, v. a. 69ff. Vgl. auch ders., Das Ökumenismus-Problem von der Liturgie her gesehen, in: Liturgie und Mönchtum 40 (1967) 32.

[172] Zitat aus ders., Interkommunion oder Gemeinschaft?, in: Ökumen. Rundschau 4 (1969) 578.

[173] Papandreou, Eucharistie 72.

[174] A.a.O. 70.

ihm im übrigen präzisiert: »Es handelt sich um eine echte Koinonia, eine echte Vereinigung und Gemeinschaft mit Christus«[175], d. h. aber auch: die Gemeinschaft der Eucharistieteilnehmer ist nicht nur bildlich, sondern wirklich »Leib Christi«.

Das führt zu einer weiteren, für Paulus wie für die Ostkirche grundlegenden ekklesiologischen Auffassung, auf die J. Meyendorff u. a. hinweisen: Werden die Eucharistieteilnehmer durch die Teilhabe am Leib Christi selber zum Leib Christi, dann »nicht zu einem Teil von ihm«; »denn selbst die Abwesenden, die Jungfrau Maria, die Heiligen und die Verstorbenen werden in der katholischen Realität jeder Eucharistiefeier vereint, die so zur Kirche Gottes an einem gegebenen Ort wird«[176].

Kirche am Ort ist wahrhaft Kirche, weil sie wahrhaft Leib Christi ist, und ihr Entstehungsort ist die Feier der Eucharistie.

Von daher wird verständlich, warum die neueren orthodoxen Ekklesiologen es zum einen für falsch halten, den Traktat »De Ecclesia« vom Traktat »De Sacramentis« zu trennen und die Eucharistie als Sakrament unter anderen zu behandeln, und warum sie zum anderen mit solchem Nachdruck von der Bedeutung der Ortskirche für die Struktur der Gesamtkirche sprechen.

Darüber informiert ein Sammelband über »Église Locale et Église Universelle« von 1981[177]. Darin nennt L. Vischer[178] die ökumenische Bewegung den Ort, an dem einerseits die orthodoxe und die reformierten Kirchen »die universale Dimension der Kirche neu entdecken und entfalten konnten«[179], während für die katholische Kirche das Umgekehrte gegolten habe: in ihr »mußte jetzt die grundlegende Bedeutung der lokalen Kirche in Erinnerung gerufen werden; es mußte deutlich werden, daß universale Gemeinschaft ihrem Wesen nach eine Gemeinschaft lokaler Kirchen sei«[180].

Auf die kontroverse Frage: Was ist »lokale Kirche«? gibt L. Vischer mit der Ostkirche – und mit Paulus – die Antwort: Kirche sei »in erster Linie als eucharistische Gemeinschaft zu verstehen«[181], »lokale Kirche« demnach »die eucharistische Gemeinschaft an einem bestimmten Ort«[182].

Ausführlicher setzt sich mit dem Problem »Ortskirche und Gesamtkirche« an

[175] Ebd.
[176] Meyendorff, Eucharistieverständnis 293.
[177] Église Locale et Église Universelle. ΤΟΠΙΚΗ ΚΑΙ ΚΑΤΑ ΤΗΝ ΟΙΚΟΥΜΕΝΗΝ ΕΚΚΛΗΣΙΑ. Editions du Centre Orthodoxe du Patriarcat Oecumenique, Chambesy-Genève 1981.
[178] L. Vischer, Die lokale Kirche – Ort der Gegenwart Christi in der Kraft des Heiligen Geistes. Der Beitrag der orthodoxen Kirche und Theologie zur ökumenischen Diskussion über ein zentrales Thema der Ekklesiologie, a.a.O. 297–307.
[179] A.a.O. 298.
[180] A.a.O. 302.
[181] A.a.O. 305.
[182] A.a.O. 302.

gleicher Stelle H.-J. Schulz auseinander[183]. Auch für ihn hat die katholische Kirche auf dem II. Vat. Konzil die »Kirche am Ort wiederentdeckt«[184]. Nur habe sie ein neues Problem geschaffen, indem sie die Ortskirchen als »Teilkirchen« näher bestimmte, woran die Orthodoxie »mit Recht«[185] Kritik geübt habe. »Ortskirche« sei ein Begriff »recht jungen Datums«[186]; er beziehe sich im Sprachgebrauch des II. Vat. Konzils 1. auf »die bischöfliche Kirche«, 2. auf Eucharistie feiernde »Ortsgemeinschaften« und 3. (dieser Sprachgebrauch sei ganz neu) auf Länder und Regionen mit eigener Bischofskonferenz und eigenen Synoden[187]. H.-J. Schulz ist der Auffassung, daß dieser Sprachgebrauch »alle theologischen Ansätze bietet, die es erlauben, das Mißverständliche in den Begriffen ›Teilkirche‹ und ›Glied-Kirche‹ zu überwinden und das Gemeinte in den volleren Begriff ›Ortskirche‹ zu integrieren«: »Der Begriff ›Teilkirche‹ muß also nicht ein Mißverständnis von ›Ortskirche‹, gemessen an einer eucharistischen Ekklesiologie, signalisieren«[188]. Freilich wird man zugeben müssen, daß die Bestimmung der Ortskirche als Teil- oder Glied-Kirche unglücklich ist und zu Mißverständnissen reichlich Anlaß gibt[189].

Schulz sieht die Gefahr in einer »die Universalität der sichtbaren Gesamtkirche mystifizierende(n) Unterbewertung der Ortskirche«, die doch ihrerseits »ihrem Wesen nach schon *Kirche ist*« – »freilich in der Koinonia mit den anderen Ortskirchen«[190]. Darauf ist zurückzukommen.

Halten wir zunächst einmal mit Schulz fest: 1. »Die theologische Bedeutung des Begriffs und der Wirklichkeit von Ortskirche ist dadurch grundgelegt, daß die Eucharistiefeier, durch welche die Kirche auferbaut wird, immer nur in örtlicher Gemeinschaft, eben als Synaxis geschieht«. 2. »Die Universalkirche kann nur *in* und *aus* den einzelnen Ortskirchen existieren (LG 23)«. »Die Ortskirche ist Leib Christi; und die Universalkirche ist Leib Christi«[191].

[183] H.-J. Schulz, Ortskirche und Gesamtkirche; Primat, Kollegialität und Synodalität, a.a.O. 177–198.

[184] A.a.O. 177 mit dem interessanten Hinweis auf den Einfluß der orthodoxen »eucharistischen Ekklesiologie«, die ja nach Zizioulas, Eucharistie 172, ihrerseits auf Neuansätze im Westen zurückgeht.

[185] Schulz a.a.O. 179.

[186] A.a.O. 177.

[187] A.a.O. 178.

[188] Schulz verweist a.a.O. 179 auf Lumen Gentium Art. 26, wonach »aus diesen Eucharistieversammlungen die Kirche immerfort lebt und wächst« und »diese im NT auch selbst direkt Kirche genannt werden«, und auf Art. 23, wo es heißt: »In diesen Kirchen . . . und aus ihnen existiert die eine und einzige katholische Kirche« (181).

[189] Vgl. Papandreou, Eucharistie 80: »Die Katholizität verwirklicht sich wesentlich in der Lokalkirche«. »Unter diesem Gesichtspunkt kann man nicht von Teilen der Kirche sprechen«.

[190] Schulz a.a.O. 181.

[191] A.a.O. 192. Schulz warnt vor einer »nicht ganz sachgemäßen Anwendung der σῶμα-μέλος-Kategorie« von der Ortskirche auf die Universalkirche: auch diese ist Leib Christi,

Diese Einsichten kann man mit S. Harkianakis »Einsichten« nennen, »wodurch die vergessenen Rechte der Ortsgemeinde wieder sichtbar zu werden« begannen[192].

Zu den wiederentdeckten »Rechten der Ortsgemeinde« gehören für die Orthodoxen auch die Rechte des Bischofs[193]. Zwar kann man sich hierbei weder in der Ortskirche noch überhaupt auf Paulus beziehen[194], aber immerhin auf älteste kirchliche Traditionen, v. a. auf Ignatius von Antiochien. Bekannt ist seine Auffassung, »daß jede Kirche jeweils in der einen einzigen, vom Bischof zelebrierten Eucharistie ihre Einheit hatte«[195]: »Da wo der Bischof erscheint, da soll auch die Gemeinschaft sein, genauso wie da, wo Jesus Christus ist, die katholische Kirche ist«[196]. Weil aber vom Bischof gilt, daß er »›Gestalt‹ und Abbild Jesu Christi ist«, kann Metropolit Maximos von Sardes folgern: »Das Einssein mit dem Bischof ist demnach gleich mit dem Einssein mit Christus und umgekehrt«[197]. Daraus ergibt sich ihm die für die Ostkirche so grundlegende Auffassung: »Die Ortskirche ist demnach also nicht katholisch kraft ihrer Bezogenheit auf die ›Universalkirche‹ hin, sondern darum, weil sie den ganzen Christus in der einen einzigen Eucharistie, die unter der Leitung ihres Bischofs stattfindet, in sich gegenwärtig hat«[198]. Man kann dasselbe mit D. Papandreou auch etwas anders ausdrücken: »Aus diesem Grunde wurde der Begriff ›katholische Kirche‹ während der ersten drei Jahrhunderte ursprünglich und hauptsächlich verwendet, um jeweils eine lokale Kirche zu bezeichnen, für die der Bischof ein zweiter Christus, ein anderer Apostel (alter Christus, alter apostolus) war«[199]. »So anerkannte die Urkirche als einziges Einheitszentrum der in der Ökumene verbreiteten Kirche

---

aber nicht der Leib der Kirchen! Das II. Vat. Konzil habe eine solche vermieden, weil es in LG Art. 26 die »volle ekklesiale Wirklichkeit der Ortskirche aufgrund ihrer Eucharistiefeier« bestätige (182).

[192] S. Harkianakis, Orthodoxe Kirche und Katholizismus. Ähnliches und Verschiedenes, München 1978, 50.

[193] Dagegen ist der Dienst der Priester von den Vätern des II. Vat. Konzils eher stiefmütterlich behandelt worden. Zur Problematik vgl. »Der priesterliche Dienst V. Amt und Ordination in ökumenischer Sicht« (hg. v. H. Vorgrimler) (QD 50), Freiburg–Basel–Wien 1973, und darin v. a. J. Zizioulas, Priesteramt und Priesterweihe im Licht der östlich-orthodoxen Theologie, 72–113. Ferner: »Eucharistie und Priesteramt«. Eine Dokumentation über das Bonner Gespräch (Beiheft zur Ökumen. Rundschau 38), Frankfurt/Main 1980.

[194] Vgl. meinen Aufsatz über »Die Anfänge des Bischofs- und Diakonenamtes«, in: Kirche im Werden (Hrsg. J. Hainz), Paderborn 1976, 91–107.

[195] So Metropolit Maximos von Sardes, Das ökumenische Patriarchat 40.

[196] Vgl. Ign., Smyrn 8,1–2.

[197] A.a.O. 43. Vgl. zu diesem ignatianischen Repräsentationsgedanken die entsprechenden paulinischen Aussagen über die repraesentatio Christi durch die Apostel 2 Kor 5,18–20.

[198] A.a.O. 44.

[199] Papandreou, Eucharistie 83, mit Bezug auf Zizioulas, Die Einheit der Kirche 146 f.

den einen Herrn Jesus Christus, mit dem sich die in der Ökumene eingesetzten Bischöfe identifizieren sollten«[200].

Was nun die Gemeinschaft zwischen den einzelnen Ortskirchen betrifft, so gilt in der Ostkirche wie zur Väterzeit[201]:»Die Eucharistie ist das wichtigste Ausdrucksmittel der communio zwischen den Ortskirchen«. »Da der Bischof das wesentliche Element der Ortskirche ist, ist die Gemeinschaft der Bischöfe, wo immer sie zum Ausdruck kommt, ein Ausdruck der communio zwischen den Ortskirchen«[202]. Eine besonders wichtige Rolle zum Verständnis und zur Verdeutlichung des Zusammenhangs beider Sätze kommt der Weihe der Bischöfe zu. Sie wurde vollzogen im Rahmen der Eucharistie,»dem Kontext aller Weihen«[203]. Daher gilt nach J. Zizioulas als erste Konsequenz:»Das Aufkommen des Bischofs als dem für die Eucharistie – und die gesamte Kirche – entscheidenden Amtsträger, muß im Lichte seiner Stellung innerhalb der eucharistischen Gemeinschaft gesehen werden – und nicht in dem einer apostolischen Sukzession, die die Gnade der Ordination durch Kanäle leitet, die oberhalb oder außerhalb dieser Gemeinschaft verlaufen«[204]. Darauf werden wir noch einzugehen haben.

Bei der Weihe eines neuen Bischofs fand aber auch – und das ist für unseren Zusammenhang zunächst das Entscheidende – die gesamtkirchliche Koinonia sichtbaren Ausdruck:»Die historisch primäre Realisierungsform der Koinonia der Bischöfe ist ... die Gemeinschaft der Bischöfe bei der Ordination eines Bischofs und gegebenenfalls bei der Eucharistie. In der Zeit Hippolyts nehmen möglichst viele Bischöfe an der Ordination eines neuen Bischofs teil, um diese Koinonia zu betonen. Zur Zeit des I. Konzils von Nikaia und der Apostolischen Konstitutionen sind drei Ordinatoren aus der Kirchenprovinz als Repräsentanten dieser Koinonia vorgesehen, und zugleich treten die Rechte des Metropoliten nun in Erscheinung«[205].

[200] Papandreou a.a.O. 86. Cyprians »Ekklesiologie des Schismas« gründet sich seiner Meinung nach »auf die ursprüngliche Identität der Kirche mit der eucharistischen Versammlung«. Für die Urkirche gelte eben die Formel:»Einheit der Kirche in einer Eucharistie und unter einem Bischof« (87).
[201] Vgl. Kap. VI dieser Arbeit.
[202] Gregorios, Notwendigkeit und Zeichen der Communio 133; vgl. Schulz, Ortskirche und Gesamtkirche 192: »Wie die Ortskirchen insgesamt, so müssen insbesondere ihre Bischöfe in Koinonia miteinander stehen«.
[203] Zizioulas, Eucharistie 174. In A. 30 weist er darauf hin, daß ursprünglich alle Sakramente in der Eucharistie gespendet wurden. Darum nennt er diese auch »locus alles charismatischen Lebens« (ebd.).
[204] A.a.O. 174:»Die ökumenischen Auswirkungen eines solchen Verständnisses sind ziemlich bedeutungsvoll, sie sind jedoch bisher noch nicht voll bewertet und ausgeschöpft worden«. Immerhin findet sich auch in LG Art. 26 eine »Betonung der besonderen Hinordnung des Bischofsamtes auf die Eucharistie« (Schulz a.a.O. 183).
[205] Schulz a.a.O. 192f. »Zu den Vorgängen der Wahl und Ordination eines Bischofs als Spiegelbild der Kirchenstruktur« verweist er a.a.O. 196 A. 22 auf H.-M. Legrand, Der

Kirche ist in ihrer Frühzeit strukturiert als Communio Ecclesiarum und als Communio Episcoporum; in dieser fand jene ihren Ausdruck[206]. J. Bria hat versucht, diesem Phänomen »Koinonia als kanonische Gemeinschaft« kirchenrechtlich gerecht zu werden. Er kommt zu der Formel von der »Pluralität der Lokalkirchen, deren Communio die Universalkirche darstellt«, und erläutert: »Die Communio der Lokalkirchen ist ein ebenso wesentliches Faktum wie ihre lokale Autonomie, und die Gemeinschaft der Bischöfe drückt die Kontinuität der Communio der Lokalkirchen und ihre Einheit auf der Ebene der Universalkirche aus«[207]. Demgegenüber meint in demselben Sammelband der Katholik R. Hotz: »In der östlichen Optik ... wird die Kirche als Koinonia und damit als Geheimnis verstanden. Sie ist eine pneumatologische Wirklichkeit, die mit juristischen Kategorien niemals adäquat zu fassen ist. Es ist dies die Perspektive der eucharistischen Ekklesiologie, die in jeder Ortskirche bereits die Kirche in ihrer ganzen Fülle vorhanden weiß«[208]. Er verdeutlicht damit die Schwierigkeiten der katholischen Kirche bei ihrer Rezeption der orthodoxen Ekklesiologie; doch kann sich diese in ihrem Grundverständnis zweifellos stark auf die Geschichte der frühen Kirche und auf paulinische Theologumena beziehen.

P. Gregorios bringt die unterschiedlichen Sichten auf folgenden Nenner: »Dem universalen Typus zufolge muß es einen Bischof geben, der das Prinzip der communio zwischen den Ortskirchen verkörpert; dem eucharistischen Typus würde es hingegen entsprechen, daß die Einheit der Kirche sich in der Einheit des Episkopats äußert, wobei jeder einzelne Bischof in der Eucharistie, der Tradition und der Liebe den anderen Bischöfen und ihrer Herde verbunden ist«. Innerer Grund: »Die Ortskirche besteht nur in Gemeinschaft mit dem einen Leib Christi, mit dem die anderen Ortskirchen ebenso in communio stehen«[209].

theologische Sinn der Bischofswahl nach ihrem Verlauf in der alten Kirche, in: Concilium 8 (1972) 494–500.
Störend erscheint mit in Schulz' Hinweisen das Wort »gegebenenfalls«. Eine Bischofsweihe außerhalb der Eucharistiefeier dürfte es nicht gegeben haben.
[206] Vgl. Kallis, Philanthropia 150: »Die alte, ungeteilte Kirche« bestand »in selbständigen (autokephalen) Kirchen«, war »keine Verwaltungseinheit, sondern eine Gemeinschaft von Ortskirchen«. »Autokephalie aber bedeutet Einheit in der Vielfalt« (151).
[207] J. Bria, Koinonia als kanonische Gemeinschaft – Aktuelle Perspektiven, in: Auf dem Weg zur Einheit des Glaubens (Pro Oriente 1976), Innsbruck–Wien–München 1976, 137–147, hier 143.
[208] R. Hotz, Koinonia als kanonische Gemeinschaft – Aktuelle Perspektiven, in: Auf dem Weg zur Einheit des Glaubens (Pro Oriente 1976), Innsbruck–Wien–München 1976, 148–157, hier 156.
[209] Gregorios, Notwendigkeit und Zeichen der Communio 133. »Die orthodoxe Kirche basiert im Grunde auf der eucharistischen Ekklesiologie, beachtet jedoch einige Sitten und Gebräuche, die der universalen Ekklesiologie verwandt sind«, etwa das Ökumenische Patriarchat, das aber beispielsweise von der syr.-orth. Tradition als »unrechtmäßig« abgelehnt wird (ebd.) – wie von der ganzen orthodoxen Kirche des Ostens der Primat des römischen Bischofs.

Sind diese verschiedenen Typen schlechthin Gegensätze oder lassen sich beide miteinander vermitteln? Einen Weg der Vermittlung zeigt A. Kallis, wenn er schreibt: »Die Struktur der synodalen Gemeinschaft der Orthodoxie als einer Gemeinschaft von Kirchen unterschiedlicher Prägung und Tradition besitzt einen großen ökumenischen Wert . . .«. Eine solche Gemeinschaft ist nur möglich als »Liebesgemeinschaft von Ortskirchen, deren jede ihre eigene Tradition bewahrt und in der jeweils anderen Kirche dieselbe Kirche Christi wiedererkennt«. Und in diesem Zusammenhang richtet er als Orthodoxer neu die Anfrage an Rom, wie man es dort halte mit der alten Selbstauslegung als προκαθημένη τῆς ἀγάπης[210].

Diese wenigen Andeutungen über die mit der »eucharistischen Ekklesiologie« der Ostkirche zusammenhängenden Probleme sollten noch einmal deutlich gemacht haben, von welcher theologischen und ökumenischen Brisanz der von Paulus herkommende Begriff κοινωνία für das Selbstverständnis der Kirche ist bzw. sein könnte. »Kirche als Gemeinschaft« im Sinne der frühkirchlichen Communio Ecclesiarum und Communio Episcoporum könnte durchaus den Weg anzeigen zu der anzustrebenden »Einheit der Kirche« in der »Vielheit von Ortskirchen«[211].

Auf ostkirchlicher Seite wird das Verhältnis von Ortskirche und Gesamtkirche noch mehr durchdacht werden müssen[212].

So gibt J. Meyendorff doch wohl mit Recht zu bedenken: Wird der Zusammenhang Eucharistie – Kirche übersteigert, »so führt das dazu, daß die ›eucharistische Ekklesiologie‹ und die ›universale Ekklesiologie‹ künstlich irgendwie in Gegensatz zueinander gebracht werden und daß der universalen Ekklesiologie die christliche Berechtigung abgesprochen wird, wie wenn die Kirche keine ›universale‹ Existenz und ›universale‹ Sendung hätte«[213].

Eucharistische und universale Ekklesiologie sind keine Gegensätze, sondern

---

[210] Kallis, Philanthropia 157. Hotz sieht, je mehr die eucharistische Ekklesiologie auch im Westen rezipiert wird, die Notwendigkeit kommen, »den Primat unter einem neuen Gesichtswinkel ins Auge zu fassen« »als ein Zeugnis und als ein(en) Dienst an der Einheit« (a.a.O. 156). Vgl. auch Schulz, Ortskirche und Gesamtkirche 180ff.186ff.

[211] Vischer, Die lokale Kirche 306, beklagt die fehlende Bereitschaft der Ostkirche zu einem ökumenischen Konzil, obwohl gerade im Osten die »Vorstellung einer ›konziliaren Gemeinschaft von lokalen Kirchen‹« ausgebildet worden sei.

[212] Vgl. auch Vischer a.a.O. 298 f: Mit Sicherheit gehört die »Frage nach der angemessenen Gestalt der universalen Gemeinschaft der Kirche zu den Grundfragen der ökumenischen Bewegung« (299).

[213] Meyendorff, Eucharistieverständnis 293. Vgl. auch ders., Schwesterkirchen – Ekklesiologische Folgerungen aus dem Tomos Agapis, in: Auf dem Weg zur Einheit des Glaubens (Pro Oriente 1976), Innsbruck–Wien–München 1976, 41–53. Der »Tomos Agapis« war einst eine Sammlung polemischer byzantinischer Schriften über die lateinischen Ketzereien, vom Patriarchen von Jerusalem, Dositheos Notaras, 1698 in Jassy herausgegeben. Denselben Titel wählte man 1971 für eine Dokumentation der schriftlichen Unterlagen zur Aufhebung des Kirchenbanns (vgl. Meyendorff a.a.O. 41).

Pole einer übergreifenden Einheit[214]. Weil aber erstere seit dem 3. Jahrhundert allmählich in den Hintergrund gedrängt wurde, bedarf es heute ihrer Neuaufnahme für ein vertieftes Kirchenverständnis.

Einseitig aber ist es demnach zu behaupten, daß »nur die eucharistische Ekklesiologie . . . die richtige neutestamentliche Perspektive und jene der alten Kirche«[215] wahre. Wohl kann man mit J. Klinger »in jeder kirchlichen Gemeinde die katholische Kirche als ganze«[216] finden, oder mit D. Papandreou von der »Vollkommenheit jeder lokalen ›katholischen Kirche‹« sprechen, aber davon bleibt doch die Tatsache unberührt, daß es zwar »viele ›katholische Kirchen‹« gibt, aber »nur einen Leib Christi«[217], der sich in der Ortskirche wie in der Universalkirche gleicherweise realisiert.

Metropolit Maximos von Sardes folgert daraus zutreffend: »So haben wir es hier nicht mit zwei verschiedenartigen Kirchen zu tun, mit Ortskirche und ökumenischer Kirche, sondern mit *einer einzigen Kirche,* mit *einem einzigen Christus* und seinem mystischen Leib, der überall dort voll und ganz geoffenbart wird, wo die Gläubigen unter der Leitung ihres Bischofs beim Brechen des nämlichen Brotes eins geworden sind«[218].

Die hier noch einmal angesprochene Rolle der Bischöfe für die Communio Ecclesiarum ist noch zu präzisieren.

P. Gregorios kennzeichnet die Auffassung der Ostkirche so: »Die Eintracht der Bischöfe in der Bischofssynode ist *ein* Zeichen der communio zwischen den Ortskirchen, die als autokephale Kirchen zusammenwirken. Dieses Zeichen ist weniger wichtig und unerläßlich als die Eucharistie«[219].

Fundamental ist demnach die Beziehung Eucharistie – Kirche; abgeleitet davon »die ursprüngliche eucharistische Dimension der bischöflichen Funktion«[220]. Der

---

[214] N. Afanasieff als Hauptvertreter der »eucharistischen Ekklesiologie« hat diese jedenfalls »nicht als gegensätzliche(n) Grundtyp zu einer universellen Ekklesiologie verstanden«: so H.-J. Schulz, Ökumenische Glaubenseinheit aus eucharistischer Überlieferung, Paderborn 1976, 13 A. 14.

[215] J. Klinger, Die Koinonia als sakramentale Gemeinschaft – Aktuelle Perspektiven, in: Auf dem Weg zur Einheit des Glaubens (Pro Oriente 1976), Innsbruck–Wien–München 1976, 115–126, hier 118.

[216] A.a.O. 117.

[217] Papandreou, Eucharistie 84.

[218] Maximos von Sardes, Das ökumenische Patriarchat 47. Vom »mystischen« Leib Christi spricht man heute nicht mehr so gern wie in vergangenen Zeiten. Gemeint ist die kosmische Dimension des Leibes Christi. Vgl. dazu Papandreou, Eucharistie 77; Zizioulas, Eucharistie 176, und C. Papakonstantinou, Hamilkar S. Alivisatos. Ein griechisch-orthodoxer Theologe und Ökumeniker (Diss. masch. geschr.), Münster 1976, 34 ff.

[219] Gregorios, Notwendigkeit und Zeichen der Communio 133.

[220] Meyendorff, Eucharistieverständnis 293. Man vergleiche dazu Zizioulas, Eucharistie 171, der an die frühere Bedingung erinnert, »daß alle Weihen für das Amt innerhalb der Eucharistie vollzogen werden«, und daraus den Schluß zieht, daß dies »das ordinierte Amt nicht nur zu einer Bedingung, sondern auch zu einer *Konsequenz der Eucharistie* macht«. Dieses »sowohl – als auch« bedürfte einer weiteren Klärung.

Funktionsbereich des Bischofs wurde freilich früh ausgeweitet, wenn auch der Grundgedanke gewahrt blieb,»daß die Rechtsgewalt und die sakramentale Gewalt im Grunde sich nicht voneinander trennen lassen«. Aber diese Ausweitung »verdunkelte irgendwie die ursprüngliche Beziehung zwischen der Eucharistie und der Kirche: insbesondere begann die bischöfliche Gewalt unabhängig von der sakramentalen Wirklichkeit der Eucharistie und über sie hinweg zu funktionieren«[221]. So kam es im Osten wie im Westen im Mittelalter zu einer »sehr juridischen Konzeption vom Bischofsamt«, die im Westen nach H.-J. Schulz erst mit dem II. Vat. Konzil überwunden wurde. Dieses habe »endlich der ursprünglichen Überlieferung wieder zum Siege verholfen«. In LG Art: 21 werde nämlich vom Bischof gesagt, er sei »Hirte, Priester und Verkünder« kraft seiner »sakramentalen Ordination«, habe also auch seine potestas iurisdictionis nicht als eine von der des Papstes abgeleitete[222]. Schulz hatte schon früher darauf hingewiesen, »wie sehr die Amtsfrage ein Teilaspekt der gesamten Kirchenstruktur ist und nur im Zusammenhang mit einer ökumenischen Neubesinnung auch auf die Grundvollzüge des sakramentalen Lebens der Kirche, vor allem die ekklesiologische Bedeutung des Herrenmahls, gelöst werden kann«[223]. Insofern ist die von ihm festgestellte »Betonung der besonderen Hinordnung des Bischofsamtes auf die Eucharistie« in LG Art. 26 ein wichtiges Signal für eine mögliche Verständigung[224].

Ist aber die Kirche in der Väterzeit wie in der Ostkirche konzipiert als Communio Ecclesiarum, sichtbar in der Communio Episcoporum, dann gilt mit J. Meyendorff: »Die Einheit der Bischöfe untereinander basiert auf der gegenseitigen Anerkennung der Identität ihres Episkopats«[225]. Das bedeutet in der Konsequenz: Für die Ostkirche ist »keine Gewalt göttlichen Rechtes denkbar außer und über der eucharistischen Gemeinschaft, gebildet durch das, was heute ein ›Bistum‹ heißt«[226].

Das macht zwar rechtliche Ordnungen in der Kirche nicht unmöglich, die »die Beziehungen der Bischöfe zueinander« regeln – wie z. B. »Metropolitan-, Patriarchats- und Autokephalieverfassung« oder das »Phänomen der Konzilien« (auch die Primatsstellung des Papstes wäre hier einzuordnen) –, aber sie haben und hatten immer »dem Glaubensausdruck und der liturgischen Ordnung zu dienen«.

---

[221] Meyendorff a.a.O. Vgl. Klinger, Die Koinonia als sakramentale Gemeinschaft 117.
[222] Schulz, Ortskirche und Gesamtkirche 183. Diese Überwindung der mittelalterlichen Unterscheidung potestas ordinis – potestas iurisdictionis zugunsten der »Theorie von den drei munera des Bischofs, die als einzigen Grund die gleiche sacra potestas der Weihe haben«, betont auch Harkianakis, Orthodoxe Kirche und Katholizismus 50, in seiner Würdigung des Vat. II in orthodoxer Sicht.
[223] Schulz, Ökumenische Glaubenseinheit 88.
[224] Schulz, Ortskirche und Gesamtkirche 183.
[225] Meyendorff, Eucharistieverständnis 293.
[226] J. Meyendorff, Die orthodoxe Kirche gestern und heute (Reihe Wort und Antwort Bd. 31), Salzburg 1963, v. a. 233–255, hier 240.

Für die Ostkirche gilt eben unumstößlich: »Es gibt kein höheres Amt, das zum Wesen der Kirche gehört, als das des Bischofs, das gerade als solches transparent ist für die Autorität Christi, der in 1 Petr 2,25 ὁ ἐπίσκοπος τῶν ψυχῶν ὑμῶν genannt wird«[227]. Weil es kein übergeordnetes Wahrheitskriterium gibt, liegt alles am »Consensus der Kirchen«[228], d. h. aber der Bischöfe. Daher die Betonung des Prinzips der Synodalität, der Gremialität und Kollegialität in der Ostkirche[229].

Auf diese Funktion der Bischöfe »als Sachwalter der apostolischen Lehre« weist der Metropolit Maximos von Sardes mit Nachdruck hin. Er sieht darum ein Problem in der zu ausschließlichen Betonung »des ekklesiologischen Charakters der Eucharistie« sowie der »des eucharistischen Charakters der Kirche«, weil hier die Tendenz herrsche, den dogmatischen Differenzierungen hinsichtlich der Einheit der Kirche jede Bedeutung wegzunehmen[230]. R. Slenczka formuliert die der Ostkirche im wesentlichen gemeinsame Überzeugung so: »Keine Kirchengemeinschaft, keine Einheit der Kirche, ja auch keine Kirche ohne Einheit und Gemeinschaft in der Lehre, in den Sakramenten und in der Ordnung. Anders ausgedrückt: die Einheit der Kirche manifestiert sich in der Faktizität einer vollen Kirchengemeinschaft. Letztlich ist damit gemeint: Kirchengemeinschaft ist Abendmahlsgemeinschaft«[231].

Deshalb wird in aller Regel in der Ostkirche jede Form von »Interkommunion« abgelehnt. N. A. Nissiotis nennt sie eine »abnormale und unannehmbare Situation«[232]. Es gibt nur Kommunion, nicht Interkommunion: Die Einheit »wird bewahrt und manifestiert durch die eucharistische Gemeinschaft«[233].

[227] Schulz, Ortskirche und Gesamtkirche 186.

[228] Meyendorff, Die orthodoxe Kirche 240.

[229] Vgl. G. Larentzakis, Die dogmatische Begründung der Synodalität und der Gremialität, in: Pro Oriente 1975, Innsbruck–Wien–München 1975, 64–69. Von der westlichen Kirche wird dies kaum verstanden. Daher die häufige Klage über die Schwierigkeit, »wer denn gegenwärtig der berufene Sprecher für diese aus vielen autokephalen Kirchen bestehende Orthodoxie darstellt« (so Hotz, Koinonia als kanonische Gemeinschaft 148; vgl. die Antworten von Kallis, Orthodoxie 83 ff, und Philanthropia 157).

[230] Maximos von Sardes, Das ökumenische Patriarchat 45, v. a. gegen N. Afanasieff, Una sancta, in: Irenikon 36 (1963) 549. Zum Problem der Lehrautorität in der Ostkirche vgl. A. Kallis, Volk Gottes und Lehrautorität, in: Una Sancta 32 (1977) 139–151.

[231] Slenczka, Ostkirche und Ökumene 295. Vgl. Hotz a.a.O. 157: »Sakrament und Wahrheit lassen sich nicht trennen«. So richtig dieser Standpunkt prinzipiell ist, bewegen wird er nichts. N. Afanasieffs Überzeugung, daß die Einheit der Kirche substantialiter gegeben sei, wo gültig Eucharistie gefeiert wird, wirft zwar ihrerseits das Problem der Gültigkeit auf, dürfte hingegen der weiteren Entwicklung zumindest den rechten Weg weisen.

[232] N. A. Nissiotis, Die Theologie der Ostkirche im ökumenischen Dialog. Kirche und Welt in orthodoxer Sicht, Stuttgart 1968, 129 ff, hier 129. Vgl. ders., Worship, Eucharist, Interkommunion: An Orthodox Reflection, in: Studia Liturgica 2 (1963) 197 ff, bes. 215, wo er G. Galitis, The Problem of Intercommunion from an Orthodox Point of View, 1968, 47, zitiert; dt. Originaltext in: Ökumen. Rundschau 16 (1967) 265–285.

[233] Nissiotis, Die Theologie der Ostkirche 130.

So schwankt die Ostkirche, ob sie in der Ökumene stärker die »Gefahr eines ekklesiologischen Relativismus«[234] betonen und fürchten oder ob sie mit N. Afanasieff »die Vielzahl und Vielgestalt« der autokephalen Kirchen »als Resultat des vielgestaltig wirkenden Pneumas« ansehen und voll akzeptieren soll[235]. Die Vielgestalt und Verschiedenheit der Riten wird dabei weniger als Problem empfunden. Denn: »Wie die Existenz partikularer Kirchen das Bestehen der Einheit der Kirche nicht aufhebt, so gefährden auch die verschiedenen Riten der Eucharistiefeier die Einheit nicht, die zwischen Christus und seinem Leib besteht über Raum und Zeit hinweg«[236] Es geht allein um die Wahrheit in der Einheit und Vielgestaltigkeit der Kirche.

Die entscheidende Frage in diesem Zusammenhang hat J. Klinger präzis gestellt: »Welcher Art ist die Beziehung zwischen der sakramentalen Kommunion und der ständigen Gemeinschaft der Gläubigen mit Christus, der Kommunion, die die Kirche selber ist?«[237] In der doppelten Verwendung von »Kommunion« hat er den Weg zur Lösung angezeigt. Seine eigene Auslegung der »Kirche als Sakrament der Koinonia« ist freilich in mancher Hinsicht nicht präzis genug. So etwa wenn er sagt: »Tatsächlich bedeutet das Wort (nämlich: κοινωνία) gleichzeitig eucharistische Kommunion und kirchliche Gemeinschaft«[238]; denn das ist eine Feststellung, keine Erklärung. Oder wenn er die »Koinonia der Kirche« als die »Verlängerung des Mysteriums der Eucharistie«[239] bezeichnet, statt als Explikation oder, wie er selber sagen kann, »als Ergebnis des Sakraments der Eucharistie«[240].

Was die vermittelnde Rolle des paulinischen κοινωνία-Begriffs betrifft, so fehlt

---

[234] Slenczka a.a.O. 298.
[235] Schulz, Ortskirche und Gesamtkirche 181. Zur pneumatologischen Dimension der Kirche, die in der orthodoxen Kirche des Ostens stark betont wird, vgl. Zizioulas, Eucharistie 163.169.177f; Nissiotis, Die Theologie der Ostkirche 76ff; ferner den Bericht der VIII. Vollversammlung der Konferenz Europäischer Kirchen vom 18.–25. Okt. 1979 auf Kreta »Einheit im Geist – Vielfalt in den Kirchen«, Genf o. J.
[236] Saphiris, Die Eucharistie 74. »Der sich über Raum und Zeit erstreckende Leib Christi« wird von Gregorios (Notwendigkeit und Zeichen der Communio 130) als »ecclesia catholica« der »Gesamt- oder Universalkirche« entgegengesetzt. Damit wird eine Unterscheidung eingeführt, die völlig unnötig verwirrt; denn sie vermengt soziologische Größen und theologische Deutung: Ortskirche und Universalkirche sind je auf ihre Weise »Leib Christi«, stellen also auch auf je ihre Weise die »ecclesia catholica« dar! Vgl. Papandreou, Eucharistie 75ff: »So lebt die Kirche in der Eucharistie in der Communio Sanctorum, der Gemeinschaft der Heiligen, in dauernder Vereinigung mit den im Jenseits weilenden Gliedern des Leibes Christi« (75). »So ist die eucharistische Gemeinschaft kosmisch« (77). Und so kann man sagen, »daß an jeder Liturgie die gesamte Kirche teilnimmt« (78).
[237] Klinger, Die Koinonia als sakramentale Gemeinschaft 115.
[238] A.a.O. 121.
[239] A.a.O. 126.
[240] A.a.O. 121.

es in der Ostkirche an exegetischen Studien[241]. Um so mehr erstaunt, mit welcher Sicherheit sie in jüngster Zeit ihr kirchliches Selbstverständnis vom paulinischen Gemeinschaftsgedanken her als »eucharistische Ekklesiologie« entwickelt hat.

Selbst in dogmatische Lehrbücher ist diese neue Sicht bereits eingegangen[242], so daß sich der Eindruck, von dem wir ausgegangen sind, jetzt in modifizierter Form bestätigt: In der orthodoxen Kirche sind die paulinischen Koinonia-Vorstellungen zwar nicht »wirksamer geblieben« als in der röm.-kath. Kirche des Westens, aber sie sind dabei, hier wieder voll wirksam zu werden.

Noch ist es »nicht möglich, von einem abgeschlossenen spezifisch orthodoxen Kirchenbegriff zu sprechen«; noch haben wir es »mit einer noch laufenden Auseinandersetzung zu tun«[243]. Dennoch darf man den Optimismus teilen, wie ihn R. Hotz zum Ausdruck bringt: »Will man es wagen, die heutigen Perspektiven aufzuzeigen, so meine ich, daß die zunehmende Anerkennung der eucharistischen Ekklesiologie, wodurch die Koinonia im Vollsinne des Wortes wieder ins Zentrum rückt, zur Hoffnung Anlaß gibt, daß gerade von hier aus die gegenwärti-

[241] Vielleicht ist das der Grund, warum der in Fragen der orthodoxen Ekklesiologie so bewanderte H.-J. Schulz bei der Auslegung der »ekklesiologisch grundlegenden Verse« 1 Kor 10,16.17 von Paulus sagt, er habe »nicht einfach nur Abendmahlsgabe und Gemeinschaftsbildung wie Ursache und Wirkung oder wie ein äußerliches Zeichen und eine unabhängig davon zu glaubende geistige Wirklichkeit« nebeneinandergestellt (Ökumenische Glaubenseinheit 16), Paulus beabsichtige vielmehr »Symbolentsprechungen«, z. B. Brotbrechen als »Ausdruck des Teilhabenlassens am eigenen Leben« (17). Der Weg über die Brücke des paulinischen Koinonia-Begriffs würde stärker dem Ziel dienen, die Grundgedanken des Paulus in 1 Kor 10,16.17 zu erklären als der hier vorgeschlagene über »die eucharistisch-ekklesiologische Grundsymbolik« (19), auch wenn eine solche durchaus nicht geleugnet werden soll.

[242] Vgl. J. Karmiris, Orthodoxe Ekklesiologie (griech.), Athen 1973. Das Stichwort »κοινωνία πιστῶν« (121 ff) erläutert er unscharf mit κοινωνούντων μετὰ τοῦ Χριστοῦ καὶ μετ' ἀλλήλων ἐν Ἁγίῳ Πνεύματι als Κοινωνία πίστεως, ἐλπίδος καὶ ἀγάπης (121). Aber er kann auch sprechen von der κοινωνία τῆς Εὐχαριστίας, ἐν τῇ ὁποίᾳ παρίσταται ἡ Ἐκκλησία ὡς κοινωνία τοῦ σώματος καὶ τοῦ αἵματος τοῦ Χριστοῦ, ὡς ›σῶμα Χριστοῦ‹, ἐν τῷ ὁποίῳ ἑνοῦται καὶ ἐνσωματοῦνται τὰ μέλη διὰ τῆς ἑνοποιοῦ δυνάμεως καὶ χάριτος τοῦ Ἁγίου Πνεύματος. (Zu σῶμα Χριστοῦ vgl. auch S. 128 f) Wenn er zu dem Ergebnis kommt: ἡ Ἐκκλησία οὐδὲν ἄλλο εἶναι παρὰ κοινωνία πιστευόντων und dabei auf die Rolle des μετέχειν τῶν αὐτῶν ἁγίων μυστηρίων hinweist (126), sind mit diesen Anspielungen (v. a. auf die Eucharistie und das Teilhaben an Brot und Wein) alle für das paulinische Grundverständnis von Abendmahls- und Kirchengemeinschaft konstitutiven Elemente ins Spiel gebracht: Kirche als κοινωνία der Glaubenden entsteht durch die κοινωνία am Leib (und Blut) Christi; das μετέχειν blickt nur auf den forensischen Akt des Anteil-bekommens, aber der ist unverzichtbar für das Zustandekommen von »Gemeinschaft durch Teilhabe«.

[243] Slenczka, Ostkirche und Ökumene 301. Vgl. zum Ganzen C. G. Patelos (Hrsg.), The Orthodox Church in the Ecumenical Movement. Documents and Statements 1902–1975, Genf 1978.

gen Probleme auf dem Weg einer Konvergenz mit den orthodoxen Kirchen einer Lösung entgegengeführt werden können«[244].
Das Stichwort der Zukunft wird heißen: Communio Ecclesiarum[245].

[244] Hotz, Koinonia als kanonische Gemeinschaft 157. Vgl. auch Schulz, Ökumenische Glaubenseinheit (passim) und J. Zizioulas, La Communauté eucharistique et la Catholicité de l'Église, in: Istina 14 (1969) 67–88.
[245] Zum Stand der Gespräche zwischen Orthodoxen und Protestanten vgl.»The Orthodox Church and the Churches of the Reformation«. A survey of Orthodox-Protestant dialogues. Faith and Order Paper 76, Genf 1975.

Literaturverzeichnis

Aufgeführt werden nur die verwendeten Kommentare und die eingesehenen Monographien und Aufsätze, nicht jedoch die allgemeinen exegetischen Standardwerke – wie Wörterbücher, Grammatiken, Lexika –, auch nicht die nur gelegentlich vermerkte, aber für die Untersuchung nicht unmittelbar bedeutsame Literatur.

I. Kommentare:

A. Zum Römerbrief:

Reithmayr, F. X., Commentar zum Briefe an die Römer, Regensburg 1845

Wette, W. M. L. de, Kurze Erklärung des Briefes an die Römer (Kurzgefaßtes exegetisches Handbuch zum NT II,1), Leipzig [4]1847

Bisping, A., Erklärung des Briefes an die Römer (Exegetisches Handbuch zu den Briefen des Apostels Paulus I,1), Münster 1854

Tholuck, A., Commentar zum Brief an die Römer, Halle [5]1856

Schaefer, A., Erklärung des Briefes an die Römer (Die Bücher des NT III), Münster 1891

Lipsius, R. A., Briefe an die Galater, Römer, Philipper (Hand-Commentar zum NT II,2), Freiburg [2]1892

Cornely, R., Commentarius in S. Pauli Apostoli Epistolas, I. Epistola ad Romanos, Paris 1896

Weiss, B., Der Brief an die Römer (KEK 4), Göttingen [9]1899

Sanday, W.,-Headlam, A. C., A Critical and Exegetical Commentary on the Epistle to the Romans (ICC), Edinburgh [5]1902 (Neudruck 1964)

Kühl, E., Erläuterung der paulinischen Briefe unter Beibehaltung der Briefform, I. Band: Die älteren paulinischen Briefe, Berlin 1907

Gutjahr, F. S., Der Brief an die Römer (Die Briefe des heiligen Apostels Paulus III), Graz und Wien 1923

Zahn, Th., Der Brief des Paulus an die Römer (Kommentar zum NT, hg. v. Th. Zahn, Band VI), Leipzig [3]1925

Bardenhewer, O., Der Römerbrief des heiligen Paulus, Kurzgefaßte Erklärung, Freiburg 1926

Lagrange, M. J., Saint Paul, Épître aux Romains (Études Bibliques), Paris [4]1931

Lietzmann, H., An die Römer (HNT 8), Tübingen [4]1933

Sickenberger, J., Die Briefe des heiligen Paulus an die Korinther und Römer (Die Heilige Schrift des NT VI, hg. v. F. Tillmann), Bonn [4]1932

Barth, K., Der Römerbrief, Zürich [8]1947 (Neudruck 1963)

Kuss, O., Der Brief an die Römer, Korinther und Galater (RNT 6), Regensburg 1940

Brunner, E., Der Römerbrief (Bibelhilfe für die Gemeinde, Neutestamentliche Reihe, Band 6), Stuttgart 1948

Schlatter, A., Gottes Gerechtigkeit, Ein Kommentar zum Römerbrief, Stuttgart 1952

Asmussen, H., Der Römerbrief, Stuttgart 1952

Barrett, C. K., A Commentary on the Epistle to the Romans (Black's NTC), London 1957

Huby, J.,-Lyonnet, St., Saint Paul, Épître aux Romains (Verbum Salutis X), Paris 1957

Leenhardt, F. J., L'Épître de Saint Paul aux Romains (Commentaire du Nouveau Testament VI), Neuchâtel-Paris 1957

Dodd, C. H., The Epistle of Paul to the Romans (Moffatt NTC), London [14]1960

Kuss, O., Der Römerbrief, Regensburg [2]1963 (1. u. 2.), 1978 (3. Lieferung)

Barth, K., Kurze Erklärung des Römerbriefes, München [3]1964

Nygren, A., Der Römerbrief, Göttingen [4]1965

Althaus, P., Der Brief an die Römer (NTD 6), Göttingen [10]1966

Michel, O., Der Brief an die Römer (KEK 4), Göttingen [13]1966

Käsemann, E., An die Römer (HNT 8a), Tübingen 1973

B. Zu den Korintherbriefen:

Wette, W. M. L. de, Kurze Erklärung der Briefe an die Corinther (Kurzgefaßtes exegetisches Handbuch zum NT II,2), Leipzig 1841

Meyer, H. A. W., Kritisch exegetisches Handbuch über den zweiten Brief an die Korinther, Göttingen [5]1870

Klöpper, A., Kommentar über das zweite Sendschreiben des Apostel Paulus an die Gemeinde zu Korinth, Berlin 1874

Holsten, C., Das Evangelium des Paulus, Teil I: Die äußere entwicklungsgeschichte des paulinischen evangeliums, Abteilung 1: Der Brief an die gemeinden Galatiens und der erste Brief an die gemeinde in Korinth, Berlin 1880

Bisping, A., Erklärung des zweiten Briefes an die Korinther und des Briefes an die Galater (Exegetisches Handbuch zu den Briefen des Apostels Paulus II,1), Münster [3]1883

Heinrici, C. F. G., Das erste Sendschreiben des Apostels Paulus an die Korinthier, Berlin 1887

Heinrici, C. F. G., Das zweite Sendschreiben des Apostels Paulus an die Korinthier, Berlin 1887

Schmiedel, P. W., Die Briefe an die Thessalonicher und an die Korinther (Hand-Commentar zum NT II,1), Freiburg [2]1892

Heinrici, C. F. G., Der zweite Brief an die Korinther (KEK 6), Göttingen [8]1900

Schaefer, A., Erklärung der beiden Briefe an die Korinther (Die Bücher des NT II), Münster 1903

Kühl, E., (s. Röm)

Weiß, J., Der erste Korintherbrief (KEK 5), Göttingen [9]1910 (Neudruck 1970)

Belser, J., Der zweite Brief des Apostels Paulus an die Korinther, Freiburg 1910

Godet, G., La seconde épître aux Corinthiens, Neuchâtel 1914

Robertson, A.,-Plummer, A., A Critical and Exegetical Commentary on the First Epistle of St Paul to the Corinthians (ICC), Edinburgh [2]1914

Plummer, A., A Critical and Exegetical Commentary on the Second Epistle of St. Paul to the Corinthians (ICC), Edinburgh 1915 (Reprint 1925)

Bousset, W., Der erste Brief an die Korinther (SNT II), Göttingen [3]1917

Bousset, W., Der zweite Brief an die Korinther (SNT II), Göttingen [3]1917

Gutjahr, F. S., Die zwei Briefe an die Korinther (Die Briefe des heiligen Apostels Paulus II), Graz und Wien ²1921

Bachmann, Ph., Der zweite Brief des Paulus an die Korinther (Kommentar zum NT, hg. v. Th. Zahn, Band VIII), Leipzig ⁴1922

Schlatter, A., Die Korintherbriefe, Ausgelegt für Bibelleser (Erläuterungen zum NT 6), Stuttgart ³1923 (Neudruck 1962)

Windisch, H., Der zweite Korintherbrief (KEK 6), Göttingen ⁹1924 (Neudruck 1970)

Sickenberger, J., (s. Röm)

Bachmann, Ph., Der erste Brief des Paulus an die Korinther (Kommentar zum NT, hg. v. Th. Zahn, Band VII), 4. Auflage mit Nachträgen von E. Stauffer, Leipzig 1936

Kuss, O., (s. Röm)

Moffatt, J., The First Epistle to the Corinthians (Moffatt NTC), London ⁸1954

Lietzmann, H.,-Kümmel, W. G., An die Korinther I/II (HNT 9), 4. von W. G. Kümmel ergänzte Auflage, Tübingen 1949

Allo, E. B., Saint Paul, Première Épître aux Corinthiens (Études Bibliques), Paris 1934

Allo, E. B., Saint Paul, Seconde Épître aux Corinthiens (Études Bibliques), Paris ²1956

Héring, J., La seconde Épître de Saint Paul aux Corinthiens (Commentaire du Nouveau Testament VIII), Neuchâtel-Paris 1958

Tasker, R. V. G., The second Epistle of Paul to the Corinthians (Tyndale NTC), London 1958

Prümm, K., Diakonia Pneumatos, Band I: Theologische Auslegung des zweiten Korintherbriefes, Rom-Freiburg-Wien 1967

Barrett, C. K., A Commentary on the First Epistle to the Corinthians (Black's NTC), London 1968

Wendland, H. D., Die Briefe an die Korinther (NTD 7), Göttingen ¹²1968

Schlatter, A., Paulus, der Bote Jesu, Eine Deutung seiner Briefe an die Korinther, Stuttgart ⁴1969

Conzelmann, H., Der erste Brief an die Korinther (KEK 5), Göttingen ¹¹1969

Boor, W. de, Der zweite Brief des Paulus an die Korinther (Wuppertaler Studienbibel), Wuppertal 1972

C. Zum Galaterbrief:

Wette, W. M. L. de, Kurze Erklärung des Briefes an die Galater (Kurzgefaßtes exegetisches Handbuch zum NT II,3), Leipzig ²1845 (³1864)

Hilgenfeld, A., Der Galaterbrief übersetzt, in seinen geschichtlichen Beziehungen untersucht und erklärt, Leipzig 1852

Holsten, C., Inhalt und Gedankengang des Briefes an die Galater, Rostock 1859

Meyer, H. A. W., Kritisch exegetisches Handbuch über den Brief an die Galater (KEK 7), Göttingen ⁵1870

Hofmann, J. Chr. K. v., Der Brief Pauli an die Galater (Die heilige Schrift neuen Testaments zusammenhängend untersucht II,1), Nördlingen ²1872

Lightfoot, J. B., The Epistle of St. Paul to the Galatians, London ⁶1880 (Grand Rapids, Michigan ⁷1969)

Holsten, C., (s. Kor)

Wörner, E., Auslegung des Briefes an die Galater, Vorlesungen aus dem Nachlaß von E. Wörner, hg. v. W. Arnold, Basel 1882

Bisping, A., (s. Kor)

Schaefer, A., Erklärung der zwei Briefe an die Thessalonicher und des Briefes an die Galater (Die Bücher des NT I), Münster 1890

Lipsius, R. A., (s. Röm)

Kähler, M., Neutestamentliche Schriften in genauer Wiedergabe ihres Gedankenganges dargestellt und durch sie selbst ausgelegt, 2. Lieferung: Der Brief des Paulus an die Galater in genauer Wiedergabe seines Gedankenganges durch ihn selbst ausgelegt und übersichtlich erörtert, Halle ²1893 (Neudruck Darmstadt 1968)

Dalmer, J., Der Brief Pauli an die Galater, Gütersloh 1897

Sieffert, F., Der Brief an die Galater (KEK 7), Göttingen ⁹1899

Bousset, W., Der Brief an die Galater (SNT II), Göttingen ³1917

Burton, E. de Witt, A Critical and Exegetical Commentary on the Epistle to the Galatians (ICC), Edinburgh 1921 (Reprint 1964)

Zahn, Th., Der Brief des Paulus an die Galater (Kommentar zum NT, hg. v. Th. Zahn, Band IX), Leipzig ³1922

Lagrange, M. J., Saint Paul, Épître aux Galates (Études Bibliques), Paris ⁴1942

Schlatter, A., Die Briefe an die Galater, Epheser, Kolosser und Philemon, Ausgelegt für Bibelleser (Erläuterungen zum NT 7), Stuttgart ⁴/⁵1928 (Neudruck 1963)

Lietzmann, H., An die Galater (HNT 10), Tübingen ³1932

Steinmann, A., Die Briefe an die Thessalonicher und Galater (Die Heilige Schrift des NT V, hg. v. F. Tillmann), Bonn ⁴1935

Kuss, O., (s. Röm)

Amiot, F., Saint Paul, Épître aux Galates, Épîtres aux Thessaloniciens (Verbum Salutis XIV), Paris 1946

Schmidt, K. L., Ein Gang durch den Galaterbrief. Leben, Lehre, Leitung in der Heiligen Schrift (ThSt(B)11/12), Zürich ²1947

Buzy, D., Épître aux Galates (La Sainte Bible XIb), Paris 1949

Schlier, H., Der Brief an die Galater (KEK 7), Göttingen ¹³1965

Oepke, A., Der Brief des Paulus an die Galater (Theologischer Handkommentar zum NT IX), Berlin ³1964

Zerwick, M., Der Brief an die Galater (Die Welt der Bibel, Kleinkommentare zur heiligen Schrift 2), Düsseldorf 1964

Schneider, G., Der Brief an die Galater (Geistliche Schriftlesung 9), Düsseldorf ²1968

Bring, R., Der Brief des Paulus an die Galater, Berlin-Hamburg 1968

Beyer, H. W.,–Althaus, P., Der Brief an die Galater (NTD 8), Göttingen ¹²1970

Mußner, F., Der Galaterbrief (HThK IX), Freiburg–Basel–Wien 1974

D. Zum Philipperbrief:

Meyer, H. A. W., Kritisch exegetisches Handbuch über die Briefe Pauli an die Philipper, Kolosser und an Philemon, Göttingen ³1865

Bisping, A., Erklärung der Briefe an die Epheser, Philipper und Kolosser (Exegetisches Handbuch zu den Briefen des Apostels Paulus II,2), Münster ²1866

Vincent, M. R., A Critical and Exegetical Commentary on the Epistles to the Philippians and to Philemon (ICC), Edinburgh 1897

Müller, K. J., Des Apostels Paulus Brief an die Philipper, Freiburg 1899

Haupt, E., Die Gefangenschaftsbriefe (KEK 9), Göttingen ⁷/⁸1902

Lightfoot, J. B., Saint Paul's Epistle to the Philippians, London 1913 (Grand Rapids, Michigan ²1956)

Lueken, W., Der Brief an die Philipper (SNT II), Göttingen ³1917

Ewald, P., Der Brief des Paulus an die Philipper (Kommentar zum NT, hg. v. Th. Zahn, Band XI), Leipzig ⁴1923 (4. Auflage besorgt von G. Wohlenberg)

Tillmann, F., Der Philipperbrief (Die Heilige Schrift des NT VII, hg. v. F. Tillmann), Bonn ⁴1931

Michaelis, W., Der Brief des Paulus an die Philipper (Theologischer Handkommentar zum NT XI), Leipzig 1935

Dibelius, M., An die Thessalonicher I/II, an die Philipper (HNT 11), Tübingen ³1937

Barth, K., Erklärung des Philipperbriefes, Zürich ⁵1947

Bonnard, P., L'épître de Saint Paul aux Philippiens (Commentaire du Nouveau Testament X), Neuchâtel–Paris 1950

Müller, J. J., The Epistles of Paul to the Philippians and to Philemon, Michigan 1955

Beare, F. W., A Commentary on the Epistle to the Philippians (Black's NTC), London 1959

Boor, W. de, Die Briefe des Paulus an die Philipper und an die Kolosser (Wuppertaler Studienbibel), Wuppertal ²1962

Lohmeyer, E., Der Brief an die Philipper (KEK 9,1), Göttingen ¹³1964

Schlatter, A., Die Briefe an die Thessalonicher, Philipper, Timotheus und Titus, Ausgelegt für Bibelleser (Erläuterungen zum NT 8), Stuttgart 1964

Gnilka, J., Der Philipperbrief (HThK X,3), Freiburg–Basel–Wien 1968

Friedrich, G., Der Brief an die Philipper (NTD 8), Göttingen ¹²1970

E. Zum Philemonbrief:

Meyer, H. A. W., (s. Phil)

Holtzmann, H., Der Brief an den Philemon, kritisch untersucht, in: ZWTh 16 (1873) 428–441

Oosterzee, J. J. van, Die Pastoralbriefe und der Brief an Philemon, Theologisch-homiletisch bearbeitet (Theologisch-homiletisches Bibelwerk, hg. v. J. P. Lange), Bielefeld–Leipzig ³1874

Lightfoot, J. B., Saint Paul's Epistles to the Colossians and to Philemon, London 1886 (Grand Rapids, Michigan o. J.)

Soden, H. v., Die Briefe an die Kolosser, Epheser, Philemon. Die Pastoralbriefe (Hand-Commentar zum NT III,1), Freiburg-Leipzig ²1893

Vincent, M. R., (s. Phil)

Haupt, E., (s. Phil)

Ewald, P., Die Briefe des Paulus an die Epheser, Kolosser und Philemon (Kommentar zum NT, hg. v. Th. Zahn, Band X), Leipzig 1905

Schumann, A., Paulus an Philemon, Leipzig 1908

Lueken, W., Die Briefe an Philemon, an die Kolosser und an die Epheser (SNT II), Göttingen ³1917

Eisentraut, E., Des hl. Apostels Paulus Brief an Philemon, Eingehender Kommentar und zugleich Einführung in die Paulusbriefe, Würzburg 1928

Scott, E. F., The Epistles of Paul to the Colossians, to Philemon and to the Ephesians (Moffatt NTC), London 1930

278   *Literaturverzeichnis*

Meinertz, M., Der Philemonbrief (Die Heilige Schrift des NT VII, hg. v. F. Tillmann), Bonn ⁴1931

Radford, L. B., The Epistle to the Colossians and the Epistle to Philemon (Westminster Commentaries), London 1931

Bieder, W., Der Philemonbrief (Prophezei, Schweizerisches Bibelwerk für die Gemeinde), Zürich 1944

Dibelius, M.,–Greeven, H., An die Kolosser, Epheser, an Philemon (HNT 12), 3. Auflage neu bearbeitet von H. Greeven, Tübingen 1953

Müller, J. J., (s. Phil)

Moule, C. F. D., The Epistles of Paul the Apostle to the Colossians and to Philemon (Cambridge Greek Testament Commentary), Cambridge 1957

Lohmeyer, E., Die Briefe an die Kolosser und an Philemon (KEK 9,2), Göttingen ¹²1961

Jang, L. K., Der Philemonbrief im Zusammenhang mit dem theologischen Denken des Apostels Paulus, Diss. Maschinenschrift, Bonn 1964

Thompson, G. H. P., The Letters of Paul to the Ephesians, to the Colossians and to Philemon (The Cambridge Bible Commentary), Cambridge 1967

Lohse, E., Die Briefe an die Kolosser und an Philemon (KEK 9,2), Göttingen ¹⁴1968

Friedrich, G., Der Brief an Philemon (NTD 8), Göttingen ¹²1970

II. Monographien und Aufsätze:

Aalen, S., Das Abendmahl als Opfermahl im Neuen Testament, in: NT 6 (1963) 128–152

Adam, K., Das Wesen des Katholizismus, Düsseldorf ³1926

Allo, E. B., La portée de la collecte pour Jérusalem dans les plans de saint Paul, in: RB 45 (1936) 529–37

Althaus, P., Communio sanctorum, Die Gemeinde im lutherischen Kirchengedanken, München 1929

Andresen, C., Die Kirchen der alten Christenheit (Die Religionen der Menschheit, Band 29 1/2), Stuttgart–Berlin–Köln–Mainz 1971

Asmussen, H., Abendmahlsgemeinschaft?, in: Abendmahlsgemeinschaft? (BEvTh 3), München 1937, 5–35

Aulén, G., Ein Buch von der Kirche, Berlin 1950

Aulén, G., Die Einheit der Kirche, in: Ein Buch von der Kirche, Berlin 1950, 466–488

Barth, K., Die Kirche und die Kirchen, in: ThEx 27 (1935) 4–24

Bauer, W., Rechtgläubigkeit und Ketzerei im ältesten Christentum (BHTh 10), Tübingen ²1964

Baur, F. C., Paulus, der Apostel Jesu Christi, Sein Leben und Wirken, seine Briefe und seine Lehre, Ein Beitrag zu einer kritischen Geschichte des Urchristentums, Stuttgart 1845, 2. Auflage, Nach dem Tode des Verfassers besorgt von E. Zeller, I. Teil, Leipzig 1866, II. Teil, Leipzig 1867

Bläser, P., Eucharistie und Einheit der Kirche in der Verkündigung, in: ThGl 50 (1960) 419–432

Blank, J., Paulus und Jesus, Eine theologische Grundlegung (StANT XVIII), München 1968

Bohren, R., Das Problem der Kirchenzucht im Neuen Testament, Zürich 1952

Bonhoeffer, D., Sanctorum Communio, Eine dogmatische Untersuchung zur Soziologie der Kirche (ThB 3), München ³1960

Bori, P. C., KOINΩNIA, L'idea della comunione nell' ecclesiologia recente e nel Nuovo Testamento, Brescia 1972

Bornkamm, G., Die Erbauung der Gemeinde als Leib Christi, in: Das Ende des Gesetzes (BEvTh 16), München ³1961, 113–123

Bornkamm, G., Herrenmahl und Kirche bei Paulus, in: ZThK 53 (1956) 312–349 (zitiert)

Bornkamm, G., Herrenmahl und Kirche bei Paulus, in: Studien zu Antike und Urchristentum, Gesammelte Aufsätze II, 1959, 138–176

Bornkamm, G., Paulus (UB 119), Stuttgart–Berlin–Köln–Mainz ²1970

Borse, U., Der Standort des Galaterbriefes (BBB 41), Köln–Bonn 1972

Bousset, W.–Gressmann, H., Die Religion des Judentums im späthellenistischen Zeitalter (HNT 21), Tübingen ³1926 (Nachdruck ⁴1966)

Bria, J., Koinonia als kanonische Gemeinschaft – Aktuelle Perspektiven, in: »Auf dem Weg zur Einheit des Glaubens« (Pro Oriente 1976), Innsbruck–Wien–München 1976, 137–147

Brown, S., Koinonia as the Basis of New Testament Ecclesiology?, in: OiC 12 (1970) 157–167

Büchsel, F., Der Geist Gottes im Neuen Testament, Gütersloh 1926

Bultmann, R., Theologie des Neuen Testaments, Tübingen ⁵1965 (⁶1968)

Campbell, T. Y., Κοινωνία and its Cognates in the New Testament, in: JBL 51 (1932) 352–380

Campenhausen, H. v., Kirchliches Amt und geistliche Vollmacht in den ersten drei Jahrhunderten (BHTh 14), Tübingen ²1963

Carr, A., The ›fellowship‹ of Acts 2,42 and cognate words, in: Exp. 8,5 (1913) 458–464

Cerfaux, L., La Théologie de l'Église suivant saint Paul (UnSa 54), Paris ³1965

Conzelmann, H., Grundriß der Theologie des Neuen Testaments, München 1967

Conzelmann, H., Geschichte des Urchristentums (GNT 5), Göttingen 1969

Cordes, C., Der Gemeinschaftsbegriff im deutschen Katholizismus und Protestantismus der Gegenwart, Leipzig 1931

Currie, S. D., Koinonia in Christian Literature to 200 A. D., Emory University 1962

Dehn, G., Vom christlichen Leben, Auslegung des 12. und 13. Kapitels des Briefes an die Römer, in: BSt 6/7 (1954) 11–120

Deissmann, A., Paulus, Eine kultur- und religionsgeschichtliche Skizze, Tübingen ²1925

Delling, G., Das Abendmahlsgeschehen nach Paulus, in: Studien zum Neuen Testament und zum hellenistischen Judentum, Gesammelte Aufsätze 1950–1968, Göttingen 1970, 318–335; zuerst veröffentlicht in: KuD 10, Göttingen 1964, 61–77

Dobschütz, E. v., Sakrament und Symbol im Urchristentum, in: ThStKr 1905, 12 ff

Dobschütz, E. v., Zwei- und dreigliedrige Formeln, Ein Beitrag zur Vorgeschichte der Trinitätsformel, in: JBL 50 (1931) 117–147

Doebert, H., Herrenmahl und Kirchenordnung, in: EvTh 8 (1948/49) 481–501

Eckert, J., Die urchristliche Verkündigung im Streit zwischen Paulus und seinen Gegnern nach dem Galaterbrief (BU 6), Regensburg 1971

»Église Locale et Église Universelle«, ΤΟΠΙΚΗ ΚΑΙ ΚΑΤΑ ΤΗΝ ΟΙΚΟΥΜΕΝΗΝ ΕΚΚΛΗΣΙΑ. Edition du Centre Orthodoxe du Patriarcat Oecumenique, Chambesy-Genève 1981

Eichholz, G., Die Theologie des Paulus im Umriß, Neukirchen-Vluyn 1972

»Einheit im Geist – Vielfalt in den Kirchen«, Bericht der VIII. Vollversammlung der Konferenz Europäischer Kirchen 18.–25. Oktober 1979 Kreta (hg. v. d. Konferenz Europäischer Kirchen), Genf o. J.

Elert, W., Abendmahl und Kirchengemeinschaft in der alten Kirche hauptsächlich des Ostens, Berlin 1954

Elert, W., Abendmahl und Kirchengemeinschaft in der alten Kirche, in: Koinonia, Berlin 1957, 57–78

Endenburg, P. J. T., Koinoonia, En Gemeenschap van zaken bij de Grieken in den klassieken tijd, Amsterdam 1937

»Eucharistie und Priesteramt«, Eine Dokumentation über das Bonner Gespräch (ÖR.B 38), Frankfurt/Main 1980

Foerster, W., Abfassungszeit und Ziel des Galaterbriefes, in: Apophoreta, Festschrift f. E. Haenchen (BZNW 30), Berlin 1964, 135–141

Franklin, W. M., Die Kollekte des Paulus, Diss. Heidelberg, Pennsylvania USA 1938

Fries, H., Die Eucharistie und die Einheit der Kirche, in: Pro mundi vita, München 1960, 165–180

Fürst, H., Paulus und die »Säulen« der Jerusalemer Urgemeinde (Gal 2,6–9), in: AnBib 17/18 II (1963) 3–10

Gaechter, P., Petrus und seine Zeit, Neutestamentliche Studien, Innsbruck–Wien–München 1958

Geiselmann, J. R., Die theologische Anthropologie Johann Adam Möhlers, Freiburg 1955

George, A. R., Communion with God in the New Testament, London 1953

Georgi, D., Die Geschichte der Kollekte des Paulus für Jerusalem (ThF 38), Hamburg-Bergstedt 1965

Glombitza, O., Der Dank des Apostels, Zum Verständnis von Philipper IV 10–20, in: NT 7 (1964) 135–141

Gollwitzer, H., Luthers Abendmahlslehre, in: Abendmahlsgemeinschaft?, München 1937, 94–121

Goppelt, L., Kirchengemeinschaft und Abendmahlsgemeinschaft nach dem Neuen Testament, in: Koinonia, Berlin 1957, 24–33

Goppelt, L., Kirche und Häresie bei Paulus, in: Koinonia, Berlin 1957, 42–56

Greeven, H., Propheten, Lehrer, Vorsteher bei Paulus, in: ZNW 44 (1952/53) 1–43

Gregorios (Verghese), P., Notwendigkeit und Zeichen der Communio zwischen den Ortskirchen, in: US 32 (1977) 130–134

Greßmann, H., Ἡ κοινωνία τῶν δαιμονίων, in: ZNW 20 (1921) 224–230

Haenchen, E., Die Apostelgeschichte (KEK 3), Göttingen ¹⁴1965

Hahn, F., Einheit der Kirche und Kirchengemeinschaft in neutestamentlicher Sicht, in: Hahn, F., Kertelge, K., Schnackenburg, R., Einheit der Kirche, Grundlegung im Neuen Testament (QD 84), Freiburg–Basel–Wien 1979, 9–51

Hainz, J., Ekklesia, Strukturen paulinischer Gemeinde-Theologie und Gemeinde-Ordnung (BU 9), Regensburg 1972

Hainz, J., Die Anfänge des Bischofs- und Diakonenamtes, in: ders. (Hrsg.), Kirche im Werden, Studien zum Thema Amt und Gemeinde im Neuen Testament, Paderborn 1976, 91–107

Hainz, J., Gemeinschaft (κοινωνία) zwischen Paulus und Jerusalem (Gal 2,9f.), Zum paulinischen Verständnis von der Einheit der Kirche, in: Kontinuität und Einheit (FS Franz Mußner), Freiburg–Basel–Wien 1981, 30–42

Harkianakis, S., Orthodoxe Kirche und Katholizismus, Ähnliches und Verschiedenes, München 1978

Harnack, A. v., Die Mission und Ausbreitung des Christentums in den ersten drei Jahrhunderten, 1. Band, Leipzig ⁴1924 (Neudruck 1965)

Hatch, E., Die Gesellschaftsverfassung der christlichen Kirchen im Altertum, 8 Vorlesungen, Vom Verfasser autorisierte Übersetzung der 2. durchgesehenen Auflage (Oxford 1882), besorgt und mit Exkursen versehen von A. v. Harnack, Gießen 1883

Hauck, F., Art. κοινωνός, κοινωνεῖν, κοινωνία, συγκοινωνός, συγκοινωνεῖν, in: ThW III (1938) 798–810

Hausrath, A., Der Vier-Capitel-Brief des Paulus an die Korinther, Heidelberg 1870

Heitmüller, W., Taufe und Abendmahl im Urchristentum, Tübingen 1911

Hermann, I., Kyrios und Pneuma, Studien zur Christologie der paulinischen Hauptbriefe (StANT II), München 1961

Hertling, L., Communio und Primat, in: Xenia Piana (Miscellanea Historiae Pontificiae), Rom 1943, 1–48

Higgins, A. S. B., The Lord's Supper in the New Testament (Studies in Biblical Theology 6), London 1952

Holl, K., Luther als Erneuerer des christlichen Gemeinschaftsgedankens, in: Deutsch-Evangelisch 1917, 241–246

Holl, K., Der Kirchenbegriff des Paulus in seinem Verhältnis zu dem der Urgemeinde, in: SAB, Berlin 1921, 2. Halbband, 920–947; ferner in: Gesammelte Aufsätze zur Kirchengeschichte II: Der Osten, Tübingen 1928, 44–67; neuerdings auch in: Das Paulusbild in der neueren deutschen Forschung, hg. v. K. H. Rengstorf, Darmstadt 1964, 144–178

Hotz, R., Koinonia als kanonische Gemeinschaft – Aktuelle Perspektiven, in: »Auf dem Weg zur Einheit des Glaubens« (Pro Oriente 1976), Innsbruck–Wien–München 1976, 148–157

Jacobs, P.,–Kinder, E.,–Viering, F., Gegenwart Christi, Beitrag zum Abendmahlsgespräch in der Evangelischen Kirche in Deutschland, Göttingen ²1960

Jeremias, J., Die Abendmahlsworte Jesu, Göttingen ³1960 (⁴1965)

Jourdan, G., ΚΟΙΝΩΝΙΑ in I Corinthians 10,16, in: JBL 67 (1948) 111–124

Jülicher, A., Zur Geschichte der Abendmahlsfeier in der ältesten Kirche, in: Theologische Abhandlungen (Weizsäckerfestschrift), Freiburg 1892, 215–250

Käsemann, E., Das Abendmahl im Neuen Testament, in: Abendmahlsgemeinschaft?, München 1937, 60–93

Käsemann, E., Anliegen und Eigenart der paulinischen Abendmahlslehre, in: Exegetische Versuche und Besinnungen I, Göttingen ⁴1965, 11–34; zuerst veröffentlicht in: EvTh 7 (1947/48) 263–283

Käsemann, E., Das theologische Problem des Motivs vom Leibe Christi, in: Paulinische Perspektiven, Tübingen 1969, 178–210

Kallis, A., Volk Gottes und Lehrautorität, in: US 32 (1977) 139–151

Kallis, A., Orthodoxie, Was ist das? (Orthodoxe Perspektiven Band 1), Mainz 1979

Kallis, A., Philanthropia, Das Prinzip der Liebe in der orthodoxen Kirche und Theologie, in: Philoxenia (hg. v. A. Kallis), Münster 1980, 143–157

Karmiris, J., Orthodoxe Ekklesiologie (griechisch), Athen 1973

Keck, L. E., The Poor among the Saints in the New Testament, in: ZNW 56 (1965) 100–129

Kertelge, K., Abendmahlsgemeinschaft und Kirchengemeinschaft im Neuen Testament und in der Alten Kirche, in: Hahn, F., Kertelge, K., Schnackenburg, R., Einheit der Kirche, Grundlegung im Neuen Testament (QD 84), Freiburg–Basel–Wien 1979, 94–132

Kertelge, K., Kerygma und Koinonia, Zur theologischen Bestimmung der Kirche des Urchristentums, in: Kontinuität und Einheit (FS Franz Mußner), Freiburg–Basel–Wien 1981, 327–339

Kinder, E., Der evangelische Glaube und die Kirche, Grundzüge des evangelisch-lutherischen Kirchenverständnisses, Berlin 1958

Klauck, H.-J., Herrenmahl und hellenistischer Kult, Eine religionsgeschichtliche Untersuchung zum ersten Korintherbrief (NTA NF 15), Münster 1982

Klein, G., Galater 2,6–9 und die Geschichte der Jerusalemer Urgemeinde, in: ZThK 57 (1960) 275–295; jetzt auch in: Rekonstruktion und Interpretation, München 1969, 99–120; mit einem Nachtrag 121–128

Klinger, J., Die Koinonia als sakramentale Gemeinschaft – Aktuelle Perspektiven, in: »Auf dem Weg zur Einheit des Glaubens« (Pro Oriente 1976), Innsbruck–Wien–München 1976, 115–126

Koinonia, Arbeiten des Oekumenischen Ausschusses der Vereinigten Evangelisch-Lutherischen Kirche Deutschlands zur Frage der Kirchen- und Abendmahlsgemeinschaft, Berlin 1957

Krause, W. v., Was sagt uns das Neue Testament zur Frage der Kirchen- und Abendmahlsgemeinschaft, in: Koinonia, Berlin 1957, 34–41

Kümmel, W. G., Kirchenbegriff und Geschichtsbewußtsein in der Urgemeinde und bei Jesus (SyBU 1), Zürich–Uppsala 1943, Göttingen ²1968

Kümmel, W. G., Die Theologie des Neuen Testaments, nach seinen Hauptzeugen Jesus – Paulus – Johannes (GNT 3), Göttingen 1969

Larentzakis, G., Die dogmatische Begründung der Synodalität und der Gremialität, in: Pro Oriente 1975, Innsbruck–Wien–München 1975, 64–69

Lessig, H., Die Abendmahlsprobleme im Lichte der neutestamentlichen Forschung seit 1900, Diss. Bonn 1953

Lietzmann, H., Messe und Herrenmahl (AKG 8), Bonn 1926

Lubac, H. de, Katholizismus als Gemeinschaft, übersetzt v. H. U. v. Balthasar, Einsiedeln–Köln 1943

Lüdemann, G., Paulus, der Heidenapostel, Band I: Studien zur Chronologie, Göttingen 1980

Lütgert, W., Gesetz und Geist, Eine Untersuchung zur Vorgeschichte des Galaterbriefes (BFChTh 22,6), Gütersloh 1918

Maly, K., Mündige Gemeinde (SBM 2), Stuttgart 1967

Marco, A. di, KOINONIA – COMMUNIO: Flp 2,1, in: Laur. 3 (1980) 376–403

Maximos v. Sardes (Metropolit), Das ökumenische Patriarchat in der orthodoxen Kirche, Freiburg–Basel–Wien 1980

McDermott, M., The Biblical Doctrine of KOINΩNIA, in: BZ NF 19 (1975) 64–77.219–233

Meyendorff, J., Die orthodoxe Kirche gestern und heute (WuA 31), Salzburg 1963

Meyendorff, J., Zum Eucharistieverständnis der orthodoxen Kirche, in: Conc 3 (1967) 291–294

Meyendorff, J., Schwesterkirchen – Ekklesiologische Folgerungen aus dem Tomos Agapis, in:»Auf dem Weg zur Einheit des Glaubens« (Pro Oriente 1976), Innsbruck–Wien–München 1976, 41–53

Mörsdorf, K., Die Autonomie der Ortskirche, in: AfkKR 138 (1969) 388–405

Muñoz-Iglesias, S., Concepto Biblico de Κοινωνία, in: XIII Semaña Biblica Española. El Movimiento Ecumenistico, Madrid 1953, 195–223

Mühlsteiger, J., Sanctorum Communio, in: ZKTh 92 (1970) 113–132

Mußner, F., Christus, das All und die Kirche, Studien zur Theologie des Epheserbriefes (TThS 5), Trier 1955, v. a. 119–131

Neuenzeit, P., Das Herrenmahl, Studien zur paulinischen Eucharistieauffassung (StANT I), München 1960

Neugebauer, F., In Christus, Eine Untersuchung zum Paulinischen Glaubensverständnis, Göttingen 1961

Niesel, W., Vom heiligen Abendmahl Jesu Christi, in: Abendmahlsgemeinschaft?, München 1937, 36–59

Nissiotis, N. A., Die Theologie der Ostkirche im ökumenischen Dialog, Kirche und Welt in orthodoxer Sicht, Stuttgart 1968

Nygren, A., Corpus Christi, in: Ein Buch von der Kirche, hg. v. G. Aulén, Berlin 1950, 15–28

Odeberg, H., Der neuzeitliche Individualismus und der Kirchengedanke im Neuen Testament, in: Ein Buch von der Kirche, hg. v. G. Aulén, Berlin 1950, 73–84

Olsson, H., Sichtbarkeit und Verborgenheit der Kirche nach Luther, in: Ein Buch von der Kirche, hg. v. G. Aulén, Berlin 1950, 338–360

Otto, R., Reich Gottes und Menschensohn, Ein religionsgeschichtlicher Versuch, München ²1940

Padberg, R., Geordnete Liebe; Amt, Pneuma und kirchliche Einheit bei Ignatius v. Antiochien, in: Unio Christianorum (Festschrift für Erzbischof L. Jaeger), Paderborn 1962, 201–217

Panikulam, G., Koinōnia in the New Testament. A Dynamic Expression of Christian Life (AnBib 85), Rom 1979

Papakonstantinou, C., Hamilkar S. Alivisatos, Ein Griechischorthodoxer Theologe und Ökumeniker (Diss., masch.geschr.), Münster 1976

Papandreou, D., Eucharistie, in: Erni, R., – Papandreou, D., Eucharistiegemeinschaft, Der Standpunkt der Orthodoxie, Freiburg (Schweiz) 1974, 68–96

Patelos, C. G. (Hrsg.), The Orthodox Church in the Ecumenical Movement, Documents and Statements 1902–1975, Genf 1978

Quellette, L., L'Église, corps du Christ, Origine de l'expression chez Saint Paul, in: L'Église dans la Bible (Studia 13), 1962, 85–93

Rawlinson, A. E. J., The Christian Eucharist, London 1930

Rost, L., Die Vorstufen von Kirche und Synagoge im Alten Testament, Eine wortgeschichtliche Untersuchung (BWANT 24), Darmstadt ²1967 (unveränderter reprogr. Nachdruck der 1. Aufl. Stuttgart 1938)

Ruiz, J. M. G., Sentido comunitario-ecclesial de algunos sustantivos abstractos en San Pablo, in: EstB 17,1, Madrid 1958, 289–322

Saier, O.,»Communio« in der Lehre des Zweiten Vatikanischen Konzils, Eine rechtsbegriffliche Untersuchung (MThS.K Band 32), München 1973

Sampley, J. P., Societas Christi: Roman Law and Paul's Conception of the Christian Community, in: God's Christ and His People, Studies in Honour of N. A. Dahl, Oslo–Bergen–Tromsö 1977, 158–174

Saphiris, G., Die Eucharistie als Sacrificium und Commemoratio, in: Suttner, E. C. (Hrsg.), Eucharistie, Zeichen der Einheit, Regensburg 1970, 67–74

Sasse, H., Kirche und Herrenmahl, Ein Beitrag zum Verständnis des Altarsakraments, in: Bekennende Kirche 59/60 (1938) 5–79

Schauf, H., Zur Textgeschichte des 3. Kapitels von »Lumen Gentium«, in: MThZ 22 (1971) 95–118

Schmithals, W., Die Häretiker in Galatien, in: ZNW 47 (1956) 25–66; überarbeitete Fassung in: Paulus und die Gnostiker (ThF 35), Hamburg-Bergstedt 1965, 9–46

Schmithals, W., Die Gnosis in Korinth, Eine Untersuchung zu den Korintherbriefen (FRLANT 66), Göttingen 1956, 2. Auflage 1965 neu bearbeitet

Schmitz, O., Die Christus-Gemeinschaft des Paulus im Lichte seines Genetivgebrauchs (NTF 1. Reihe 2. Heft), Gütersloh 1924

Schnackenburg, R., Das Heilsgeschehen bei der Taufe nach dem Apostel Paulus, Eine Studie zur paulinischen Theologie (MThS I. Historische Abteilung, 1. Band), München 1950; 2. verb. Aufl.: Baptism in the Thought of St. Paul, Oxford 1964

Schnackenburg, R., Neutestamentliche Theologie, Der Stand der Forschung (BiH 1), München 1963 (²1965)

Schnackenburg, R., Die Einheit der Kirche unter dem Koinonia-Gedanken, in: Hahn, F., Kertelge, K., Schnackenburg, R., Einheit der Kirche. Grundlegung im Neuen Testament (QD 84), Freiburg–Basel–Wien 1979, 54–93

Schniewind, J., Bericht über ein Abendmahlsgespräch evangelischer Professoren in Frankfurt a. Main am 30. September und 1. Oktober 1947, in: Abendmahlsgespräch, hg. v. E. Schlink, Berlin 1952, 9–19

Schütte, H., Wiederentdeckung der Kirche in evangelischer Theologie, in: ThGl 50 (1960) 339–358

Schulz, H.-J., Ökumenische Glaubenseinheit aus eucharistischer Überlieferung (KKTS XXXIX), Paderborn 1976

Schulz, H.-J., Ortskirche und Gesamtkirche; Primat, Kollegialität und Synodalität, in: Église Locale et Église Universelle, Chambesy-Genève 1981, 177–198

Schulz, S., Katholisierende Tendenzen in Schliers Galater-Kommentar, in: KuD 5 (1959) 23–41

Schweizer, E., Gemeinde und Gemeindeordnung im Neuen Testament (AThANT 35), Zürich ²1962

Scott, C. A. A., The ›Fellowship‹, or κοινωνία, in: ET 35 (1923/24) 567

Scott, C. A. A., Christianity according to St Paul, Cambridge 1927

Seeberg, A., Der Katechismus der Urchristenheit, Leipzig 1903, Neudruck München 1966 (ThB 26), mit einer Einführung von F. Hahn

Seesemann, H., Der Begriff KOINΩNIA im Neuen Testament (BZNW 14), Gießen 1933

Slenczka, R., Ostkirche und Ökumene, Die Einheit der Kirche als dogmatisches Problem in der neueren ostkirchlichen Theologie, Göttingen 1962

Soden, H. v., Sakrament und Ethik bei Paulus, Zur Frage der literarischen und theologischen Einheitlichkeit von 1. Kor. 8–10, in: Marburger Theologische Studien 1 (Rudolf Otto-Festgruß), Gotha 1931, 1–40; ferner in: Urchristentum und Geschichte, Tübingen

1951, 239–275 (zitiert); neuerdings auch in: Das Paulusbild in der neueren deutschen Forschung, hg. v. K. H. Rengstorf, Darmstadt 1964, 338–379

Sohm, R.; Kirchenrecht, Band 1: Die geschichtlichen Grundlagen (Systematisches Handbuch der Deutschen Rechtswissenschaft, hg. v. K. Binding), Leipzig 1892

Sommerlath, E., Der Stand der Abendmahlsfrage, in: Abendmahlsgespräch, hg. v. E. Schlink, Berlin 1952, 23–54

Stakemeier, E., Die Eucharistie, die Einheit der Kirche und die Wiedervereinigung der Getrennten, in: ThGl 50 (1960) 241–262

»The Orthodox Church and the Churches of the Reformation«, A Survey of Orthodox-Protestant Dialogues (Faith and Order Paper 76), Genf 1975

Thornton, L. S., The Common Life in the Body of Christ, London ⁴1963

»Tomos Agapis«. Dokumentation zum Dialog der Liebe zwischen dem Hl. Stuhl und dem Ökumenischen Patriarchat 1958–1976 (Pro Oriente 1978), Innsbruck–Wien–München 1978

Tönnies, F., Gemeinschaft und Gesellschaft, Grundbegriffe der reinen Soziologie, Darmstadt ²1963 (Nachdruck der 8. Aufl. von 1935)

Viering, F., Christus und die Kirche in römisch-katholischer Sicht, Ekklesiologische Probleme zwischen dem ersten und zweiten vatikanischen Konzil (KiKonf 1), Göttingen 1962

Vischer, L., Die lokale Kirche – Ort der Gegenwart Christi in der Kraft des Heiligen Geistes, Der Beitrag der orthodoxen Kirche und Theologie zur ökumenischen Diskussion über ein zentrales Thema der Ekklesiologie, in: Église Locale et Église Universelle, Chambesy-Genève 1981, 297–307

Wegenast, K., Das Verständnis der Tradition bei Paulus und in den Deuteropaulinen (WMANT 8), Neukirchen 1962, v. a. 132–158

Weizsäcker, C., Das apostolische Zeitalter der christlichen Kirche (Freiburg 1892), Tübingen und Leipzig ³1902

Wood, W. S., Fellowship, in: Exp. 8,21 (1921) 32–40

Zizioulas, J. D., Die Einheit der Kirche in der Eucharistie und im Bischof während der ersten drei Jahrhunderte (griechisch), Athen 1965

Zizioulas, J. D., La Communauté eucharistique et la Catholicité de l'Église, in: Ist 14 (1969) 67–88

Zizioulas, J. D., Die Eucharistie in der neuzeitlichen orthodoxen Theologie, in: Die Anrufung des Heiligen Geistes im Abendmahl (ÖR.B 31), Frankfurt/Main 1977, 163–179

Stellenregister

I. Altes Testament

II. Jüdische Literatur

III. Neues Testament

Autorenregister

Aalen, S. 171
Adam, K. 232, 256
Afanasieff, N. 258, 267, 269f.
Allmen, J.-J. v. 257
Allo, E. B. 47, 49, 59, 102, 137, 142f., 145, 160, 196, 205
Althaus, P. 67, 72, 84, 111f., 145f., 149, 207f., 212, 214, 246, 255f.
Amiot, F. 67, 72
Andresen, C. 209, 214–217, 219–223, 225f., 228f., 238
Asmussen, H. 252, 255
Aulén, G. 255
Aymans, W. 233

Bachmann, Ph. 100–102, 104, 135–143, 205
Bardenhewer, O. 145–147
Barr, J. 185
Barrett, C. K. 35, 115f., 145, 173
Barth, K. 52, 90, 112, 115, 118, 150, 255
Bauer, W. 19, 65, 76, 80f., 217
Baur, F. C. 63
Beare, F. W. 53f., 90, 97–99, 114
Beer, G. 170
Behm, J. 194
Belser, J. 47, 100–102, 106, 137f., 144, 204f.
Benz, E. 242
Berger, K. 151, 198
Beyer, H. W. 71
Bieder, W. 107, 109
Bisping, A. 49, 52, 66, 69, 72, 78f., 82, 89f., 96, 98, 100f., 113f., 118, 125–127, 132, 138, 144, 146, 148, 150
Bläser, P. 178, 232
Blank, J. 100, 119
Blaß, F. – Debrunner, A. 19, 76, 136
Bohren, R. 215f.
Bonhoeffer, D. 12, 46, 249
Boor, W. de 48, 51f., 90f., 99f., 104, 106, 113, 138, 141, 143f., 205
Bori, P. C. 182–185, 191, 195, 203
Bornkamm, G. 22–24, 33f., 36–41, 130–132
Borse, U. 161

Bousset, W. 19, 27f., 34–36, 67, 75, 88, 124f., 133, 170
Bria, J. 265
Bring, R. 87, 123, 133
Brown, S. 188f., 199
Brunner, E. 111f., 148, 150
Büchsel, F. 50
Buonaiuti, E. 242
Bultmann, R. 36, 40f., 44, 235
Burton, E. 73, 76, 78, 82, 87, 125, 131f., 134
Buzy, D. 69, 72, 75, 86

Campbell, T. Y. 27, 104, 162–165, 167f., 173, 180, 182, 185, 195
Campenhausen, H. v. 218, 254
Casel, O. 257
Carr, A. 167
Cerfaux, L. 35, 43, 45
Conzelmann, H. 16f., 33f., 36–39, 41f., 45f., 120f., 127, 133
Cordes, C. 13, 232, 242, 256
Cornely, R. 112, 116
Cremer – Kögel 88
Currie, S. D. 178–181, 196

Dahl, N. A. 189
Dalmer, J. 80, 86, 123, 127f.
Dehn, G. 115f.
Deissmann, A. 34
Delling, G. 212, 249, 254
Dibelius, M. 89f., 92f., 96, 99, 106f., 109, 113f.
Dix, G. 170, 257
Dobschütz, E. v. 12, 18, 30, 48f., 189
Dodd, C. H. 112, 115f., 149
Doebert, H. 252f.

Eckert, J. 69, 123–127
Eichholz, G. 37–39, 41
Eisentraut, E. 106–108
Elert, W. 12f., 179, 206–231, 247, 251, 257
Endenburg, P. J. T. 163, 168
Erni, R. 260
Ewald, P. 52, 90f., 93, 95–97, 106, 108, 110, 112–114, 118

BIBLISCHE UNTERSUCHUNGEN

Herausgegeben von Jost Eckert und Josef Hainz

VERLAG
FRIEDRICH
PUSTET
REGENSBURG

Band 8   Emmeram Kränkl
Jesus der Knecht Gottes
Die heilsgeschichtliche Stellung Jesu in den Reden der Apostelgeschichte. 239 Seiten, kartoniert DM 46,–

Band 9   Josef Hainz
Ekklesia
Strukturen paulinischer Gemeinde-Theologie und Gemeinde-Ordnung. 400 Seiten, kartoniert DM 68,–

Band 10   Franz Laub
Eschatologische Verkündigung und Lebensgestaltung nach Paulus
Eine Untersuchung zum Wirken des Apostels beim Aufbau der Gemeinde in Thessalonike. XII, 225 Seiten, kartoniert DM 46,–

Band 11   Alexander Sand
Das Gesetz und die Propheten
Untersuchungen zur Theologie des Evangeliums nach Mattäus. XIV, 246 Seiten, kartoniert DM 49,–

Band 12   nicht erschienen

Band 13   Georg Richter
Studien zum Johannesevangelium
Herausgegeben von Josef Hainz. X, 458 Seiten, kartoniert DM 74,–

Band 14   Hans-Jörg Steichele
Der leidende Sohn Gottes
Eine Untersuchung einiger alttestamentlicher Motive in der Christologie des Markus-Evangeliums – zugleich ein Beitrag zur Erhellung des überlieferungsgeschichtlichen Zusammenhangs zwischen Altem und Neuem Testament. 348 Seiten, kartoniert DM 45,–

Band 15   Franz Laub
Bekenntnis und Auslegung
Die paränetische Funktion der Christologie im Hebräerbrief.
VII, 304 Seiten, kartoniert DM 64,–

VERLAG
FRIEDRICH
PUSTET
REGENSBURG